DIVA

HELENA MATHEOPOULOS

DIVA

Javier Vergara Editor s.a.
Buenos Aires / Madrid / México
Santiago de Chile / Bogotá / Caracas

Título original
DIVA

Edición original
Victor Gollancz Ltd.

Traducción
Gloria Lezama

Revisión musical
Walter E. Rosenberg

ISBN 950-15-1285-1

Impreso en la Argentina/Printed in Argentine.
Depositado de acuerdo a la Ley 11.723

Esta edición terminó de imprimirse en
VERLAP S.A. - Producciones Gráficas
Vieytes 1534 - Buenos Aires - Argentina
en el mes de abril de 1993.

*A los espíritus iluminados de Hamet, el
Sacerdote, y de Ingrid Lind, Lady Fraser.*

*"Kein Musik is ya nicht auf Erden
die unsrer verglichen kan werden."*

Des Knaben Wunderhorn

Agradecimientos

Ante todo, quisiera agradecer a Livia Gollancz por haber depositado su fe en este libro, y a Richard Wigmore por su estímulo.

En segundo lugar a mis amigos Richard Byron, Sarah Granito de Belmonte, Alexandra Eversole, Oliver Gilmour, Willie Hancock, Peter Katona, sir Emmanuel Kaye, Victor Sebek, Augustin von Paege, sir Trevor Holdsworth, conde Spiro Flambouriari, James D'Albiac, Augustin Blanco, lady Russell, Harriet Crawley, Giorgio del Fabbro, Docy Parigoris, Wilfred Davies, mi primo Nicky Broudo, y Daphne Voelin, por su presencia vital durante estos meses de ardua tarea.

Y agradezco también a: Peter Adam, Peter Alward, Isabel Caballé, John Davern, Colin Deane, Hugh von Dusen; Caroline Woodfield y Penelope Marland, de la John Coast Agency, por su especial y constante ayuda. A Eve Edwards, Piero Faggioni; Carol Felton, ex agente de prensa del Metropolitan Opera; Ubaldo Gardini, Susan Gould, Tom Graham de Harrison Parrot; Patricia Greenan, Jane Livingstone, agente de prensa de la Opera Nacional Inglesa; sir Peter Hall, Ron Hall, frau Dina Hausjell, de la Oficina de Prensa del Festival de Salzburgo; doctor Germinal Hilbert, Basil Horsefield, John Hunt, que me ayudaron tanto en cuanto al aporte material informativo.

A Peter Jonas, director administrativo de la Opera Nacional Inglesa; Trevor Jones, administrador de la Royal Opera House de Covent Garden; Tony Kaye, doctor Eddie Khambatta, Lothar Knessl, de la Oficina de Prensa de la Opera de Viena; Mary Jo Little, de Classic A & R, Deutsche Grammophon; sir Charles Mackerras, Leone Magiera, Yehuda Shapiro, agente internacional de Prensa de EMI International; Elijah Moshinsky; a la Oficina de Prensa de la Opera del Estado de Baviera; Robert Rattray de Lies Askonas Ltd.; Janine Reiss; Vera Rosza, John Schlesinger, y Hilary Sheard de PolyGram.

A Alan Sievewright, de cuya sabiduría y conocimiento de la voz fui constante beneficiaria; Nicholas Snowman, administrador artístico del South Bank; sir John Tooley, ex director general de la Royal Opera House de Covent Garden, que me dispensó generosamente su tiempo y sus ideas durante los tres últimos años; Gloria Villardell; Edgard Vincent, Cynthia Robbins y Joe Reece, de Edgard Vincent Associates de Nueva York; Nina Walker; Catherine Waltrafen, agente de prensa de la Opera de París; doctor Hans Widrich, agente de prensa del Festival de Salzburgo; Katharine Wilkinson, quien antes de morir fuera agente de prensa de la Opera en el Covent Garden, cuya amistad y apoyo extrañaré siempre; Jackie Watson, Helen Anderson y Kate Hardy, agentes de prensa de Opera de la Royal Opera House del Covent Garden; Serena Woolf, ex agente de prensa clásica de Decca Records, que está ahora en Nimbus Records.

Una vez más, gracias a Herbert von Karajan y a James Levine, que me brindaron sus inspirados consejos sobre la voz, el canto, el presente y futuro de la ópera, mientras yo escribía mi libro anterior, *Maestro: Encuentros con directores de orquesta de hoy*, del cual he hecho uso, frecuentemente.

Indice

MEZZOSOPRANOS

Prólogo

Este libro fue concebido como un complemento para BRAVO, en el cual los más grandes cantantes de la actualidad hablaron sobre sus repertorios y sobre el arte del canto.

En esencia, los dos libros tienen el mismo propósito: escuchar a los artistas que analizan, desde el punto de vista vocal y dramático, algunos de los papeles en los que se destacaron. Seguimos así su desarrollo vocal, los distintos aspectos de la lírica y conocemos los consejos que pueden brindar a los cantantes jóvenes. Pero DIVA tiene una diferencia fundamental con BRAVO: las cantantes valoran mucho más su vida privada. Todas las artistas se refirieron espontáneamente a este factor, y consideraron la estabilidad y satisfacción personal como un elemento de gran importancia para el cumplimiento del potencial artístico, cosa que no ocurrió con sus equivalentes del otro sexo.

Estas páginas no constituyen el lugar indicado para ahondar en los resquicios psicológicos de tal actitud. Pero es cierto que su existencia peripatética –de festival en festival, de hotel en hotel– es particularmente solitaria y deprimente para las mujeres. "Me dan pena las chicas que están solas en esta profesión", dice Josephine Barstow, a propósito del tema. En realidad, son pocas las artistas –y esas pocas son personalmente fuertes, llenas de confianza en sí mismas– que han llegado a la cima sin el apoyo constante de un compañero.

El papel de esa raza frecuentemente calumniada –el marido de la diva– no debería ser subestimado. En general, es quien se ocupa de aliviar a la diva de la cansada y aburrida rutina diaria, sin buscar un lugar destacado. El marido ideal lo hace sin interferir en las decisiones artísticas o sin asumir el papel de representante artístico para el que pocas veces está preparado. Sería pedir mucho a un hombre. Sin embargo, muchas de las divas que hablan en este libro parecen haberlo encontrado en su segundo marido, si no en el primero. Sospecho que estos caballeros son los héroes ignorados de este libro.

Como los capítulos de este libro fueron escritos para ser leídos individual o consecutivamente, algunos puntos generales sobre la vida operística de hoy o las exigencias estilísticas de determinados compositores, pueden encontrarse repetidos. La selección de las artistas es personal. Es obvio el motivo por el que se eligieron muchas de ellas, dada la importancia de sus carreras. Hay omisiones notables: Marilyn Horne, que ha escrito su propio libro y piensa que está todo dicho; Jessie Norman, que está haciéndolo ahora; y Margaret Price y María Ewing no quisieron ser incluidas. Shirley Verrett y Kathleen Battle fueron omitidas porque, a pesar de varios intentos, fue imposible concertar una entrevista. Problemas de espacio impidieron la inclusión de algunas artistas jóvenes de primer orden, como Carol Vaness, Ann Sofie von Otter, y Karita Mattila, quienes han llegado a destacarse en los últimos tres años, cuando el espacio disponible ya estaba cubierto.

En años recientes han surgido otras cantantes, por ejemplo Marie MacLaughlin y posteriormente Cecilia Bartoli, pero tampoco aparecen en este volumen. La lírica es una profesión en la cual es fácil hacer juicios apresurados. Sólo el tiempo dirá si la calidad de esas cantantes es verdaderamente perdurable.

Glosario

A CAPPELLA: canto sin acompañamiento.

APPOGGIATURA: término derivado del verbo italiano "appoggiare", apoyar. Es una nota de adorno insertada antes de una nota pero que debe ser cantada en la misma longitud, para apoyar o enfatizar una progresión melódica o armónica.

BEL CANTO: literalmente "canto bello". Se refiere al canto del siglo diecinueve, cuando la belleza de la representación vocal era más importante que la dramática. En este libro los compositores del *bel canto* mencionados con mayor frecuencia son Bellini, Donizetti y Rossini.

CABALETTA: en la ópera del siglo diecinueve, la parte más rápida con que terminaba un aria o conjunto. A principios de ese siglo, se aplicaba a un aria independiente en tempo vivo.

CANTABILE: literalmente "melodioso"; indica *legato*, canto expresivo.

CAVATINA: desde el punto de vista técnico es un aria corta, pero hoy se usa para designar una amplia variedad de tipos de canto. Antes carecía prácticamente de significación.

"CUBRIR" UNA NOTA: atenuar la sonoridad de una nota. Se canta con la garganta "cerrada", o sea, induciendo a la laringe a "flotar" hacia abajo antes que hacia arriba.

DA CAPO: empezar de nuevo

FIORITURA: adorno vocal florido.

LEGATO: del verbo italiano "legare", atar o ligar. Se refiere a un canto parejo, suave, en oposición a *staccato*.

LIRICO-SPINTO: del verbo italiano "spingere", empujar. Se aplica a una voz lírica tendiendo a ser dramática.

MESSA DI VOCE: crescendo y diminuendo en una frase o nota.

MEZZA VOCE: literalmente "media voz". Se refiere a un canto suave, pero no

tanto como piano. Es una manera especial de cantar como quedándo-
se corto de aliento, refiriéndose no sólo al volumen sino a una cualidad diferente de la que se lograría al cantar a plena voz.

PASSAGGIO: se llama así a la ubicación de las notas mi, fa y sol entre el registro alto y el de pecho.

PIANO: significa suave refiriéndose al volumen.

   PIANISSIMO: muy suave.

   FORTE: fuerte.

   FORTISSIMO: muy fuerte.

PORTAMENTO: del italiano "portare", llevar. Significa que los cantantes se
deslizan de una nota a otra sin ningún corte.

RECITATIVO: pasajes declamatorios imitando un discurso; precede a arias,
dúos y conjuntos. Se usaban especialmente en las óperas del siglo dieciocho.

REGISTRO: Término empleado para designar cierto tipo de emisión vocal:
de "pecho", "mediano", o de "cabeza".

RUBATO: literalmente "tiempo robado". Manera de representar sin ceñirse
con estrictez al tiempo musical.

SOLFEO: método elemental de enseñar a leer música a primera vista y adies-
trar el oído. Los nombres de las notas se pronuncian al mismo tiempo que se cantan sin acompañamiento. Es un sistema muy utilizado
en Francia e Italia.

TESSITURA: literalmente es "textura". Se aplica al tono promedio de un aria
o rol. A pesar de la ausencia de notas especialmente altas o bajas, una
parte puede clasificarse según el recorrido o *tessitura*.

VERISMO: se traduce como "realismo". Es lo contrario del *bel canto*; lo
dramático es tan importante como la belleza en el modo de cantar. Es
un género posterior a Verdi e incluye a compositores como Puccini,
Mascagni, Leoncavallo, Zandonai y Giordano. Se usa también el adjetivo "veristic", realista, que se aplica a la manera de cantar las obras
de esos músicos, más libremente y con menos precisión que las de
otros, como por ejemplo Mozart.

VOCALIZAR: ejercitar la voz. Puede ser una canción o ejercicio específica-
mente compuesto sin letra.

Introducción: La ópera, hoy

Esta sección ha sido reproducida, con modificaciones, de BRAVO

Desde la época de Verdi, cuando la ópera era el genuino, vívido teatro de su tiempo, ese género no había sido tan popular como lo es hoy. Las salas de ópera han proliferado, nuevos festivales –como Buxton, Santa Fe, Hohenems, Pesaro y Macerata, para nombrar sólo unos pocos– surgen regularmente tanto en Europa como en América, y en los últimos años ha habido una explosión de público interesado en el tema. Las óperas en el cine, como *Don Giovanni* de Losey, *La Traviata* de Zeffirelli y *Carmen* de Rossi, se han representado, y algunas se representan todavía, durante largas y productivas temporadas en la mayoría de las grandes ciudades. Las salas de grabaciones o vídeos sobre ópera son un *boom*, y en televisión se ve gran cantidad de transmisiones en directo, películas y clases magistrales dirigidas por famosos cantantes. Los jóvenes acuden a los teatros dedicados a la ópera y se puede ver un número considerable de "primerizos".

Son varios los factores determinantes de este interés masivo: nostalgia por una forma de arte hoy esencialmente muerto –ya que desde la guerra se han agregado pocas obras al repertorio–; modernas técnicas de mercado, y el esfuerzo que superestrellas como Luciano Pavarotti y Plácido Domingo hacen por aumentar el volumen del público mediante recitales y representaciones en parques y estadios con capacidad para veinte o a veces cincuenta mil personas. Como resultado, millones de personas que por razones geográficas u otras circunstancias se veían privadas de asistir al teatro, acceden hoy a la experiencia única, excitante y mágica de la ópera. Apunta al respecto Peter Jonas, director administrativo de la Opera Nacional Inglesa, que "es raro encontrar a alguien que no sepa lo que es la ópera, mientras que veinte años atrás, tanto en Inglaterra como en América, mucha gente ni siquiera había oído hablar de ella".

Pero el mayor motivo de este resurgimiento es la creciente calidad del producto en sí mismo. La ópera no hubiera sobrevivido, muchos menos florecido, en esta época de criterio esencialmente cinematográfico de la credibilidad dramática, de no haberse dado una verdadera transformación en los años cincuenta y principios de los sesenta: la revolución Callas/Visconti/Wieland Wagner terminó con el concepto de que ópera es "sólo canto". Remplazó los telones de fondo, crudamente realistas, por teatro creíble, y la invistió de unidad dramático-musical, imprescindible para esta forma de arte. María Callas lo consiguió mediante representaciones de la mayor intensidad dramática, viviendo los personajes en cuerpo y alma, usando siempre la partitura como guía e inspiración. Luchino Visconti lo hizo merced al realismo sin precedente de sus producciones, y Wieland Wagner, nieto del gran compositor, "destrozando de un golpe los ampulosos simbolismos y convenciones del siglo diecinueve", según palabras de Rolf Liebermann, ex intendente de la Opera del Estado de Hamburgo y de la Opera de París. Esto significó una nueva forma de expresión, que nuestra época puede entender, y que lógicamente desató críticas escandalizadas, burlas, y por fin elogios.

Por supuesto que esto es una simplificación, porque se podrían escribir volúmenes sobre la revolución y sus autores, y porque décadas antes que Callas, la ópera tuvo su primer gran cantante actor en Feodor Chaliapin (1873-1938), el bajo ruso cuyas representaciones desplegaban aparentemente la misma credibilidad y ardiente intensidad. Pero fue un faro solitario en una época dramáticamente primitiva para la ópera, cuyo público consistía en su mayor parte en aficionados antojadizos, especie que todavía existe pero afortunadamente en vías de extinción. La revolución Callas/Visconti/Wieland Wagner tuvo un impacto profundo y duradero en el desenvolvimiento de la ópera, ayudada por la simultaneidad con que otros grandes artistas empezaron a concebir las cosas de la misma manera. Los tres genios fueron el pivote en un vasto movimiento que incluye también productores inspirados e influyentes como Günther Rennert y Walter Felsenstein, y cantantes actores de la talla de Tito Gobbi, Hans Hotter y Boris Christoff, que desempeñaron un papel fundamental en difundir la nueva imagen de la ópera en todo el mundo musical.

Era el momento oportuno. Como Rolf Lieberman destaca con acierto, los bombardeos habían destruido las salas de ópera alemanas, sus decorados y vestuarios habían ardido, y el público, aturdido ante las experiencias recientes, se envolvía en sus bufandas en teatros húmedos y sin calefacción. Por lo tanto el inconsciente colectivo era más receptivo al total realismo de las nuevas producciones y a la aproximación psicológica de los productores. Ellos y sus calumniados sucesores, los productores de hoy, han cambiado en cada hombre el concepto de lo que es ópera. "Lo más grande de una obra de arte es que trasciende el tiempo y la moda; se conserva a través de las épocas", dice Michael Geliot en *Opera*. "¿Queremos que Shakespeare sea representado en réplicas del Teatro del Globo y hablado con el acento de su época? ¿Queremos un Verdi fosilizado en el siglo diecinueve, porque hay críticos que pueden investigar el estilo 'auténtico'? ¿Queremos a Mozart decorado musicológicamente de acuerdo con los caprichos del siglo dieciocho?"

No lo creo. Hemos llegado a un punto en que muchos compartimos la premisa de Elijah Moshinsky: "La representación de la ópera debe ser preservada de cierta esencial amenaza dramática inmersa en ella. Para que la obra se mantenga viva ante el público, los artistas y uno mismo, es necesario sentirse libre para interpretarla: de otro modo se termina en pura repetición de lo tradicional. Observando la D'Oyly Carte Company del Berliner Ensemble, se comprueban los daños. Por eso me resisto a la corriente actual según la cual basta con reproducir las instrucciones del compositor. Ese no es el punto. ¡Hay que representar la obra! Se puede, fácilmente, seguir las instrucciones y al mismo tiempo estropear la ópera. Hay una carta de Wieland Wagner, que me parece altamente significativa, en la que dice que viviendo en la era de Picasso y Matisse, no se siente obligado a compartir el gusto visual de su abuelo."

Sin embargo algunas personas, incluyendo a sir Peter Hall, entonces director del Teatro Nacional y director artístico del Glyndebourne Festival Opera, piensan que hay otro aspecto por contemplar, y es que el gigantesco paso dramático dado por la ópera ha terminado en dar tanta libertad a los productores, que frecuentemente omiten expresar o seguir la música en forma suficientemente fiel. "Soy un militante de lo clásico. Creo que debemos llegar a las palabras a través de la música y que el trabajo del productor y del director de orquesta es tratar de revelar la pieza ante el público. No estoy de acuerdo en que su función sea hacer públicas las fantasías personales a que los induce la música. Hay muchos que lo hacen, y no me gusta. No me daña, pero me aburre y a veces me causa gracia, porque es más fácil montar la ópera en algún nuevo período *jazzístico* y darle cierta forma de resonancia histórica, cosa que ni se ha cruzado por la mente del compositor o del libretista, que son quienes raelizaron la obra. Es en este sentido en el que el poder de los productores ha significado una pérdida." Desde que sir Peter Hall expresara estas ideas, en 1986, ha habido señales de fatiga ante las "artimañas de los directores" y ante la tendencia de muchos a recurrir a la novedad por gusto a la novedad misma. Se percibe más y más la necesidad de producciones "honestas" que no interfieran en las obras, pero la doten de las percepciones de hoy.

La mayoría de las cantantes que figuran en este libro comparten los recelos de sir Peter Hall, aunque no siempre por los motivos más puros. Tienden a referirse a nuestra época como "el azote de los productores", y les atribuyen alguna responsabilidad por la lamentable declinación vocal en proporción inversa con el avance dramático hecho por la ópera. Atribuyen este fenómeno a la desaparición del tipo clásico de director de gran experiencia como Tullio Serafin, Vittorio Gui y Antonino Votto, que sabían de ópera y de voces, y tenían la paciencia, la visión y el deseo de actuar como maestros, educando a los cantantes jóvenes y guiando su desarrollo vocal.

Es injusto pensar que la declinación que estamos viendo se deba a los productores, aunque algunos de ellos son culpables de traicionar el espíritu de la obra. La única queja legítima en el aspecto *vocal* que pueden tener las cantantes con respecto de los productores es su sugerencia de que ellas adoptan a veces posiciones que no las conducen a cantar lo mejor que pueden. Pero este es un detalle que generalmente se soluciona en los ensayos. "De lo que realmente abominan las cantantes es de la preferencia de los productores por trabajar con artistas que no sólo canten bien, sino que además actúen bien y sean lindas", dice Peter Jonas.

"Creo que probablemente es cierto que vivimos la era del productor, pero no que sean necesariamente un azote", continúa. "Todo depende de que hablemos de la ópera como un todo, de lo que uno cree que es la ópera. Si uno piensa que es teatro, si cree que la Opera Nacional Inglesa o la de Viena o el Metropolitan son instituciones teatrales, entonces la producción es de importancia fundamental. Convertir al director musical en Dios es totalmente falso, desde el punto de vista musical-dramático, y se me ocurre que los compositores estarían de acuerdo. (Verdi lo estaba, por cierto, y en una carta fechada el 18 de marzo de 1899, poco después del estreno de *Falstaff*, se quejaba de que "cuando empecé a sacudir el mundo de la música con mis pecados, la calamidad era la primadonna. ¡Ahora tenemos la tiranía del director! ¡Malo, malo, era menos malo lo anterior!)"

Los compositores –Mozart, Verdi y Puccini– era prácticos hombres de teatro y cuidaban el aspecto comercial. Como los Jerome Kern de su tiempo, estaban interesados en poner un buen espectáculo al que acudiera el público y con el que se hiciera dinero. De hecho, los equivalentes más próximos a los grandes compositores del pasado no son, lamento decirlo, los modernos compositores de óperas sino gente como Stephen Sondheim y otros que están escribiendo nuevo teatro musical. Creo que para la ópera es importante tener buenos directores de música, grandes directores de música, los mejores que haya. Pero si uno va a poner una ópera con alguna fidelidad a lo que es –y no sólo montar una versión con vestimenta de concierto– entonces, obviamente el productor del "espectáculo" debe ser la persona más importante.

Antes de seguir discutiendo la declinación vocal que hoy es plaga en la ópera, vale la pena detenerse en un punto marcado por Peter Jonas: el alejamiento de los actuales compositores de ópera de la vida operística, un fenómeno único en la historia del teatro musical. El tenor alemán René Kollo tiene plena conciencia de esta peligrosa tendencia, y teme que condene al género a una muerte lenta por atrofia. "Con muy pocas excepciones, como *Peter Grimes* de Britten, que no es tan reciente, nadie está escribiendo 'realmente ópera', y en especial, óperas para 'cantar', se lamenta. 'Si continúa esta situación, combinada con la desaparición de grandes voces, la ópera morirá como forma de arte'."

Peter Hall está de acuerdo, pero es más optimista con respecto del éxito final: "Si uno piensa en la ópera de hace cien años, había un Wagner, había un Verdi, los dos absolutamente modernos y populares. Entre las guerras, brillaban Richard Strauss y Alban Berg. Después, son pocas las óperas agregadas al repertorio. Pero creo que esto cambiará. Creo que sería posible escribir óperas modernas sobre la vida tal como se la vive hoy. Y teniendo en cuenta la popularidad de una gran cantidad de la música, pienso que se puede encontrar una manera de unir los dos géneros. Por supuesto que el problema real, básico, no reside tanto en la ópera como en la crisis de la música moderna. En los últimos treinta o cuarenta años, la mayoría de los compositores, cuando se sentaban a escribir, casi reinventaban la música, y el enorme abismo creado entre ellos y el público es único. Estoy seguro de que esto no durará porque ningún artista puede existir sin público."

Personalmente, estoy convencida de que algunas de las obras maestras entre los "musicales" de hoy –me refiero a *West Side Story* de Bernstein y *Porgy and Bess* de Gershwin– son realmente óperas contemporáneas que en más o menos una década quedarán incorporadas al repertorio lírico convencional. El hecho de que tanto el Metropolitan Opera House como el Festival de Opera de Glyndebourne montaran dentro de los últimos años *Porgy and Bess* en ambiciosas producciones a gran escala, y que la Deutsche Grammophon grabara *West Side Story* con el mejor de los repartos –José Carreras, Kiri Te Kanawa y Tatiana Troyanos–, significa un paso en la dirección correcta, al reconocerse estas grandes obras como lo que son. Estoy segura de que el futuro de la ópera depende, como lo menciona Peter Hall, de la rapidez con que desaparezca el abismo entre ella y las obras de teatro musical populares.

En los últimos veinte años hemos sido testigos de una seria decadencia en las voces, y eso sí constituye un grave riesgo para la perdurabilidad del género lírico, unido a la falta de cantantes para un sector del repertorio: barítonos y mezzosopranos para Verdi y tenores wagnerianos en particular, que siendo tan pocos deben ser remplazados (barítonos de Donizetti cubriendo papeles de Verdi, y tenores líricos lanzándose al repertorio wagneriano), mientras que los tenores de más alto vuelo son difíciles de encontrar. La cancelación del contrato por seis meses de Plácido Domingo después del terremoto de México, por ejemplo, causó estragos en los planes de las más importantes salas de ópera internacionales. Hace veinte años uno podía pensar en por lo menos una docena de tenores dramáticos solamente para el repertorio italiano, en cambio, el número se ha reducido hoy a media docena, integrada, para colmo, por veteranos de casi sesenta años o más. Peter Katona, administrador artístico de la Royal Opera, dice que "la decadencia vocal y falta de suficientes cantantes parece agudizarse cada media generación", mientras Jack Levine, director musical y artístico del Metropolitan, se quejaba recientemente al *New York Times* de que "en los años cincuenta se lograba fácilmente una buena representación de *Madama Butterfly* de Puccini, pero ahora sería la excepción más bien que la regla".

Hay varias razones para tal decadencia en las voces: demasiado para cantar, demasiados viajes, poco tiempo para practicar y consolidar los conocimientos, escasez de buenos maestros, extinción de la antigua estirpe de directores de ópera notables, y la necesidad experimentada por los gerentes y la industria de explotar los talentos que surgen. Se les exige más allá de su capacidad ofreciéndoles papeles inconvenientes para ellos, o correctos, pero en el momento equivocado. En resumen, la plaga que hoy ronda la ópera y pone en peligro la estabilidad vocal de buenas cantantes, tanto cuanto experimentadas, jóvenes, se debe tanto a factores musicales como económicos.

"El mercado es diferente para unos y para otros, y esa gente vive su vida de diferentes maneras, como en el caso nuestro", dice Peter Jonas. "De nosotros se espera que llevemos una gran vida, que tengamos ciertas cosas 'de rigueur', lo cual exige un capital, y saber conservarlo. El advenimiento de los *jets*, las facilidades para viajar, la popularidad de la lírica, las modernas técnicas de mercado, y el interés con que se asiste a la ópera, da como resultado una nueva especie de cantantes." La eminente maestra y acompañante francesa, Janine Reiss, explica que quizás esperemos demasiado de nuestros cantantes. "En lugar de dejarlos que se concentren en su perfeccionamiento vocal y en la necesidad de cantar con toda la belleza y perfección posibles, pretendemos que actúen como si pertenecieran a la Comédie Française o la Royal Shakespeare Company, que bailen como las estrellitas de *A chorus line*, y que su aspecto sea como el de los astros y estrellas de cine. ¡Evidentemente, es mucho!"

El resultado, según Peter Jonas, es que los conservatorios no producen el material que necesitamos en la ópera, sino que se inclinan a despachar gente que son "mejores actores que cantantes". Un director veterano, que prefiere mantener el anonimato, decía hace poco que "el escenario lírico se está llenando de locas que serían felices levantando la pierna en un musical del West End". Es bien clara la importancia vital de equilibrar esta situación con el número suficiente de voces entrenadas y de artistas serios dispuestos a dedicar el tiempo que haga falta al arduo e ininterrumpido trabajo de convertirse en una gran cantante de ópera. Agradezcamos que surjan artistas de esa clase –como June Anderson, de excelente entrenamiento, vocalmente deslumbrante y trabajadora incansable–, pero no en la cantidad suficiente como para atender las necesidades de un género que se extiende sin pausa.

Según las artistas que hablan en este libro, no es que falten voces bellas, sino que la mayoría se estropean prematuramente. Carlo Bergonzi y Graziella Sciutti, que hoy recorren el mundo dando clases magistrales, observan que hay y habrá siempre buenas voces. Pero, dice Sciutti, "el problema es que esos jóvenes, algunos muy bien preparados también musicalmente, en especial en Estados Unidos e Inglaterrra, son captados pronto por el teatro y la industria de la grabación, y lanzados al estrellato antes de saber realmente de qué se trata, y sin que sus cuerdas vocales hayan tenido tiempo de asentarse. Porque la voz es una cosa física, parte de la anatomía de cada uno, y cantar tiene algo de deporte: los músculos en cuestión necesitan su tiempo para crecer y alcanzar elasticidad. Por eso cuando se pide a un joven prometedor que cante papeles demasiado importantes y exigentes para su edad, aunque la voz *en sí misma* pueda hacerlo, por ejemplo cantar las notas, el cuerpo no tiene todavía la flexibilidad necesaria para semejante esfuerzo. La voz pierde su 'lozanía' y puede dañarse para siempre. El abuso del material con que se cuenta es el corazón del actual problema vocal en la ópera". La conocida maestra y acompañante Nina Walker no se cansa de marcar este punto; y Bernd Weikl y Kurt Moll se refieren al mismo problema en BRAVO.

Los responsables de la distribución de papeles podrían hacer mucho para remediar la situación; en realidad, como afirma Nina Walker, el que una producción tenga éxito o no, ya está decidido por el buen juicio, o falta de él, del director de reparto. Pero su tarea no es tan simple como parece vista desde fuera. Porque mientras la dirección tiene discusiones sin fin sobre los cantantes individuales o los conjuntos, como la Opera Nacional Inglesa o la de Gales, trata de planear el futuro de jóvenes artistas que cuentan con desarrollo vocal y al mismo tiempo procuran contemplar las necesidades del teatro; a veces es imposible satisfacer ambas premisas. Hay momentos en que la administración está tan presionada económicamente, en especial en Gran Bretaña, que a veces terminan por usar a los jóvenes con poca consideración, dice Peter Jonas. "Pero esto no es nada nuevo. Si uno lee las memorias de Giulio Gatti-Cazazza, que dirigió el Metropolitan a principios de siglo, descubre que admite haber explotado a los jóvenes más allá de sus posibilidades. Eran todavía más rudos y comerciantes que ahora. Siempre se pedía a los cantantes que cantaran el papel inadecuado. Lo hemos oído de algunos sobrevivientes. El problema es que tendemos a mirar hacia atrás, al período 1900 y 1940, como una generación, y no lo fue. Si observamos el período 1945-80, encontramos una cantidad de grandes cantantes, en especial hasta principios de los sesenta, cuando el *jet* empezó a influir en contra."

Quienes están a cargo de las grandes salas internacionales también contemplan lo agudo del problema para el futuro de la ópera. De acuerdo con sir John Tooley, ex director general de la Royal Opera House del Covent Garden, "pensamos mucho en esto y cuidamos los repartos, tenemos consideraciones con los artistas, su desenvolvimiento y el posible daño a su voz. Pero por supuesto, en lo referente al repertorio, ellos son los que eligen finalmente. Hay cantantes con ideas muy claras sobre qué cantar y qué no cantar, y que no tienen miedo de decir 'no' a la dirección. Pero otros son menos seguros de sí mismos y están aterrorizados ante la idea de que si no aceptan el papel que se les indica no los llamarán más para cantar en esa sala. Esto es totalmente falso, si tienen talento. De modo que la razón para la decadencia vocal, de acuerdo con lo que he comprobado, no debe buscarse en los aviones sino más cerca: la presión económica. Son pocos los cantantes que pueden costearse el hecho de no cantar muy frecuentemente".

Los pagos son realmente importantes: más de veinte mil francos suizos por representación para los cantantes de más vuelo (y aun más en algunas salas del continente), lucrativas grabaciones, contratos para vídeos y filmes, recitales en estadios o lugares similares, por los cuales las estrellas más populares de la ópera reciben cincuenta mil dólares o a veces más. Pero junto a esto debe contemplarse la precariedad, la inseguridad de carreras de poca vida, lo que significa que los cantantes deben tomar recaudos para el resto de su existencia. De modo que la presión es realmente grande.

Sin embargo, a pesar de las presiones y de las tentaciones a que están expuestos, los artistas más conscientes saben decir "no", aun a Karajan, según la soprano Ileana Cotrubas, y limitarse al repertorio que corresponde a su voz. Entre las grandes cantantes de la pasada generación, por ejemplo Elisabeth Schwarzkopf, se sabe que ha eludido el papel de Violeta en *La Traviata*, después de escuchar a María Callas en él, mientras Mirella Freni ha preservado su voz más allá de los cincuenta años, eligiendo cuidadosamente el repertorio.

Esta creciente toma de conciencia por parte de los cantantes es uno de los signos de que se podrá detener, sino eliminar del todo, la decadencia vocal de hoy. Otro hecho alentador es el deseo expresado por la mayoría de las cantantes entrevistadas, de dedicarse después de su retiro a enseñar y preparar cantantes. Es una manera de llegar a aliviar la situación de los jóvenes cantantes que se quejan de la falta de maestros.

El tercer factor positivo es la decisión de los directores a cargo de instituciones operísticas, como James Levine, –quien, de acuerdo con el testimonio de cantantes experimentadas como Sherrill Milnes, sabe tanto sobre la voz como Serafin, Gui y Votto, los grandes del pasado– de dedicar tiempo y esfuerzo personal al descubrimiento y desarrollo de voces jóvenes. En este punto, Levine es excepcionalmente consciente, y responsable en alto grado de las carreras de Kathleen Battle, María Ewing, Neil Shicoff y Catherine Malfitano. Si Riccardo Muti, director artístico de La Scala, y Claudio Abbado, director musical de la Opera de Viena, decidieran hacer lo mismo –y los dos parecen inclinados a ello– se dará un enorme paso adelante en la batalla contra la decadencia vocal y se asegurará el futuro de la ópera. James Levine resume así la situación: "Originalmente, tuvimos un período en que el desenvolvimiento vocal triunfó, pero la ópera a menudo era ridícula desde el punto de vista dramático. Siguió una época de gran desarrollo en ese aspecto, pero con una ópera vocalmente inadecuada. Ahora, el péndulo comienza a acercarse al punto medio, al equilibrio esencial para el futuro de la ópera."

SOPRANOS

June Anderson

"**A** veces quisiera sacar mi voz fuera del cuerpo y guardarla en una caja, de modo que fuera independiente de mí", suspira June Anderson, la mayor soprano coloratura de su generación. "Envidio a los músicos cuyos instrumentos no están dentro de su cuerpo ni dependen de él. Las cantantes debemos cuidarnos constantemente y controlar nuestro estado emocional en caso de que afectara la voz. De alguna manera, tengo suerte al ser capricorniana, porque hay en mí una serenidad que mantiene el equilibrio de las cosas aunque yo esté nerviosa."

Esta incómoda cohabitación, esta interdependencia entre la voz y el cuerpo de la cantante y la psiquis, genera una tensión que es parte del pesado costo de una regocijante pero irritante profesión, que exige un grado de entrega no igualada, por ninguna de las otras artes. En algunos casos, como ocurrió con Anderson durante muchos años, esta dedicación puede excluir la posibilidad de vida personal. "En lo que a mí se refiere, yo diría que este ha sido el sacrificio más grande. Estaba completamente absorbida, hasta que hace poco decidí que en la vida debe haber algo más que cantar. Pero estoy contenta porque esa mentalidad de cantante me hizo trabajar tan duro, que llegué a un punto en el cual estoy muy segura técnicamente y mi carrera va bien. Por fin puedo sacarme las anteojeras. No creo habérmelas puesto conscientemente, pero sí soy consciente de que me las estoy sacando."

Con un característico candor y autoconocimiento, la americana Anderson puntualiza que su impresionante autocontrol tiene mucho que ver con la acusación de que su canto es con frecuencia demasiado emocional. Este proceso de abrirse a la vida en general sólo puede hacer que cante mejor. "En cualquier otra época yo hubiera considerado este tipo de actitud como una amenaza a mi carrera. Creo que debo mencionarlo porque es una parte importante de mi crecimiento artístico. Por supuesto que mi voz se desarrollará, se volverá más llena y más madura. Pero pienso que en mí el gran cambio como artista se dará en el nivel emocional. ¡Y no puedo esperar! Habiendo adquirido una técnica firme –tenía que hacerlo, para proteger mi garganta que parece ser de cristal–, en lo que me estoy esforzando ahora es en la interpretación."

Al desarrollarse esta conversación, June Anderson volvía de las primeras vacaciones de su vida. De alguna manera, nunca antes había tenido tiempo o ganas de disfrutarlas. Pero ese verano –después de los extraordinarios triunfos de la temporada 1985-86, que empezó con Desdémona en el *Otelo* de Verdi en el teatro La Fenice de Venecia, incluyendo su debut en La Scala como Amina en *La Sonámbula*, y *Semíramis* en el Covent Garden, así como su retorno a la Opera de París haciendo Marie en *La Hija del Regimiento*– había tenido "debilidad nerviosa y emocional". Después de dos episodios de amigdalitis, se sentía físicamente acabada, de modo que su médico le recomendó vacaciones, y "ante mi asombro, descubrí que aquello me agradaba". Estuve en una aldea dos horas al sur de Amalfi en la costa napolitana. Gozaba yendo a la playa –no había estado en ninguna desde hacía una década porque sabía que no tenía la figura de una modelo de Vogue–. Adoraba el agua... Y estaba contenta por disponer de tiempo durante ese verano para arreglar mi nuevo apartamento de Londres. Generalmente, no me interesa quedarme sentada en mi casa, en cambio disfrutaba eligiendo las telas y los adornos aunque mientras gasto dinero, pienso que debería estar ganándolo.

La cantante cree que su exagerada seriedad y falta de aptitud para la pereza (invariablemente debe forzarse para dejar de practicar) tiene que ver con la forma en que la educó su madre, quien la hizo empezar con sus clases de canto a los doce años. Ya había tomado lecciones de ballet, acrobacia y hasta de bastonera. "Cada noche de la semana tomaba clases de una u otra cosa. Nunca jugaba. No sé cómo no me resistía. Supongo que me interesaba aprender cosas." Cuando hubo que operarle una pierna, lo cual significó que no bailaría nunca más, su madre pensó en las clases de canto. En esa época a June Anderson no le gustaba la ópera, y se sentía tan embarazada a causa de esas lecciones que no se lo decía a nadie.

Afortunadamente se aficionó a su profesora en New Haven, Connecticut, adonde la familia se trasladó al dejar la Boston natal. Empezaron con canciones italianas, y las primeras arias que cantó fueron el vals de Musetta, de *La Bohème*, 'Caro Nome', del personaje de Gilda en *Rigoletto* y el aria de Julieta de *Romeo y Julieta*. La profesora fue la única persona capaz de inspirarle un profundo amor por todo lo italiano, especialmente el *bel canto*, mientras avanzaban hacia las partes más difíciles, como Lucía y Amina. Dirigida por la maestra, empezó a cantar en bodas, clubs de mujeres, y otra vez "no quería hacerlo, pero lo hice". No quería hacer una carrera como cantante. Cuando hubo que elegir colegio, todos pensaron que iría a la Escuela de Música, pero prefirió Yale y se graduó en literatura francesa.

Fue allí donde empezó a pensar seriamente en convertirse en cantante, en parte por insistencia de una amiga que la instaba a intentarlo "o no podrás perdonártelo cuando tengas cuarenta años". "Por eso decidí ir a Nueva York y pensé que, si en dos años no me hacía famosa, iría a la Escuela de Abogacía. Bueno, después de unos nueve meses *no* era famosa, había gastado todo mi dinero y llegué a tal punto que resolví que sería una cantante aunque eso me matara. Supongo que el desafío se debió a que nada era fácil. Mientras fui una chica que estudiaba privadamente, todo resultaba fácil y todos me decían que era maravillosa. De repente nadie lo pensaba. Entonces me dije, ¡maldición, ya van a ver; les enseñaré que lo soy!"

Tuvo suerte, porque surgieron gran cantidad de "pequeños trabajos", conciertos y óperas en ciudades pequeñas de Iowa, como Duluth o Syracuse, de modo que podía mantenerse. Después de muchas audiciones, fue aceptada como miembro de una compañía y debutó haciendo la Reina de la Noche en *Die Zauberflöte* en la Opera de la Ciudad de Nueva York en 1978. "En ese momento no me daba cuenta de cuán difícil era, porque cuando se es joven no se tiene miedo. Tres años después, al cantarlo de nuevo, lo comprendí y decidí no cantarlo nunca más. El miedo se instala en uno, y simplemente no se puede." Después de debutar, hizo papeles como la Reina de Shemaka en *El Gallo de Oro*, Gilda y las cuatro heroínas en *Los Cuentos de Hoffmann*. Pero se terminó pronto porque ella era siempre sustituta de alguien, y al no haber críticas, los agentes ni siquiera la llegaron a escuchar.

La primera vez que logró la atención del público fue haciendo Cleopatra en *Julio César*, "un papel maravilloso cuya música extraordinaria expresa tantas facetas diferentes de su personalidad: alegría, coquetería, sensualidad, ambición, dolor, y vocalmente perfecta para mí porque se sitúa en el centro y de allí sigue en ascenso. Su aria 'Se pietà di me non senti' es una de mis favoritas en mi repertorio, y disfruto cantando música barroca porque es el precursor natural del *bel canto*". La reacción del público fue buena y un crítico que estaba presente escribió con entusiasmo sobre Anderson. Desde ese momento los productores empezaron a prestarle atención. Pero cuando cantó la parte de Elvira en *Los Puritanos*, en 1981, fue otra vez como sustituta, lo cual "me frustró tanto que decidí hacer algo al respecto. Fue decisivo para mi futuro. Audicionó para un agente italiano que envió la grabación a Francesco Siciliani en La Scala, quien me pidió que cantara para él. Me consiguió contratos para el Teatro Comunale de Florencia, donde debuté como Lucía en 1983, para el Teatro Massimo de Palermo (Rosina en *El Barbero de Sevilla*) y para la Geneva Opera otra vez como Lucía. Entonces empecé a pensar que el hecho de que las cosas se hubieran desarrollado tan lentamente en Nueva York había sido una bendición encubierta. Si usted me hubiera conocido entonces, me habría encontrado amargada y preguntándome por qué las cosas que le pasaban a otros no me pasaban a mí... Pero cuando llegué a Europa, quedé sorprendida al ver qué rápidamente se desarrollaba todo. Piense que en 1982 yo todavía era una sustituta en la Opera de la Ciudad de Nueva York, y entre 1985 y 86 tenía contratos con las mejores salas líricas del mundo".

June Anderson estaba lista para enfrentar el desafío de sus debuts internacionales haciendo del canto lo que significa una proeza vocal mayor que cualquier otra cosa. Esto debe atribuirse a la soberbia técnica adquirida con Robert Lennard, el maestro con quien estudiara en Nueva York desde 1974. "Yo no soy una de esas cantantes que saltan de maestro en maestro. Tiene que haber entendimiento y confianza entre el maestro y una. Después de todo, es la propia garganta la que está en juego. Yo no me confío con facilidad, soy como un gato. Cuando me presentaron al maestro, creí que me desmayaba. Parecía un hippie, usaba un aro y estaba desarreglado. Enojada, pensé: '¡No quiero trabajar con este hombre!' Pero el amigo que nos había presentado insistió en que debía tener por lo menos una lección de prueba. Lo hice y descubrí que amaba los gatos, lo que es para mí una gran recomendación. Y al terminar la clase, también descubrí que estaba cantando mejor. Y decidí seguir probando. Muy pronto supe que podía confiar en este hombre. Sabía de qué estaba hablando. Lo que yo no sé es si será tan bueno para otros, porque la relación entre el maestro y el cantante es muy personal, pero lo que es seguro es que él conoce mi garganta."

Lennard enseña básicamente la técnica García, desarrollada por el famoso tenor español del siglo diecinueve Manuel García, padre de María Malibrán, que fue expuesta en un libro por su hijo Manuel García (h). Contiene las bases de su técnica y ejercicios para la respiración y uniformidad de tono. Anderson declara que él ha sido su arma secreta a través de los años. "Sin él yo no podría cantar sin tener la garganta lastimada. No respiraba correctamente, hacía mucha presión sobre la mandíbula y la garganta. El resultado, después de un par de arias, era que mi garganta estaba lastimada. Ahora, aunque no hablo correctamente, canto correctamente. Si tengo que hablar en una ópera, aunque no me sienta bien, al menos pienso en eso y apoyo la respiración. Como dije antes, tengo una garganta delicada, una garganta de cristal, y si empujo dos o tres notas, me siento ronca. Creo que es un buen sistema de chequeo para comprobar que no empujo."

La técnica de Anderson es elogiada por todos en la profesión. "Es una mujer muy inteligente y una *cantante* muy inteligente con una técnica que sobrepasa toda descripción... recuerda a Joan Sutherland, pero me parece más interesante. Lo que me sorprende es que no tiene un *trino real*. Cuando llega el momento, no brota como un verdadero trino, pero ella fabrica uno con su soberbia técnica y uno no se da cuenta", dice el doctor Eddie Khambatta, laringólogo y experto en voz. Peter Katona, administrador artístico del Covent Garden, dice que lo más notable en Anderson es que "está en su mejor momento cuando otras voces deben callar. Da más notas altas que las que se pudieran esperar. No creo que el timbre o la voz del registro medio sean excepcionales. Pero sus notas agudas son la perfección, la maravilla. Como alguien que pudiera saltar más alto que nadie, ella tiene en eso un talento que rompe todos los récords".

Anderson dice: "siempre tuve el registro más alto. Pero mi voz se ha expandido y es mucho más llena. Por ejemplo, en la primera mitad de 1986, descubrí notas bajas que no existían, algo muy excitante porque soy una mezzosoprano frustrada. Me gustaría ser un violonchelo, dar esa clase de sonido. Pero siempre fue cuidadosa, porque cuando una soprano empieza a empujar con el diafragma, se van perdiendo las notas más altas. Por eso fui prudente, quizá demasiado prudente, pero eso no hace mal a nadie. Usar las notas bajas sin dañar las altas se me produjo muy lentamente. Pero de este modo, siento que está mejorando. Es una satisfacción increíble descubrir que algo, repentinamente, funciona cuando antes no lo hacía".

Lo mismo le ocurrió a la Anderson con el personaje principal de *Semíramis* en 1986, en el debut del Covent Garden. Cuando lo cantó en la Opera de Roma en 1982 sintió que no estaba lista vocalmente y menos aun dramáticamente. Con una franqueza típica atribuyó su éxito al hecho de que "poca gente lo canta, de modo que no se pueden hacer comparaciones". Pero en el Covent Garden se sintió complacida con el progreso alcanzado en cuatro años y pensó que vocalmente, y de alguna manera dramáticamente, estaba llegando a buen término.

En 1982, lo más difícil había sido el dúo con el bajo, Azur, en el Acto II de *Semíramis*. "Es muy importante, y tiene que ser un poco más 'punzante' porque dramáticamente ella se está poniendo dura, quizá más que en cualquier otro momento. Es una parte difícil de atravesar sin forzar la voz, sobre todo teniendo en cuenta lo que pasa por su mente, las amenazas que está sorteando. Es un dúo fabuloso y ahora lo disfruto mucho más que en 1982, cuando yo no tenía tanta voz en el registro medio." También encuentra más fácil el comienzo del aria del primer acto, "Bel raggio lusinghier", según ella todo "cortar y empezar", alternando recitativos con melodías. "Realmente antes no podía hacerlo, todo era cortar y empezar, pero hacia 1986 tomó una forma definitiva y aunque sigue siendo difícil, lo encontré gratificante."

Considera extraordinario el papel de Semíramis, que exige un amplio recorrido vocal, pero la falta de momentos líricos es más bien frustrante. "Me gusta hacer suaves ligaduras pero este papel, el último que Rossini escribió para su mujer, Isabella Colbran, en 1823, no lo tiene. El otro día pensaba en eso y llegué a la conclusión de que quizá la causa fuera que en esa época ella había pasado su pico vocal y probablemente desarrolló algo de 'temblor'. Para disimularlo Rossini escribió de una manera en que la voz debía moverse muy rápido. Es la única explicación, porque los otros papeles que escribió para Colbran seguían una preciosa línea 'belliniana' muy lírica."

Lo más notable en este papel, según Marilyn Horne "lo más duro que se puede hacer hasta que se hace Norma", es la longitud del primer acto, durante el cual Semíramis pasa la mayor parte del tiempo en el escenario, cantando constantemente y con mucha fuerza desde el "Bel raggio" hasta el gran final. "Empieza con un cuarteto, bueno para calentar la voz, pero la cabaletta es misteriosa, escrita de una manera muy rara, inusual en Rossini, que entendía tan bien la voz. Pero esta cabaletta es poco rossiniana, casi instrumental, esperando que la voz haga algo no natural. Yo he leído sobre ciertas primadonnas del siglo diecinueve que brincaban en esta parte, y debo decir que me hace pensar en una torpe cabalgata. Siempre me pone nerviosa porque no da tiempo a respirar, y si el director empieza un poco rápido, se agrava eso. Después hay un respiro, antes de lanzarse al 'Bel raggio'. Aparte del empezar y cortar del comienzo, que mencioné hace un minuto, es magnífico, bellamente escrito; realmente, un ejercicio vocal maravilloso que todos deberían cantar sin irse a un Mi agudo, sino solamente como un ejercicio, para mover la voz.

"En el segundo acto, después del dúo de Semíramis con Azur, llega su gran dúo con Arsace, y luego le queda poco para cantar excepto la oración, que yo *adoro* porque se acerca a un momento de lirismo. Y en caso de que, al llegar a ese punto, a uno le disgustara Semíramis, empieza a verla de otra manera, se da un cierto equilibrio. A mí personalmente no me disgusta *durante* la ópera, realmente no ha hecho nada tan terrible. Lo que hizo *antes* de la ópera es lo que me impide entenderme con ella. Debe haber sido una mujer sumamente apasionada, sensual, que vive a través de su pasión y sus sentidos. ¡Totalmente opuesta a mí! Yo estoy absolutamente guiada por la cabeza... Trabajo de esa manera y trato de llegar al justo medio. Soy demasiado controlada en todo, aun en mi canto. Y aunque ahora me entiendo con Semíramis desde el punto de vista musical, dramáticamente hay todavía algo que se me escapa. Creo que con Norma también me falta ese algo, y no estoy lista para hacerla, ni lo estaré pronto. Norma es una mujer completa y no la cantaré hasta que yo no lo sea, aunque mi voz estuviera lista, cosa que aún no ocurre. Tengo demasiado respeto por Bellini y por las grandes intérpretes anteriores de este papel. Por supuesto que nunca haré una Norma como Callas. Soy una cantante diferente y una persona diferente. Pero la suya es una Norma para tener en cuenta y a menos que yo sienta que, con mis propios recursos, pueda hacerle justicia, sería poco útil que yo lo intente."

No es con María Callas sino con Joan Sutherland con quien se compara siempre a June Anderson. Cuando Richard Bonynge entra en el cuarto de vestir de su mujer y le presenta a Anderson diciendo "Tienes que conocer a June Anderson, que canta todos tus papeles", Sutherland responde que espera que su joven colega encuentre en esos papeles tanta alegría como la que encontró ella. Entonces, mirando a Anderson en el espejo, advierte el parecido de sus anchas mandíbulas y agrega "Me han dicho que el Mi bemol está en esa mandíbula." "Y –sonríe Anderson– puede ser cierto." Una o dos veces ella tomó prestadas variantes y adornos que Bonynge escribiera para su mujer, y lo hizo con su bendición. Por ejemplo, el final del "Bel raggio lusinghier". Pero casi siempre ella misma las escribe. Alberto Zedda, que se quejaba de que sus adornos para Semíramis eran "no rossinianos", le envió algunos de él, que Anderson estaba considerando para probarlos más adelante.

A June Anderson le entusiasmaría hacer una gran producción con Semíramis, y lamenta que tan pocos buenos directores estén interesados en óperas de *bel canto*. "Pero los buenos directores son decisivos con respecto al *bel canto*, que puede sonar mortalmente aburrido o como la música más excitante. Cantarlo tiene que ser algo más que simplemente producir hermosos sonidos. Hay que trabajar con las palabras, las emociones y las pasiones de los personajes sobre los que se canta. Esto es lo que me atrae en el *bel canto* y lo que María Callas hacía tan maravillosamente. Pero unido a su talento natural y a su instinto dramático, tenía gente como Serafin y como Visconti trabajando con ella. Y escuchando la grabación en vivo de *Lucia* dirigida por Karajan muestra lo que pueden hacer por esta música dos grandes artistas trabajando juntos. Una cantante no puede hacerlo por sí misma, así como no lo puede hacer el director solo. Pero, aparte de Riccardo Muti que tiene un sentimiento maravilloso por Rossini y Bellini y con el cual yo estuve encantada de cantar la Julieta de *I Capuleti ed i Montecchi* en La Scala, la mayoría de los 'grandes' directores de orquesta y escénicos no están interesados en el *bel canto*."

Anderson saboreó la experiencia de trabajar con un gran director cuando cantó Desdémona en una nueva producción del *Otelo* de Rossini en el teatro La Fenice, para la apertura de la temporada 1985-86. "Aunque siempre se me considera *difícil* porque hago demasiadas preguntas, me entendí y gocé trabajando con Ponnelle. Generalmente llego muy bien preparada a los ensayos, me he planteado todos los porqué y los dónde, de modo que si nadie puede darme ideas, puedo trabajar un personaje por mí misma. Pero las ideas de Ponnelle, aunque distintas de las mías, eran lógicas, tenían sentido. Siempre provienen de la música, por eso trabajar con él es un verdadero premio."

La Desdémona de Rossini era un papel muy importante en su carrera. "Me desgarra, pero la amé. El *Otelo* de Rossini es básicamente la ópera de Desdémona, y creo que debería haberla llamado así. El personaje en Verdi no está desarrollado de la misma manera, en cambio *Otelo* no está tan bien en Rossini, lo mismo que los otros caracteres que tienden a ser acartonados. Pero su Desdémona es una de las mejores cosas que he hecho, maravillosa para cantar; un papel de soprano con un registro medio y muchos Do agudos, y eso me fascina. Para cantar bien un Do agudo hay que ser capaz de cantar un Re, y para un Fa hay que saber alcanzar un La bemol."

Otro de sus papeles favoritos es la protagonista de *Lucia di Lammermoor* de Donizetti, que hizo al debutar en Florencia en 1983 en el Maggio Musicale Fiorentino. Volvió a hacerlo en la mayoría de los grandes teatros, incluyendo la Opera Lírica de Chicago en 1986, el Covent Garden en 1986-87, la Opera del Estado de Viena para su debut de 1987. En Florencia la cantó mejor que en la mayoría de los teatros, contando con la ayuda de Alfredo Kraus en el papel de Edgardo. Kraus hizo mucho por ella, divulgando su nombre en los primeros tiempos y dándole consejos.

Anderson se siente ahora muy segura en el papel de Lucía, puede trabajarlo bien, lo mismo que le ocurre con la Violeta de *La Traviata* (no la he visto haciéndolo). "En *Lucia* estoy recitando las palabras, pensando qué estoy cantando en lugar de preocuparme porque una nota alta o baja salga bien. No le tengo miedo a este papel, tengo buena relación con él y me siento cómoda dentro de mis posibilidades. No hay nada en él que yo no pueda manejar, ni musical ni dramáticamente. No ocurre lo mismo con mi Semíramis, al que todavía le falta cierta fuerza. Me siento más cerca del carácter de Lucía que de ningún otro de los que canto. Ella es muy romántica, muy femenina, vive un mundo de fantasía, pasa el tiempo leyendo historias del Caballero Blanco, y está rodeada por la violencia. Su familia, su entorno son violentos. El único toque femenino estaba dado por su madre, muerta recientemente. Entonces llega Edgardo –¡Errol Flynn!– y aunque él también es violento, hay a su alrededor algo romántico, apasionadamente poético, que la fascina. Al mismo tiempo le teme un poco, y eso se evidencia en el dúo. Pero aun así es su Caballero Blanco.

"Hay quien piensa que Lucía está loca desde el principio, aunque yo no lo creo. Pero su concepto de la realidad es muy frágil. Ella es 'exaltada', como dirían los franceses. Los hechos relacionados con su matrimonio la llevan a una situación límite. Su primera aria, "Regnava nel silenzio", la ubica en una atmósfera de misterio, muestra su fascinación por lo oculto tanto como su pasión por Edgardo. Es lo más difícil de todo lo que canta Lucía, vocal y dramáticamente, porque es muy importante lograr el clima de misterio desde el momento en que se entra en el escenario. Y la orquesta no puede hacer mucho para ayudar, excepto los cornos. Debe marcarse el temperamento sin excederse, con una especie de revoloteo, tal como Lucía revolotea entre la sanidad y la locura. En las escenas siguientes, este 'revoloteante' personaje llega al extremo. Todavía no ha pasado nada, pero se lo vislumbra cuando Edgardo dice en su canto que va a matar al hermano de Lucía. Ella lo calma y se siente que no es la primera vez que lo hace. Como dije antes, se percibe cómo la violencia de él la atemoriza, aunque no esté dirigida a ella... Amo la pasión, la sensualidad, la ternura de la escena del adiós, porque la separación es lo que finalmente la lleva a la locura total."

En contra de lo que se pudiera imaginar, Anderson afirma que la escena de la locura no es tan difícil como el primer acto, en el cual *todo* es muy agudo. "La escena de la locura funciona. Está hecha para funcionar, y no es especialmente difícil. El desafío es interpretativo, no vocal." (Dado, por supuesto, que la cantante tenga un agudo increíblemente fácil, como en su caso.) "Lo que es duro es llegar a la escena de la locura, especialmente la cadencia final, con una voz fresca. Básicamente, aun una Lucía pésima –y he oído muchas– salva la cosa si llega a la escena de la locura y canta una buena cadencia, aunque desde el punto de vista dramático se le escape el papel." Triste pero cierto.

En el momento de nuestra conversación, los planes de June Anderson incluían su retorno a la Opera de París, donde debutara en 1985 con *Roberto el Diablo* de Meyerbeer, haciendo *Los Puritanos* en marzo de 1987 y *La Sonámbula* a principios de 1989, *I Capuleti ed i Montecchi* en La Scala, *Beatrice di Tenda* en La Fenice, más tarde en Carnegie Hall, *La Traviata* en Hamburgo, *Armida* en Aix-en-Provence y *Luisa Miller* en Lyon, *Maometto II* en San Francisco y su debut en el Metropolitan Opera como Gilda, en el otoño de 1989. Tiene un plan completo con respecto a su carrera, del cual no quiere apartarse. Unos años atrás, el Metropolitan le ofreció hacer Constanza en *Un Rapto en el Serrallo*, pero lo rechazó porque "es muy agudo, me podría estrangular. Aunque me gusta Mozart, no quiero cantarlo. Estoy hecha para el *bel canto* italiano –María Estuardo, *La Straniera*, y más tarde *El Pirata* y Anna Bolena– además de más papeles de Verdi, como Luisa Miller, Amelia en *Un ballo in maschera*, *Il Trovatore*, Leonora y posiblemente Elena en *I vespri siciliani* que realmente tiene alguna coloratura dramática. He elegido muy cuidadosamente los papeles para mis debuts, y no quiero en absoluto cambiar mis planes. Lo que quiero es hacer las cosas de la manera en que las pensé. Por supuesto que con eso me gané la reputación de 'difícil' porque no quiero aceptar muchas cosas. Si creo que un papel no es bueno, no lo hago, no me importa *quién* me lo pida. La gente siempre dice que tal o cual cantante se arruinó por tener un mal representante que la forzó a hacer las cosas equivocadas. Pero siempre la culpa es de la cantante. En realidad es más fácil decir 'no' que 'sí'. Y a menudo encontré que en lugar de hacer que la gente se olvide de uno, decir 'no' tiende a intrigarlos".

Anderson ha dicho "sí" a algunas óperas francesas: *Roberto el Diablo* de Meyerbeer, en la Opera de París, y ha grabado para EMI Catherine Glover en *La Jolie Fille de Perth* ("lo más difícil que he tenido que aprender jamás, lleno de coloratura pero una coloratura, que, como ninguna otra, rossiniana, belliniana o haendeliana que yo haya cantado, ¡está *pavorosamente* mal escrita!) He hecho también Madeleine en *Le Postillon de Longjumeau* de Adam, un compromiso mayor porque "siento menos confianza cuando canto papeles franceses. Me gusta trabajar con Janine Reiss, la mejor maestra francesa y una de las músicas más sagaces. Primero rehusé hacer el diálogo hablado en *Postillon*, pero al final lo hice. Es un papel cómico y la letra es muy importante. La música es linda y es a la manera de bel canto, pero lo fundamental es salir adelante con el carácter del personaje. En general la música francesa es más difícil, menos dramática y más contenida que la italiana, en la que me siento como en casa. Me gusta abandonarme, sentirme de vez en cuando empujada desde un risco, y es lo que la Desdémona de Rossini hizo por mí."

En general Anderson prefiere grabar representaciones en vivo o conciertos, como su recital con Alfredo Kraus en la Opera de París, donde los artistas tuvieron tiempo para ensayar juntos y crear una atmósfera auténtica. No le gusta grabar papeles que no haya representado en escena, porque "pueden sonar como de plástico, como si uno no estuviera involucrado. No significa que uno sea insensible o que uno es esa clase de artista, simplemente es la manera en que se graba hoy, que no es justa con la ópera ni con los artistas. No puede serlo porque nunca hay tiempo, pese al hecho de que yo voy a las sesiones muy, muy bien preparada. Por ejemplo, cuando grabé *Maometto II* de Rossini para Philips, el productor a cargo, Erik Smith, se asombró de que yo lo supiera de memoria (mucho antes de que lo cantara en escena, en otoño de 1985 en la Opera de San Francisco), porque es inusual cuando se graba. Pero para mí es la única manera de sumergirme en la música. Si estoy peleando con el libro (no *aguanto* cantar con las gafas puestas) siento que estoy peleando con las notas, y paro."

El sentido de responsabilidad de Anderson corresponde a una persona obsesionada con la música. Y su mayor *hobby* es la música indirectamente, como coleccionar partituras, pinturas y bustos de cantantes famosos del pasado, y cualquier tipo de antigüedad conectada con su profesión, por ejemplo el piano de 1837 que estaba en el hall de entrada de su piso de Londres. Tiene una cantidad de pinturas de María Malibrán, Giulia Grisi y Adelina Patti y un precioso retrato de Madame Vestris, la contralto que cantó el Otelo de Rossini con Malibrán en Desdémona y también fue manager de los teatros King y Lycaeum. Esta pintura fue encontrada en las Galerías Chenil de Chelsea. A Anderson le gusta contar que se ha hecho amiga de los marchands de Londres, que la llaman cada vez que tienen algo interesante. En la época de esta conversación, ella planeaba cabalgar en Wimbledon, aunque sus amigos la atormentaban recordándole que su amada María Malibrán había muerto a causa de una caída del caballo.

Anderson volvió a los Estados Unidos a principios de 1989 y canceló sus compromisos excepto su debut en el Metropolitan, en otoño de ese año, una nueva *Lucia* en Chicago dirigida por Andrei Serban con escenografía de William Dudley, y una nueva producción de *I Puritani* en el Covent Garden, en 1992. Lo hizo porque estaba desilusionada con las libertades que se tomaban muchos directores con los que trabajara los dos últimos años. (Odiaba las Lucía que había hecho en la Opera del Estado de Viena y una vez canceló su siguiente representación de *Luisa Miller* en Lyon y *Rigoletto* en el Covent Garden.) Desde entonces resolvió aceptar solamente trabajos sobre los que tuviera más control artístico.

De todos modos, cree que cantará por "menos de veinte años más. Entonces me retiraré, tendré un gato y quizá me convierta en representante de arte. En general estoy contenta por la forma en que he cumplido con mis planes. Pero, como dije antes, ahora empiezo a pensar en quién es realmente June Anderson. La conozco como cantante, pero siempre la he dejado de lado como persona. La mujer siempre estuvo sumergida en la artista. Es el momento de empezar a cuidarla".

Josephine Barstow

"**C**omo cantante de ópera, lo que más me fascina es estar en contacto con el misterio del teatro, el proceso completo de comunicación entre el escenario y el público, y la subjetividad que encierra", declara la inglesa Josephine Barstow, una de las cantantes actrices más completas en el escenario operístico. "El público piensa que está pasando por una experiencia compartida, cuando en realidad es totalmente personal e individual, porque cada uno percibe la verdad de una manera diferente. Pero hay cierta energía emanando de esa gente, concentrada en la misma actitud, que crea su propio ímpetu y los hace más sabios, porque *piensan* que están compartiendo. Esto, más el hecho de que ninguna obra es la misma en distintas representaciones, aunque la haga el mismo artista, yace en el corazón del misterio del teatro y es lo que me hace amarlo. Nunca he hecho lo que hago pensando en los aplausos. Algunos de los momentos más felices de mi vida profesional los he pasado al piano, aprendiendo mis papeles, o ensayando con mis colegas."

En Gran Bretaña, Barstow es conocida sobre todo por su trabajo en la Opera Nacional Inglesa, donde se hizo un nombre a través de personajes dramáticamente destacados, como Violeta en *La Traviata*, Elisabetta en *Don Carlos*, Leonora en *La Fuerza del Destino*, Emilia Marti en *The Makropoulos Affair*, Natasha en *La Guerra y la Paz*, y los papeles titulares en *Sa-*

lomé y *Lady Macbeth of Mstensk*. Durante 1989, un hito en su carrera internacional, hizo el papel protagonista en *Tosca* en el Festival de Pascua de Salzburgo, con la dirección de Herbert von Karajan y grabó para Deutsche Grammophon Amelia, *Un ballo in maschera*, con el mismo director. Lamentablemente von Karajan murió antes de que ella pudiera representarlo en escena bajo su batuta. Al oírla en la première mundial de *La Máscara Negra*, de Penderecki, con la que Barstow hizo su debut en Salzburgo en 1986, Karajan sintió inmediatamente la fascinación de esta artista notablemente personal, imponente, "la mejor actriz de Gran Bretaña", según el director Jonathan Miller. Visualizarla como Tosca o Amelia, viéndola en una obra contemporánea, demuestra una enorme imaginación. Después de debutar profesionalmente en 1964 como Mimí en Opera for All, durante casi una década, se le ofrecía cantar muchas obras escritas en el siglo veinte. "Las artistas son encasilladas frecuentemente", se queja Barstow. "La clase de imaginación de Karajan es rara, pero él era un hombre de extraordinario instinto y muy sensible. Confié en él y como artista me sentí a salvo en sus manos porque sabía exactamente lo que hacía. La experiencia de trabajar con él ha sido lo más gratificante en mi carrera."

"Como director de escena, tenía un ojo increíble para los detalles, no descuidaba nada y era absolutamente insistente sobre la manera en que quería que se hicieran ciertos movimientos. Pedía que uno escuchara a la orquesta todo el tiempo para sentirse como otro instrumento, parte de la creación musical completa, de modo que todo lo que uno hiciera en escena se convertía en una extensión de la música. Tenía una habilidad maravillosa para hacer que la música sonara casi transparente, como si él pusiera luz en ella, y hablando metafóricamente yo sentía que ponía luz también en mí como artista. Su seria, su inmensamente profunda manera de hacer música, me parecía excitante y confortante, y empleo la palabra 'confortante' conscientemente. Porque a veces uno llega a pensar, 'por Dios, después de todo esta obra es solamente un trabajo'. Pero trabajar con Karajan no era solamente un trabajo. Era algo por lo que valía la pena vivir."

La producción de *Tosca* de Karajan fue, según Barstow, totalmente honesta, fiel al espíritu de la obra, con una bella puesta realista, completamente distinta a la controvertida pero emocionante hecha por Jonathan Miller para la Opera Nacional Inglesa, en la cual la actividad se trasladaba a la Roma fascista. El segundo acto es teatro en todo su esplendor, con Scarpia surgiendo como un jefe de la policía secreta de Mussolini, sadomasoquista y no simplemente masoquista. Para entonces, Barstow tenía una "firme amistad" con Tosca, que al principio no le gustaba mucho porque le parecía "una mujer más bien estúpida". Pero al madurar, "no tardé en comprender que cada una *tenía* que ser enormemente inteligente. Tosca es una mujer instintiva, muy confiada y apasionada. Entonces, en lugar de tratar de convertirla en lo que yo pensaba que tenía que ser, confié en Puccini e hice solamente lo que él indicaba en la partitura. Aunque vocalmente tiene sus problemas, es un papel muy gratificante para cantar, especialmente con Karajan, que convierte su densa partitura en la música más transparente. El quería que el primer acto sonara juvenil, porque en esta escena el apasionamiento de Tosca y Cavaradossi es precisamente un *coup de foudre* de juventud. Esto hace más brutal el segundo acto, cuando vemos que esta mujer maravillosa, estáticamente feliz, vive una situación insostenible, y se entiende por qué su desesperación la lleva a matar, tratando de proteger lo que está a punto de perder."

Pocos meses después de *Tosca*, Barstow y Karajan iniciaron juntos la nueva producción de *Ballo*. A principios de 1988, ella supo que el director la quería en el papel de Amelia cuando, estando en Boston, él la llamó repentinamente. "Por supuesto, brinqué ante la idea. Amo *Ballo*, pero es una obra difícil y exige mucho de la soprano, tanto vocal como dramáticamente. Esencialmente, es una pieza *negra*, y hay que salir adelante con esto, sin ser demasiado blando. La mayor dificultad dramática es que Amelia es siempre trágica. Nunca la notamos feliz, no la vemos más que agobiada por el peso de la situación. 'Hasta es *obligada* por Gustavo' (Barstow está hablando de la puesta sueca, que es la versión grabada y representada por Karajan en Salzburgo) a decirle que lo ama. No ocurre espontáneamente, no hay abandono *real*. Lo arranca de sí más o menos contra su voluntad. Con heroínas más operísticas, por lo menos tenemos la suerte de mostrar qué es lo que quieren cuando son felices. Violeta no es feliz mucho tiempo, pero vislumbramos sus deseos cuando está en estado de arrobamiento, y el personaje se puede trabajar sobre esto. Pero Amelia no pasa nunca por un estado parecido, por eso es difícil representarla. Tengo que recurrir a mi imaginación para hacerlo."

Barstow cree que es más difícil hacer Amelia en escena que grabando. "El problema es que, desde el comienzo del segundo acto hasta la mitad del tercero, Amelia está continuamente en escena, hay que atravesar un largo trozo de música con prolongadas líneas sostenidas. Se requiere inmensa concentración, vigor vocal y flexibilidad. Por eso, aunque Amelia se apoya básicamente en la misma parte de la voz que Leonora en *La Fuerza*, es aun más difícil."

Barstow, protagonista de grandes éxitos en la Opera Nacional Inglesa haciendo Violeta y Elisabetta, se siente especialmente complacida representando a las heroínas de Verdi. "Lo que más me gusta es la calidad espiritual que Verdi les inyecta. Con excepción de partes pesadamente dramáticas como Abigail o Lady Macbeth, la mayoría de los personajes femeninos, al menos las sopranos, tienen una vida espiritual que la intérprete debe conocer íntimamente. Está escrito en la música y yo soy muy consciente de eso cuando canto una mujer de Verdi. Las de Puccini no tienen su dimensión espiritual. Son mucho más limitadas y hay que usar artificios porque Puccini hace todo por uno. Era un maestro del teatro, y si se hace lo que dice y sólo lo que dice, es teatro perfecto. Si se hace algo más, la interpretación se propasa, es vulgar. Por ejemplo, Mimí. Hay que hacer este papel con la máxima precisión, como si se pintara una miniatura. Cada pincelada debe ser calculada y *exacta*. No puede haber improvisación, no puede haber pinceladas gruesas. Estoy tratando de expresar que Puccini encapsula sus personajes y los define con extrema precisión.

"Verdi es más suelto y le da más campo de acción al intérprete. Le hace saber que hay una calidad espiritual en los personajes pero no lo sujeta, no dice 'esto es así'. Tiene que encontrarlo por sí mismo. Por eso para cantar Verdi no es suficiente hacerlo con pasión. Hay que cantarlo con el *corazón*. Poner en ello la propia calidad como ser humano porque sus personajes son más grandes. Son personas reales que viven vidas reales y tienen corazones que laten. Mientras que los personajes de Puccini viven solamente en el papel, y en escena si se hace bien, los de Verdi son más 'universales' en sus motivaciones e intereses. Tienen grandeza, y es porque Verdi la tenía. Qué hombre debe haber sido..."

El personaje de Verdi que Barstow prefiere es Elisabetta de *Don Carlos*, que cantó primero en la Opera Nacional Galesa, después en el extranjero y en el otoño de 1985 en la Opera Nacional Inglesa, con una espléndida producción de David Pountney. "Estoy enamorada de ella porque, a pesar de ser tan delicada, tiene una fuerza moral increíble además de la calidad espiritual de la que hablé, y la expresa con la música más sublime. Su dúo final con Don Carlos, 'La su ci vedremo in un mondo miglior', es uno de los momentos más bellos en toda ópera. Vocalmente hablando es grave, como casi toda la parte de Elisabetta. Hay que mantener largos arcos en las frases y para hacerlo hay que tener elasticidad y razonable madurez en la voz y el cuerpo. Por eso no es aconsejable cantar Elisabetta para las sopranos muy jóvenes."

La primera vez que cantó este papel en italiano fue en una producción de su segundo marido, Ande Anderson, y le pareció maravilloso, mucho más fácil y más lindo que hacerlo o hacer otros personajes italianos, en inglés, cosa que *odia*. "La textura de la música es mucho más apropiada para la estructura del lenguaje, y cantar ópera italiana en inglés es doloroso." Pero, en Inglaterra por lo menos, la mayoría de su repertorio italiano tiene que cantarse en inglés. Por eso la Opera Nacional Inglesa es el teatro que le dio las mayores oportunidades, que se convirtieron en hitos de su carrera. Como declarara para el *Guardian*, "ha sido una prueba maravillosa y siempre la consideré mi propia compañía".

Ingresó como miembro de la Opera Nacional Inglesa en 1972, cuatro años después de unirse a la Opera Nacional Galesa y a los ocho años de su debut profesional, como Mimí, en Opera for All. Mientras estuvo en esta compañía estudiaba en la London Opera Center, donde conoció a su segundo marido, productor residente en el Covent Garden, el teatro en que debutara en 1969 con *Peter Grimes* de Britten. Volvió en 1970 para hacer Denise en *The Knot Garden*, de Tippett. Más tarde, en 1976, representó para Young Women *We Come to the River*, de Henze, "la obra contemporánea más interesante que he cantado hasta hoy", y en 1977, hizo *The Ice Break* de Tippett, para Gayle.

Empezó a labrarse un nombre en la Opera Nacional Inglesa como distinguida intérprete de obras del siglo veinte, siendo la primera *La Guerra y la Paz* de Prokofiev, donde representó a Natasha. Siguió con Jeanne en la obra de Penderecki *Los Demonios de Loudun*, en 1973, Marguerite en *The Story of Vasco* de Crosse, Autonoe en *The Bassarids* de Henze en 1974, Emilia Marty en *The Makropoulos Affair*, y el papel titular en *Lady Macbeth of Mtsensk* de Shostakovich en 1987, uno de los logros cumbres de su carrera.

Para este papel, Barstow hizo una excepción, ya que se había impuesto la regla de no cantar en idiomas que no conociera. Cuando nos encontramos por primera vez, estaba aprendiendo Lady Macbeth en ruso, que representaría en San Francisco en otoño de 1988, y preocupada ante la magnitud de la tarea. "Cantando en un idioma que no entiendo, no sé como funcionan las frases. Si puedo hablarlo, aunque se me escape alguna palabra, consigo manejarlo porque sé como trabaja ese idioma, y los colores vocales vienen a mí automáticamente. Pero el ruso es un libro cerrado para mí, y la perspectiva me tiene muerta de miedo." (Cuando llegó el momento, su actuación fue magnífica y los comentarios tan entusiastas como los que obtenía en Londres.)

Lady Macbeth le parece un papel maravilloso para ser cantado, y no tan difícil. (El más duro de todos sus papeles contemporáneos es, sin duda, el de Renata en *The Fiery Angel* de Prokofiev que cantó en el Adelaide Festival de 1987.) Su trozo favorito es el aria del primer acto "Every stallion desires to subdue his mare", cuando Lady Macbeth está sentada en su cama, balanceando un pie. "¡Dios, está escrito en forma tan bella! Las líneas son increíblemente largas, pero por suerte me puedo arreglar para cantarlas de la manera que quiero. Yo buscaba grandes, largos arcos de sonidos *finos*, o no exactamente finos sino delicados. Me sentía feliz, porque era exactamente lo que quería, y al principio no estaba segura de lograrlo." Desde el punto de vista dramático, aprender Lady Macbeth fue, según ella, "un parto difícil, me llevó siglos entender qué pasa con esta señora. Básicamente, ella aporta una mujer aburrida, lo que siempre es una propuesta peligrosa. Pero no es excusa para andar matando gente. No consigo entender por qué *tenía* que hacerlo. Hasta que se me hizo claro que ella es simplemente una persona 'negra', con una enorme zona negra dentro de sí. Lo equivocado de mi apreciación anterior era que yo buscaba un aspecto simpático, lo que es una reacción humana entre actores, que siempre tratan de ver la situación desde el punto de vista de los personajes. Entonces decidí que no había excusa para la conducta de Lady Macbeth, su violencia es enteramente gratuita, como casi siempre sucede con los criminales violentos. ¿Hay alguna razón para que alguien deba apalear a mujeres ancianas? No, estos criminales violentos son simplemente 'negros'. Así es Lady Macbeth: completamente negra. Empecé a representarla con mucha, mucha calma, no *haciendo* algo, simplemente *siendo* negra. Y de repente, empezó a estar en su lugar.

"La primera noche, aquel estado de negrura me envolvió de tal manera que lo percibía en cada persona del público, sentía que todos eran despreciables. Y pasó algo extraordinario que no puedo entender, sólo puedo atribuirlo a la magia del teatro: no pidiéndola, sólo mostrando la malignidad sin motivo, logré la simpatía de la gente. Muchos me dijeron que habían llorado. Todo lo que hice fue muy sosegado. Me resultó duro no poner los puntos sobre las íes, no *explicar* algo sobre esta mujer, pero la dejé simplemente ante sus ojos, confiando en el arte de la economía en escena."

Comenzó a aprender este arte con el director rumano Andrei Serban, a quien considera uno de los más brillantes con los que haya trabajado. Su puesta de *Eugene Onegin* en la Opera Nacional Galesa de 1980, con Thomas Allen en el papel protagonista, es una de las más inolvidables en los últimos años. Lo que más la impresionaba era que trabajaba en diferentes largos de frecuencia con cada uno, una actitud muy inteligente, y tenía además una habilidad fascinante para percibir lo que podía ofrecer cada persona, instándola a brindarlo. Hizo por la cantante más que ningún otro director, animándola en su carrera. Lo que pedía de Barstow, por ejemplo, ser muy tranquila en escena, le resultaba arduo. Cuando Onegin se paraba detrás de ella, tendía instintivamente a tensar los músculos, porque se sentía como *inclinándose* hacia él, queriendo mostrar al público que sabía que estaba ahí. "Pero Serban decía que no, eso sería demasiado simple. Buscaba algo más sutil, una cosa invisible: una especie de emanación que, explicaba, llegó sólo después de una inmensa concentración y a través de una corriente magnética entre los artistas. El me imponía una firme disciplina y me guió en el camino que me llevaría a mi encarnación de *Lady Macbeth of Mtsensk*."

Descubrir cómo esta consumada cantante actriz llega a sus personajes puede ser una sorpresa para alguien que haya experimentado esa intensidad agotadora. Porque ella no sigue la línea de pensamiento de algunos colegas que afirman que se *convierten* en los personajes que interpretan. "No es así como yo trabajo. Puedo entrar en la piel de un personaje ocasionalmente, en el ensayo, para descubrir y entender qué pasa con ella. Es importante tener momentos así en los ensayos, para poder recrearlos técnicamente en la representación, cuando hay que *manipular* la identificación para comunicarla a los asistentes. Si uno no está en posición de hacerlo, fracasará en la respuesta al público, porque cada público es distinto. Necesita y extrae de nosotros cosas diferentes. Esto es lo que convierte en única cada representación: los componentes químicos que nunca son los mismos. Cada persona en el público, después de haber tenido un día malo o bueno, lleva su humor con ella. Pensemos que una gran representación puede cambiar ese estado de ánimo. Pero las grandes representaciones no ocurren por milagro. Son creadas. Creadas por manipuladores, la gente del escenario. No lo conseguiremos presentándoles algo ante lo que simplemente se queden sentados, aceptándolo pasivamente, sino que hay que meterlos en la representación con lo cual puede obtenerse un efecto catártico. Esto ocurrirá únicamente si todo el tiempo tenemos un absoluto control técnico de la situación. Por lo menos, es lo que yo trato de hacer. Por supuesto, de alguna manera estoy comprometida en eso; la gente piensa que lo estoy en forma total. Estoy comprometida hasta cierto punto, pero siempre *manipulando* el compromiso. Se trata de un asunto crucial, porque nuestro trabajo no es hacer ostentación, disfrutar de nosotros mismos y 'darnos un viaje'. El público que nos hace el honor de asistir y escucharnos, merece tener la seguridad de que sabemos lo que estamos haciendo. Ellos lo creen, y ese gran acto de fe de su parte es una de las cosas más maravillosas que tiene el público, porque nos alimenta con su confianza."

Barstow afirma que la confianza es una cualidad que adquirió bastante recientemente. Durante años fue atacada con dureza por algunos críticos y ensalzada por otros. El sonido de su voz es tan poco común, tan personal, que siempre ha desatado reacciones fanáticas a favor o en contra. Hugh Canning lo expresa muy bien en el *Guardian*, diciendo "el sonido único de Barstow puede ser velado, ahumado, limitado en su amplitud de timbres, en ocasiones áspero, pero siempre distintivo. Ninguna otra gran cantante ni del pasado ni de hoy se le asemeja remotamente. El suyo es un sonido para amar u odiar. Pocos permanecen indiferentes ante él."

Barstow fue siempre consciente –y por mucho tiempo se sintió desalentada– de las reacciones que provocaba. Sabiendo que a cierta altura de su carrera la gente recibe críticas, cree que ha tenido más que la mayoría, porque "mi voz no encaja fácilmente en una clasificación definida, y no es, intrínsecamente, el sonido más hermoso jamás oído. Es un sonido característico, que me pertenece sólo a mí, y me ha llevado tiempo aceptar lo que me dicen sobre mi idiosincrasia. Gracias a Dios, eso parece haber terminado. Pero durante mucho tiempo, cada vez que presentaba un nuevo papel, los críticos decían: 'No es la voz correcta para Verdi o Strauss o Puccini, pero ella lo convierte en un éxito.' Era devastador. Me pasaba con casi todo lo que hacía, al punto que llegué a pensar: '¿Para qué diablos soy buena? ¿Por qué estoy en un escenario?'."

Eran ideas muy negativas, se le hacía intolerable convivir con ellas, y tardaron mucho en desaparecer... Pero sabe que todos tienen crisis de confianza, y quedó fascinada al oír que lord Olivier hablaba de la *suya*.

Barstow cree que "la confianza es una de las cosas más importantes para el artista", y ha visto colegas que se hundieron por incapacidad para resolver las crisis. "Esta profesión nuestra es muchas veces dolorosa, exige enormes sacrificios. Ante todo, dependemos de nuestro cuerpo. Quizá tenga razón el que no entienda cómo podemos mantenernos razonablemente sanos, no volvernos neuróticos. En muchos sentidos es una vida horrible."

Según Barstow, es esta la razón por la que los artistas más exitosos son los que tienen una vida aparte de la ópera. Ella y su segundo marido, Ande Anderson –que se retiró temprano de su cargo de productor residente del Covent Garden– viven en una granja de noventa y cinco acres en Sussex, donde crían caballos árabes. La cantante tiene pasión por ellos. Esto significa que debe lidiar con problemas reales –atender un parto u ocuparse de un potrillo que se lastimó al enredarse en una cerca– tan diferente a las emociones de la vida teatral. Su interés por los caballos –"criaturas de tremenda integridad, directos y honestos en sus reacciones ante el estímulo; algunas veces me encuentro, en escena, tratando de imitarlos en la inmediatez de su respuesta"– la ha distanciado algo de su vida profesional. El hecho de que la granja y los caballos sean igualmente importantes, la ha hecho más positiva con respecto a su canto. "El canto no es lo único en mi vida, y no empleo todo mi tiempo preocupándome por mi voz. Si está, está."

La diferencia que una vida personal estable ha significado para su carrera la hace decir: "Siento pena por las chicas solas en esta profesión, aun hablando en el sentido más práctico. Por ejemplo ¿dónde va a comer una mujer sola en una ciudad extraña? Si, con suerte, su carrera prospera, adquirirá grupos de amigos en las más importantes capitales del canto. Pero esto lleva tiempo y sus amigos no serán lo bastante numerosos o sólidos para apoyarla en largos períodos de ensayo. Esto significa a menudo comer sola frente a la televisión en un cuarto de hotel o en un piso alquilado." (June Anderson, que es soltera, marca precisamente este punto.)

Pero Barstow no vacila en afirmar que las gratificaciones de una carrera lírica también son inmensas. Siendo prácticamente imposible que una representación completa sea algo perfecto, hay sin embargo escenas enteras en que se logra. "En ese momento se siente que uno ha llevado al público al escenario, que son parte de la representación, que entienden todo, que todos estamos juntos y somos uno. Es infrecuente, pero cuando pasa es tan maravilloso, que se siente nos eleva de manera tridimensional: espiritualmente porque nos enriquece con el contacto con cada personaje; emocionalmente porque se puede vivir la gama completa de nuestras emociones, liberarse de las frustraciones, que parecen huir por la ventana como un relámpago; y físicamente porque, si las cosas se hacen como se debe, el acto de cantar es enormemente sensual."

Según Barstow, uno de los compositores más sensuales es Richard Strauss. "Uno consigue un gozoso y sensual sentimiento de puro deleite al cantarlo. Pensemos en el maravilloso trío al terminar *El Caballero de la Rosa*. Saber que esta es su parte, que ese momento le pertenece, es una experiencia realmente satisfactoria. Y sus personajes siempre son interesantes, especialmente las mujeres. La Mariscala, por ejemplo, es multifacética como un prisma. Aunque uno estuviera cantándola constantemente, no dejaría de encontrar nuevos matices en ella y no podría evitar amarla. Es en ella en quien piensa el público cuando sale del teatro. Aun cuando canté Octaviano para la Opera Nacional Inglesa en la producción de John Copley de 1974, estaba más interesada en ella que en él, ese mocoso malcriado..." Barstow finalmente cantó la Mariscala en la misma producción repitiéndola en 1990, en la Opera de Houston.

En 1977 cantó Arabella en la producción de Jonathan Miller para la Opera Nacional Inglesa, un personaje que no le gusta mucho porque la considera fría, poco emocional. "Todo está centrado en ella y en su búsqueda de 'persona correcta'. Ni siquiera advierte que Zdenka es miserable. Pero gradualmente descubrió que Arabella es una mujer con una increíble calma. Es capaz de quedarse atrás ante la vida, incluyendo la propia, y mirarla desapasionadamente. Su madre y Zdenka son totalmente emocionales. Arabella, en cambio, es una mujer muy lúcida, con la habilidad necesaria para organizar su vida, concentrada en la tarea de encontrar la manera perfecta de vivirla. Es realmente muy rara. Muy pocas personas son capaces de ese comportamiento. La mayoría de nosotros nos lanzamos 'ciegamente' a tomar decisiones cruciales. Arabella tiene la habilidad de pensar antes. Es una actitud egoísta, pero sincera. Para ella es muy importante vivir su vida como quiere, encontrar la mejor manera para ella. Yo no soy así, de modo que investigar y explorar semejante personaje fue una buena disciplina para mí."

La más famosa representación de un personaje de Strauss hecha por Barstow es, sin duda, *Salomé*, que cantó en la Opera Nacional Inglesa en 1976, en una producción del distinguido director de Alemania del Este, Joachim Herz. Philip Hope-Wallace escribió en el *Guardian* que "había sido la más efectiva Salomé que él hubiera visto desde Ljuba Wellitch." Lord Harewood, entonces director gerente de la Opera Nacional Inglesa y el hombre que la instara a dar algunos de los pasos más importantes de su carrera, fue quien la eligió para Salomé. Hasta entonces este personaje había sido cantado por grandes voces, como Nilsson, de modo que cuando lord Harewood telefoneó a Barstow para sugerirle que lo considerara, ella pensó que estaba loco. "Pero él insistió en que yo debía escuchar la grabación de Caballé antes de decidirme. Lo hice y me di cuenta enseguida de lo que quería decir."

Vocalmente, Salomé es un papel imposible. Se supone que la heroína tiene dieciséis años, pero la voz debe ser la de una mujer madura, "una princesa de dieciséis años con la voz de Isolda", comenta su primer intérprete, Marie Wittich, quien se quejaba al compositor porque "uno no concibe una cosa como esa, herr Strauss: ¡o lo uno, o lo otro!" Es verdad que si el director quiere, puede ahogar hasta a Nilsson. En la orquesta hay fuerzas con las que se puede hacer eso. Pero existen maneras de dirigir como Strauss quería, como si fuera música de cámara y como si Salomé fuera realmente una chica de dieciséis años. "Así es como en realidad puede funcionar. Pero muy, muy pocas personas lo hacen. En vez de hacerla sonar delicadamente matizada, como la plata, la hacen ruidosa y pesada."

La primera vez que Barstow cantó el papel en la producción de Herz, se atuvo al pie de la letra a la concepción del director, lo que culminó con una escena final orgiástica, con el beso a la cortada cabeza del Bautista como punto focal. Pero al revivirlo, en 1987, Barstow había llegado a conclusiones muy firmes sobre lo que la obra realmente era, y el director se convenció de que debía cambiar y modificar su puesta de la escena final. "Llegué a la conclusión de que el beso, al final, ciertamente no es el punto alrededor del cual gira la obra. Es el descubrimiento que hace Salomé, al principio de la escena, de que lo que ella buscaba era irreal, algo imposible de alcanzar, y que, habiendo logrado la muerte del Bautista, ha destruido la única esperanza de estar cerca de él. Comprende que aunque haya besado su boca, es irrelevante y sin importancia porque no cambia nada."

Según Barstow, Salomé se muestra desde el comienzo como "casi autista, encerrada en sí misma, porque está incapacitada para relacionarse con el pútrido mundo que la rodea, tiende y está fascinada por la pureza, la blancura, la luna de plata. Sabe que en alguna parte hay algo puro, pero no puede alcanzarlo, al aparecer el Bautista. Ella instintivamente sabe que ese hombre tiene la llave para cualquier misterio que exista más allá. Pero él no hace girar la llave en la cerradura. Si no hubiera sido tan intransigente y preocupado con su propia visión, si hubiera advertido el anhelo espiritual en ella, si hubiera sido el Mesías real en vez de ser meramente un profeta, habría sentido que esa mujer podía convertirse a una vida espiritual." (Behrens expresa puntos de vista similares en el capítulo correspondiente.)

Pero esa falta de comprensión no le deja otra alternativa que reaccionar de la única forma que ella ha visto en el mundo en que creció: sensualmente. No hay nada sensual en su diálogo inicial con él. Empieza a hablar de su carne y su pelo y su boca cuando se siente rechazada. Esto es lo trágico. Y la escena final no es sobre la masturbación con la cabeza sino sobre la convicción de que su vida no ha llegado a nada. Ha sido rechazada, la han dejado sola y se desintegra. Así es como la veo y sería duro, ahora, descartar este punto de vista si un director me lo pidiera."

Esta es una declaración seria en Josephine Barstow, conocida por su respeto a los directores y por la ausencia de inflexibilidad y divismo con respecto a la interpretación. (Después de todo, ella estuvo casada con dos directores. Su primer marido fue Terry Hands, de la Royal Shakespeare Company, de quien dice haber aprendido mucho.) Pero ella añade que "una de las dificultades que enfrenta una cantante peripatética –y hoy lo somos la mayoría– es que se puede representar un papel en determinada producción, y de pronto hay que partir para hacerla en el otro lado del Atlántico. A veces es arduo, porque cuando el papel se ha hecho parte de uno, y se ha decidido cómo trabajarlo y cómo hacerlo, es difícil olvidarse y empezar a hacerlo en la forma en que otra persona piensa que debe hacerse. Pero es una técnica que, en cuanto cantante de ópera, creo que debe desarrollarse. Hay que estar dispuesto a adaptarse. Sería totalmente erróneo viajar de un lugar a otro llevando 'una interpretación consigo'."

Barstow se confiesa culpable de haber cometido una vez ese pecado. Tenía un bello conjunto de velos pintados a mano para la producción de *Salomé* en Santa Fe y la "danza" correspondiente a ellos. Pensó que podría llevar el paquete entero adonde tuviera que ir y anunció: "Así es como hago la danza y estos son mis velos, y basta." Los llevó a Turín y a Baltimore. "Pero después resolví que era una impertinencia y un egoísmo artístico sin sentido y no lo hice nunca más. Conservé los velos en mi guardarropas sin volver a usarlos, porque el proceso de pensamiento correspondiente a una determinada producción también funciona para la danza. No se puede utilizar la danza antes de proyectada para un período o un punto de vista diferente. Se le debe eso al público que ha venido a ver una producción en particular. Hay que brindar una concepción coherente, no trozos de aquí o de allá."

Barstow, cuya carrera internacional abarca ambos lados del Atlántico, hizo su debut americano en Miami, en 1978, e inmediatamente lo hizo en el Metropolitan como Musetta, y es visitante asidua del Chicago Lyric, la Opera de San Francisco y la Opera de Houston. Finalmente cantó Salomé en el Covent Garden, en 1980. Mucha gente protesta porque no aparece más frecuentemente en la Royal Opera. Barstow no se preocupa por eso, o por el hecho de que las cantantes inglesas sean más tenidas en cuenta en el extranjero que en su tierra.

"No me disgusta porque amo el anonimato. *Odiaría* ser propiedad pública y pensar que debo estar muy arreglada todo el tiempo. Me gusta sentirme atractiva (Barstow es una de las mejor vestidas en escena, siempre insiste en llevar ropas minuciosamente confeccionadas, y con su figura esbelta y soberbio pelo rojo, invariablemente se ve magnífica), pero no me preocupo demasiado porque soy perezosa y termino usando pantalones y camisas casi todo el tiempo. Mis momentos más felices como artista son los que paso en casa, al piano, entrando en el mundo de un nuevo personaje. No hay presiones, nadie trata de influirme, no hay un público esperando por el producto acabado. Sólo mi instinto, mi cerebro y mis respuestas, combinados en un maravilloso proceso de descubrimiento."

Hildegard Behrens

"Nace una estrella". Este es el título que podría usarse para referirse al caso de Hildegard Behrens cuando se hizo famosa después de cantar *Salomé* bajo la dirección de Herbert von Karajan, en el Festival de Salzburgo de 1977. Su representación dejó absortos a los críticos, miembros del teatro, músicos y público. No se trataba solamente de una voz totalmente personal, capaz de ir desde un registro alto de exquisito sonido lírico hasta tonos bajos, llenos, que parecen llegar a lo más profundo de las emociones del personaje, sino también de una rara inteligencia musical combinada con la técnica de un experto y una presencia magnética.

Behrens atribuye su triunfo de Salzburgo al hecho de que se sentía vocalmente muy cómoda en este papel, como le ocurre con la mayoría de los personajes de Strauss, "porque él tiende a pedir sopranos con un fuerte y fácil registro alto". A esto se suma la suerte de estar en la misma longitud de onda que von Karajan, por lo menos en cuanto a *Salomé*. "Ambos sentimos que debería ser cantada con la mayor belleza y la inocencia de una chica muy joven completamente natural, directa y sin escrúpulos, que encuentra lógico eliminar cualquier obstáculo a sus deseos. Sería sin embargo equivocado pintarla como una víbora, un demonio o una vampiresa pervertida, o aun como *conscientemente* sexual. No creo que ella realmente supiera lo que hacía. Simplemente lo anhelaba en forma obsesiva, con toda la 'inocencia' de una chica joven pero muy inteligente, con instintos seguros." (Tanto Gwyneth Jones como Josephine Barstow comparten ese punto de vista.)

Behrens piensa que la tragedia empieza con la reacción inicial de Salomé al oír la voz del Bautista. Desde ese momento, "su alma repica". Ella siente la presencia de alguien excepcional y responde a su poder espiritual y a su integridad que podrían, dice, ser llamados obstinación. "No puedo dejar de pensar que, si Jesús hubiera estado en su lugar, habría reaccionado en forma muy diferente. Habría entendido su necesidad, ayudándola y perdonándola, como hizo con María Magdalena. Pero el Bautista no era Jesús. Estamos todavía en el Antiguo Testamento y con sus reglas y sus valores. Y esto hace tan patético todo el asunto: espiritualmente, no pudieron *encontrarse*. Como canta ella en el final, que encuentro insoportablemente punzante, él nunca la miró, nunca la vio. Estaba tan absorto en su propósito, que no podía percibir el alcance de las ansias espirituales de Salomé."

Para alivio de Behrens, Karajan no intentó insuflarle conceptos dramáticos específicos, simplemente le dejó hacer lo que estaba haciendo y se concentró en refinar los detalles de su interpretación vocal. Por ejemplo, ocasionalmente interrumpía para sugerirle que ya que en ese pasaje la orquesta tenía menos fuerza, ella podía aligerar su sonido, en lugar de empeñarse en dar más voz de la necesaria. El resultado era un sonido de plata, delicado, *brillante* –que correspondía a la descripción de Salomé en el texto: "como una flor"– y recorría una amplia y expresiva gama de colores. El crítico de *The Times* dijo: "La voz de Behrens tiene una dulzura y una pureza que sugiere la juventud de Salomé; la sensualidad del timbre es la de una mujer que deja de ser una muñeca para dar el paso hacia la madurez. Toda la representación está llena de gracia, sin asomo del menor exceso."

Después de su triunfo en Salzburgo, Behrens había alcanzado la envidiable posición de poder elegir qué, dónde y con quién cantar. Afortunadamente, estaba preparada para el estrellato. Había empezado su carrera de cantante bastante más tarde que la mayoría de sus colegas, y estaba ya madura, artística y emocionalmente, para afrontar las exigencias de la fama y sortear sus trampas. A los veintiséis años, después de estudiar leyes en Friburgo durante tres, comenzó sus estudios musicales. Siendo joven había aprendido piano y violín, ya que su familia era aficionada a la música. Pero su relación con el canto se limitaba a los coros locales. Cuando llegó a Friburgo desde su ciudad natal, Oldenburg, se puso en contacto con el mundo musical a través de su hermano, profesor de piano en el Conservatorio, quien gradualmente la introdujo en las actividades musicales de la ciudad. Este estímulo profundizó su amor por la música y comenzó a explorar las posibilidades de una carrera como cantante profesional.

El primer paso fue encontrar un maestro de canto conveniente, y debió enfrentar el problema común a las jóvenes cantantes: los consejos contradictorios. Mientras algunos maestros la clasificaban correctamente como soprano ligera, otros le decían que era contralto. Afortunadamente, atendió a los que tenían razón, y empezó a estudiar como soprano. Pero durante sus seis años en el Conservatorio, terminó sus estudios de leyes (lo que le permite ocuparse de sus contratos) con ayuda financiera del padre, quien nunca la había visto como abogada. Probablemente el cambio la hizo feliz. Más tarde Behrens explicaría en una entrevista para el *New York Times* que el leitmotiv de su carrera había sido "una lógica fantástica, aunque entonces esa lógica no era obvia. Pero yo nunca *planeaba* nada. Los papeles indicados parecían llegar en el momento indicado. Y los años pasados en el Conservatorio me ayudaron a crecer y desarrollarme como música. Era casi representar mentalmente un papel antes de cantarlo. Hasta hoy, sólo tengo que pensar en un papel para que mi garganta, subconscientemente, adopte la posición correcta sin haber cantado".

Terminados sus estudios, Behrens ingresó en la Opera Studio en la Deutsche Oper am Rhein en Düsseldorf donde estuvo un año. Allí cantó muchas partes secundarias antes de sumarse como miembro de la compañía durante seis años, en los que hizo frecuentes apariciones en la Opera de Frankfurt, adquiriendo un repertorio sustancial. Incluía la Condesa en *Las bodas de Fígaro* (con la que hizo su debut profesional con un gran papel en la pequeña ciudad de Osnabrück, de Alemania del Norte, durante su primer año con la Deutsche Oper am Rhein), Agata en *Der Freischütz*, Elsa en *Lohengrin*, Elisabeth en *Tannhäuser*, Fiordiligi en *Così fan tutte*, Marie en *Wozzek*, el papel titular en *Katya Kabanová* y *Rusalka* (una de sus actuaciones más emocionantes), Leonora en *Fidelio*, con la que hizo más tarde un debut memorable en el Covent Garden, en 1976. Ese mismo año debutó en la Metropolitan Opera como Giorgetta en *Il tabarro*.

Poco después de debutar en Londres y Nueva York, fue descubierta por Karajan. Como es lógico, recuerda vívidamente ese momento. "Estaba ensayando el papel –casi un desafío– de Marie en *Wozzeck*, en la que mi hijo Philip, de diez años, era también mi hijo en la obra. Como era la mañana previa al ensayo general, no cantaba con toda la voz, sino que me concentraba en lo que él hacía. Entonces, justo antes de la escena de la Biblia, el tenor que cantaba el Capitán me dijo que Karajan estaba en la galería. ¡Por supuesto que empecé a cantar con toda la voz! Al terminar el ensayo, nos presentaron a Karajan y me fui a casa con la intuición de que algo iba a pasar. Me lavé el pelo y me puse rulos."

Su instinto no la engañó. Sonó el teléfono, y el hombre que en ese momento era la mano derecha de Karajan, Emil Jucker, le transmitió las felicitaciones del maestro y le preguntó si podía verlo esa misma tarde, a él, porque Karajan ya había salido de la ciudad. Cuando llegó, Jucker quiso saber qué papeles había cantado hasta entonces y qué le gustaría cantar en el futuro. "Salomé", contestó ella, y eso pareció entusiasmarlo. "El maestro ha pasado años buscando una Salomé", dijo alborozado. "Tal vez la encontró." Ese mismo invierno de 1975 al 76, Behrens se trasladó a Berlín para hacer unas pruebas de grabación de la escena final con Karajan. Le gustaron, y la invitó a Salzburgo para trabajar con él, el próximo verano. (Como siempre sucede con Karajan, una grabación para EMI precedió a la producción del Festival de Salzburgo de 1977.)

Los siguientes trabajos de Behrens fueron el papel titular de *Ariadna en Naxos*, en el Festival de Salzburgo de 1979, Senta en *El Holandés Errante*, la Emperatriz en *Die Frau ohne Schatten*, y en el verano de 1980, su primera Isolda. El volumen, el alcance vocal y la extensión del papel (que generalmente ha sido cantado por enormes voces, como Birgit Nilsson) lo convertía en uno de los tres grandes desafíos del repertorio de la soprano y aparentemente más allá de las posibilidades de Behrens. Con gran inteligencia eligió cantarlo por primera vez en la Opera de Zurich, un teatro pequeño sin problemas acústicos, antes de lanzarse con él al Teatro Nacional de Munich, al mes siguiente. Como es de suponer, los directivos del teatro esperaban el estreno con la respiración agitada, y los admiradores de Behrens con temor.

Su actuación obtuvo críticas notablemente elogiosas, y hasta el día de hoy es una de las Isoldas más alucinantes que he visto. "Su voz y sus movimientos son, sin duda, los de una juvenil e inmensamente dramática Isolda", dijo el *International Herald Tribune*. "Su voz no es de la dimensión de la de Flagstad o Nilsson, en general relacionadas con este papel. Es fundamentalmente lírica, con fácil brillantez en los agudos, que corta a través de la densa textura orquestal más bien que alzándose sobre ella, y usa su amplio poder selectivamente. El registro medio es sólido y en el primer acto se desliza a veces a una voz que empieza a brotar del fondo del diafragma." Este último punto es marcado por *The Times* diciendo "cuando equilibra su profundo registro bajo con la voz aguda celestialmente apoyada, tenemos una Isolda que desafía a las más grandes que se hayan oído en el pasado."

Behrens, a quien conocí en una entrevista para un periódico, poco después del estreno en Munich, en julio de 1980, expresa que el empleo de la voz de registro bajo en el primer acto es completamente intencional. "Esta ópera exige un proceso gradual de refinamiento vocal y emocional, desde la ira contenida y el estallido siguiente en el primer acto hasta la transfiguración del tercer acto. En el primero, transito por un agudo impacto dramático: Isolda está desesperada, llena de resentimiento por el error de Tristán, una injusticia de la que no ha hablado a nadie. No ha dormido, no ha comido, ha intentado, sin conseguirlo, llegar hasta Tristán al otro lado de la nave, para mirarlo y hacer que la mire. De pronto se da cuenta de que casi han llegado a Cornwall, de modo que es ahora o nunca. Y su enojo contenido estalla, primero en el relato que hace a Brangaene y después en su enfrentamiento con el mismo Tristán. Es importante recordar que nunca le dijo que lo amaba. Le dice a Brangaene lo que pasó antes de empezar la acción, y la frase clave es 'er sah mir in die Augen, seines Elendes jammerte mich' (él me miró a los ojos y su desdicha me dio lástima.) No sintió por Tristán el habitual 'amor a primera vista' –al fin y al cabo, él había matado a su novio, Morold– pero experimentó una indescriptible sensación de fatalidad, la certeza de que el futuro la llevaría a él; y su profunda ansiedad por la muerte la fascina de tal manera que es incapaz de matarlo. Entonces, y para mí este es el punto crucial del primer acto, ella explica que curó al asesino de Morold, y ahora lo hiere y lo insulta por su conducta porque 'er schwur mit tausend Eiden mir ew'gen Dank und Treue' (él juró mil veces gratitud y lealtad). El no prometió amor, y no es amor lo que ella espera, sino gratitud y respeto. En cambio, él la ofrece como tributo a su tío, el rey Marke de Cornwall, y ella, naturalmente, se siente engañada y humillada. Así, durante la mayor parte del primer acto, hasta que toman la poción, Isolda está furiosa y llena de odio, pero siempre su instinto le dice que está destinada a él. Y por este resentimiento escondido, profundamente hundido en ella, es por lo que Wagner elige para el primer acto ese registro bajo, de diafragma, pero con subyacentes armónicos líricos."

Behrens explica que, por supuesto, durante el período de estudio analiza mentalmente todos los detalles de la representación. Pero con frecuencia le aparecen durante el ensayo o la representación, como un relámpago, ciertos pensamientos, reacciones reflejas a algunos pasajes de la partitura. Debe decidir inmediatamente si esta idea espóntanea tiene validez musical o dramática como para ser incorporada. Por ejemplo, mientras ensayaba el primer acto de esta ópera, quedó atónita al empezar el pasaje en que finalmente Isolda enfrenta a Tristán con su sentimiento de injuria ante la traición –"Warum ich dich da nicht schlug?" (¿Por qué no te maté entonces?) y "Wer muss nun Tristan schlagen?" (¿Quién matará ahora a Tristán?)– porque las palabras "schlug" y "schlagen" llegaron con esfuerzo, cantando, pero con profundos tonos bajos, casi hablando. "Pensé despúes en eso y decidí retener el sonido bajo para 'schlug' que contiene la profunda vocal gótica 'u', un sonido visceral que conviene a su impulso, para dar paso a la furia contenida antes de entonarla, finalmente, amortiguada para no exhibir demasiado sus sentimientos. Es tan genial el trabajo de algunos compositores, que si se los sigue es imposible perderse, ya que exactamente allí, en la partitura, está la manera de hacer la interpretación."

Según Behrens, el acto segundo es más fácil porque Tristán e Isolda se encuentran en una situación de ensueño y la música está escrita para un más directo timbre de soprano. Pero el problema aquí, sigue diciendo Behrens, es que la voz debe sonar pura y lírica, no debe dejarse afectar por el gran riesgo que significa la tessitura más baja del acto anterior. Considera el tercer acto como un proceso gradual de transfiguración. "El canto en el Liebestod debe sonar tan etéreo y trascendente como si todo estuviera pasando en otro lado, y de esta manera seguir, más y más, hasta llegar al final. No es una cuestión de volumen sino de calidad en la *textura* del sonido y, por supuesto, también del sonido de la orquesta, que debe ser extático y no físico, algo así como si la materia se disolviera en la oceánica, cósmica dimensión... Pero no pasa si uno no se prepara técnicamente a tiempo, tanto en el aspecto vocal como dramático, y si uno no ha mantenido sus emociones suficientemente flexibles como para seguir este proceso de refinamiento hasta terminar. Este control técnico durante las representaciones es parte vital del bagaje artístico de un cantante, y es tan automático como la capacidad espontánea del oído para regular la entonación."

Un laringólogo griego que trabajaba en Munich, el doctor Paris Alexander, pidió a Behrens el favor de dejarle examinar sus cuerdas vocales a la mañana siguiente del estreno de *Tristán*. Ella accedió en el acto, y al revisarla, el médico no podía dar crédito a sus ojos. Después de un trabajo muy grande, las cuerdas vocales de una cantante normalmente aparecen rojas, pero las de Behrens parecían puras, como si no hubiera cantado. Aun no puede explicar este fenómeno, pero lógicamente entonces se sintió emocionada porque "probaba que tuve razón al animarme con Isolda cuando me sentí lista". El difunto Karl Böhm, que la dirigiera en una representación de *Fidelio* poco después del estreno en Zurich, dijo a la cantante que, aunque había dudado sobre la sensatez de que cantara Isolda, ahora estaba seguro de que no había dañado su voz. "Personalmente, nunca necesité una prueba. Nunca tuve miedo a un papel, nunca pensé que estaba arriesgando algo al hacerlo. Son los demás quienes necesitan probarme. Yo sé que no voy a hacer nada que perjudique mi voz."

También sabe que Isolda es la clase de papel que una artista puede ir perfilando cada vez mejor. Cuando la cantó de nuevo, en otoño de 1983 en el Metropolitan Opera, el veredicto del *New York Times* fue que "el mundo de la ópera cuenta ahora por lo menos con una cantante wagneriana: Hildegard Behrens, que aunque no tiene el inmenso volumen sonoro ni el poder estentóreo de una Nilsson, cantó el torturante papel de Isolda con extraordinaria inteligencia y una gama expresiva que miss Nilsson no manejaba en sus más grandes momentos." Mientras tanto, Behrens había probado ser una intérprete de Brunilda fuera de lo común durante el verano anterior con *El Anillo del Nibelungo* para el Bayreuth Centennial dirigido por sir George Solti y con dirección escénica de sir Peter Hall. Este pensaba que Behrens "logra exaltación sin confusión y tiene una extraordinaria capacidad de ingenuidad, que es lo que posee el corazón de Brunilda. Fui feliz trabajando con ella y nunca querré ver otra (Brunilda)". Al revés de algunas colegas que tienden a llegar a Brunilda gradualmente, empezando por *La Valquiria* o *Sigfrido*, o en raros casos, *El Ocaso de los Dioses*, Behrens aprendió las tres al mismo tiempo y eso "hizo fácil mostrar que es el desarrollo del mismo espíritu, y especialmente del mismo corazón, latiendo a través de todos los cambios y todas las transformaciones que sufre Brunilda en el transcurso de las tres óperas.

"En el primer acto de *La Valquiria*, todavía es una orgullosa, despreocupada diosa joven llena de espíritu que se mueve en su elemento como pez en el agua. Hace su entrada con un jubiloso 'Hojotoho', pero es el único momento feliz en mucho tiempo. Muy pronto, las cosas empiezan a salir mal: Wotan le da órdenes que ella no puede obedecer, y aun en su despreocupada entrada es importante mostrar que, a pesar de su juventud, es realmente capaz de seguir los dictados de su conciencia y asumir la responsabilidad de sus actos. Como Leonora en *Fidelio*, que también cree en una Ley Universal, la única guía de Brunilda es la integridad. Ella es una naturaleza cálida y emocional, con gran disposición para el amor, lo que la impulsa a actuar, en todo momento, como lo hace. Sabe que Wotan ama a Siegmund y Sieglinde, aunque se siente impulsado a rechazarlos y, en dramática confrontación con él, en el segundo acto, uno adivina por sus respuestas que ella no está de acuerdo sino que tiene, con razón, sus propios puntos de vista. Y enfrentada al amor entre Siegmund y Sieglinde, su corazón responde de una vez: está emocionalmente involucrada y desafía las órdenes de Wotan."

En la Escena del Adiós de Brunilda con Wotan, al terminar el tercer acto, Behrens piensa que es importante presentar a la protagonista tímida, reservada, asustada y casi resignada, aunque todavía sea una personalidad fuerte cuya percepción de la verdad no falla nunca. Oye a Wotan condenándola a un destino peor que la muerte, porque perderá su estado de divinidad para convertise en una vulgar mortal y experimentará todos los sentimientos de la existencia humana, desde el éxtasis a la humillación. Pero es importante, para destacar su calidad verdaderamente heroica, mostrarla sobreponiéndose al miedo y creciendo más allá de sus limitaciones. "Su fuerza moral y su coraje no están ahí porque sí. Se ganan de la manera más ardua, cuando se han vencido las dudas y los miedos."

Behrens explica que la tessitura del papel es parte de una estructura completa que comprende las palabras, la dinámica, la orquestacion, los leitmotive, reflejando la situación dramática. La tessitura más allá en *La Valquiria* está en los jubilosos "Hojotohos" de la primera escena. En *Sigfrido*, cuando Brunilda despierta a la existencia humana, la tessitura es generalmente alta, brillante y ligera, "porque anuncia un nuevo comienzo, Brunilda recibe la luz, está en la luz y no se da cuenta al principio de que ya no es una diosa. Cuando advierte que es una mujer, meramente una mortal, el miedo la desespera. Pero después, estática en su amor por Sigfrido, su tessitura llega al máximo y su voz se une a la de él de una manera que me hace pensar en el agua de las fuentes, brotando hacia arriba..."

En el preludio de *El Ocaso de los Dioses*, todo es diferente. Según Behrens "los colores son ligeramente callados, pulidos, otoñales más bien que de plata, porque es una despedida y Sigfrido se va. La tessitura más alta, al revés que en las otras dos óperas, se encuentra en los momentos de profunda desesperación, por ejemplo en 'falscher Gunter', del segundo acto, cuando Brunilda cae en un infierno de humillación y hay que alternar momentos que parecen estallidos con notas bajas. En la escena de *Todesverkündigung*, al final del acto segundo, el *tempo* es muy lento, y allí busco un sonido tímido, casi irreal, como un atisbo de luz en un horizonte distante: sereno, divino y no físico, pero al mismo tiempo definido porque Brunilda está interviniendo en un solemne ritual."

En 1983, durante su primer ciclo en el Bayreuth, algunos críticos destacaron que "el registro más bajo de Behrens tiende a veces a desaparecer en la orquesta" *(The Times)*. En el invierno siguiente, trabajó mucho en eso, de modo que en el verano pudo fácilmente producir "una brillante combinación de colores" en el *Todesverkündigung*. En la explosión anterior, en el segundo acto, dice que "irrumpe sin siquiera blasfemar aunque ciertos sonidos suenen algo ásperos porque, como los de Isolda en el primer acto, los extrae del fondo inmerso en ella."

El Ocaso de los Dioses es para Behrens una de las más gratificantes óperas del grupo porque es la más compleja; aquí se reúne toda la Tetralogía. Después de hacer las dos obras anteriores, es consciente de lo mucho que está por ocurrir. Por fin, con *Ocaso*, sabe que está realizando una catarsis y entra en el mundo del *Anillo*. Aunque vocalmente es la parte más larga y pesada para Brunilda, al terminar la escena de la inmolación se siente fresca, lista para marcar los matices correctos de los colores vocales, "no como en el segundo acto, con todas sus recriminaciones y quebrantos". Porque aquí Brunilda encuentra la serenidad y desapego necesarios para mirar objetiva y lúcidamente todo lo que ha pasado, y responsabilizarse por la destrucción del mundo que comenzará de nuevo.

"Entiende por qué, a pesar de los íntimos deseos de Wotan, más que a pesar de sus palabras, ella tiene que pagar por eso, y está lista para reconciliarse. Canta 'Ruhe, Ruhe du Gott' (Paz, Paz, Tú, Dios) y la palabra Dios debe resonar en cada cosa que ella ha comprendido sobre Wotan. También debe evocar la forma en que él cantaba en la Escena del Adiós al final de *La Valquiria*, 'freier als ich, der Gott' (más libre que yo, el Dios), resonando al asumir que quien parece todopoderoso es el más débil de todos, y el causante de todas las calamidades. "Pero ahora que entiende el porqué, está preparada para ayudarlo a descansar, a alcanzar la paz. Creo que es el momento más punzante en todo el *Anillo*, y siento profunda afinidad y amor por Brunilda."

Estos papeles heroicos no parecen agotar a la cantante, sino que, por el contrario, siente que le cuadran. Pero si no puede forjar un lazo imaginativo con un personaje, "si es destructivo desde el punto de vista espiritual o de la creatividad, lo descarto. No quiero *representar* personajes. Quiero, y lo hago, *'ser'* ellos." Teniendo en cuenta su soberbia técnica, no es previsible que se le presenten problemas vocales. Desde que dejó el Conservatorio, no ha tenido maestros, pero está agradecida a un ex colega de Düsseldorf, un tenor llamado Jerry Lo Monaco, que "terminó con el tabú de la voz de registro bajo" y la instó a usarlo más. En cuatro o cinco sesiones le enseñó a "manipular la voz como un prestidigitador". Ahora, cuando vocaliza, saca la voz de registro bajo lo más alto que puede y la de registro alto lo más bajo posible, "lo que capacita para combinar estos registros y hacer suavemente la transición de uno a otro. De esta manera, se consigue además un gran control sobre la voz, especialmente en una representación, cuando se puede confiar en hacer las cosas como es debido, como si fuera una segunda naturaleza. Se hace más fácil controlar esa aria tramposa, el passaggio (las notas Mi, Fa y Sol), odiadas por la mayoría de las sopranos y los tenores. Pero si no se controla totalmente esta aria, se tiende a *prensar* la voz dentro del registro alto, lo que significa *el fin*. Aparte de no sonar correctamente, la respiración, a la fuerza, es muy corta, la garganta se pone más y más tensa y uno queda más y más exhausto".

Behrens afirma que, aparte de la adquisición de una técnica vocal lo más firme posible, el mejor sistema para la salud y longevidad vocal es racionar los grandes papeles dramáticos y programarlos entre los ligeros y líricos. "Si se sobrecarga el repertorio con papeles pesados, se desequilibrará a expensas de otros, especialmente los personajes de Mozart." A fin de probar que "se puede cantar Mozart después de Wagner", eligió hacer Doña Ana en el Metropolitan a continuación de su Isolda de Nueva York. Disfruta la disciplina impuesta por Mozart, quien exige pureza de sonido, consistente y seguro, y la necesidad de expresar las emociones extremas de una forma "discreta".

"Esta discreción, que contiene todos los sentimientos, todos los conflictos, todos los fracasos, en resumen, todas las emociones humanas, es algo que saboreo en Mozart." Aunque algunas veces, por ejemplo tratándose de Fiordiligi, que tiende a las reacciones excesivas con respecto a todo, Behrens no se opone a emplear el registro bajo. La disciplina clásica, según su opinión, no debería ser confundida con anemia vocal, y considera "anatema" la manera "enrarecida" de cantar Mozart. A propósito de esto declaró a *Opera News* hace algunos años: "El problema es que hoy hay mucho puritanismo en música. El público oye esas voces sin hormonas y piensa que este modo de cantar es correcto. Pero yo creo que se trata de imperfecciones propias de cualquier ópera, y especialmente en Mozart, un hombre cuya existencia no está libre de preocupaciones y que vive su propio infierno particular. Aunque el público piense que tanto él como su época se basaban sólo en pelucas perfumadas y perfumes." Aparte de la Condesa, que Behrens no canta desde principios de los años setenta, Fiordiligi y Doña Ana, su personaje de Mozart más grande es Electra en *Idomeneo*, que cantó en el Metropolitan y en el Festival de Salzburgo en 1983.

Antes de probar con su Doña Ana en el Metropolitan, que "se puede hacer Wagner antes que Mozart", Behrens había demostrado que se puede hacer Wagner antes que cualquier otro compositor clásico, al cantar Leonora en *Fidelio* dirigida por Karl Böhm, pocos días después de su primera Isolda en la Opera de Zurich. Lo cantó en especial porque había establecido una marca en el desarrollo de su técnica vocal. "Fue increíble. Parecía que cantando Isolda había descubierto en mi voz un potencial desconocido. De pronto pude hacer con ella más de lo que había hecho nunca. Podía hablar en toda la escala, y hablar en cualquier registro en que uno esté da una maravillosa sensación de libertad, porque significa que se puede dar expresión sin límite a las líneas. No habrá que preocuparse más con respecto a la producción del sonido, estando la técnica tan desarrollada como para olvidarse del tema. Pero se disfruta de esta sensación cuando se transita un camino tan bien aprendido que podemos mirar el cielo y gozar del paisaje, sin necesidad de vigilar cada paso, temiendo tropezar y caer en un hoyo..."

La técnica magistral de Behrens, unida a su aguda inteligencia musical y confianza en sí misma, explica por qué consigue semejante éxito en el repertorio wagneriano. En 1989, filmó para televisión la Tetralogía producida por la Opera del Estado de Baviera, y en la primavera de 1990 empezó a filmar la producción del Metropolitan. Ambas se transmitieron por la televisión británica. Desde entonces hizo papeles titulares en *Tosca* y *Electra*, y Emilia Marty en *The Makropoulos Affair*, que cantara primero en 1989, en Alemania y en la Opera del Estado de Baviera, para hacerlo más tarde, en checo, en Houston, la Opera Lírica de Chicago y en el Covent Garden.

Su interpretación de Tosca, cantada por primera vez en 1983-84 en el Metropolitan, provocó controversias, básicamente por su falta de italianidad, tanto desde el punto de vista vocal como temperamental. Sin embargo esta artista consumada conseguía transportar al espectador, con un canto sensible y una interpretación dramáticamente emocionante. Su "Vissi d'arte", de sonido particularmente etéreo, reflejaba la forma en que concebía la situación. "Aunque 'Vissi d'arte' es un aria increíblemente bella, no debe cantarse pensando sólo en la belleza, porque es una plegaria, más allá de las profundas depresiones de su alma. No debería sonar *un poco* sentimental o melodramática, sino de alguna manera muy introspectiva, porque ha sido sorprendida por un fuerte golpe: la intrusión de la realidad, encarnada en el mundo brutal de la política, en su artístico mundo de ideales. Por primera vez en su vida se da cuenta de que ha vivido un ámbito de sueños; su arte y su amor por Mario, que se siente halagado por los celos de Tosca. Pero enfrentada con el mal, encarnado en Scarpia, se pregunta a sí misma: "¿Dónde he vivido hasta ahora? Era un mundo de sueños, y aquí estoy, en el infierno, y no hay nadie que me ayude..."

El próximo papel de Behrens, la Electra de Strauss, sería una de sus más grandes interpretaciones. La cantó por primera vez con una producción dirigida por su marido, el director de cine americano Seth Schneidman. Desde entonces, la ha cantado también en versiones de concierto en Boston y Londres, bajo la dirección de Seiji Ozawa, ante el entusiasmo del público y la crítica, y en la Opera del Estado de Baviera en 1989. Si esperó tanto para hacer Electra es porque temía desequilibrar *demasiado* su repertorio, en favor de los pesados papeles dramáticos. Entonces ¿consideraría ese papel más pesado que el de Isolda o Brunilda?

"No, pero es excesivo, inexorable, un papel de alto voltaje que va de enfrentamiento en enfrentamiento. Está fantásticamente escrito, pero es más largo que una vida. Una pesadilla de cien minutos. La acción se desarrolla en un solo día y es casi como el día anterior a un terremoto: aparecen todos los lagartos. Clitemnestra decide buscar a Electra en el patio, cosa que no ha hecho en mucho tiempo. Es el primer gran enfrentamiento. Sigue el de Electra con Crysothemis, a quien trata de hipnotizar, haciéndola actuar contra su naturaleza para llevar a cabo su proyectada venganza."

"Porque Electra ha vivido todos estos años buscando venganza. Su ritual diario consistía en velar la tumba del padre y preparar su mente para la venganza, que espera concretar después del regreso de Orestes. Pero cuando lo supone muerto, ella se ve sin salida y, en ausencia de su hermano, decide asumir el papel de hombre y realizarlo por sí misma. Como indica en su rememoración después de la escena del encuentro con Orestes –otro gran enfrentamiento–, si ella no se hubiese visto en esta situación, habría actuado de distinta manera."

"Pero creo que siempre ha tenido una personalidad muy fuerte y una mentalidad masculina, más lógica que emocional. Lo advertimos en su encuentro con Crysothemis, a quien ha tratado de manipular con la mira puesta en sus propios designios. Siempre pienso que el punto de vista de Electra es el único que se considera en esta familia, y que es parcial. Cada uno tiene sus razones para sentir y actuar como lo hace, y ella conoce solamente un lado de la historia. Obviamente, debe haber sido la favorita del padre, y nunca muy apegada a su madre, lo cual, probablemente, la haga tan subjetiva, directa e inamovible como el mármol. Sólo en la escena del reconocimiento con Orestes aparece su otro aspecto, la ternura que el padre habría conocido. Aquí surge una faz diferente en Electra. Olvida dar el hacha a Orestes y se sumerge en sus reminiscencias, todas las cosas que se ha negado durante esos años. Es importante destacar que este pasaje suena más noble si lo canta sobria y no sentimentalmente... Llega el final, con el sonido del hacha que cae, y Electra aúlla como un demonio, hilarante y exultante, y desde ese momento parece que los cielos tañeran por ella. Electra arde. Trata de participar del regocijo general, pero está tan sobrecargada que la máquina se desarma. Ha cumplido su misión, y como una antorcha, se devora a sí misma y entra en colapso."

Vocalmente, la parte más ardua es el monólogo de Electra. Behrens cree que debe ubicarse entre la pasión y la restricción, porque Electra está entregada a un solemne ritual: primero invoca a Agamenón envolviéndose en su obsesivo éxtasis, lo que la hace sentirse aliviada. "Hay que encuadrar este gran marco, y desde ese momento el papel brotará por sí solo. Pero hay que dar a la voz toda clase de color: estridente para herir a su madre, sensual para apaciguar a su hermana, maternal con Orestes. Los tempos son habitualmente los de una danza. En realidad toda la obra está compuesta en ritmo de danza, como una suite: primero Electra bailando en la tumba de Agamenón, y después ella bailando sola hasta la muerte." Behrens, que saborea este papel tanto vocal como dramáticamente, con el fuerte libreto de Hoffmannsthal, lo cantó nuevamente en el otoño de 1990 dirigida por Claudio Abbado en la Opera del Estado de Viena.

Otro nuevo papel, aunque sólo grabado en disco, es el de la mujer de Dyer en *Die Frau ohne Schatten*, dirigido por George Solti. Behrens encuentra esta parte más interesante que la de la Emperatriz, que cantara por primera vez en la Opera de París en 1980, porque "es más real, más terrenal, llena de pasión, ira, frustración y desilusión. Su conflicto con Barak es tan auténtico como la vida. La Emperatriz, en cambio, es un pequeño artefacto, aunque se hace un poco más sustancial hacia el final. Pero siempre me siento como 'hambrienta' después de cantarlo, como cuando hago Ariadna en *Ariadna en Naxos*."

Behrens, una acuariana no convencional, es una de las pocas cantantes tan activas dentro como fuera de la escena. Llena de magnetismo, valerosa, independiente e individualista, una mujer de hoy en todos los aspectos. Siendo soltera, fue madre de un hijo que tiene poco más de veinte años, siempre su gran compañero, viajando con ella dondequiera que vaya. Si no encuentra los colegios apropiados, le da clases ella misma, y las hace tan interesantes que él realmente disfruta aprendiendo. Ya casada con el director americano, tuvo una hija; la familia vive en Nueva York y pasa los veranos en Europa.

Behrens cree que su vitalidad, independencia y seguridad emocional se deben a una niñez feliz. Sus padres eran médicos y ella era la menor de seis hermanos que la mimaban y protegían. Pero pronto empezó a sorprenderlos tratando de dirigir los juegos y expresando sus opiniones, "correctas o equivocadas". Y esto, como declarara en *Opera News* le daba una maravillosa sensación de libertad. Siendo "acuariana y un espíritu libre", nunca sintió timidez ante nadie, ni se sintió confundida por no haber leído el último libro o haber visto la última obra, ni le impresionan el dinero o los títulos. Respeta a la "gente veraz, genuina", y la cualidad que más admira es la integridad. "Gracias a Dios tengo a mi familia, amigos maravillosos y muchos colegas a los que respeto." Tanto por su notable personalidad como por su capacidad artística se ha ganado la estima y la confianza del mundo musical, y la libertad para elegir cuándo, dónde y con quién va a cantar. "Este es mi lujo máximo. Cantar es la experiencia más maravillosa y no cambiaría mi vida por la de nadie."

Montserrat Caballé

"**N**ací con una voz. Pero eso no es suficiente para haberme hecho cantante, o acaso, una música", declara Montserrat Caballé, la famosa soprano catalana cuya carrera se desarrolló durante décadas y que, desde María Callas, ha hecho más que ninguna otra cantante por poner en el mapa óperas poco conocidas. "Las cuerdas vocales de una cantante no son muy diferentes de las de una persona 'normal'. De modo que la música no puede deberse sólo a ellas. Debe haber algo más, o más bien, algún lugar más. También creo que la música, las ondas del sonido, están en alguna parte *alrededor* de nosotros. ¿Por qué no las oímos? Porque todavía no estamos listos. Estamos aún profundamente inmersos en la materia y apenas hemos desarrollado una mínima parte del potencial de nuestra mente. Cuando desarrollemos la mitad, entenderemos nuestros pensamientos de unos a otros, sin necesidad de palabras. Cuando evolucionemos aun más, estaremos conscientes del estado de unión que nos liga con toda la creación y seremos capaces de oír, estar dentro y saber parte de la música que nos rodea sin tener que 'expresarla'.

"Sé que esto puede sonar extraño para muchos. Hay un ejemplo de lo que quiero significar: los momentos más que especiales que se dan de vez en cuando en la carrera de cada artista, momentos en que uno no se siente en un escenario haciendo música, sino en una dimensión diferente, *dentro*,

61

siendo uno con la música, consciente del acto de cantar o consciente de uno mismo y de su cuerpo. Se siente ligero, ingrávido, y de pronto, zas, otra vez pesado..."

A veces, durante las representaciones, Caballé sabe que sus colegas y el director experimentan la misma sensación, "esa especie de trance en que todos sentimos que no estamos aquí completamente. De pronto, desaparece como un relámpago. Nos miramos a los ojos y comprendemos que despertamos y que ya no estamos en otro mundo sino en este, en un escenario haciendo teatro. No sé por qué pasa o cómo explicarlo, pero sé que ocurre y que el público también lo siente. Una de las peores cosas que pueden pasar en esos momentos, cuando se está suspendido en una dimensión del más allá, es el aplauso."

Como muchos colegas que tienen que soportar períodos de mala salud, Caballé atribuye a los poderes terapéuticos de la música parte de su milagrosa recuperación después de largas enfermedades, y siete cirugías. Fue operada de las rodillas en 1969, de cáncer en 1974, dos veces de los riñones en 1976 y 1982, y en 1983, en Viena, tuvo un segundo infarto tras el escenario, del que se repuso rápida y totalmente. En 1985 siguió un intenso tratamiento con láser a causa de un tumor cerebral. Sin saber si estaba completamente curada, tuvo que tomar una decisión drástica: seguir cantando o no. "Pensé que, pasara lo que pasara, yo quería seguir con mi música, y los médicos consintieron en que probara."

Tenía que cantar *Armida* de Gluck en el Teatro de la Zarzuela de Madrid y se moría de miedo. Pero debía comprobar antes o después si estaba curada y no podía encontrar una manera mejor de averiguarlo que estar en un escenario cantando. La rodeaban todos los que conocían la situación –su familia, unos pocos amigos íntimos, la gente del teatro–, y salió a escena pensando: "Esta es una noche crucial y debo ser cuidadosa, no someter el cerebro a excesiva vibración u otras cosas por el estilo. Conozco la partitura nota a nota –no sólo mi parte sino todas, incluyendo las pausas– por lo tanto puedo calcular cada uno de mis pasos. Pero ocurrió algo extraordinario: me olvidé completamente de mí misma. Me abandoné a la música y me sentí como volviendo a la vida. En ese estado, llegué al final de la representación con enorme emoción para mí, mi familia, y la gente del teatro. Me sentía renacer, nacida de nuevo."

Los sucesivos chequeos que se realizaron para saber si el cerebro había sido dañado por las vibraciones del sonido, no revelaron tal cosa. Todo estaba bien, y la experiencia de retomar contacto con la música después de tanto tiempo le hicieron disfrutar de la vida más intensamente, lo mismo que ocurrió con Herbert von Karajan, quien también sufrió dolorosas enfermedades y operaciones. "Soy una mujer muy grande, peso 103 kilogramos –terrible pero cierto– y sin embargo me siento maravillosamente. La perspectiva de no volver a cantar me hizo valorar más las cosas que me parecían comunes. Cada día, cada representación me aparecen ahora un regalo, un premio. Bernabé, mi marido, dice: '¡Claro, siempre lo lograste tan fácilmente!' ¡Fácil! exclamo yo. 'Bueno, por fin aprecias aquello con lo que has nacido.' Y pienso que tiene razón."

Caballé es una mujer inteligente, cálida, coqueta, con un sentido del humor endiablado, dada a la risa y a las carcajadas estentóreas. Hablábamos en Madrid durante la primavera de 1987, entre representaciones de Margarita, del *Mefistófeles* de Boito en el Teatro de la Zarzuela. A los cincuenta y cinco años había desarrollado las cualidades por las que se hizo famosa: *pianissimi* fabulosos, etéreos, y fraseo lírico que se desliza. Es la primera en admitir que no es, y nunca ha sido, una cantante actriz en el sentido actual. "Como actriz, no puedo hacer gestos impresionantes. Pero los pocos que hago son sinceros y el público se da cuenta." Como el gran tenor italiano Carlo Bergonzi, con quien tiene mucho en común artísticamente, su representación se basa en actuación *vocal*: fraseo expresivo, coloración sutil y dinamismo en los matices.

Su musicalidad asombra aun a profesionales experimentados, como el maestro italiano Ubaldo Gardini, quien con su trabajo en el Covent Garden, el Metropolitan y grabaciones, ha preparado a la mayoría de las cantantes en los últimos treinta años. Gardini dice que nunca sintió envidia por la musicalidad de un director, pero que lo ha deslumbrado la instintiva musicalidad de algunas cantantes, en primer lugar Caballé: "Me descubro pensando que es la acabada perfección. A veces llega a los ensayos sin conocer la partitura (un colega alemán no podía creer que Caballé llegara a ensayar su primera Isolda en el Teatre del Liceu de Barcelona, en 1989, sin saber sus líneas: '¡Admiro su coraje!') Pero al final, el resultado es la perfección: los tempi son perfectos, el fraseo no es de este mundo, y nos deja sin respiración. Su musicalidad es extraordinaria, increíble –por eso cuando está en escena tiende más a la belleza del sonido que al impacto dramático. Lo diametralmente opuesto a Renata Scotto, que a veces produce feos sonidos, pero un sonido feo con tanta significación que usted lo acepta sin vacilar."

No obstante, Caballé cree apasionadamente en la revolución iniciada por Callas, que convierte la ópera en teatro creíble. Pero otra vez, como Bergonzi, piensa que sus limitaciones físicas podrían convertir en algo ridículo sus intentos de actuar expresivamente. Por eso elige concentrarse en el arte vocal basado en su profunda musicalidad, una técnica soberbia y enorme amor a la música, que se hace evidente en cada cosa que dice o hace. Es una de las sopranos más versátiles de su calibre, en el pasado o el presente, con un repertorio de alrededor de ciento veinticinco papeles desde Gluck y Mozart ('más de cuatrocientas representaciones de Doña Elvira sobre mis espaldas, pero pocos lo saben'), y *bel canto* hasta Verdi y el verismo, y desde el repertorio francés hasta Strauss y Wagner. Su versatilidad le permite expresar hasta el límite la belleza increíble de su voz. Muchas voces españolas, femeninas o masculinas, comparadas con las italianas, tienen un timbre visceral que hacen pensar que están ligadas con una gota de alcohol, y esto pasa con ella. Es una soprano *lírico spinto* con algo de una combinación lo bastante rara como para permitirle alternar como Ariadna de

63

Strauss o Sieglinde de Wagner, con Semíramis de Rossini, a veces dentro de una quincena. Admite que, como la mayoría de la gente, en su juventud ha cometido errores, la juventud da fuerzas para creer que uno puede hacer cualquier cosa. Pero si no hubiera tenido una buena técnica, en diez años habría quedado afuera. Creo que es esencial saber todo lo que hay que saber sobre emisión del sonido y proyección. Y la única manera es con una sólida técnica respiratoria."

Caballé tomó muy pronto conciencia de su don. Perteneciendo a una familia musical, aprendió piano desde los ocho años. A los trece ya sabía que quería cantar. Pero para ingresar en el Conservatorio de Barcelona era necesario tener diecisiete años. Su madre mintió diciendo que tenía quince. Pero ella le dijo la verdad a la maestra de canto, la húngara Eugenia Kemmeny, quien se hizo la sorda ante la inocente mentira de la madre sabiendo que, con su método de enseñanza, la joven alumna no cantaría en su primer año de clases. "Ella dijo eso porque es un privilegio sagrado nacer con 'un sonido', no estaba dispuesta a arruinar mi instrumento. Por el contrario, uno debería tratarlo como un árbol que crece, regarlo, apoyarlo y darle lo que necesitara para desarrollarse con salud."

Caballé y el resto de la clase pasaron el primer año completo aprendiendo a respirar. Kemmeny dedicaba todo el tiempo a ejercicios de respiración, "gimnasia respiratoria", como decía ella. Se basaba en la teoría de que las cantantes deben "construir" el apoyo necesario para guiar y controlar el paso del aire del cuerpo a la laringe. Sus ejercicios respiratorios tenían el propósito de construir una "pared grande, sólida, alrededor del diafragma y la espalda. Quería fortificarlos hasta el punto de que el diafragma no necesitara *trabajar* sino sólo apoyar la respiración. El verdadero trabajo de empujar el aire lo hacen los músculos abdominales."

Kemmeny, que había ganado campeonatos corriendo maratones en Hungría, decía que las cantantes deben conservar el máximo de sus fuerzas para el final, "los últimos ciento cincuenta metros". Con un cronómetro en mano, medía la capacidad de sus alumnas para retener la respiración y cuán lentamente podían exhalar el aire. Explicaba que, teniendo éxito en lograr la solidez de la pared alrededor del diafragma, este estaría protegido y alcanzaría la máxima expansión, como los nadadores bajo el agua, y les permitiría regular el aire dentro sin ninguna contracción en la garganta. (A propósito de esto, Joan Sutherland declaraba que si sentía *alguna* sensación en la garganta, significaba que estaba cantando mal o cantando el papel equivocado.)

Kemmeny nunca hablaba de ubicación de la voz, porque creía que si la garganta estaba relajada, el sonido, de manera automática, se ubicaría correctamente. Al revés de algunas compañeras que consideraban loca a Kemmeny y se quejaban a las autoridades porque las lecciones les parecían clases de gimnasia más que de canto, Caballé encontraba interesantes sus teorías y dice que toda su carrera se basa en ellas. Gradualmente, otras se dieron cuenta de que esta revolución en la enseñanza del canto servía de mucho, y sus clases comenzaron a poblarse. Kemmeny aseguraba que su método prolongaba la carrera por lo menos en una década, y evitaba el temblor que no tenía nada que ver con las cuerdas vocales sino con los músculos que se volvían flojos.

Una manera saludable de respirar –la base del yoga– también ayuda a preservar y restaurar la salud del cuerpo en general, y Caballé, que ha hablado de esto con muchos médicos, cree que tiene algo que ver con el hecho de que, después de tantas enfermedades y operaciones, "todavía es capaz de hacer lo que está haciendo". Nuevamente como Bergonzi, hace ejercicios de respiración treinta o cuarenta minutos cada mañana. "Como conservo firmes mis músculos abdominales, conservo limpia mi corriente sanguínea." Después pasa diez minutos sosteniendo y soltando rítmicamente el aire, "un buen principio también para la salud espiritual porque, aunque llueva o brille el sol, se empieza el día de manera optimista, positiva".

El que fuera director de *Opera News*, ya muerto, Robert Jacobson, le preguntó si ella tuvo siempre la capacidad para los famosos, sostenidos pianíssimos, a lo que contestó "No." Esto lo aprendió escuchando las grabaciones que tenía su padre del gran tenor español Miguel Fleta, que hacía "ese increíble pianissimo que jamás era un falsete. Yo pensé que una mujer también podía hacerlo, y se convirtió en mi obsesión. Traté, pero no pude. Le pregunté a mi maestra, que me dijo: 'Por supuesto que puedes hacerlo. Es una cuestión de práctica con la respiración. Cómo proyectar no el sonido, sino la *respiración*. La voz nunca debe estar, sino *flotar* en el aire.' Así que usted ve que lo tengo porque lo aprendí."

Durante su segundo año en el Conservatorio, Caballé empezó sus verdaderas lecciones de canto, y mientras seguía trabajando la técnica con Kemmeny, comenzó a estudiar repertorio con Napoleone Annovazzi. Sus primeras partes fueron Fiordiligi, Susana, la Reina de la Noche y Lucía. "Cuando fui a verlo, yo alcanzaba el Fa agudo. El me aseguró que yo era soprano lírica con un poco de agilidad y que, si continuaba cantando papeles como la Reina de la Noche, arruinaría mi voz. (Pero es ese poco de agilidad lo que capacita a Caballé para hacer *bel canto*.) En un año, me había enseñado cómo no forzar nunca la voz sino producir una firme corriente de sonido aparentemente natural."

En 1954 Caballé se graduó en el Conservatorio y fue premiada con la Medalla de Oro del Liceu. Poco después hizo su debut profesional en la pequeña ciudad de Reus, próxima a Barcelona; y a continuación cantó la parte de soprano en la Novena Sinfonía de Beethoven, en Valencia. En 1956 firmó un contrato por tres años con la Opera de Basilea en Suiza, donde debutó como la Primera Dama en *Die Zauberflöte*, y luego hizo una pequeña parte en *The Fiery Angel* de Prokofiev. Su primer papel importante fue Mimí en *La Bohème*, al remplazar a una soprano enferma, el 17 de noviembre de 1956.

Pero en esos tres años el repertorio fue en su mayoría alemán; papeles de Wagner como Elsa en *Lohengrin*, Elisabeth en *Tannhäuser* y Eva en *Maestros Cantores*, parte de Strauss como Crysothemis en *Electra* y el papel titular en *Arabella*, y muchos Mozart: la Condesa, Pamina, Fiordiligi y Doña Elvira. Hizo pocos papeles italianos: Tosca, Aída, y Neda en *I Pagliacci*. Su única incursión en el repertorio francés fue cantando las tres mujeres en *Los Cuentos de Hoffmann*, en una misma función. En esa época se veía como cantante de Mozart y Strauss. En 1959 hizo su debut con inmenso éxito en la Opera del Estado de Viena como Salomé, por la cual recibió la *House's Gold Medal* para la mejor cantante de Strauss de la temporada. Admite que Strauss sigue siendo su compositor favorito. "Es el último de los románticos y yo lo amo. Su música tiene gran delicadeza y fragilidad, pero siempre hay un elemento grandioso, oceánico, en sus orquestaciones. Me evoca el mar por la manera en que fluye, crece y decrece. En un momento es oscuro, en el siguiente es claro; la voz alterna entre flotar en la superficie y sumergirse ella misma en el sonido. Ya desde mis días en Basilea he amado a Strauss, y he hecho algunos debuts importantes en óperas de Strauss." (Para VSO hizo su debut como Salomé; en Barcelona, en 1962, debutó como Arabella y en Glyndebourne en 1965, como la Mariscala.)

Cumplido su contrato, Caballé se trasladó a Bremen en 1959 y agregó papeles a su repertorio: Violeta en *La Traviata*, Tatiana en *Eugene Onegin*, y los papeles protagonistas en *Armida* y *Rusalka*, de Dvorák. Mientras estuvo en Basilea y en Bremen, trató de ahorrar todo el dinero posible para recorrer Austria y Alemania y poder escuchar a sus cantantes preferidas: Elisabeth Grümmer, su ídolo en la interpretación de Mozart, cuya Doña Ana oyó en Berlín, Lisa della Casa como Arabella en Munich, Elisabeth Schwarzkopf como la Marschallin en Viena. "Fue una época terrible para el cuerpo y la mente, pero para el alma fue algo especial," dijo a *Opera News*.

Era en realidad un momento deprimente. Su carrera en Alemania no progresaba tan rápidamente como había esperado. La grabación de su primera Mimí en Basilea revelaba una voz en magníficas condiciones, llena de una exquisita belleza de fraseo y una técnica segura. Pero nadie parecía advertirlo. Aun su gran éxito en Viena, al debutar con Salomé, seguido en 1960 por su presentación en La Scala, como una de las muchachas flores en *Parsifal*, no le significaron muchas propuestas. La vida era un profundo vacío. Sus padres fueron a acompañarla por un tiempo, y cuando partieron se sintió tan abandonada que tuvieran que regresar. Empezó a preguntarse si seguiría viviendo desarraigada, trabajando duramente por muy poco dinero, y sin saber para qué. "Era una chica idealista, entusiasta, la música me abrazaba. Quería hacer algo con la música, y como esas aspiraciones no parecían estar en vías de realizarse, me sentía decepcionada. Estaba dispuesta a dejar mi carrera."

Su hermano Carlos, de diecinueve años, cambió su modo de pensar y la ayudó a modificar el curso de su carrera. "Dame un año, y si para entonces no estás satisfecha, haces las maletas y vuelves a casa", le dijo. Un año después, cantaba en Lisboa, México y el Festival de Lucerna, y los pensamientos depresivos se habían evaporado. En 1962 debutó en el Teatro del Liceu de Barcelona, y a partir de ese momento su ciudad natal se convirtió en su base. "De pronto, me sentí libre." Desde ese enorme éxito con Arabella, Caballé ha cantado todos sus nuevos papeles en el Liceu, permaneciendo próxima a sus raíces y reuniendo a toda su familia bajo un mismo techo.

Cuando estaba haciendo Butterfly en el Liceu conoció al tenor Bernabé Martí, Pinkerton en la obra. En 1964 se casó con él, y lo hicieron en la cima del monte Montserrat. Tuvieron un hijo y una hija. Su vida familiar es su gran tesoro, y no considera su carrera el principio y fin de su existencia. "Encontré en mi familia el apoyo que les falta a tantas cantantes, por eso no se sienten tan seguras como yo. La seguridad no tiene nada que ver con prestigio, dinero, éxito o fama, sino con la relación humana." Caballé está convencida de lo que dice y se ha preocupado por cultivar su vida personal, sin permitir que ocupe un lugar secundario. Cuando recibió la gran oferta de un contrato por diez años con el Metropolitan en 1971, la rechazó porque hubiera significado el desarraigo de la familia. Hace en cambio apariciones anuales como invitada a dicho teatro, lo que le permite, lo mismo que sus otros compromisos internacionales, volver a casa en cortos intervalos. Después de su operación de riñón en 1976, pidió a su hermano que le asegurara el regreso por lo menos cada seis semanas, aunque fuera por pocos días, porque necesitaba pasar el mayor tiempo posible con sus hijos. "Tenemos una casa maravillosa en Barcelona y una granja a cien kilómetros. Nuestro hijo vive allí (los padres de Caballé, antes de morir, también vivían allí), mi hermano tiene su oficina y su familia en Barcelona, de modo que vivir en otra parte del mundo significaría eliminar parte de mí misma. Nunca podría pensar en algo semejante", dijo a *Opera News*.

Su decisión, que fortaleció los lazos con el Liceu, iba a tener consecuencias para el curso de su carrera. Cuando llegó al Liceu para hacer su debut con Arabella, se consideraba todavía una cantante de óperas alemanas. Pero el contacto con el director Carlo Felice Cillario la llevó a tomar otra dirección. A pesar de sus protestas, Cillario insistió en que incluyera en su primera grabación, dirigida por él, un aria de *bel canto*, la escena final de *Ana Bolena* de Donizetti. De mala gana, lo hizo. Pronto descubriría lo acertado de la insistencia del director. Poco después de esa grabación, protagonizó un serie de representaciones de *Manon Lescaut*, siempre dirigida por Cillario. Recibió entonces un telegrama de la American Opera Society pidiéndole que hiciera *Lucrecia Borgia* en una versión de concierto en el Carnegie Hall en abril de 1965, como sustitución de Marilyn Horne, que esperaba un hijo.

"Sí, este es el papel indicado para usted", fueron las palabras del director. Pero ella nunca había hecho *bel canto*, aparte del aria de Ana Bolena, y siempre se había negado a creer que había nacido para eso, como pensaba Cillario. Su desconfianza se hizo estridente cuando vio la partitura. "¿Cómo puedo cantar esto?", le preguntaba desanimada. "Muy fácilmente", fue la respuesta, "de la misma manera que canta *Così fan tutte*." "De modo que metí a Fiordiligi en mi Lucrecia, y la cosa funcionó. No quiero decir que haya sonado mozartiana. Lo que dijo Cillario significaba que Lucrecia debe ser cantada exactamente en la misma posición vocal que Fiordiligi aunque, por supuesto, con diferente estilo. Y *musicalmente* uno debe aproximarse de distinta manera."

Su debut en el Carnegie Hall desató una lluvia de elogios en Nueva York y los críticos anunciaron el nacimiento de la nueva cantante de *bel canto*. La American Opera Society la invitó inmediatamente a cantar dos óperas de *bel canto*, *Roberto Devereux* de Donizetti y *La Straniera* de Bellini en la temporada 1965-66, durante la cual hizo también, en diciembre del 65, su debut en el Metropolitan con el papel de Margarita en *Fausto*. Siete años de estudio y nueve luchando en pequeños teatros la habían llevado por fin a una carrera internacional y se le abrían todas las puertas. En otoño de 1986 debutó en Londres como Lucrecia Borgia en una representación organizada por el equipo empresario de Denny Dayvies y Alan Sievewright; en La Scala cantó el mismo papel en 1969, en la Opera Lírica de Chicago en 1970, como Violeta, papel con el cual también hizo su debut en el Covent Garden, en 1972. Aunque nunca renunciara a su repertorio alemán, sería conocida ante todo como cantante italiana.

El amplio repertorio de Caballé ha reflejado siempre su intenso deseo de alternar obras estándar con otras más raras, no sólo por ser interesantes sino porque constituyen "una parte integral del desarrollo de un compositor particular y la continuidad de la historia operística, como eslabones de la cadena que nos une a nuestra herencia musical. Aprender una nueva ópera es tener una nueva vida. Prefiero renovarme a mí misma a través de nuevos papeles antes que repetir lo que ya he hecho, para cantarlo no tan bien como lo hiciera. Quiero saber dónde está *ahora* la voz, no dónde ha estado. Esta es la forma en que me organizo."

Esas obras raras incluyen *Armida, Telémaco* y *Paride ed Elena* de Gluck; *Les Danaïdes* y *Axur, Re d'Ormus* de Salieri; *Ermione, Adelaïde di Borgogna* y *Elisabetta, Regina d'Inghilterra*, de Rossini; *Olympie* y *Agnes von Hohenstaufen* de Spontini, lo mismo que *La Vestale*, una de las grandes interpretaciones de María Callas; *Hérodiade* de Massenet y *La Fiamma* de Respighi. Su repertorio estándar incluye Isolda y Sieglinde, de Wagner, los papeles de Strauss y Mozart de los que ya hablamos, casi todas las partes líricas y lirico spinto de Verdi, muchas de Bellini y Donizetti, y algo de verismo.

Caballé está convencida de que una soprano, si su voz se basa en una técnica sólida, puede y debe cantar todo lo que esté dentro de su registro. "Dando por supuesto que tengan un completo conocimiento de los requerimientos estilísticos de todos los compositores, la mayoría de las sopranos pueden tener un repertorio que desafíe la clasificación. Lo que *puede* dañar la voz es cantar a algunos compositores como Strauss sin conocer su estilo. Mientras la técnica vocal es una y la misma para toda la música, el estilo de cada compositor es diferente y requiere una diferente manera de apoyo al proyectar el sonido. No se puede cantar a Wagner como se canta a Mozart. Pero en cuanto a Mozart, especialmente en *Las Bodas de Fígaro*, se necesita la misma proyección que para Verdi en *La Traviata* y *Rigoletto*. Por otra parte, papeles dramáticos como la Semíramis de Rossini, exigen el mismo tipo de apoyo que la Salomé de Strauss. Sé que esto parece sorprendente porque uno es coloratura italiana y el otro es una lírico-dramática alemana, pero pese a sus diferencias estilísticas los dos papeles tienen la misma tessitura y requieren la misma clase de apoyo para la proyección del sonido. Este es el tipo de cosa que deberían atender las cantantes jóvenes y conocer antes de ampliar su repertorio, para no tener problemas."

Caballé prefiere estudiar sus papeles por la mañana temprano, porque a esa hora "la mente está tranquila y relajada"; le gusta dedicar dos horas a la música, dos a la voz, una hora a memorizar y otra hora a cualquier cosa en la que necesita insistir. Si está trabajando en una partitura como *Telémaco*, que nunca había oído antes, empieza por tocarla al piano, "mal, pero por lo menos puedo hacerlo", para oír cómo suena la música. "La primera vez que toqué esta particular partitura pensé, Dios mío, qué música maravillosa. La toqué de nuevo para descubrir los sentimientos detrás de las palabras cantadas. *Necesito* que la música me hable para saber cómo es la nueva obra. No puedo empezar desde el libreto, a través de las palabras. Por supuesto que la poesía me dice algo, pero de un modo diferente, más limitado. Las palabras tienen mucho que ver, pero la música va más allá y se maneja con sentimientos, con el Infinito. Mi impresión de la nueva obra no se basa en lo que me dice el libreto sino en lo que me dice la música, el sonido, la línea de composición."

¿Pero qué pasa con la decisiva importancia de las palabras en compositores como Verdi? Se sabe que exhortaba a los protagonistas de *Macbeth* a "servir más al poeta que al compositor". Pero Caballé permanece firme. "Verdi puede arriesgarse a decir eso porque él era el compositor, y quizá los compositores sientan que las palabras estimulan su imaginación. Yo, meramente una intérprete, una herramienta en la realización de la obra maestra, debo estar inspirada por la música si voy a servirla bien, y no desviar la atención hacia mí. Cuando una cantante en realidad siente y experimenta qué pasa con la música, las palabras *automáticamente* suenan verdaderas; es lógico porque el significado de las palabras está allí, en la música. También María dice siempre esto."

Aunque es cierto, María Callas dice además que cuando el cantante entiende el significado de las palabras la música automáticamente sonará bien; una declaración compartida en este libro por la mayoría de las cantantes actrices. Lógicamente, esto se reduce a diferentes formas de imaginación artística. Algunas son estimuladas por lo dramático y se inclinan hacia eso; otras responden a la faz musical de la obra. Este contraste entre las prioridades marca la diferencia en la concepción actual sobre lo que es realmente ópera, y divide a los intérpretes en dos categorías: cantantes, pura y simplemente, o cantantes actores y actrices.

De todas maneras uno no puede menos que sentirse impactado por las frecuentes referencias de Caballé a Callas, por su admiración y afecto, y su dolor ante la muerte de la gran colega. (Como se comprueba viendo la filmación documental del décimo aniversario de su desaparición.) A ella le hubiera gustado conservar grabaciones de las numerosas charlas que mantuvieron a través de años, nunca dedicadas a chismorreo o a las reminiscencias, sino concentradas en la música y el arte de la interpretación. A veces Callas le daba valiosos consejos. Cuando se enteró de que le habían ofrecido la parte de Abigail en *Nabucco*, que ella no sabía y por eso estaba estudiando la grabación de Callas, esta exclamó: "¿Qué? ¿Tu voz en eso? Es como poner una copa de baccarat en una caja tambaleante. ¡Se romperá!" "Entonces le dije a María que si pensaba que no me convenía, no lo iba a hacer." Ella agregó: "Recuerda, no es bueno para tu voz, pero no sólo hoy, ¡siempre!" Por las mismas razones Caballé nunca quiso cantar Lady Macbeth, un papel por el que se sentía atraída. "Pero se necesita una voz vehemente, la mía es demasiado dulce, no puede servir bien a esta música." (*No puede servir bien a esta música*. Uno quisiera que estas palabras, que expresan la sincera humildad artística de una de las grandes cantantes del siglo, estuvieran grabadas sobre la cabecera de las jóvenes aspirantes a cantantes.)

Nunca dispuesta a dormirse sobre los laureles, en 1989 Caballé enfrentó el máximo desafío: cantó Isolda, primero en el Liceu y más tarde en Madrid, en coproducción con los dos teatros. James Levine, director musical del Metropolitan Opera House, hacía mucho que trataba de convencerla de "poner Isolda en la agenda", aunque eso significara perder sus papeles de Verdi. Pero ella siempre vacilaba y lo dejaba pendiente. Aun habiendo cantado Ariadna y Sieglinde, lo que le probó que vocalmente estaba preparada para Isolda, prefirió esperar hasta haber cantado *Telémaco*, *Saffo* de Piccinni, *Ermione* y *Hérodiade*, "a los que tiraría por la ventana después de Isolda".

Cuando se le pregunta por qué considera Ariadna y Sieglinde una buena preparación para Isolda, contesta que "Isolda necesita cierto cuerpo, un cierto peso en la voz media subrayando y apoyando el sonido, especialmente el alto. Sieglinde, de baja tessitura, me ayudó a desarrollar correctamente el peso que necesitaba para Isolda, en el sonido medio. La voz más grave que he usado en Sieglinde es la base correcta para apoyar la tessitura más aguda de Isolda. Pero la verdadera textura del sonido nunca debe ser grave. Si se escucha la grabación de *Tristán e Isolda* de Flagstad, dirigida por Furtwangler, se oye un gran sonido, pero no oscuro. Esta cantante está considerada la Isolda ideal, y aunque nunca osaría compararme con ella, coincido sin embargo con su modo de encararlo. Tampoco soy una Isolda 'pesada'. Podré pesar más de cien kilogramos, pero la voz debe sonar ligera y tener un juvenil timbre lírico dramático. Creo que ahora tengo los recursos vocales para lograrlo. Tengo cincuenta y cuatro años y sería bueno que Isolda fuera mi último papel." (Caballé decía esto a principios de 1987. Pero infatigable como era, después de Isolda hizo Silvana en *La Fiamma* de Respighi, en 1990).

Yo no la he visto en Isolda, pero de acuerdo con los comentarios internacionales, el veredicto parece ser que, aunque fue una interpretación válida, por momentos emocionantes, no es por lo que Caballé será mejor recordada. Su puesto en la historia de la ópera ya está asegurado por sus inmensos logros en el *bel canto*, en lo que admite haber sido "útil".

Varios años atrás confesó a Robert Jacobson cómo veía su vida artística:

–Toda mi vida he querido ser una gran artista. No lo soy. Soy una cantante con una bella voz. Pero donde quiera que haya estado, hice las cosas lo mejor que pude para servir a mi país, mi carrera, mi música, para sentirme orgullosa y andar por la vida sintiéndome limpia... Con tantas operaciones, tantas dificultades, muchos enemigos, pero también con millones de amigos. Y el mejor amigo es la música."

No cabe duda de que, cuando esta gran dama se retire realmente de la escena, se perderá algo único e irremplazable para el arte del canto. Nada podría haber expresado mejor la estima universal que ha ganado que el tributo de gala organizado en su honor por el Liceu para los veinticinco años de su debut en esa casa, el 14 de diciembre de 1986. Al terminar el recital en que la acompañaba la orquesta y el coro del Liceu dirigidos por su viejo amigo Carlo Felice Cillario, se lanzaron desde la galería miles de hojas que decían: "Felicitaciones Montse; 25 años – enero 7, 1962 – enero, 7, 1987" y "Estamos contigo, Montserrat." Según sus palabras, fue "el tributo más emocionante que pudo hacerme mi ciudad".

Ghena Dimitrova

En 1970, la búlgara Ghena Dimitrova, cuya voz está considerada por el experto en voces italianas, Rodolfo Celletti, como "una de las más interesantes voces de hoy", ganó el Primer Premio en la Competencia Internacional de Canto de Sofía por su interpretación del importante papel de Abigail en *Nabucco*. Lamentablemente, para vergüenza de la mayoría de los empresarios del mundo, no le dieron el reconocimiento que merece hasta 1978, cuando debutó en Viena; después de otros cinco años cantó en La Scala en 1983, en el Covent Garden en 1984 y en el Metropolitan Opera House en 1987. Mientras tanto, se daba importancia a voces pequeñas, que trataban de salir adelante con el repertorio dramático y lírico spinto, muchas veces sin lograrlo, cuando Dimitrova, teniendo la voz apropiada para esos papeles, esperaba su momento, cantando en lugares como el Colón de Buenos Aires, el Regio en Parma, el Liceu en Barcelona. Con voces mediocres, que consiguieron un lugar más allá de sus reales méritos, ¿cómo pudo ignorarse tanto tiempo semejante talento?

Para Dimitrova, una de las razones puede ser que "hoy son muy, muy raras las grandes voces dramáticas. Está Eva Marton y estoy yo. Hay mucha gente que no está habituada a nuestra clase de voz. En los últimos años, han conseguido acostumbrarse a oír nuestro repertorio, que incluye papeles de la primera época de Verdi como Abigail en *Nabucco*, Odabella en *Atila*, Elvira en *Ernani* y *Lady Macbeth*, además de algún Verdi más reciente y la mayoría del verismo, cantado por voces líricas a pesar del hecho de que se requiere un sonido mucho más robusto. Como resultado, cuando surgen voces dramáticas, la gente no sabe cómo reaccionar, especialmente los directores de música."

Otro motivo es que la industria de la grabación, capaz de amplificar voces pequeñas más allá de su capacidad natural, ha contribuido a condicionar el gusto del público e influir en el reparto de las salas de ópera, a veces con resultados desastrosos. Pero Dimitrova, honestamente, se atribuye parte de la culpa: "Yo era lo bastante ingenua como para creer que, si uno canta bien, no importa en qué teatro lo haga porque el público se enterará. Pero hoy las relaciones públicas y las consideraciones de orden comercial tienen más importancia en el desenvolvimiento de una carrera lírica. Recientemente me di cuenta de que debía haber luchado y presionado más duramente desde el principio y procurarme audiciones con los directores más importantes. En lugar de eso, me conformé con buenos comentarios, pensando que los representantes y gerentes los leerían y vendrían a escucharme. A mediados de los años setenta hice algunos trabajos maravillosos, algunos de los mejores de mi carrera, en América del Sur. Pero nadie me llamó, y los años pasan..."

Dimitrova nunca quiso vivir como una diva, volando de un lugar a otro, buscando publicidad, pero a veces se siente triste, especialmente cuando va a escuchar a las cantantes famosas en grandes teatros, para descubrir que no lo hacen tan bien como ella. Indudablemente, pensaba, hoy tener éxito exige algo más que ser una buena cantante. Pero después de remplazar a su representante, su suerte cambió. "Por fin llegó mi momento de cantar en grandes teatros, y esperaba demostrar, y seguir demostrando, que lo merecía."

Y lo demostró sin ninguna duda con el repertorio italiano. El doctor Eddie Khambatta, laringólogo y gran conocedor del tema, explica que su técnica vocal y respiración se remonta, pasando por sus maestras Margherita Carosio y Gina Cigna, a Ester Mazzoleni, una de las grandes sopranos dramáticas de las dos primeras décadas del siglo. "Tiene la misma amplitud de vibrato (y no estoy hablando de un temblor, sino de un verdadero vibrato de fuerza dentro de la voz, no como el que desgraciadamente desarrolló Callas) que se oye en algunas grabaciones de Ester Mazzoleni y en representaciones de Gina Cigna en el Metropolitan, especialmente su *Norma* y *Aída*. Sus grabaciones comerciales no manifiestan suficientemente el efecto de su fenomenal fraseo y la extensión de su respiración porque, como Ghena, su voz no graba tan impactante como suena en una sala. Esto se da en todas las voces itálicas con ancho. Ghena me dijo una vez que su voz sale realmente bien grabada cuando su salud no es buena. Esto, es obvio, se debe a que la amplitud de su vibrato se reduce a una medida fácilmente captada por los aparatos. De todas maneras, la máxima amplitud no puede registrarse." (El crítico del *Village Voice* de Nueva York expresa lo mismo al comentar la representación de Dimitrova haciendo Abigail en un concierto en Carnegie Hall. "En una generación se encuentra sólo una voz, de tanto volumen y calidad. Ni las grabaciones sugieren la amplitud y poder de este impresionante instrumento cuando se lanza al espacio de una gran sala.")

En Gran Bretaña y en América, los críticos, el público amante de la ópera y alguna gente de teatro con verdadera visión descubrieron a Dimitrova e instaron a las grandes salas a hacer algo con esta voz excepcional. A principios de los ochenta, después de una serie de apariciones triunfales en el la Arena de Verona, en 1980 (como Aída y Gioconda), en 1981, como Abigail, y en 1982, como Lady Macbeth, televisadas para todo el mundo, hizo dos memorables debuts en salas de concierto: el Barbican Hall de Londres en abril de 1983, en *La Gioconda* (organizado por los siempre atentos empresarios Alan Sievewright y Denny Dayvies), y en el Carnegie Hall de Nueva York con *Nabucco*, en 1984. *The Times* escribió que "el debut de Dimitrova en Londres demuestra que las sopranos dramáticas, aun siendo una especie en peligro, no son una raza extinguida. Tiene fuego en la voz, dinamismo, y un manífico registro bajo", mientras el *Sunday Times* agregaba que "esperamos oír mucho más de esta soprano enormemente dramática." Impresionado por las aclamaciones del público y la crítica, el Covent Garden la invitó a debutar el año siguiente con Turandot.

De igual manera, el impacto de su Abigail en Nueva York, bajo los auspicios de Eve Queler's Concert Opera Orchestra, fue tal que los críticos vociferaron contra los directivos del Metropolitan por haber ignorado a Dimitrova. "Esta noche, ninguno de nosotros en esta sala pudo explicarse porqué el Metropolitan ha tardado tanto en contratar a Miss Dimitrova", escribía el *New York Times*, mientras el *Village Voice* agregaba que "Dimitrova es realmente una voz mayor, un artículo que, lamentablemente, en el Metropolitan ha escaseado en los últimos años... Lo definitivo es que Dimitrova, que debutó en el Metropolitan en 1987, a los cuarenta y seis años, debió haber empezado su carrera en ese teatro a los treinta."

Dimitrova sabe perfectamente que su lento ascenso a la fama le permitió madurar naturalmente y adquirir una sólida técnica vocal, necesaria para cualquier cantante, pero es cuestión de vida o muerte para las sopranos dramáticas, cuya manera especial de usar el diafragma puede resultar catastrófica si no es la correcta. "No envidio a nadie que lo haya logrado más temprano que yo, porque muchas de las que empezaron pronto, también terminaron pronto." (La prematura desaparición de la sensacional soprano dramática griega Elena Suliotis, que en su juventud parecía señalada para una gran carrera, es un ejemplo triste pero elocuente.) Pero nada de esto enmascara el hecho de que para Dimitrova el camino a la fama fue largo, arduo y a menudo descorazonante.

Pertenecía a una familia campesina de una pequeña ciudad del norte de Bulgaria que no tenía teatro ni colegio de música. Pero sí tres buenos coros –algo imprescindible en las comunidades eslavas–, un cine y una excelente escuela, con un maestro de música respetable y una profesora de biología fanática de la ópera. Si bien la voz de Dimitrova empezó a destacarse en el coro, ambos maestros se ocuparon de animarla, instándola a seguir una carrera de cantante profesional.

El cine local, que en esa época proyectaba todas las películas italianas y rusas sobre la vida de grandes compositores, contribuía a encender su entusiasmo. Su familia estaba esperanzada en que estudiara medicina, una de las profesiones más "seguras" en los países del Este, pero no se oponía a que asistiera al mismo tiempo al Conservatorio de Sofía.

Pero aparte de pertenecer al coro de la ciudad, Dimitrova carecía de educación musical, apenas podía leer música y, por supuesto, nunca había vocalizado. Tan pronto como llegó a Sofía, a los dieciocho años, descubrió que su falta de entrenamiento formal le impediría aprobar el riguroso examen de ingreso. Necesitaba por lo menos un año de preparación previa. Empezó a estudiar con el maestro más importante de Bulgaria, Christo Brumbarov, quien tambíen había enseñado a Nicolai Ghiaurov. El maestro le dijo que tendría posibilidades de aprobar si se preparaba como mezzosoprano, porque el criterio del conservatorio era menos estricto con las mezzosopranos que con las sopranos. (Joan Sutherland y Gwyneth Jones, que también empezaron su entrenamiento como mezzosopranos, dicen cosas interesantes en sus correspondientes capítulos sobre la importancia que tiene, para las sopranos dramáticas, un sólida voz de registro medio en la cual apoyar sus agudos.) Durante el segundo año, Dimitrova fue reconocida como soprano dramática, y con una extensión de tres octavas y media. Christo Brumbarov, con quien estudió hasta su partida a Italia, cinco años después, le dijo que cuanto más agrandara su voz, más ágil se volvería, y ella siempre siguió su consejo. Excepto una vez.

En 1966, habiéndose graduado en el Conservatorio, fue empleada por la Opera Estatal de Sofía junto con otras once alumnas avanzadas, en una especie de taller de aprendizaje práctico. En la primera temporada, sólo se les permitía cantar partes pequeñas, acostumbrándose a estar en escena y adquirir experiencia. Pero en la siguiente, pudieron elegir un par de papeles importantes y Dimitrova escogió Leonora de *Il Trovatore* y Amelia de *Un ballo in maschera*. Para su debut, se la destinó a un papel diferente, más difícil y que constituía un desafío: Abigail en *Nabucco*, considerado propiedad de las tres principales divas del teatro (tenían más de cuarenta años, y Dimitrova veintiséis). Durante los ensayos, la que debía hacer Abigail se retiró, y se propuso a Dimitrova prepararse para aprender el papel. Contra los consejos del maestro, lo hizo en nueve días, y el estreno fue un éxito.

Dimitrova, que ha cantado Abigail durante más de treinta años, insiste en que ninguna cantante de menos de treinta y cinco debería intentarlo. Ella misma tuvo suerte al soportarlo, y eso porque se le permitió cantar el papel sólo una vez por mes. "Eso me salvó porque, como la mayoría de los personajes de Verdi, Abigail es una tessitura *asesina*; notas que llegan a la estratósfera y saltos de dos octavas arriba y abajo, pueden dañar las cuerdas

76

vocales de una joven. Verdi lo era cuando compuso *Nabucco*, y a pesar de ser un genio su inexperiencia es grande en lo que se refiere a escritura vocal. Abigail fue escrito para una soprano dramática con coloratura y timbre más bien metálico. No basta que la voz sea 'dura' porque el papel tiene momentos líricos y llenos de matices; por lo tanto la flexibilidad es esencial." (Cualquiera que esté familiarizado con las representaciones de Dimitrova o sus grabaciones para Deutsche Grammophon no puede ignorar el marcado cambio desde un severo, casi metálico sonido en el recitativo del primer acto "Prode guerrier", hasta los matizados, tiernos tonos usados en la frase "Io t'amava" que sigue de inmediato.)

En el primer acto, la inexperiencia de Verdi lleva al máximo las dificultades vocales y enfrenta a la cantante con el desafío dramático de interpretar un carácter agresivo, una mujer guerrera embargada por la furia. "Si no se dominan los problemas técnicos, quedando libre para dedicarse a interpretar el personaje, fallará todo al mismo tiempo." El segundo acto comienza con "Anch'io dischiuso", un aria interesante y enormemente excitante, precedido por recitativo aun más difícil, "Ben io t'invenni, o fatal scritto", llenos de saltos de dos octavas desde notas bajas a agudas y viceversa. "Si uno no dirige la voz muy cuidadosamente, esos saltos pueden arruinar las cuerdas vocales para siempre. Una laringe dañada nunca recuperará su salud.

"El aria en sí misma es aguda y lírica y necesita apoyo sustancial desde el diafragma. El momento más arduo en el acto segundo es, sin duda, la caballetta 'Salgo già del trono aurato', que requiere gran agilidad. Pero nada se puede comparar con las dificultades del tercer acto, en el dúo de Abigail con Nabucco, lleno de 'picchiettati', que salta y baja otra vez. En este punto hay que elegir el agudo o el bajo, el fa agudo audible por encima de la orquesta en pleno. Si se intentan ambos, estás perdida."

Dimitrova tuvo la suerte de contar con maestros de primer nivel en sus años de aprendizaje. El premio de la Sofia Singing Competition que obtuvo en 1970 se debió en parte a los dos años en la famosa escuela para cantantes de La Scala, la "Scuola di Perfezionamento". Allí, sobre las bases que le diera Christo Brumbarov en Bulgaria, estudió repertorio con Renato Pastorino, Gina Cigna, que le transmitió la experiencia de todos sus grandes papeles, y Margherita Carosio. Fueron años definitivos para su desarrollo artístico y hoy se siente eternamente agradecida a sus maestros.

"Fue allí donde aprendí a eliminar el pesado vibrato de las voces eslavas, que no tiene nada que ver con el bueno, el vibrato amplio, de las voces dramáticas y lírico spinto de todas las nacionalidades. Aprendí a enfocar mi voz y cómo cantar con la respiración y la palabra, y lo que es más importante, a *interpretar*. Estudiaba mis papeles nota por nota con Renato Pastorino, quien me hizo entender lo que realmente significa estilo. Me explicaba que aunque las notas y hasta las indicaciones expresas como 'con pasión' sean las mismas en todas las partituras, la pasión de Norma, por ejemplo, es distinta de la pasión de Santuzza o Gioconda, porque los papeles han sido *escritos* de distinta manera. Como lo había hecho Brumbarov, trató de que entendiera al principio que indicaciones como piano y pianissimo no se aplican sólo a la dinámica sino a la tensión interna y al color. Uno debe buscar siempre el color. Y nadie lo hizo como María Callas, que sigue siendo única, un ejemplo para todas nosotras."

Dimitrova aprendió mucho escuchando las grabaciones de Callas –"pero sin tratar nunca de imitarla porque si lo hubiera hecho, como tantas cantantes de hoy, me habría costado mi voz"– y de otras como Renata Tebaldi, Montserrat Caballé y Mirella Freni aprendió, especialmente, sobre fraseo lírico y a refinar su sonido. Lamenta no haber estudiado con Antonino Votto. "Con maestros como él, aptos para preparar y enseñar a las cantantes jóvenes, apenas se necesitan preparadores profesionales. A los directores de música de hoy les gusta que las cantantes lleguen completamente preparadas, para hacer sólo pequeños ajustes a su interpretación. ¿Pero dónde encontramos a alguien capaz de hacerlo como se debe?" (La respuesta es que, aparte de Ubaldo Gardini, Janine Reiss y Roberto Benaglio, es difícil encontrar otro.)

Después de dos años en Milán, Dimitrova ganó la Treviso Singing Competition en 1972 con Amelia de *Un ballo in maschera* e inmediatamente fue contratada para ese papel en el Teatro Regio de Parma. La acompañaba un joven tenor desconocido, que también hacía su debut en Italia. Se llamaba José Carreras. Los "loggionisti" del teatro, considerados entre los públicos más exigentes del mundo, estaban entusiasmados, pero de todos modos pasaron siete años antes de que la cantante fuera invitada otra vez, y en 1979 cantó *Nabucco*. Lo mismo ocurrió con su primera aparición en La Scala, la última de una serie de representaciones del *Ballo* con Domingo y Cappuccilli: pasó desapercibida. En cambio recorrió las ciudades provinciales de Francia con un reparto italiano y cantó su primera Turandot en Treviso en 1974. Un crítico destacó que, desde Eva Turner, nadie había hecho el papel *cantado* y no gritando. En 1975 hizo su debut en España haciendo Magdalena de *Andrea Chénier* en Zaragoza. Le valió una invitación para debutar al año siguiente en el famoso Teatro Liceu de Barcelona, con *Ballo* y el papel protagonista en *Manon Lescaut*.

A mediados de los años setenta comenzó una serie de apariciones realmente exitosas, en América del Sur: Caracas, México, Río de Janeiro, y el Teatro Colón de Buenos Aires, donde hizo seis temporadas fructíferas, cantó por primera vez muchos de sus papeles famosos y se convirtió en una gran estrella local.

Sin embargo no aconseja a los cantantes jóvenes establecerse tan lejos de los grandes centros europeos. Por supuesto, todos los años volvía a Europa, y en su país nativo fue nombrada Artista del Pueblo. En 1978 debutó en la Opera de Viena como Tosca y Santuzza (en representaciones de repertorio) y una cantidad de importantes teatros alemanes como el de Baviera, la Opera de Hamburgo y la Deutsche Oper am Rhein. Después de 1980, cuando su aparición anual en la Arena de Verona empezó a televisarse mundialmente, su carrera dio un notable paso; Giuseppe Sinopoli la invitó a cantar Amelia en *Simon Boccanegra* en el teatro La Fenice de Venecia, y más tarde cantó Abigail, acompañada por Cappuccilli, Domingo y Valentini Terrani en su grabación de *Nabucco* para Deutsche Grammophon. Más o menos para esa época, en diciembre de 1982, también Sinopoli la dirigió haciendo Minnie, de *La Fanciulla del West*, en la Opera Alemana de Berlín. El director artístico de La Scala asistió a esta representación, y se sintió lo bastante impresionado como para invitar a Dimitrova a debutar en La Scala como Turandot, en la nueva producción de Franco Zeffirelli. Con esta ópera se inauguró la temporada 1983-84, bajo la dirección de Lorin Maazel.

Turandot siempre ha sido "algo natural" para Dimitrova. Después de su representación en el Teatro Colón en 1977, seguida por otra en Río de Janeiro, *Opera* dijo que "Dimitrova debe ser, con seguridad, la reina de las Turandot de hoy; tiene la voz metálica justa con libertad absoluta en los agudos." En realidad, después de esto, Dimitrova recibió innumerables ofertas para cantar, pero nada que *no fuera* Turandot. No obstante, se dio un respiro y juró no cantarlo en cinco años, con lo que perdió una cantidad de dinero. La alternativa era perder la voz, porque "aunque Turandot es un papel corto, alrededor de veinticinco minutos de canto, la manera en que está escrito obliga a sostener la voz en gran tensión todo el tiempo, lo que puede ser muy dañino. Renunciar a cantarlo no fue una decisión fácil, pero había que tomarla."

Dimitrova destaca acertadamente que Turandot debe ser cantada por una auténtica voz dramática y "no por una voz lírica buscando trabajo. Porque como Abigail, es la clase de papel donde uno se salva o cae por su voz. Las dificultades son puramente vocales." Dimitrova se desliza por ellas aparentemente sin esfuerzo. "Canta una Turandot que, en estrictos términos de poder, ataque y falta de temor en el manejo de la tessitura nos recuerda a Nilsson en su primera época", escribió *The Times* después del estreno de 1983 en La Scala.

"Sólo al final de la ópera, cuando Turandot le dice a Calaf cómo se sintió al verlo por primera vez, se ablanda y se convierte en una mujer. Y sólo entonces el helado, metálico timbre requerido por el papel se vuelve liviano y dulce." Como siempre, para Dimitrova la preparación de la interpretación dramática se basa en la partitura. "Puccini le dice a uno exactamente qué es lo que quiere. Antes de la escena final se puede oír la suavidad de una mujer en la orquestación, que para Turandot cambia los bronces por los violonchelos. Dramáticamente, así como Abigail me recuerda a Amneris –las dos son princesas despreciadas por su amor a un esclavo, y llenas de furia–, Turandot me recuerda a Lady Macbeth, que también es gélida y está sedienta de sangre. Por eso requiere una voz fría, metálica, con un borde filoso. La impresión nos dice que Lady Macbeth es más feroz, pero en realidad no es así. Turandot ha mandado cortar doce jóvenes cabezas, y lo disfruta. La similitud entre los dos papeles termina aquí. Podrán necesitar la misma clase de timbre, pero vocal y musicalmente son por completo distintos."

Dimitrova cantó Lady Macbeth por primera vez en Marsella, en 1979, y desde entonces lo hizo con gran éxito en el Teatro Regio de Parma, en 1981; Arena de Verona en 1982; en el Festival de Salzburgo (debutó en 1984 y volvió a hacerla en 1985); la Opera de Viena, y el Covent Garden en 1985, con la misma producción que el Festival de Atenas. Considera este papel tan difícil como el de Abigail, pero por diferentes razones; "Lady Macbeth exige considerable madurez *artística*. Y si uno puede manejarse bien en ese tema, es un papel con el que se puede lograr un gran impacto. En Abigail, el aspecto vocal es marcadamente importante. Resumiendo, se gana o se pierde a causa de la voz. Pero en Lady Macbeth el aspecto dramático es igualmente vital porque ella es el motor de la trama completa. Sin una Lady Macbeth realmente fuerte, sustancial, la ópera no se aglutina. De modo que hay que tener resueltos todos los problemas vocales y estar despejada para interpretar el personaje.

"Tuve suerte al cantarlo en una época de mi carrera relativamente tardía porque es vocalmente tramposo, con muchos pasajes marcados sotto voce, más muchos sonidos sibilantes, susurrantes. Y si no se sabe recitar, si no se sabe declamar, fatalmente uno tendrá un tropiezo. Además se necesita versatilidad vocal porque cada una de las arias requiere una expresión distinta. En la primera, 'Vieni, t'affretta', ella es todavía una mujer joven y ambiciosa que aspira al trono. En el momento en que lee la carta de Macbeth hablándole de las profecías de las brujas –la primera ya se ha cumplido– todas sus ambiciones se le vienen abajo. Paladea la sangre, por decirlo así, y nada la detiene, se vuelve incitante y empuja a su marido, menos resuelto, a ser ardiente, a atreverse.

"En la segunda aria, 'La luce langue', vocalmente muy baja, ella es aun más feroz. Es un aria 'gozosa' ante el mal ajeno, porque la mente de la protagonista está llena de sangre y se da cuenta de que, aunque ahora tienen la corona, deberá cometer más asesinatos para conservarla. En la escena del brindis queda expuesta su falsedad, su lado hipócrita, porque actúa como encantadora anfitriona para ocultar la debilidad del marido. Es importante marcar la gran diferencia entre las dos estrofas. La primera es liviana y brillante, con reminiscencias del brindis de *La Traviata*, pero la segunda es angustiosa, alterna las palabras con suspiros y jadeos, y es más enfática. Trata de *imponer* jovialidad y de disimular ante los invitados el espectáculo en que se convierte Macbeth después de ver el fantasma de Banquo."

Cuando Dimitrova cantó Lady Macbeth en el Covent Garden, *The Times* comentó "la sutileza de las inflexiones con que ella consigue hacer resaltar todo lo absurdo del brindis. Y cuando llegamos al último dúo, cuando ella urge a Macbeth a recuperar la fortaleza, sus manos están tan empapadas en sangre que se da cuenta de que no puede volver atrás: es el momento de la venganza o de la muerte. Lo más interesante es la comparación de su estado mental según esté despierta o dormida. Despierta, parece la más fuerte de los dos. Pero en realidad su mente ya está enferma. En la escena en que camina dormida, 'Una macchia', que debe ser estudiada palabra por palabra, es una vieja enferma inclinada por el peso de la culpa. Oye campanas, terribles profecías y se pregunta si vale la pena haber dedicado la vida a matar para alcanzar y conservar el trono. El aria termina con un emocionante 'fil di voce' (literalmente 'hilo de voz'), culminando en un Fa bemol hasta reducirse a la nada."

La experiencia de oír una enorme voz como la de Dimitrova reduciéndose gradualmente, en un arco de sonido, hasta ese hilo mágico, fue realmente impresionante. (Un perfecto "fil di voce", como el que Dimitrova también emite en el aria de Norma "Teneri figli" en el Teatro San Carlo, es para mí tan excitante como un Do agudo sin esfuerzo.)

"La voz de Dimitrova es, como quería Verdi, la voz del demonio", dijo *The Times* después de las representaciones en el Covent Garden.

Las interpretaciones ejemplares de Dimitrova haciendo Abigail y Lady Macbeth le ganaron el Premio Verdi en la ciudad de Bussetto en 1987, y en noviembre de 1989 recibió también el Premio Puccini en Torre del Lago. De modo que está capacitada para hablar de las dificultades y las exigencias que enfrentan las intérpretes de los dos compositores. "Hay un dicho en Italia –comenta– que afirma que Verdi nos carga en sus hombros, pero que a Puccini hay que cargarlo." Y es verdad. Las óperas del verismo son las más difíciles. Aun papeles como Tosca y Minnie –sin hablar de Turandot– pueden ser peligrosos. Sin embargo hay sopranos jóvenes e inexperimentadas, y aun sopranos *líricas* en el mismo caso, que se animan con Tosca, que puede dañar hasta una voz lírica. Una soprano lírica con experiencia *podría* cantar Tosca a los cuarenta años. Pero si aprecia sus cuerdas vocales, no debería intentarlo antes."

El verismo de Puccini, de todos modos, es muy distinto del aun más pesado verismo de otros compositores como Mascagni, Leoncavallo, Giordano y Ponchielli. En realidad Dimitrova considera el papel protagonista de *La Gioconda* de Ponchielli, que cantara en 1978 en Niza y a continuación en la Arena de Verona, como el más difícil de su repertorio. "Sí, aun más difícil que Norma, porque Bellini es *bel canto* puro. Se puede cantar una página entera casi sin respirar. Pero la Gioconda está escrito en un estilo expresivo muy distinto y exige mucho más de la cantante porque necesita una manera de respirar y empleo del diafragma diferente. Aun sus momentos líricos resultan más bien oscuros, porque se dan en dúos de amor-odio que se balancean de un extremo emocional a otro. Y su aria 'Suicidio', en la que ella contempla la idea de cometerlo, debe sonar *realmente* desesperado, pero con reservas de fuerza."

Hace unos años, Dimitrova explicaba en *Opera News* su desacuerdo con la ola actual de "limpiar el verismo" exageradamente. "Si en la partitura figura un grito, debe hacerse –pero bien hecho, no excesivo–, porque eso es buen teatro, y el verismo gira alrededor de lo teatral. También desapruebo la costumbre actual de sustituir las notas altas del pianissimo por notas altas fuertes porque en situaciones como el suicidio de Gioconda no se puede sostener la embestida de la emoción. La cantante debe *inundar* el teatro con el sonido de la angustia de Gioconda. De hecho, sentimientos tan extremos se transmiten mejor con movimiento mínimo." ("Ella tenía fuego en su voz... Una Gioconda con toda la pasión que quería Ponchielli", dijo *The Times* después de su versión de concierto en el Barbican Hall.)

Dimitrova pensaba también que no había que ponerse límites para el papel de Santuzza en *Cavalleria Rusticana* de Mascagni, que cantó por primera vez en 1976 en Caracas, y en julio de 1989 en el Covent Garden. Esta manera de encararlo se modificó con los años. "Cuando era joven, acostumbraba a lanzarme al papel irreflexivamente, hasta que pensé que si el compositor hubiera escrito una nota más yo no habría podido darla. Afortunadamente, la juventud olvida pronto las dificultades y repone fuerzas. Cuando uno va envejeciendo, necesita más intervalos entre una representación y otra para recobrar el aliento, en especial con papeles como Turandot, Gioconda y Santuzza." En cuanto a esta última, lo más importante, desde el punto de vista dramático, es no presentarla como una mujer vulgar. "Por el contrario, su tragedia consiste en ser una mujer muy *respetable* que cometió un gran error, dando una idea de cómo fue, o quizá cómo es todavía, la vida de las mujeres en Sicilia. La situación desesperada de Santuzza se refleja en la escritura vocal de Mascagni y debe ser expresada al cantarla. El sonido –y la respiración– debe provenir de sus entrañas, de las raíces de su ser. Su sollozo es un sollozo *real*, su grito es un grito *real*. No estoy diciendo que se debe gritar sin parar desde el principio hasta el fin. El sonido, por supuesto, debe ser mesurado. Pero nunca *pulido* como en otros papeles, porque Santuzza es un temperamento sanguíneo escrito con sangre *dentro* del papel, por decirlo así. A veces me parece que no he tenido *bastantes* recursos para hacer este papel. No lo estoy diciendo para defenderme, sino para defender al *compositor*, su concepción, reflejada en la escritura vocal. Como les digo a las estudiantes que preparan este papel conmigo, cuando canten Santuzza, deben mover *sólo* el diafragma. Esto es el verdadero verismo. Esta clase de respiración. No se puede usar en el verismo la misma manera de respirar que en el *bel canto*, sino la que se usa para Azucena en *Il Trovatore*, y por las mismas razones dramáticas. Y cuando los críticos dicen que este modo de cantar es lo mismo que gritar, ¡están equivocados, equivocados, EQUIVOCADOS! Pero lamentablemente, a veces escriben necedades que son leídas por mucha gente, cuyo juicio sufre esa influencia y se desvía."

En un intento de paliar el daño hecho por esas opiniones erróneas y su dañino efecto, Dimitrova ya ha empezado a dar clases magistrales en Italia y Bulgaria y a hacer planes para dedicarse totalmente a la enseñanza. Sabe que ser una cantante no la califica automáticamente para enseñar, porque "mi carrera y mi experiencia personal consistió sólo en tratar de educar mi propio instrumento. Pero como maestra me veré enfrentada a todo tipo de voces y tendré que ser capaz de ayudarlas." También está proyectando un método de enseñanza y traduciendo libros franceses y españoles sobre *bel canto*, y libros italianos sobre la expresión en la ópera, que según ella debería cambiar completamente: *todo* el canto, sea de músicos franceses, italianos o alemanes, tendría que acercarse al *bel canto*. Y las soberbias representaciones hechas por Plácido Domingo en la Opera de Viena en 1985, *bel canto* puro en su estilo de emisión, fueron un ejemplo perfecto de lo que afirma Dimitrova. Dimitrova es una de las más honestas, conscientes y capaces para la autocrítica entre las cantantes de hoy. En realidad, durante largo tiempo sufrió a causa de su excesiva humildad y su posición supercrítica. En lugar de venderse de la mejor manera, decía lo que pensaba de sus representaciones y grabaciones. Pero admitía estar orgullosa de haber tenido siempre el repertorio indicado y no tratar de ser otra que ella misma. "Cuando era joven y tenía que cantar papeles líricos, quizás estaba haciendo algo que no era innato o natural en mi voz. Gradualmente, me fui limitando a papeles dramáticos o lírico spinto, siempre con el propósito de hacer lo mejor, de modo que el púbico pensara que había visto una gran Abigail, Lady Macbeth, Gioconda y Turandot.

"La voz es un instrumento muy volátil y cambia de color según el día, la estación del año o el flujo hormonal en el cuerpo. Las hormonas regulan la voz femenina; desde la pubertad hasta la menopausia, afectan la laringe de la manera exacta en que lo hacen con la constitución facial, deshidratando la membrana mucosa donde resuena la voz. Hay días en los que apenas se puede cantar, y otros en los que uno casi se siente renacer." Pero ella está en contra de tratar de equilibrar los desajustes hormonales "desde afuera", con tratamientos de remplazo de hormonas. "Hoy todos tratan de ayudar a la mujer en la menopausia. Pero yo creo que esto es erróneo, porque a menos que uno la *atraviese*, finalmente se desmoronará. Es mejor esperar que pase y que llegue la próxima etapa, de la manera en que Dios lo dispuso. Si la voz desaparece en el proceso, así será. Si vuelve, mucho mejor. Leí en un libro sobre filosofía oriental que el alma pasa a través de tres compartimentos del cuerpo. Y en las tres diferentes etapas de la vida –juventud, madurez y vejez– el alma debería habitar las tres. Yo pienso intentarlo."

Dimitrova no teme al día en que finalmente deberá decir adiós al escenario y no está segura de extrañar su vida de intérprete. "Los cantantes somos esclavos de nuestra voz. Vivimos en un perpetuo estado de tensión nerviosa, llenos de problemas psicológicos y sacrificios. Sabemos que mientras estamos concentrados en nuestro arte y forjándonos una carrera, la vida pasa por nosotros sin que la vivamos. Tenemos que cuidar tan esmeradamente nuestra salud, asegurándonos de tener el descanso necesario, y cosas por el estilo, que no podemos disfrutar y saborear los placeres de la vida como la gente normal. Aquí estamos, mi marido (con quien se casó en 1968 a los dos días de conocerlo, 'un verdadero flechazo') y yo, sin hijos, constantemente en movimiento, imposibilitados de gozar de nuestro hogar. Cuando me retire, miraré hacia atrás sabiendo que nunca *viví* realmente. Pero no hay retroceso. Supongo que todo valió la pena..."

Mirella Freni

La ejemplar Mirella Freni, con una carrera de treinta y cinco años que comenzó en 1955 en Modena, donde nació, podría servir de modelo para las cantantes del presente y del futuro. Como Leontyne Price, siempre ha sabido valorarse y guiarse por su instintiva musicalidad, contraria a la "sofisticación" académica. En 1989 cantó *Adriana Lecouvreur*, de Cilea, en La Scala, con un brillo vocal no sólo intacto sino perfeccionado por la riqueza que la edad da a las cantantes que han sabido cuidar su voz. *The Times* dijo al respecto que "Freni ha descubierto, sin duda, el secreto de la eterna juventud." ¿Cómo lo hace?

"Tengo una buena cabeza sobre los hombros y un instinto del sonido al que siempre obedezco. Desde el principio, he sentido profundo amor por mi instrumento vocal y decidí tratarlo con respeto y protegerlo celosamente. Por lo tanto, no me dejo influir por consejos equivocados ni avanzar más de lo que puedo. De esta manera mi voz no se esfuerza, le doy tiempo para desarrollarse lenta y naturalmente. Cuando sentí que había alcanzado la necesaria flexibilidad y que mi técnica era lo bastante segura, comencé a ampliar mi repertorio hasta incluir algunos de los más exigentes papeles líricos y finalmente lírico spinto. Por lo general hago un papel nuevo por año."

La clave, entonces, es saber graduar. Durante una década, el repertorio de Freni consistió en un grupo de papeles líricos livianos con Micaela en *Carmen*, Margarita en *Fausto*, Liù en *Turandot*, Susana en *Las Bodas de Fígaro*, Zerlina en *Don Giovanni*, Nanetta en *Falstaff*, Adina en *L'elisir d'amore*, Elvira en *I Puritani*, Violeta en *La Traviata*, Mimí en *La Bohème*, y a veces Marie en *La Fille du Régiment*. Con el papel protagonista en *Beatrice di Tenda* de Bellini, realmente exigente, obtuvo tal éxito que se convenció de que estaba lista para dar un paso adelante, con algunos de los papeles más fáciles de Verdi como Amelia en *Simon Boccanegra* y la parte de soprano en el *Requiem*, que "requiere color expresivo más dramático y ciertas notas que yo no había necesitado hasta entonces." Desde mediados a fines de los años setenta, se decidió por partes más sólidas de Verdi como Elisabeth de Valois en *Don Carlos*, Desdémona y Aída. A principios de los ochenta se sintió bastante segura como para interpretar algunos papeles veristas como Manon Lescaut y Adriana Lecouvreur y papeles líricos rigurosos como Tatiana en *Eugene Onegin*.

En su larga carrera ha habido sólo dos errores notables, y es la primera en reconocerlo. El primero fue cantar Violeta en 1964, en La Scala y dirigida por Karajan. Aunque gran parte del fracaso fue orquestada por una claque organizada, Freni admite que era muy pronto para cantar el papel. Hay una grabación pirata de una de las representaciones muy interesantes de escuchar. "Si uno comete un error, es importante reconocerlo. Y yo lo hice." A los tres años cantó otra vez Violeta, en el Covent Garden con la dirección de Giulini, y tuvo mucho más éxito.

El segundo error fue cantar Elvira en *Ernani*, dirigida por Muti en La Scala y grabada en disco y vídeo. Según ella el resultado fue "correcto pero no brillante". Después de unas pocas representaciones dejó de hacerlo, segura de que estaba perjudicando su voz. "Exige una especial manera, más abrupta, de emplear el diafragma, lo que puede afectar su elasticidad. Y si lo hubiera hecho, me sería imposible cantar otra cosa que no fueran papeles dramáticos como ese. Por consiguiente me detuve a preguntarme: ¿cuál es la especialidad de Mirella Freni, por cuál se la conoce mejor? Y la respuesta es: las largas, líricas notas del *bel canto*. Si pierdo eso, ya no seré yo misma. Preferí perder a Elvira. Porque una soprano lírica depende enteramente de la expresión. Esto la diferencia de otras clases de sopranos, como coloraturas que tienen notas altas y ágiles, o dramáticas, con grandes voces que acometen de una manera especial. Pero la soprano lírica es la voz femenina más "normal" y para ser convincente debe tener belleza y pureza vocal: suave, aun cantando notas altas, y con expresión tierna."

En la cima de estas cualidades vocales, Freni posee encanto natural, un chisporroteo que agrega condimento a los papeles graciosos como Susana y Zerlina, además de "una encantadora personalidad obviamente itálica", según James Lockhart, que fuera director musical de la Opera Nacional Galesa y tiene ahora ese cargo en el Teatro del Estado de Koblenz. "Sin ser bella, es muy atractiva, un alma abierta, con una *preciosa* voz y un canto muy musical, y con gran velocidad de aprendizaje. Puede seleccionar cualquier trozo del repertorio y cantarlo a la perfección."

Freni, una presencia siempre imponente en escena, cree firmemente que en esta época actuar es parte esencial del bagaje de una cantante de ópera. Su fructífera colaboración con notables directores de escena como Zeffirelli y Konshalovsky ha contribuido a cultivar su innato instinto teatral y ha evitado que la interpretación se vuelva rutinaria. "Los buenos directores saben cómo hallar nuevas facetas, nuevos matices y detalles, de modo que, aunque represente miles de veces a una heroína, no pierdo el interés en ella."

Después de una de las incontables representaciones de Mimí, en la Opera de Baviera, el crítico alemán de *Opera* dijo: "El hecho de que la incomparable Mirella Freni, que ha cantado esta parte durante más de veinte años, no se haya permitido caer en la rutina, ni siquiera en el menor detalle, que cada nota, cada gesto pareciera surgir de la necesidad del momento, es un gran tributo a su arte y a su disciplina."

"Lo más importante para tener en cuenta cuando uno canta Mimí –según Freni– es que nunca debe 'excederse', sino ser natural, sin afectación. El canto debe reflejar el hecho de que no es un personaje típicamente operístico, sino casi una persona real, simple, y muy humana, sin afectación. Vocalmente es difícil. Se necesita la voz estrictamente correcta para Mimí. En un personaje en el cual la pauta es la humanidad, sería un grave error emplear un sonido frío y metálico; esto se evidencia en el cuarto acto, cuando agoniza y sin embargo tiene tiempo para consolar y decir la palabra justa a cada uno. Es el acto clave para el personaje, y con él empieza mi estudio de Mimí. (Y es el acto que quiso escuchar Karajan cuando audicioné para él en La Scala.) En el primer acto Mimí es coqueta, pero en el tercero cambia totalmente: se desencadena todo el drama y la desesperación, una fórmula típica de Puccini. La mayoría de sus heroínas –Tosca, Butterfly, Manon Lescaut– empiezan siendo alegres y frívolas y terminan trágicas. Sin embargo todas poseen inmensa fuerza de voluntad y carácter. Siempre disfruto cantando Mimí, aunque también siempre digo que no es nada fácil. 'Mi chiamano Mimí', por ejemplo, es canto puro, lírico, y debe sonar notablemente bello. Pero está escrito en las zonas más difíciles del registro de soprano."

Mimí ha sido un papel fundamental en la carrera de Freni. Lo cantó en 1963 en La Scala dirigida por Karajan, y más tarde en la Opera del Estado de Viena y en Salzburgo, y en su debut en el Metropolitan en 1965. "Cualquiera que sea el momento en que lo canto, tengo la seguridad de que no dañará mi voz. En realidad, si un papel me causa el menor problema vocal o requiere un esfuerzo especial, como Elvira en *Ernani*, lo dejo. Esta manera de proceder ha sido mi salvación."

Mirella Freni nació en Modena en 1935, muy pronto descubrió que tenía voz, gracias a un tío amante de la ópera que se dio cuenta de que ella cantaba a la par que su grabación de *Lucia di Lammermoor*. Convenció al padre de que vigilara y animara a su hija, y la familia se sintió realmente gratificada cuando, a los trece años, Mirella ganó un Concurso Nacional de

Canto con "Un bel dì vedremo" de *Madama Butterfly*. Por suerte siguieron el consejo de Beniamino Gigli, el tenor mundialmente famoso que integraba el jurado, quien los previno contra el peligro de que forzara su voz siendo tan joven. Era importante esperar unos pocos años antes de comenzar un entrenamiento serio.

Freni empezó a estudiar los rudimentos del canto con un profesor local, maestro Bertatoni, y su sobrino, parientes de su futuro marido. Siguió con Ettore Campogalliani, maestro de Pavarotti, en la cercana Mantua. Pavaroti y Freni no sólo son conciudadanos, sino exactamente contemporáneos; ninguno de los dos lee música y aprenden sus papeles de oído. Los dos comparten la misma asombrosa musicalidad innata. Su maestro y primer marido Leone Magiera barajó la idea de que estudiara piano. Pero ella se negó, temerosa de que interfiriera con su habilidad instintiva para seguir la línea y el color de las frases musicales.

En 1955 Freni estaba lista para su debut profesional con el papel de Micaela en su nativa Modena. Al año, ya casada con Magiera, tuvo una hija a la que llamaron Micaela, y dejó su carrera por un tiempo. La retomó en 1958, instada por el marido (y después de ganar el Concurso de Vercelli el año anterior) cantando Mimí, Liù y Margarita en salas provinciales italianas, y en 1959 y 60 en la Opera de Netherland de Amsterdam. Debutó en Inglaterra haciendo Zerlina en el festival de Glyndebourne, y volvió al siguiente año para cantar Susana y Adina. Su debut en el Covent Garden fue haciendo Nanetta en 1961, y en 1962 cantó Elvira (*I Puritani*) en el Festival de Wenford, para cantar otra vez Nanetta en su debut en La Scala. De su repertorio inicial, la favorita es, indudablemente, Susana, que es también el más largo de todos sus papeles. La prefiere porque "es una mujer real, completa, que lo tiene todo y lo comprende todo. En sus reacciones, desde una expresión de afecto hasta los raptos de ira, es la quintaesencia del eterno femenino. Zerlina es también un personaje para disfrutar, y más fácil, en cuanto uno lo haga naturalmente y no como una vienesa demasiado coqueta."

Freni cantó los dos papeles dirigida por Karajan, quien la había oído y elegido para hacer Mimí en su histórica producción de 1963 en La Scala, con dirección de Zeffirelli. Después se convirtió en su mentor, y la considera una de sus intérpretes favoritas.

"Hubo una fuerte relación entre los dos. Nos entendimos perfectamente el uno al otro y parecíamos funcionar en la misma longitud de onda. El siempre fue dulce conmigo y su ayuda me enriqueció tremendamente como artista, lo mismo que ocurrió años más tarde con Carlos Kleiber" (quien la dirigió al cantar Desdémona y Mimí en Munich y La Scala).

Freni empezó con los papeles importantes de Verdi en 1973, cuando cantó Desdémona con la dirección de Karajan en Salzburgo y en un film. Pero fue necesario convencerla de que le convenía no sólo en el aspecto vocal sino también dramático. "Tuve que ser persuadida de que ella no es estúpida, como creí siempre, que lo que ocurre es que, siendo tan pura y buena, es incapaz de ver la maldad de nadie. Hay gente así, como Don Quijote. Al representar a Desdémona es importante destacar ese aspecto de total bondad, pero también inyectarle algo de la personalidad de uno. De otro modo se corre el riesgo de que parezca insípida. El papel no es fácil, pero es adorable al cantarlo, y exige gran dulzura en el tono."

Una de las más memorables producciones de *Otelo* en la carrera de Freni fue la de Zeffirelli para la apertura de la temporada 1976-77 en La Scala, con dirección de Carlos Kleiber. La primera representación se televisó en vivo. Según el crítico de *Opera*, hablando de la interpretación de Freni, "la impresión fue de calidez, ternura, femineidad, aunque también de orgullo e ira." Evidentemente, la cantante no dejó que su recelo inicial, con respecto de la protagonista, interfiriera.

A Desdémona siguió Elisabeth de Valois, de Verdi, que cantó por primera vez en 1975, en la producción de *Don Carlos* que hizo Karajan en Salzburgo. La hizo luego en La Scala y en la Opera del Estado de Viena bajo la dirección de Abbado y producidas por Luca Ronconi y Pier Luigi Pizzi. Freni dice que al principio de su carrera este papel ni siquiera se hubiera mencionado. "Mi voz era entonces mucho más claramente lírica, y yo ni hubiera soñado que un día sería capaz de soportar papeles líricos más pesados." Pero desde los comienzos cantó Elisabeth "sin sentirse incómoda, sin forzar el tono o alterar la calidad de la voz" (*Time*), mientras el crítico de *Opera* dice de ella que es una "Elisabeth excelente, herida, elegíaca". Freni goza particularmente y se identifica con esta heroína que se contiene en los dos primeros actos y muestra realmente su carácter en el cuarto acto, enfrentándose con el rey Felipe II, y "respondiéndole con notable fuerza. Y su dúo con Carlos, en el último acto, es fabuloso por su humanidad."

En 1979, otra vez a instancias de Karajan, Freni hizo Aída, potencialmente un riesgo mayor que Desdémona o Elisabeth de Valois. Generalmente Aída es cantada por voces líricas más pesadas que la de ella, pero Karajan insistió en "una Aída muy suave, muy lírica, no gritona", y la convenció de que podía hacerlo como él quería. En realidad él equilibró la orquesta de acuerdo con los protagonistas (José Carreras cantó Radamés por primera vez) y logró sutiles sonidos exquisitamente matizados. Después del ensayo general se acercó a Freni exclamando: "Mirella, si yo tuviera voz, cantaría exactamente como tú." Sin embargo, los que estábamos presentes en el estreno sentimos que a esta Aída le faltaba algo en términos de volumen e intensidad vocal. Era más íntima que heroica, especialmente en los tres primeros actos. En el cuarto, que para la soprano y el tenor consiste en canto puro, lírico, Freni estaba en su elemento, y en el dúo final alcanzó movimiento y trascendencia.

Cuando hablamos sobre ese papel, me confesó que para ella lo más difícil de la obra era el acto tercero, que es muy largo, especialmente "O patria mia". Lo peor fue cantarlo en Salzburgo, con la Filarmónica de Viena en el foso. "Tenían un maravilloso sonido brillante, excelente para conciertos pero problemático para una ópera, porque su tono es un poco más alto. Esto significa que el Do es todavía más alto, y al final uno está realmente cansado." (Plácido Domingo también se refirió a esto cuando se discutió el proyecto de que cantara Ricardo en *Un ballo in maschera* en el Festival de Salzburgo de 1989. Cuando le mencioné el punto a Abbado, que como director musical de la Opera de Viena conduce regularmente la Filarmónica, me dijo que la orquesta conocía el problema que se les creaba a los cantantes, y estaban en vías de solucionarlo.) Cuanto más se introducía Freni en el personaje, más cómoda se sentía. En el verano siguiente, en 1980, se la notaba perfectamente relajada. Volvió a cantar Aída en 1987, en la Opera de Houston.

Desde el punto de vista dramático, lo que más la ayudó a dar forma a su personaje fue ver a Shirley Verrett. "Fui a su extraordinaria representación de Lady Macbeth en La Scala y por primera vez me di cuenta de que los negros se mueven de manera tan diferente. Durante varias funciones estudié los movimientos de su cuerpo y aprendí cómo reaccionar en algunos de las dúos de Aída." Como Leontyne Price, Freni opina que una de las cosas más importantes a tener en cuenta en Aída es que, aunque sea muy humana, muy íntima, es también una princesa. "Esto es lo que le da un notable autocontrol y hace su tristeza tan distinta de la de Mimí o aun de la de Elisabetta. Es una tristeza más *orgullosa*."

Mirella Freni opina que cantar Verdi es excelente para la voz. "Hay que cantar 'correctamente', con limpieza, todavía mucho más que en Puccini, donde se puede inflar y agrandar el sonido de vez en cuando, aunque puede ser arriesgado. Cantar Mozart después de Puccini, por ejemplo, es duro, porque en Mozart la voz debe ser usada como un instrumento. Cada nota tiene que estar en su lugar, mientras en Puccini, y en menor medida en Verdi, un *portamento* de más puede pasar como 'expresividad'. Por eso de vez en cuando canto Mozart después de Puccini para limpiar la voz."

Habiendo cantado Mimí –su primer Puccini– Freni hizo Madama Butterfly en disco, dirigida por Karajan, y el soberbio film de Jean-Pierre Ponnelle, con Plácido Domingo en el papel de Pinkerton. Pero en cuanto a cantarlo en escena, le parece demasiado dramático para ella. En los años ochenta se consideró en condiciones de representar una heroína mayor de Puccini: Manon Lescaut. "Uno siempre *sabe* cuando está listo para un nuevo papel, se siente instintivamente, bajo la piel. Pero como hago con todos los papeles que vocalmente me significan empezar de nuevo, convinimos en que lo cantaría siempre que se agregara una cláusula al contrato. Si durante los ensayos con orquesta no me sentía vocalmente cómoda, me retiraría de la producción, lo que me permitió trabajar mejor, más relajada, sabiendo que si las cosas no funcionaban, podría irme. Las empresas han tenido que aceptar esta opción."

Manon Lescaut, que cantó primero en la Opera de San Francisco durante la temporada 1983-84, resultó uno de sus mayores éxitos, y la volvió a cantar en Viena, Munich y Japón. Es un papel que la atemorizaba porque contiene frases muy dramáticas, y acentos que requieren el máximo de técnica y experiencia. "Si uno no está segura de sus posibilidades técnicas, se vendrá abajo. Por eso es preferible aguardar hasta *estar* segura." Evidentemente, tenía razón en esperar tanto; su primera experiencia lo demostró. "El segundo y cuarto actos son especialmente exigentes. En el acto segundo Manon está en escena casi todo el tiempo. Al principio tenemos la famosa aria 'In quelle trine morbide', después el dúo con el barítono, y al final el dúo más dramático con el tenor, que empieza con pasajes en los que las notas deben ser habladas. A esta altura la respiración se hace pesada, y si no se tiene mucha experiencia para controlar cómo y cuándo graduarla, Manon Lescaut se volverá realmente peligrosa."

Pero para su sorpresa, Freni se sintió totalmente cómoda. Todo se dio espontáneamente, sin que tuviera que *pensar* en ello, un signo claro de que la cantante y el papel estaban hechos la una para el otro. Pero aunque encontró vocalmente fácil a esta heroína –sin duda una de las más interesantes y multifacéticas que haya interpretado–, le resultó agotadora desde el punto de vista dramático. "No es realmente mala, sólo una joven frívola y caprichosa que quiere vivir y saborear las cosas buenas de la vida. El brillo de esas cosas la atrae magnéticamente, y aunque ama de verdad a Des Grieux, también quiere lo otro. Es fundamental que todo esto salga espontáneamente, sin pensarlo demasiado. El porte de la cantante debe sugerirlo. A pesar de la juventud de Manon, la artista debe tener la madurez de alguien que ha vivido y sabe lo que es la vida, pero con el físico de una muchacha. De otra manera se cae en lo ridículo. Lo mismo que ocurre, de paso, con Adriana y Tatiana."

Freni destaca que, como es usual en Puccini, el gran cambio de Manon se produce en el tercer acto, cuando advierte que ha arruinado la vida del joven, y como no es realmente mala –insiste–, se desmorona. "Y el tercer acto, los dos fugitivos solos en el desierto, es estupendo. Frente al desastre, alcanzan el clima más alto, más real, más apasionado de su historia de amor. Ya desde el primer encuentro, la música marca con claridad la inmensa atracción magnética que existe entre ellos, y uno queda atrapado. Al final, Manon entiende este aspecto de la relación y en un aria maravillosa en la que vuelca sus sentimientos, rememora el primer encuentro, reconoce cuánto ha herido a Des Grieux y maldice su belleza. Es increíble lo bien que Puccini comprende a las mujeres. Algunas cosas de *Manon Lescaut* son absolutamente modernas. Y por supuesto, al ser un hombre de teatro sabe exactamente cómo crear la atmósfera correcta y pulsar la cuerda emocional. Su música es muy expresiva y se entrelaza de forma bellísima con las palabras. Pero como todas las óperas de Puccini, exige buen gusto por parte de las cantantes. Mucha gente considera el verismo como mala palabra por su mal gusto y tendencia a excederse. En la partitura de Puccini *todo* está explicado paso a paso. (Josephine Barstow destaca lo mismo.) Pero por supuesto, esto lo hace arduo, porque es difícil tenerse bastante confianza como para ofrecer al público sólo simplicidad y clase. Pero haciéndolo, se consigue más impacto que recurriendo a efectos baratos, porque la clase siempre es clase, aun en el canto."

El éxito de su primera Manon Lescaut animó a Freni a lanzarse a un papel verista todavía más duro y potencialmente peligroso: la protagonista de *Adriana Lecouvreur*, que cantó al año siguiente que Manon, también en San Francisco. Es interesante destacar que la Opera de San Francisco, junto con el Chicago Lyric, el Teatro Liceu y el Covent Garden, es una de las salas favoritas de muchas buenas cantantes, habiendo dado la oportunidad de hacer nuevos papeles a artistas como Freni, Thomas Allen y Leontyne Price. Adriana Lecouvreur significó un éxito aun mayor que Manon, y desde entonces fue uno de los personajes más populares en el repertorio de Freni. Sus representaciones en la Opera de Baviera, La Scala y el Liceu fueron consideradas un triunfo personal, sumamente satisfactorio teniendo en cuenta sus dificultades.

"Desde el punto de vista vocal Adriana es exigente para una voz lírica porque, además del canto prolongado, está lleno de pasajes recitativos y declamatorios." Aparte de las consideraciones puramente vocales, la mayor preocupación de Freni era desarrollar el personaje tan natural y espontáneamente como fuera posible. Había visto muchas producciones falsas, demasiado "actuadas". Cuando leyó la vida de la verdadera Adriana Lecouvreur, de la cual antes no sabía nada, descubrió que esta señora había sido una de las primeras actrices que impusieron realismo y sencillez en la escena francesa, terminando con las malas costumbres y tradiciones. "En la vida real era una persona simple. Cuando empecé a estudiar la partitura, me di cuenta de que hay sólo dos momentos en que ella 'actúa': al comenzar, cuando la vemos ensayando, diciendo esto no es bueno, es pura declamación, y en el tercer acto, cuando recita *Fedra*. Al principio, después del ensayo, empieza el aria 'Ecco respiro... io son l'umile ancella del genio creator', y uno comprende que el hecho de que no se sienta importante es la clave de su personalidad. Me dije a mí misma que no se debería hacer de actriz todo el tiempo. Hay que distinguir los momentos en que ella está realmente actuando o recitando, de aquellos en que es ella misma, viviendo su propia vida, su propio drama –que no es comedia–, atormentada por los celos de su hombre. En este caso el comportamiento debe ser totalmente diferente del que tienen cuando está en escena. Como ocurre con Manon, hay que guiarse por el instinto para hacer bien esta parte."

Son muy expresivas las palabras de *The Times* a propósito de su representación en La Scala. "Mirella Freni incorpora un matiz dramático aun a los trozos más breves, y emplea el confuso idioma de Cilea con tal naturalidad, que algunas frases que escritas parecen imposibles de manejar, funcionan en la representación... 'Poveri fiori' es un momento de catarsis, un lamento trágico por lo efímero de la felicidad, que hubiera hecho llorar a los críticos más duros."

Freni dijo una vez a *Ritmo* que las cantantes deberían sentir el drama y el significado de las palabras con cada fibra de su ser, lo que es algo tan importante como el aspecto puramente vocal. Agrega que esta "vibrante participación" falta en la mayoría de las cantantes jóvenes, sobre todo desde la época posterior a Callas. "Un colega famoso me dijo que las cantantes de hoy, en el tiempo que estamos viviendo, podrían definirse con una palabra: nylon. Y debo reconocer que estoy de acuerdo. No se puede cantar en escena del mismo modo que en el Conservatorio. Hay que hacerlo con el corazón, hay que sentir el significado de las palabras, experimentar la verdad dramática en cada momento; hay que saber cómo escuchar la música que viene del foso y cómo integrarla con el propio sonido. Cantar ópera no es un hecho académico, es un hecho *artístico*. Cuando finalmente me llegue el momento de retirarme, me gustaría ayudar a cantantes jóvenes enseñándoles algo sobre el arte de la interpretación."

Quien haya escuchado a Freni en el más reciente de sus nuevos papeles, Tatiana en *Eugene Onegin*, que cantó por primera vez en la Opera de Chicago en 1985, haciendo una interpretación estilísticamente impecable, de apasionada intensidad, espera que falte mucho para ese momento.

Freni se siente eternamente agradecida al director de cine soviético Andrei Konshalovsky, que dirigió la producción cuando ella hizo *Onegin* en La Scala, y le transmitió la esencia de la vida y la cultura rusa decimonónica. "Me hizo entender cómo hubieran vivido esas chicas, Olga y Tatiana, que no eran nobles, pero sí de clase acomodada, y también me explicó sobre la institutriz a la que casaron a los trece años. Al empezar la ópera, Tatiana es muy sensible y emotiva. Es más profunda que su hermana Olga, que es una mariposa –en realidad Tatiana y Lensky son los personajes más profundos– y se siente extraña y solitaria. Pasa el día leyendo novelas románticas que la condicionan para el amor. Y la joven que está lista para el amor se sentirá inflamada por el primer hombre aceptable que se acerque. En este caso es Onegin, un aristócrata corrupto, gastado, perpetuamente aburrido. Pero como apunta Konshalovsky, aun aburrido, Onegin sigue teniendo 'clase'.

El punto central de la obra es, sin duda, la Escena de la Carta, que también es la más difícil vocalmente. "Es importante transmitir los sentimientos encontrados de Tatiana: duda y temor mezclados con el deseo ardiente de pedirle al hombre que se case con ella. Parece algo increíble en una joven del siglo diecinueve, especialmente en Tatiana, que está sujeta a firme vigilancia. Pero su interior vehemente y su naturaleza apasionada se vuelca en la carta que escribe a solas, en medio de la noche. Después busca una excusa para hablar con alguien de lo que siente, e interroga a la institutriz sobre su vida, esperando el instante de volcar sus sentimientos. Me evoca a mi hija, que a los ocho años se enamoró de un compañero de colegio. Se demoraba en hablarme del tema porque quería empujarme a *mí* a hablar de ella. Por fin, cuando estábamos charlando después de haberse acostado, me dijo: 'Por favor, mami, pregúntame algo...' Este recuerdo, que cruzó por mi mente como un relámpago mientras ensayaba a Tatiana, me ayudó mucho en esa escena."

También Konshalovsky destaca que, cuando Onegin devuelve la carta a Tatiana, ella recibe una dolorosa lección. La chica inocente desaparece para dejar su lugar a la mujer. El director y la cantante discutieron la ópera durante dos días enteros antes de empezar los ensayos, y según Freni "todo se volvió claro, de alguna manera se hizo más suave." Ella entendió que la obra es realmente la historia de una mujer, y que Tatiana es un personaje que se desarrolla enormemente durante el transcurso de la acción. A través de su intensa pena, la muchacha soñadora se convierte en una mujer madura con la fuerza necesaria para hacer de su dolor algo positivo. "Al final es *ella* quien da a Onegin una lección de honor e integridad. Le habla de lo que aprendió de él, de las cosas que le dijera de manera tan brutal que aún se le hiela la sangre al recordarlo, y le hace entender que es un grosero."

Freni piensa que Tatiana es, vocalmente, uno de los personajes más difíciles: gran recorrido y muy frecuentes y abruptos cambios de pasajes altos a bajos, y trozos dramáticos de declamación que pasan repentinamente a un canto suave. Freni empezó por estudiar el personaje de Tatiana con un maestro de San Francisco; después un profesor le enseñó la pronunciación rusa en su casa. Además recibió los consejos de su segundo marido, el bajo mundialmente famoso Nicolai Ghiaurov, que estaba siempre a mano para "enseñarme toda clase de trucos idiomáticos para cantar en ruso". Y a propósito de esto, también será rusa su próxima heroína, Lisa en *La Reina de Espadas*, de Tchaicovsky.

La relación de Freni con Ghiaurov empezó en 1979, y al obtener su divorcio se casaron. El compañerismo es siempre un factor vital, pero mucho más para un cantante, afirma ella. "Es fundamental decidir a quién va a tener uno a su lado, y me alegra decir que mis maridos han sido hombres de la música, capaces de entender las presiones de esta profesión tan exigente. No sé qué hubiera sido de mi vida si, por ejemplo, hubiera tenido un banquero a mi lado. De todos modos, armonizar una carrera lírica con una vida hogareña, y especialmente con la maternidad, requiere grandes sacrificios." Teniendo su hija dos años, Freni retomó su carrera y decidió que, siempre que la necesitara, la encontraría junto a ella, y que nada le impediría participar de los problemas domésticos. Con la niña ya adolescente, concentró su carrera en Europa, de modo que alternaba su trabajo con escapadas a casa. El cambio de colegio coincidió con un intenso período de ensayos en La Scala, seguido por las representaciones, y Mirella Freni tomaba cada noche el tren a Modena para desayunar con su hija y verla partir a la escuela. A la tarde ya estaba de vuelta en Milán, lista para seguir con su tarea.

"Para mi hija era fundamental saber que, aunque el trabajo para mí es terriblemente importante, y lo amo tanto, *ella* siempre es lo primero. Mi carrera pasa a un lugar secundario ante sus necesidades. Y lo sabe."

La cantante ha preservado cuidadosamente esta intensa relación madre-hija, basada en el respeto mutuo y la sinceridad. Hoy tiene dos nietos, aunque apenas representa cuarenta años, y ha encargado a su hija que le avise cuando crea que deba retirarse. "Cuando cantar ya no sea un placer sino una preocupación causada por problemas vocales, problemas que finalmente tienen que aparecer. Espero, cuando ocurra, tener la fuerza y la voluntad para reconocerlo y retirarme elegantemente. En caso contrario, mi hija me ha hecho una promesa: 'No te inquietes, mamá, yo te lo diré'."

Edita Gruberova

Edita Gruberova es la soprano coloratura más importante del mundo, y según Peter Katona, administrador artístico de la Royal Opera, una de las pocas que tienen verdadero dominio de su voz. "El suyo es un instrumento vocal absolutamente entrenado, perfectamente educado y, como un pianista que puede realizar cualquier proeza físicamente factible, tiene total flexibilidad vocal para cualquier tempo, y amplitud dinámica del pianissimo al fortissimo. Obviamente, esto es lo ideal, pero hoy son pocos los cantantes con tales posibilidades.

"Si, como Gruberova, alguien tiene esta opción, puede decidir si canta una frase o un pasaje de determinada manera, porque piensa que es la manera *correcta*. Pero si como la mayoría de los cantantes están obligados a hacerlo, lo canta del *único* modo que puede, no hay demasiado mérito en la interpretación porque lo impone la necesidad. Algunos, no todos, de los pianissimi etéreos por los que es célebre cierta soprano, me impresionan como si le ocurriera eso; no puedo dejar de compararlos con el canto de Jussi Bjoerling en sus dos grabaciones de *Fausto*. En una canta piano el famoso Do agudo, y en la otra, *forte*. ¡Pero uno no piensa que lo hace así porque no puede manejarse de otra manera!"

Al empezar a escribir sobre Gruberova, hay que destacar la técnica casi sobrehumana que le permite hacer algunas de las arias más difíciles del repertorio de las sopranos, como Zerbinetta en *Ariadna en Naxos*, con aparente facilidad, sin asomo de nervios. Pero en manera alguna la técnica es todo. Su voz no se limita al cortante brillo monocromático característico de la coloratura, sino que, como explica el experto John Steane, "posee un sonido puro, regocijante, lleno de calidez y de suavidad". Más importante aun, tiene un chisporroteo que transmite una alegría contagiosa. Las más famosas interpretaciones de Gruberova son la Reina de la Noche, Zerbinetta y Lucía de Lammermoor. Pero sus favoritas son Zerbinetta, y Marie en *La Hija del Regimiento* porque las disfruta y siente que ella es realmente una comediante, "un clown".

Por supuesto que Gruberova ha sido fiel al repertorio de coloratura integrado por un grupo de papeles, aparte de los mencionados: Blonde y Constanza *El Rapto en el Serrallo*, Olimpia en *Los Cuentos de Hoffmann*, Cleopatra en *Julio César* y el papel protagonista en *Alcina* de Handel, Amina en *La Sonámbula* de Bellini, Elvira en *I Puritani*, Semíramis en la obra de Rossini, la Reina de Shemakha en *El Gallo de Oro* de Rimski-Korsakov, Gilda en *Rigoletto*, Violeta en *La Traviata*, y papeles titulares en obras poco interpretadas, como *Lakmé* de Delibes y *Esclarmonde* de Massenet.

Gruberova se ha resistido a los papeles líricos, por eso, después de veintiún años de cantar el extenuantemente difícil repertorio de coloratura, su voz se conserva en soberbias condiciones. "Yo me limitaría a un puñado de papeles sin extender mi repertorio al lírico y lirico spinto, que es mucho más amplio, pero dañino para mi tipo de voz."

El ascenso de esta cantante ha sido lento y penoso. Pasó seis años frustrantes en la Opera del Estado de Viena, a la que se había trasladado desde su Bratislava natal en 1970. No era apreciada como merecía y su trabajo era inferior a lo que podía dar, hasta que todo cambió con *Ariadna en Naxos*, en producción de Filippo Sanjust y dirección de Karl Böhm.

Edita Gruberova no pertenece a una familia con inclinaciones musicales. Su padre era obrero y su madre lavaba en su casa la ropa de otra gente, pero descubrió tempranamente su voz gracias a una maestra, quien insistió en que no debía desperdiciar semejante don. Cantó en varias escuelas y coros locales, estudió cuatro años en el Conservatorio de Bratislava y a los veintiún años, en 1967, hizo su debut en la sala de ópera de la ciudad. Fue Rosina en *El Barbero de Sevilla*, y esta representación le valió un contrato con un teatro de provincia. Permaneció allí dos años y cantó variados papeles, desde Eliza en *My fair lady* hasta las tres heroínas de *Los Cuentos de Hoffmann* y Violeta en *La Traviata*. Entonces entró en la Opera de Viena, con un contrato por dos años que siempre se renovó, y debutó en 1979 como La Reina de la Noche. "La Reina de la Noche se hace de entrada o no se hace más. Es tan alto, que es inútil trabajar diez años en el papel, porque para entonces a lo mejor a uno no le quedan notas altas."

Después cantó Olimpia, pero aunque tuvo tanto éxito como con el papel anterior, al director no le gustó demasiado y no volvió a darle trabajos importantes. Con excepción de los pocos meses durante los cuales hizo

Olimpia y la Reina, pasó seis años cantando Flora en *La Traviata*, Kate Pinkerton en *Madama Butterfly*, y una serie de "chicas y mucamas", como Barbarina en *Las Bodas de Fígaro*. Sin embargo, fue una desgracia con suerte, porque mientras estudiaba con Ruthilde Boesch –su maestra hasta hoy–, aprendía oyendo a colegas famosos y perfeccionaba su técnica. Son pocas las cantantes que gozan de semejantes beneficios.

Gruberova tenía puestas sus ilusiones en el papel de Zerbinetta, y lo estudió dos años con su maestra. En el Conservatorio no había practicado Strauss porque se dedicaban especialmente a Mozart, Schubert y compositores checos. "Todos los días, durante dos años, trabajé al piano con Zerbinetta, hasta que llegué a soñar con ella. La primera vez que vi la partitura, me negaba a creerlo: no parecía simplemente difícil, ¡parecía imposible! No me imaginaba que alguien pudiera cantar esos millones de notas estratosféricas." Pero lentamente, con la típica paciencia y persistencia capricornianas, lo aprendió y pidió representarlo. La respuesta no fue alentadora: las cantantes jóvenes no hacen tales papeles en Viena sin haber probado en pequeños teatros de provincia. Sin resultado, pidió a su agente que le buscara un trabajo. Aparentemente, *Ariadna en Naxos* no se hace frecuentemente, y cuando se hace, es en grandes teatros y con repartos famosos. A nadie le interesaba su Zerbinetta. Excepto a un hombre: el profesor Josef Witt, ex cantante, y en ese momento maestro en la Opera Studio.

Un día Gruberova se animó a cantar Zerbinetta en clase. El maestro se impresionó, hasta tal punto, que se puso a explicar la ópera, analizando parte por parte, qué sucede en la introducción, qué significa esta ópera dentro de la ópera, qué dice realmente Zerbinetta en su famosa aria. Parecía entusiasmado e insistió en que ella debía cantar el papel en escena. Y estaba dispuesto a sostenerlo ante el director, aun sabiendo que no le gustaba Gruberova, pero se jugaba la cabeza a que la joven lograría un éxito. Por fin se le permitieron cinco representaciones para la siguiente temporada, 1974-75. La gente abrió los ojos, dándose cuenta de que "esta Gruberova realmente puede cantar".

Bastó para que fuera feliz por un tiempo. Karajan la invitó a debutar en el Festival de Salzburgo de 1974 como la Reina de la Noche. Pero en cuanto a la Opera de Viena, sintió que otra vez la mandaban al rincón. Ni se planeó otra Ariadna, ni se le ofreció un nuevo papel. La única esperanza que se perfilaba era el probable retiro del director y su remplazo por Egor Seefelner, quien proyectaba una producción de *Ariadna en Naxos* dirigida por Karl Böhm. Gruberova consiguió que Böhm la escuchara y lo impresionó como para que le prometiera que "harían juntos esta ópera". Era el golpe de suerte que había estado esperando. Una vez aprobada por Böhm, a la dirección no le quedaba más que aceptar. A propósito del tema, la mezzosoprano Lucia Valentini Terrani declara que, en muchos casos, si no en la mayoría, no sólo es el público el que consagra a un cantante, sino también los directores famosos. De todos, el nuevo director, según le confesó más tarde, no se interesó demasiado por Gruberova, se limitó a hacer lo que quería Böhm.

Este hombre, que podía ser violento, fue siempre dulce con Gruberova durante los ensayos, que realmente funcionaban. "Yo estaba excitada, esperando que el estreno saliera bien; era algo tan grande, tan importante para mi futuro, que tenía que dominar mis nervios, tratando de mantenerme tranquila y no ponerme tensa. Pero todo anduvo bien."

Su interpretación arrancó aplausos entusiastas y se convirtió en el tema de la ciudad. Y se le abrieron todas las puertas: La Scala, el Metropolitan, Hamburgo, Munich, Berlín; de repente todos los teatros parecían interesados en ella. "Era el desenlace que había esperado tanto. Había alcanzado lo que me parecía que era posible sólo en mis sueños. A veces tenía que pellizcarme para saber que era real."

Desde entonces, su Zerbinetta recorrió el mundo. Pero la producción preferida por la cantante sigue siendo la de Dieter Dorn para el Festival de Salzburgo de 1979, también dirigida por Böhm. Cuando preparaba mi primer libro, *Maestro*, que incluye un capítulo sobre ese director, estuve presente en uno de los últimos ensayos. Fue la primera vez que oí a Gruberova, y nunca olvidaré la emoción que me provocó su aria, cantada en apariencia sin el menor esfuerzo, sin la mínima falla. La gente del escenario y todos lo que asistían al ensayo rompieron en aplausos clamorosos. Y el siguiente estreno en el Kleines Festspielhaus resultó un éxito aplastante.

Gruberova atribuye su éxito en este papel al hecho de que siempre lo canta con alegría y sin asomo de nervios. "La única ocasión en que me puse nerviosa con Zerbinetta fue en Viena, la primera vez que la canté ante Böhm, y no porque dudara de que podía hacerlo bien, sino porque conseguir un éxito significaba demasiado. Desde entonces me siento segura de mí misma y me divierto con la obra. Me gusta Zerbinetta, su efervescencia y su filosofía, sus pies bien apoyados en la tierra. ¿Estoy de acuerdo con lo que dice? Básicamente, sí. No es el fin del mundo que un hombre nos abandone, o no haber encontrado el compañero adecuado. No se termina la vida, siempre aparecerá otro. Esto nos pasa a todas, incluso a Ariadna, que aunque se pasa el día llorando, cuando llega el próximo hombre está más dispuesta que nadie a saltar a su encuentro."

Después de oírla en ese papel, uno se queda convencido de que no importa no volverlo a escuchar, porque ya se ha asistido a lo más perfecto. "Apenas se puede imaginar una representación más brillante que su Zerbinetta, y hasta las más acrobáticas proezas se realizan con una sonriente seguridad en el espíritu de la comedia (encarnada en Zerbinetta), casi como si hubiera algo ligeramente cómico en ellas", dice John Steane en *Opera Now*. Y el siguiente papel de Gruberova en la Opera de Viena, después del triunfo con Zerbinetta, fue otra comedia, *Don Pasquale*, donde representó a Norina. Esta producción se hizo en alemán, y recorrió las provincias con gran éxito.

Ya estaba en condiciones de pedir la obra que quisiera; y quería hacer *Lucia di Lammermoor*. La bella producción de 1978, proyectada muy poéticamente por Boleslaw Barlog, resultó el vehículo perfecto para que ella obtuviera un gran éxito personal, como con Zerbinetta. Lucía se convertiría pronto en su segundo caballito de batalla, y como aquel, recorrería el mundo: Berlín, el Covent Garden, La Scala, el Metropolitan. Los teatros se venían abajo y las críticas eran brillantes dondequiera que fuese. ("Gruberova cosecha con Lucía un triunfo basado en una técnica vocal extraordinaria y una real profundidad interpretativa", dijo *Opera* a propósito de sus representaciones en La Scala.)

"Lucía fue mi primer gran papel italiano. Quise cantarla desde mis días de estudiante en el Conservatorio de Bratislava. Siempre pensé que era adecuada para mi voz, y un par de representaciones en Graz, al comienzo de mi carrera, me convencieron de que tenía razón. Pero tuve que esperar hasta 1978 para probarlo ante el mundo", dice con una sombra de amargura, "como tuve que esperar mi oportunidad de mostrar lo que podía hacer con Zerbinetta." Encuentra que "es gratificante cantar Lucía", y que es un papel "completo" en el sentido de que la música, la voz y los sentimientos expresados se unen para plasmar un carácter cambiante. "Vocalmente hablando, por lo menos en mi caso, el momento de más riesgo no es la escena de la locura sino el dúo con el hermano, que exige mucha fuerza, no exactamente poder vocal, sino dinamismo físico y también emocional, para que el enfrentamiento resulte creíble. Mucho depende del compañero –los dos tienen que alimentarse mutuamente–, y del director de orquesta".

Recientemente cantó Lucía en la Opera de Zurich en una producción de Robert Carson –"más bien moderna pero muy, muy interesante"– y la considera la mejor que ha hecho, lamentando profundamente que tan pocos buenos productores estén interesados en óperas de *bel canto*. Lo mismo puede decirse de los directores de orquesta. Aparte de Muti (y de Herbert von Karajan, que dirigiera una memorable *Lucia* con María Callas, de la que existe una grabación en vivo) pocos directores de primera magnitud se interesan en el *bel canto*. De alguna manera los entiendo, porque la orquestación es más bien elemental y ellos piensan que tienen poco para hacer. Consideran ese género como "óperas de cantantes", aunque no deberían ser tal cosa, sino un trabajo de equipo. El problema es que los directores de segundo nivel que condescienden a ocuparse de este repertorio no consiguen que las óperas vivan realmente."

El comentario de Gruberova es muy importante. Karajan, uno de los pocos grandes que no creen indigno dirigir *Lucia*, me contó que hizo falta nada menos que un Toscanini para convencerlo del valor intrínseco del *bel canto*. Con la típica arrogancia del estudiante de dirección orquestal, lo menospreciaba. Cuando Toscanini llegó a Viena con La Scala a dirigir *Lucia*, Karajan y sus compañeros se preguntaban por qué desperdiciaría su talento con tales banalidades. "Pero bastaron cinco minutos de la obertura dirigida por Toscanini para demostrarnos

101

que estábamos equivocados. Era la partitura que habíamos estudiado; pero la dirigió con la misma dedicación y minuciosidad que hubiera puesto en Parsifal. Y mi actitud cambió completamente; *ninguna* música es vulgar o trivial a menos que uno la haga sonar así." Agregó que algunos directores, frecuentemente pero no siempre extranjeros, la encaran con actitud de disgusto y el resultado es que se oye trivial.

Del repertorio de Donizetti, aparte de Norina y Lucía, Edita Gruberova incluye *María Estuardo*, que grabó para Philips, el papel principal de *Roberto Devereux*, uno de los que cantara más recientemente, en Barcelona en 1990, y Marie en *La Hija del Regimiento*, que hizo en la Opera de Zurich a principios de 1991. Esta fue una muy buena producción de Giancarlo del Monaco, y el papel se convirtió pronto en firme favorito.

"La obra es una pequeña comedia encantadora que el público disfruta en grande, y yo gozo y me divierto con mi parte. Sin contar Rosina, Norina y Zerbinetta, no había hecho muchas comedias de modo que Marie fue algo muy especial, muy especial en cuanto al aspecto musical. Hay mucho para cantar, la mayor parte melodías verdianas llenas de vida y efervescencia. También en *Roberto Devereux* me parece que Donizetti se inclina hacia Verdi, con esos arcos largos, tan bellos para cantar, pero por supuesto que la orquestación no es tan pesada como la de Verdi. Por eso, cuando se trata de música italiana, prefiero Donizetti y Bellini."

Bellini es "el más dulce de los dos. Su música tiene una línea melódica y una estructura armónica especial, inmediatamente reconocible; emocionalmente él es una naturaleza gentil, suave y más melancólica." En 1983, Gruberova cantó Julieta, de *Los Capuletos y los Montescos* en Florencia bajo la dirección de Riccardo Muti, con Agnes Baltsa como Romeo. Fue su primer Bellini, y cuando la misma producción se hizo en el Covent Garden en 1984, ella ganó el Olivier Award. "Miss Gruberova posee una voz más grande que la mayoría de las sopranos coloratura y la usa con gusto. Su habilidad para suavizar los tonos hasta casi un susurro hace que la sala esté pendiente de cada una de sus notas. A veces el volumen máximo es duro, quizá podría haberlo matizado más, pero su Julieta es realmente una figura de carne y hueso, y ella luce y se mueve bien."

El siguiente papel de Bellini de Gruberova fue Elvira en *I Puritani*, que cantó en 1990 en el Metropolitan, y es más pesado que Julieta. "La tessitura es de media a alta, revolotea alrededor del passaggio y salta hacia arriba con muchas notas agudas. Pero es una música bella, muy expresiva, con largas frases melódicas que exigen mucho aliento. Como con *Roberto Devereux* de Donizetti, uno siente a Verdi rondando por la esquina."

Verdi, cuya orquestación es mucho más densa que la de los compositores de *bel canto*, exige demasiado de las cantantes, y Gruberova se lamenta de que "no es mucho lo que podría cantar de Verdi". Ha hecho Gilda y Violeta, que la lleva al límite de sus posibilidades vocales. En Viena cantó por primera vez Gilda, en la controvertida (y definitivamente aburrida) versión original, menos todas las notas altas no escritas realmente en la partitura.

El juicio de Gruberova es ambivalente en este punto. "En cierto sentido Muti tiene razón. Estas óperas *deberían* ser limpiadas de los residuos acumulados durante más de cien años por las cantantes que le fueron agregando notas agudas. Pero si se canta sin *ninguna* de esas notas, tal como fue escrita, aparece otro problema: total falta de interés. Si el compositor no escribió dichas notas fue porque esperaba que cada cantante agregara algunas según su habilidad. Creo que en la versión original tanto el dúo de Gilda con el Duque, como con Rigoletto, son chatos; no transportan a nadie. La mitad de la excitacion visceral típica de Verdi brilla por su ausencia; todos, menos unos pocos académicos exquisitos, se aburren." No puede existir mayor argumento contra los excesos puristas que haber conseguido que *Rigoletto*, nada menos, resulte pesada. Esto no significa aprobar el exceso contrario, como las complicadas ornamentaciones que practica Beverly Sills, y a veces Joan Sutherland.

Gruberova cantó Gilda en Zurich, y en Florencia en la también controvertida producción de Lliubimov. Es un papel apropiado para su voz y "mucho más fácil que Violeta en *La Traviata*" (que cantara en 1986 en la Opera de Baviera en Munich, dirigida por Carlos Kleiber, y más tarde, también bajo su batuta, en el Metropolitan.) "Gilda es una chica, en consecuencia es unidimensional, y la música que le corresponde es ligera, 'juvenil', mientras que Violeta es una mujer. Más que eso, es una mujer en proceso de transformación que experimenta una amplia gama de emociones y situaciones dramáticas; desde la forzada alegría de la cortesana hasta la pasión profunda, la infelicidad en el amor, el autosacrificio, los malos tratos a manos del que fuera su amante. Y finalmente la reconciliación en el momento de morir. Desde el punto de vista dramático, es un personaje muy gratificante.

"Vocalmente, significa el límite de mis posibilidades. No puedo llegar más allá y seguir siendo coloratura. Para mí no hay otros papeles de Verdi, porque no tengo una 'voz Verdi'. Mi timbre es demasiado ligero, y la voz no sobrevive la orquestación. Me manejo con Violeta porque la forma en que está hecho el primer acto, con mucha música demasiado ornamentada, significa que él obviamente no quería que los demás actos fueran cantados en voz demasiado grave o de manera excesivamente dramática. Por supuesto que debe hacerse con mucha expresividad, porque la música está envuelta en emoción. La densidad de la música me resulta atractiva, y lo mismo el modo en que consigue que una estructura musical, relativamente simple, encierre tanta emoción. Pero si hubiera querido algo más pesado, un sonido lírico spinto en los tres últimos actos, no habría compuesto de esa manera el primero. Es evidente que quería una voz capaz de cantar los cuatro actos y describir en términos vocales, a través de una variedad de colores, el desarrollo emocional de Violeta. De modo que canto con mi voz natural, sin tratar de ser lo que no soy; y todas las cantantes deberían tener esto en cuenta." (Lucia Popp también marca este punto.)

La Traviata que dirigiera Carlos Kleiber en Munich, junto con *Ariadna en Naxos* hecha en la Opera de Viena con dirección de Böhm, y *Die Zauberflöte*, producida por Ponnelle en la mágica puesta del Felsenreitschule en Salzburg, son los puntos culminantes en la carrera de Edita Gruberova. "Todo es simple en esta *Traviata* porque todo es cuando uno tiene un genio al lado. El solo hecho de que Kleiber me eligiera para trabajar con él fue un honor comparable a recibir una medalla."

La voz de Gruberova se ha ido llenando al hacer partes con Violeta, redondeándola y volviéndola apenas más oscura, aunque ya poseía desde el principio más volumen y amplitud que el término medio de las coloratura. En las primeras grabaciones –y las grabaciones no hacen justicia al brillo y atractivo de su canto– la voz naturalmente sonaba liviana. "Pero papeles como Violeta y Manon requieren un enfoque distinto que la Reina de la Noche, Constanza o Zerbinetta. Y como ya dije, no quiero expandirme sino mantenerme dentro de mis posibilidades."

Manon de Massenet cumple perfectamente los requisitos. La cantante ama el idioma francés, su sonido nasal, y el estilo de composición parece convenir a su voz. "La música francesa no es menos emocional que la italiana, pero tiene un toque de liviandad que se refleja en la orquestación y la hace distinta, mucho menos pesada que Violeta. Pero en términos dramáticos, Manon tiene mucho en común con ella, y recorre una gama de emociones todavía mayor; desde la ligera, despreocupada volatilidad de la juventud, a la experiencia de una gran pasión, con la famosa Escena de la Gavota en el parque, la Escena del Claustro, realmente dramática, y finalmente la muerte. Todo se refleja en una miríada de música y matices vocales. Después del italiano, el francés, que estudió durante dos años, es sin duda el idioma más bello para cantar. Amo sus sonidos nasales, aunque el italiano sea mucho más fácil. He disfrutado haciendo papeles como Marie y Manon, y estuve hablando hace pocos días con Joan Sutherland sobre posibles papeles futuros. Me sugirió Lakmé, Thaïs y Esclarmonde, pero me parecen terriblemente pesados. (Gruberova se muestra muy firme en esto). Se me ofreció hacer Lucrecia Borgia, Ana Bolena y Semíramis, pero acepté sólo el último, aunque no estoy enamorada del papel. Es demasiado dramático para mí (en realidad, el sonido debe ser un poco más 'metálico' y además la parte más interesante es la de Azur. Es decir que seguiré con mi propio repertorio y algo más de Mozart.)"

Siendo ya famosa Gruberova por la Reina de la Noche y Constanza, agregó dos nuevas partes de Mozart; Giunia en *Lucio Silla*, que cantó por primera vez en Zurich en 1991, y Doña Ana en *Don Giovanni*. De todo Mozart, cree que Giunia es el papel más difícil. "Exige mucho técnicamente, en particular en la segunda aria, puros fuegos artificiales con coloratura *torturantemente* difícil." (Para que Gruberova emplee esta palabra, que no aplica a ningún otro papel, debe ser un aria diabólica.) El Mozart de *Lucio Silla* tenía sentimientos mucho menos maduros, menos experiencia que el de *Entführung*, por eso Giunia es más difícil no sólo desde el punto de vista vocal, sino que emocionalmente no es tan claro como Constanza.

Gruberova cantó el papel de Constanza en la conferencia cumbre de Viena de 1979 para los presidentes Carter y Brezhnev y más tarde, dirigida por Böhm en Munich, en 1980. Es uno de los más duros, pero no el más duro de Mozart. "Es muy directo dramáticamente. Ella se enamora de Belmonte, y eso es todo. No creo que haya nada ambiguo o enigmático en su actitud hacia Pasha Selim. El único problema es que Selim, una parte hablada, generalmente está a cargo de un actor alto, elegante, viril, que expresa sus nobles sentimientos en una voz oscura y sonora. Llega Belmonte, casi siempre cantado por un tenor gordito y bajo, ¡y no se puede culpar a la cantante que representa a Constanza de no entusiasmarse tanto por él!" Gruberova aclara que cuando dice que Constanza no es tan difícil, hay que tomarlo en forma relativa, porque queda aclarado que "Mozart es el más difícil de *todos* los compositores. Toda su música es pura, precisa y cristalina, y así debe ser cantado. No hay nada que se pueda disimular, mientras que en Strauss o Puccini, teniendo más desviaciones, se pueden esconder tras un ligero portamento."

Gruberova ha preservado su voz después de veintitrés años de cantar los papeles más difíciles, y ella lo atribuye a dos factores: "El primero es el trabajo duro, sin concesiones. Desde el principio fui obstinada, rehusaba aceptar dificultades técnicas. Debía declararme derrotada o hacer las cosas más o menos. Pero trabajé y trabajé, hasta que conseguí hacerlo bien, con ayuda de mis maestras, María Medvecka en Bratislava y Ruthilde Boesch en Viena, con quienes estudié todos mis nuevos papeles y todavía vienen a mis estrenos. Aunque este arduo trabajo no produjera resultados inmediatos, igual creo que fue necesario. Como decía mi maestra, 'sigue trabajando y te llegará el momento'. El hecho de que el período de aprendizaje, antes de llegar a la cima de su profesión, duró ocho años, más los cuatro en el Conservatorio, quizá sea la razón más elocuente para su virtuosidad vocal imbatible. La segunda razón es que "nunca quise desviarme del punto focal de los papeles en que trabajábamos, de otro modo los hubiera perdido. Hubiera perdido mi Mozart, y si lo pierdo, pierdo todo. Todas las cantantes deberían hacer un poco de Mozart, no importa cuál sea su clase de voz. No hace falta estar en escena o hacer un papel completo. Pero cualquier cosa de él, un aria de concierto, por ejemplo, podría mejorar en grande su salud vocal."

Una de las partes de Mozart más interesantes que ha hecho, a pesar de que no le gusta tanto como Constanza, es Doña Ana, que cantó por primera vez en 1987, en la producción de Giorgio Strehler dirigida por Riccardo Muti. Cuando se anunció, "la gente dijo, estúpidamente, que estaba cambiando mi repertorio, lo que no tenía sentido porque Doña Ana es muy parecida a la Reina de la Noche. Necesita, por supuesto, más volumen (y como marca John Steane lo mismo que Joan Sutherland, 'Gruberova tiene fuerza interior y brillante agilidad'), de otro modo nadie que cante la Reina de la Noche podría cantar Doña Ana. Su primera aria, "Or sai chi l'onore", es muy parecida a la *segunda* de la Reina, mientras que la segunda, "Non mi dir", es como la primera de la Reina, menos, naturalmente, las notas más altas.

"Es muy interesante el hecho de que dramáticamente sea tan frustrante, porque la unión real de Ana con Don Giovanni no se consuma. Dan vueltas uno alrededor del otro pero la cosa no se concreta, no consiguen hacer verdadero contacto. Es evidente que a través de esta relación Ana ha sentido algo muy poderoso que ronda la obra. Hay una terrible energía entre ellos, o sobrevolándolos, pero también gran presión. El primer recitativo de Ana, muy tenso, expresa la fuerza de los lazos que los unen. Ella vive esta experiencia a través de la música, y manifiesta la energía del encuentro que debe ser la razón por la que responde a Octavio de manera tan anémica."

Los nuevos papeles futuros incluyen la grabación de la Condesa en *Las Bodas de Fígaro, Romeo y Julieta* de Gounod ("una parte totalmente lírica") en versión de concierto y, como ya dijimos, Semíramis en el Metropolitan, donde ya cantó, en la primavera de 1991, Elvira de *Los Puritanos*. También da grandes recitales de *lieder*. Cuando nos encontramos, en 1990, volvía de hacer un ciclo en Japón, con un éxito tan grande que le había significado el premio de cinco millones de yens por el mejor concierto de la temporada japonesa. Siempre se ha sentido atraída por el introspectivo mundo del lied, y proyecta dedicarle más tiempo, especialmente a los de Strauss. Ella quisiera aconsejar a todas las cantantes que ensayaran temprano con este género, sin esperar a que su voz empiece a desaparecer, "porque entonces es tarde, no se pueden adquirir de golpe los matices y la sutileza del estilo, hay que trabajar y perfeccionarlo a través de los años."

Gruberova, hoy una cantante de primer nivel, impresiona por su equilibrio y optimismo pese a su vida marcada por la tragedia. En los últimos años ha vivido en Zurich con sus dos hijas adolescentes, a quienes ha criado sola desde que su marido se suicidara a principios de los ochenta, y cumpliendo además con una carrera tan agotadora. Pero no se solaza en las lamentaciones. Su hija mayor toca el piano y la menor, de quince años, está dotada para la danza, especialmente jazz dancing, para la que prepara sus propias coreografías. Ninguna de las dos ha pensado en el canto porque "no les gusta esa existencia errante y exigente, vivida lejos del hogar, frecuentemente a solas en un cuarto de hotel."

Doce años atrás, estando sus hijas en edad preescolar, confió a *Opera News* que "toda cantante que tenga hijos debe saber qué quiero decir cuando afirmo que, sea lo que uno fuere, no importa lo que esté haciendo en escena, la mente está siempre en casa con los hijos, preguntándose qué están haciendo, si todo estará bien, y por qué estoy aquí en lugar de estar con ellos. Me necesitan y los necesito. Esta es la cruda realidad de mi profesión."

¿Hay alguna compensación? "Tener una voz, experimentar en el cuerpo la sensación física de cantar, sentir la relación espiritual con el público; esta es la gran bendición."

Dame Gwyneth Jones

"A veces me siento como una gran cajonera", musita Dame Gwyneth Jones, cuya carrera internacional fuera de serie, como una de las más amadas divas inglesas, es tan notable por su duración como por el poder vocal y la manera de involucrarse dramáticamente con sus personajes. "En cada cajón reposa un personaje diferente con nuevas sensaciones, nuevas emociones y nuevos movimientos. El último es absolutamente vital. Personajes regios como Elisabeth de Valois, por ejemplo, se movería en forma distinta que Aída, cuyas actitudes, aunque dignas, son siempre cautelosas; o de Salomé, que se desliza por el escenario como un gato."

Gwyneth Jones ha investigado a fondo para encontrar el movimiento adecuado a cada papel. Cuando preparó Salomé por primera vez, estudió la danza del vientre tanto como ballet para "incorporar sabor oriental a su interpretación", y antes de hacer Madama Butterfly asistió al Teatro Kabuki en Japón. Quería ver a los actores "inclinar sus rodillas de modo que todo el cuerpo parece bailar" y estudiar la manera especial en que las pelucas les hacen erguir la cabeza. Y a pesar de todo, a veces le lleva mucho tiempo "encontrar" un personaje. "De repente, siento que lo tengo, y desde ese momento no lo perderé. Queda guardado para siempre en uno de mis cajones."

Este modo entrañable de encarar los papeles, unido a la inmensa fuerza de su voz de soprano dramática, es lo más característico en ellas.

Prácticamente se arroja en los personajes con abandono total. Según el director Elijah Moshinsky, "se somete casi masoquísticamente. Goza ese *sobre*sometimiento y maneja sus reacciones personales y emociones de un modo absolutamente adecuado para los personajes wagnerianos. Quizá casi *demasiado* adecuado, haciendo que esas mujeres desagradables, neuróticas, hipersexuadas (aclaremos que Gwyneth Jones no está de acuerdo en absoluto en este punto) y masoquista como Elisabeth en *Tannhäuser* resulten más simpáticas de lo que quizá deberían ser."

Este es, ya, un punto de vista personal; la mayoría de la gente piensa que sus muy humanas representaciones de las heroínas de Wagner (ha hecho Senta, Venus, Elisabeth, Eva, Kundry, Isolda, Sieglinde y Brunilda) son profundamente emocionantes. Geoffrey Parsons considera a Jones "una de las personalidades más generosas que conozco. Y esto se traslada a sus actuaciones, a su fabulosa Brunilda, en quien deposita toda la maravillosa ternura humana –muy distinta a la de Nilsson, por ejemplo, que siempre se muestra demasiado heroína y remota– y su fabulosa Turandot."

Gwyneth Jones se destaca también por haber conservado el poder de su voz después de veinticinco años de cantar el más pesado repertorio. Debutó en 1963 en el Covent Garden con Wellgunde en *El Crepúsculo de los Dioses*, y en 1987 y 1988 representó los agotadores papeles de la mujer de Dyer en *Die Frau ohne Schatten* de Strauss y *Electra*, que resultó sensacional. Destaca Peter Katona que "es asombroso encontrar a alguien capaz de hacer esto después de una larga y notable carrera. El vigor de su voz es sencillamente extraordinario. Además encarna sus papeles con intensa emoción, lo que la convierte en una artista fuerte y muy personal."

"Trato de *vivir* los personajes y relacionarlos con mis experiencias, con algo de mi propia vida y naturaleza", explica Jones. El papel en el que esto se ve más claro es Isolda, nombre que en antiguo gaélico significa "la blanca", y curiosamente Gwyneth Jones quiere decir lo mismo en galés. Es un papel especial para ella, el papel por el cual siente que es cantante. Lo cantó por primera vez en San Francisco el día de su cumpleaños, el 7 de noviembre de 1978, en circunstancias extraordinarias que ella considera proféticas; para empezar se había contagiado la bronquitis del director, le dolía el pecho, parecía que un cuchillo le atravesara la garganta, y temía que fuera necesario cancelar el estreno. Pero el departamento que alquilaba estaba en Jones Street y la calle que llevaba a la Opera era Eddy Street. Entre las dos se formaba el nombre de su padre muerto, Eddy Jones, al que adoraba. De modo que pensó que él la ampararía y que su primera Isolda *tenía* que ser el día de su cumpleaños, sin que ningún resfriado importara nada.

Más tarde sintió que todo lo que había hecho –"toda la experiencia, todo el estudio, todo lo *vivido*"– fue una preparación para este papel, un modo de entender su significado que es "tridimensional". Y de toda esa experiencia, la mayor fue la muerte de su padre. Tenía tres años cuando perdió a la madre, por lo cual la relación con él fue especialmente cálida. A los dieciocho, también quedó huérfana de padre, y esa muerte la golpeó con dureza. Apenas una hora antes había recibido carta del Royal College of Music comunicándole que la habían aceptado como estudiante. Esto, dice ella, hizo el llanto de Isolda "nur eine Stunde", es decir emocionante y lleno de significado. "He convivido con la muerte entre cuatro paredes. Recuerdo el delirio de mi padre que duró tres días y tres noches, hablando de 'una presencia' al pie de la cama, 'el sueño que viene a llevarme'. A la cuarta noche la expresión cambió por una de total arrobamiento, como si viera a alguien con quien iba a reunirse. Yo estaba segura de que era mi madre; fue maravilloso ser testigo de su absoluta felicidad. Sabía que todo estaba bien y eso me ayudó mucho."

Pero la vida era dura. Nunca antes había estado en Londres, casi no tenía dinero, se sentía sola en el mundo, despavorida, incapaz de comer y dando vueltas y vueltas en su ofuscamiento. A pesar de todo, se sentía aliviada porque su padre ya no sufría. Revivió esta experiencia cuando estrenó su Isolda. "Entendí el pleno significado del Liebestod, una de las escenas más difíciles de interpretar. Todo es perfecto porque Isolda, o más bien su alma, se une a Tristán. Aunque todavía no está clínicamente muerta, está fuera de su cuerpo, en una cuarta dimensión. Ella puede verlo, y él puede verla, están juntos en un estado de transfiguración, pudiendo experimentar la eternidad, rodeados por estrellas y nubes. Aunque físicamente presente, Isolda ya no está encarnada. Es vital dar la impresión de que está flotando, de que ya no está apoyada sólidamente en la tierra. Creo que la muerte de mi padre me dio una comprensión profunda de todo esto."

También para entender a Brunilda fue importante la íntima relación con su padre. La estrenó en el Festival de Bayreuth en 1974 y luego la representó en el Covent Garden, en producción de Götz Friedrich, y en 1976 en el Centenario de Bayreuth, dirigida por Pierre Boulez y con producción de Patrice Chereau, que fue televisada mundialmente. El director, el productor y los intérpretes trabajaron conjuntamente y año a año desarrollaban mejor la tarea. Por supuesto que, desde el punto de vista musical o dramático, el primer año no fue tan bueno como el último.

Jones está especialmente de acuerdo con el concepto de Chereau sobre Brunilda, empezando casi como una chica, pero una chica sensata porque ha heredado la sabiduría de la madre, Erda. "Al principio es una doncella guerrera que reverencia a su padre y está muy unida a él. Pero pronto atraviesa una serie de transformaciones. Es testigo del amor de Sigmund y Sieglinde, su primer contacto con el amor humano, o cualquier forma de amor que no sea el que siente por su padre. Le hace abrir los ojos y la conmueve al punto de desobedecer a Wotan para ayudar a la infortunada pareja. Y porque es el otro yo de Wotan, intuitivamente sabe que, haciendo lo que hace, está cumpliendo el deseo secreto de él. El final del cuarto acto, cuando Wotan la proscribe del Valhalla y la pone a dormir en una roca, es tan conmovedor, tan bello, que realmente es un privilegio cantarlo. El tremendo amor por mi padre siempre convierte esa parte en algo muy especial para mí."

El segundo contacto con el amor humano es, por supuesto, al despertarla Sigfrido a su vida como mortal. Es al final del tercer acto, donde pasa por una nueva gama de emociones. "Siendo una virgen, el fuego y la excitación del deseo la aterrorizan. La escena de éxtasis amoroso entre ellos es algo fuera de este mundo... El último año en que se hizo la producción de Chereau, yo sentía que el tiempo estaba suspendido."

Al comienzo de *El Ocaso de los Dioses*, Brunilda ya sabe bastante como para entender que, si quiere conservar el amor de Sigfrido, debe darle la libertad. Debe hacerlo tan libre como para que vuelva a ella por su voluntad, sin sentirse *atado*.

Ella canta "Zu neuen Taten" en la escena que le resulta más difícil en cuanto a dramaticidad, "porque está alejando a la única persona que no quiere alejar. Sabe que tiene que hacerlo, pero lo mismo es insoportable." La escena que disfruta más es el enfrentamiento de Brunilda con Sigfrido (que a causa de la poción de Hagen no la recuerda), en la que se siente traicionada, atormentada y humillada.

"¡Me hace sentir como si midiera tres metros de altura, como si mis ojos despidieran llamas y el escenario ardiera con mi furia! Y en este momento la experiencia y el control de la técnica son imprescindibles para conservar reservas antes las grandes escenas que siguen. Créanme, es muy duro. Hay que sentir y transmitir las inmensas emociones de Brunilda con gran fuerza y convicción. La artista debe tener control técnico no sólo de la voz sino de cada movimiento y cada músculo del rostro y el cuerpo. Además hay que mantenerse apartada, alerta a lo que uno hace... se siente exaltadamente la electricidad en el aire y la emoción del público. Otra cosa que debe vigilarse es la tendencia a dejarse arrastrar por el fantástico, increíble sonido orquestal que hace pensar que uno podría volar. Requiere mucha vitalidad y fuerza física hacer que la voz se remonte sobre la orquesta, en una de las escenas más excitantes no sólo de la Tetralogía sino de todo mi repertorio."

Es *esencial* para las cantantes, aclara Jones, saber qué es lo que están haciendo, tener buena salud y haber alcanzado suficiente madurez para lanzarse a los grandes papeles wagnerianos. Por eso se considera que Wagner es peligroso para voces jóvenes. En primer lugar, se requiere una resistencia física que sólo se consigue en muchos años, en segunda instancia hace falta una gran experiencia para graduar la voz y hacer que llegue fresca hasta el final. Por eso, aunque los jóvenes puedan cantar todas las notas en estos papeles, primero tienen que familiarizarse con Wagner mediante partes pequeñas, como las Hijas del Rhin, las Tejedoras del Destino y Valquirias, antes de animarse con los más profundos. Los dos papeles más exigentes, Isolda y Brunilda (*El Ocaso de los Dioses*), presentan otro problema. Después de los dos primeros actos, largos y dramáticos, hay una hora y media de descanso antes de Liebestod y la escena de la inmolación, respectivamente. El peligro está en que "después de cantar tantas horas, las cuerdas vocales se han calentado, y de repente no hay nada que hacer durante más de una hora. Por lo tanto es fundamental descansar completamente después de los exigentes primeros actos para recuperar energías y calentar la voz otra vez como para una nueva función. De esta manera se reaccionará inmediatamente y se aguantarán las fuertes escenas finales."

Todo esto hizo que Jones, al comienzo de su carrera, se prometiera no acometer los papeles wagnerianos más pesados sin tener pr lo menos diez años de experiencia. Después de hacer Hijas del Rhin, Valquirias y Tejedoras del Destino, se sintió en condiciones de animarse con los más importantes de Sieglinde y Senta, en 1965 y 1966. A veces, todavía canta Sieglinde, que le gusta tanto musical como dramáticamente. A pesar de que su tessitura es un poco más baja que la de Brunilda, la misma cantante puede hacer los dos papeles. "Desde el punto de vista dramático, Sieglinde es distinta de Brunilda porque es completamente humana; una mortal que ama a Siegmund. Sin embargo es mucho más que un normal amor hombre-mujer, porque son mellizos. Han sufrido terriblemente por haber sido separados, por lo tanto su reencuentro los lleva al éxtasis, y es maravilloso cantar su dúo de amor."

Como la mayoría de las sopranos wagnerianas, es muy precavida con Senta, de *El Holandés Errante*, cuya tessitura es tramposa, revoloteando en el passaggio (las notas Fa y Sol) y saltando hasta el Si. Cuando compuso esta ópera, Wagner era muy joven y relativamente poco experimentado, por eso Senta no está tan bien hecha como algunas heroínas posteriores. "Su gran aria, 'Wie aus der Ferne', por ejemplo, nos deja tanto tiempo en el passaggio que hay que derrochar mucha energía. Por eso, aun maduras sopranos wagnerianas lo rehúyen."

El desarrollo vocal de Gwyneth Jones fue gradual y tiene sólidas bases, lo que le ha permitido sobrellevar una larga carrera con un repertorio pesado, y ha podido resurgir triunfalmente de una seria crisis de su voz para hacer en años recientes papeles como Turandot, Electra y la mujer de Dyer. Nació en Pontnewynydd, Gales, y cantó en varios coros como contralto. En realidad era mezzosoprano, y como tal ingresó en el Royal College of Music en 1956 donde estudió hasta 1960 con Arnold Smith y Ruth Parker. Ella aclara que no es tan raro encontrar sopranos que hayan comenzado como mezzosopranos. "En el caso de Flagstad se oye esa cálida voz media que suena mucho más como mezzosoprano en los tonos bajos y se abre en los altos. De alguna manera es *bueno* no empezar con la voz más alta porque disminuye el peligro de forzarla, y establecer primero bases sólidas en las cuales se apoyen los agudos. (También Joan Sutherland subraya este punto.) Si están bien los tonos bajos y medios, no habrá problemas con los altos. Es más o menos como construir una casa apoyada en rocas firmes. Pero si la apoya en arena, todo el edificio se vendrá abajo."

La ubicación natural de su voz empezó a subir mientras estaba en el Royal College. Cuando fue a Zurich a estudiar en el Internacional Opera Estudio de Herbert Graf con Maria Carpi, ex soprano, esta se dio cuenta enseguida de que su nueva alumna lo era también. Empezaron a trabajar en ese sentido, con mucha precaución. La alumna era quien se resistía a creerlo. Mientras preparaban el papel de Fidès en *El Profeta* de Meyerbeer, que es para una mezzosoprano alta, María Carpi le hizo notar discretamente que, sin darse cuenta, lo estaba cantando como lo haría una soprano. "Uno esperaría que una mezzosoprano tuviera alguna dificultad con la coloratura muy alta, pero yo lo estaba sorteando felizmente y disfrutando cada minuto", confiesa. Después de haber oído a una mezzosoprano representándolo en la Opera de Zurich, comprendió muy bien de qué distinta manera lo había estado haciendo ella.

En esa época, 1962, debutó en Zurich como mezzosoprano cantando *Orfeo y Eurídice* de Gluck, y la tercera dama en *Die Zauberflöte*.

Al mismo tiempo preparaba algunos papeles de mezzosoprano realmente pesados como Azucena en *Il Trovatore* y Ulrica en *Un ballo in maschera*. Pero nunca llegó a cantarlos. Nello Santi, director de la Opera de Zurich, la oyó haciendo Czipra en *Der Zigeunerbaron* y advirtió cómo ayudaba a Adele Leigh, que estaba resfriada, a cantar las notas más altas en el conjunto. Al otro día la llamó a su oficina para que cantara música para soprano realmente alta. Jones recuerda que el director se impresionó porque ella soportó la prueba sin esfuerzo. Al final Santi cerró de golpe el piano exclamando: "Basta così. Usted no volverá a cantar en esta sala como mezzosoprano, porque es una soprano." De modo que en lugar de representar Ulrica, en la siguiente producción de *Un ballo*, cantó Amelia.

Mientras tanto la había escuchado Solti, entonces director musical de la Royal Opera House en el aria de Eboli "O don fatale" de *Don Carlos* de Verdi. La contrató para cantar ese papel y el de Amneris en Aída. Pero después de la producción de *Un ballo in maschera* en Zurich, ella le escribió diciéndole que se había convertido en soprano y preferiría no cantar Amneris ni Eboli. Pero estaba preparada para intentar pequeños papeles de su nuevo registro como las Rhinemaidens en lugar de presentarse ante el público haciendo algo con lo que no pensaba seguir. De modo que lo único que cantó en su primera temporada como miembro de la compañía del Covent Garden fue las Hijas del Rhin, Valquirias y Norns. Sólo en una gira por Manchester y Coventry aparecieron posibilidades más interesantes: Octavio en *El Caballero de la Rosa*, y Lady Macbeth.

Reconoce que tiene una enorme deuda con el Covent Garden, donde hizo un magnífico entrenamiento, y con Solti muy especialmente, por el interés personal en su carrera. En la segunda temporada, 1964-65, le dio la gran oportunidad de cantar Leonora en *Fidelio* remplazando a Régine Crespin, y más importante, suplantar a Leontyne Price que no estaba bien de salud. Era en *Il Trovatore* en producción de Visconti y dirigida por Carlo María Giulini, y le ofreció también el papel de Santuzza en *Cavalleria Rusticana*. Cuando surgió la posibilidad de ser suplente de la gran Leontyne Price, Joan Ingpen, a cargo de la dirección artística, indicó que debía ser escuchada por Giulini, quien la aceptó poniendo una condición. Estudiaría el papel con el famoso maestro Luigi Ricci en Roma. Al terminar sus estudios con él, la llevó a casa de Giulini para que la oyera. Al día siguiente Jones volvió a Londres y recibió un llamado de sir David Webster informándole que Leontyne Price se retiraba de la producción por estar enferma, y que Giulini se alegraba de que ella cantara en el estreno. Jones conserva como un tesoro el recuerdo de esas representaciones, de "esas largas manos maravillosas que casi me alzaron al escenario. Junto a Giulini siempre se siente la ternura que surge desde lo más profundo de su ser."

Con Giulini y Ricci aprendió mucho sobre canto italiano, en especial Verdi. Está de acuerdo con quienes piensan que Verdi es muy bueno para la voz porque "exige una línea muy bella, pureza y redondez del sonido, un suave revoleto en los pianissimi y, ocasionalmente, coloratura brillante. También es importante, al cantar a Verdi, transmitir serenidad a través de la expresión facial, proyectar la propia alma a la par con el sonido."

Cuando yo todavía era estudiante, escuché su primera Leonora en *Il Trovatore*, y me impactó el notable candor y el sentimiento reflejados en sus ojos, que se veían enormes y de alguna manera lo llevaban a uno a su lado. Su repertorio de heroínas de Verdi incluye Elisabeth de Valois en *Don Carlos*, Desdémona en *Otelo* y el papel protagonista de *Aída*, todos en excelentes interpretaciones.

Por razones vocales, explicó Gwyneth Jones, le gustaría seguir cantando ópera italiana todo lo posible, y añade que los largos legatos y suaves pianissimi la han ayudado enormemente al cantar ópera alemana. A pesar del volumen total del sonido de la orquesta, ella dice que ahora siente menos tendencia a empujar su voz, y trata de cantar piano tanto como sea posible (por ejemplo en "War es so schmählich", en el tercer acto de *La Valquiria*). De todas sus representaciones, la mejor es Turandot de Puccini, que cantó por primera vez en la Opera de Los Angeles durante el Festival Olímpico de 1984, y poco después en el Covent Garden. Fue un logro colosal. Había estudiado el papel con Dame Eva Turner, una de sus más famosas intérpretes, con el resultado de que sus problemas vocales, como un molesto temblor que hacía parecer erráticas algunas de sus interpretaciones, aparentemente desaparecieron. Su sonido no había sido vocalmente tan seguro desde hacía varios años, y ahora se desprendían olas de gloriosa voz, experiencia que ella disfrutaba enormemente.

"Adoro la sensación de cantar notas altas. ¡Me emocionan! Hay sólo una cosa más excitante que cantar el Do agudo, y es cantarlo con un magnífico tenor. No se puede creer lo que se siente cuando uno flota en la estratósfera con un tenor como Plácido Domingo. No me puedo imaginar a mí misma con miedo a las notas altas. El día que ocurriera, debería despedirme del canto."

Como siempre lo hace, Jones trata de encontrar el lado simpático de esta heroína de acero. Porque aunque al principio Turandot es más que nada la Princesa de Hielo, en el fondo es muy femenina y ardiente. "Creo que lo sabe, por eso trata de levantar una muralla de hielo a su alrededor. De hecho, una de las adivinanzas que plantea es '¿Qué es hielo por fuera pero que arde por dentro?' Es decir que está consciente del increíble fuego que habita en ella, pero lo teme y trata de disimularlo."

El único problema con muchas óperas italianas es, según Jones, el rudimentario realismo de los libretos. *Il Trovatore* es un buen ejemplo. Durante años ella le buscó un significado oculto, pero al final se dio por vencida. "Es sólo elemental y estático, y eso le obliga a uno a reconocer que, a pesar de la belleza real de las palabras, del idioma italiano, hay que resignarse a pensar que todo se apoya en la belleza de la música." (Herbert von Karajan, a quien le gustaba especialmente esta ópera, y en realidad la mayoría de las óperas italianas, opina como Jones que la trama es "incomprensible, totalmente sin sentido. Simplemente, hay en la música una proyección de las emociones humanas elementales: amor, odio, celos, venganza y otras cosas por el estilo; casi como comer una hamburguesa ¡Muy saludable!")

¿Esto parecería significar que Dame Gwyneth, que se describe como "una fanática del texto", encuentra más completa la ópera alemana? Pero no está segura. "Simplemente es cuestión de observar las diferentes prioridades. Es verdad que en la ópera alemana en general, y en Strauss en particular, los textos son más interesantes." Tenenos un ejemplo en la traducción de *Salomé* de Oscar Wilde hecha por Hugo von Hoffmannsthal. La cantó por primera vez en 1970, en la Opera del Estado de Hamburgo, producida por August Everding y dirigida por Karl Böhm. Desde el comienzo, la combinación de canto, danza y sublime poesía la hace sentir "una artista completa". Es muy interesante cantarla porque empieza inocentemente, se vuelve ardiente y hacia el final enloquece. Todo esto exige una amplia variedad de colores vocales. Jones cree que todo esquema de interpretación vocal no sólo debe basarse en la partitura, sino también en el texto. "En este caso, las referencias a Salomé que hace el texto son sobre su blancura y su pureza. Creo que al principio es realmente una chica malcriada y una virgen que odia la sordidez, la decadencia y las orgías que se desarrollan en palacio. La combinación de su virginidad, su ingenuidad y sus caprichos atrae a todo macho que esté a la vista. La desean precisamente *porque* es distinta de todas las demás, pura y blanca como una flor, por eso Narraboth está dispuesto a matarse por ella, y Herodes a dar la mitad de su reino por verla bailar. Pero para ella nada de eso existe y, como es una chica malcriada, está acostumbrada a que sus caprichos sean satisfechos. Lo que la fascina en el Bautista es que es el primer hombre dispuesto a negarle lo que quiere. Como el fruto prohibido, le resulta irresistible. Y como odia todo lo que sucede en el palacio, es atraída hacia esa aura misteriosa, le parece inquietante. Yo no creo que al principio sepa lo que espera de él. Es curiosa, quiere tocarlo, acariciar su pelo, besar su boca, todo inocentemente. No creo que haya un deseo sexual todavía. Pero su rechazo le hace subir la adrenalina y siente verdadera furia.

"Lo que la despierta y la cambia por completo es la Danza de los Siete Velos, por eso siempre debe ser hecha por la cantante y no por una bailarina. Empieza suave e ingenua, como un baile popular que interpretará ante la corte. Pero algo parece llamarla desde la celda del Bautista; hay un particular pasaje en la orquesta que suena como un pájaro, un pájaro de muerte, casi se puede oír el batir de sus alas. Ella reacciona a la llamada que es cada vez más fuerte y la aleja de Herodes, lo abandona en la medida en que crece la atracción por el Bautista hasta convertirse en frenesí, hasta el punto de que en su mente pierde la virginidad y entrega al hombre todo su ser.

"Después del baile, Salomé es otra. Ha sentido tal atracción sexual, tal éxtasis, que al terminar la danza está extraviada, casi ha perdido la razón. Cuando recibe la cabeza cortada, lo único que le importa es besar su boca, con un deseo tan obsesivo que le impide comprender por qué no le responde. Y en su éxtasis final, Salomé pasa por una experiencia similar a la de Isolda. Entiendo que al llegar los soldados con sus escudos, Salomé ya está en otra dimensión. Estoy convencida de que, sin saberlo, hay en ella una atracción subconsciente por esa clase de experiencia 'religiosa', por esa fusión –aunque sólo llega a través de la muerte– que la arrastra ante todo hacia el Bautista."

Salomé no es una de sus mejores representaciones, pero la mujer del Tintorero en *Die Frau ohne Schatten*, hecha en 1978, y Electra en 1988, pueden considerarse entre los mayores logros de su carrera: vocalmente gloriosos y dramáticamente aprisionantes. Por lo tanto no es extraño enterarse de que, antes de cantar Electra en la Opera de Colonia, hubiera visitado Micenas, donde todo ocurrió, en busca de la revelación.

"Subiendo la colina y estando en el baño donde fue asesinado Agamenón, observando el lugar azotado por un clima que va desde el intenso calor a los fuertes vientos, entendí cómo era la gente moldeada por ese paisaje. Me dijo cómo vivía Electra, cómo caminaba, la clase de mujer que pudo haber sido, lo que odió pero también cuánto amor había en ella. (Otra vez el amor por el padre es el tema.) Como dije a propósito de Turandot, siempre busco el amor en cada personaje, y tengo que encontrarlo. Sin él no puedo encontrar el lazo imaginario que me una a ellos."

Ver por primera vez Electra en la Opera de Ginebra, muchos años atrás, la impactó profundamente. Se sentó en la primera fila de la platea, respirando apenas, hasta sentirse enferma. Varios días le duró ese malestar, y no quería oír hablar ni ver ni cantar ni hacer nada que tuviera que ver con esa ópera, *nunca más*. Algo después estaba cantando la Cuarta Doncella y al poco tiempo Crysothemis en el Covent Garden para la Electra de Nilsson, de modo que cuando le llegó el momento de hacer el papel principal, se había vinculado con toda la obra, como, al hacer Brunilda, le había ocurrido con el mundo de *La Valquiria*. "Estar familiarizada con el trabajo me sirvió de ayuda para hacer tanto Brunilda como Electra, porque constantemente había estado oyendo la música y observando a mis colegas."

Pero sentía que su Electra sería muy distinta de la de Nilsson. El crítico de *The Times* apunta acertadamente que "en forma diferente que Electra o que su propia Crysothemis, Jones presenta una mujer que nunca goza, no se siente triunfante por herir a Clitemnestra." Jones cree que en *La Orestíada* hay mucho para hablar sobre el personaje de Electra, que era una mujer llena de amor, pero ahora está desolada y herida. Pero porque es la hija de un rey es orgullosa, su carácter es fuerte. Horrorizada por la gran equivocación con respecto a su padre, al que ama profundamente, encuentra la fuerza necesaria para sacrificar todo y alcanzar su propósito: la venganza. "Creo que si su padre no hubiera sido asesinado, ella habría sido la esposa y la madre más amante, porque tiene mucho amor para dar. Es evidente en su actitud hacia Orestes, a quien ha esperado durante años. Pero mientras tanto se ha convertido en una mujer árida. Su sola razón de ser es el odio ardiente, aunque alimentado por el amor, que la guía hacia la venganza. Su maravilloso grito, 'Orestes', dice todo sobre Electra, como las frases siguientes que deben ser cantadas con calidez y belleza. (Otra vez me fue de gran ayuda haber cantado ópera italiana.) El texto es muy poético, ella está recordando qué bello era su pelo, con un lenguaje tan sensible que nos permite vislumbrar qué clase de mujer *pudo* haber sido. Es importante mostrar que lo que la ha llevado a este estado, a ser como un animal salvaje, fue la pena y repugnancia ante el asesinato de su amado padre, y el trato que recibe a manos de su madre. Representarla es más emocionante que lo que puedan decir las palabras."

Desde el punto de vista vocal el papel es ideal para esta cantante. "Todo en la voz de Jones la capacita para esta representación", dijo *The Times*, "pero especialmente los altos fortissimos que hacen arder los oídos como el hielo; fieramente apasionada y a la vez mortalmente fría. Su habilidad para lanzar alaridos que arrancan de su instinto, mientras su canto radiante nunca llega al grito, hace una Electra sobrehumana. Pero el poder no es su única arma. También lo es el oscuro lenguaje de su interpretación, a la vez amenazante y amenazada, la misteriosa sensualidad y el reposo incómodo: una representación que enciende a todos en el escenario."

Jones advierte que Electra es, sin embargo, una papel peligroso, por la simple razón de que nunca se detiene. Empieza con un monólogo y sigue incesantemente hasta el final, moviéndose mucho al mismo tiempo. "Es una pieza muy moderna. Quizá Strauss haya sentido que con ella estaba llegando a las fronteras de la santidad." Y uno sabe que eso es lo que realmente sintió.

Preguntamos si la Mariscala de *El Caballero de la Rosa* (que representó por primera vez en la Opera de Baviera dirigida por Carlos Kleiber en 1972, y continuó haciendo año tras año por más de una década) forma parte de ese mismo mundo. Después de todo, es difícil imaginar un mayor contraste entre las entrañables emociones de Electra y la decadente sensualidad y sentimentalismo de la Viena rococó. "No, es casi como cantar música de otro compositor. También en la orquestación hay una enorme diferencia. De alguna manera parece más ligera, porque nos encontramos en un mundo más gentil. En este sentido creo que *Die Frau ohne Schatten* se aproxima más al mundo de *Electra* y *Salomé*, es decir a la juventud de Strauss, que sus óperas de "salón" como *El Caballero de la Rosa*, *Arabella*, *Ariadna en Naxos*, *Capriccio* e *Intermezzo*."

Jones estaba aterrorizada cuando hizo su primera Mariscala —nos cuenta que en esa época su hija estaba en la cuna— porque sabía lo exacto que es Kleiber. Su inmensa minuciosidad no se refiere sólo a la partitura o al canto, sino a cualquier detalle dramático como movimientos faciales y del cuerpo. "Es un perfeccionista, y para él es fundamental que uno haga las cosas exactamente como quiere. Si pide que acentúen una pequeña coma, es mejor tratar de hacerlo, si se puede, porque uno lee en sus ojos que está esperando. Y si se hace bien, su rostro se llena de alegría." Jones aprendió mucho con Kleiber y apreciaba el hecho de que, cuando iban a ensayar la obra en Munich, parecía que lo hacían por primera vez. Lucia Popp y Brigitte Fassbaender, que cantaron Sofía y Octavia, hicieron notar lo mismo acerca de su trabajo con Kleiber. "Era como si tuviera un plumero que sacara las telarañas e hiciera sonar la obra como fue creada: bullente, inquietante y nueva, como un soplo de primavera. También conseguía que cada representación pareciera un debut, una noche de gala, creando una atmósfera de excitación. Se sabe que Kleiber detesta la rutina e irá hasta donde haga falta para evitar que asome su horrible cabeza. Por ejemplo, después de cada representación, envía a los cantantes y miembros de la orquesta pequeñas notas, llamadas en el mundo musical 'Kleibergramas', en las que marca los detalles que le gustaría se hicieran de diferente manera en la próxima función. Por entonces explicaba a Jones que lo importante de la Mariscala está en no ser nunca demasiado triste, *nunca*. Para él es fundamental que al terminar la obra debe estar con un ojo húmedo y el otro seco, porque es un personaje muy femenino y tendrá una 'próxima vez'. Pero es obvio que ella y Octaviano disfrutan realmente su aventura, y el besamanos del final 'lo explica todo'. El primer acto, en cambio, debería desarrollarse como 'una de esas mañanas' en que uno empieza con el pie izquierdo; el temor a la llegada del marido perturba un cálido desayuno entre ambos. Después de eso, todo afecta sus nervios; la recepción, Ochs, la forma en que luce su pelo. Hay un sentimiento autodestructivo que surge de un mal estado de ánimo."

Hablando de estados de ánimo, parece el momento oportuno para preguntar a Gwyneth Jones cómo su expansiva personalidad soporta las presiones de una carrera internacional agotadora. Responde que lo más importante es tener colmada su vida privada. Y lo ha conseguido con su marido, Till Haberfeld, y su hija adolescente, a quien adora. Siempre trata de programar sus compromisos en el extranjero de modo de estar juntos durante las vacaciones. Viven en una tranquila aldea en las afueras de Zurich —el marido es suizo— donde ella pasa la mayor cantidad de tiempo posible, recuperándose de la tensión de su vida profesional: los viajes, los personajes que la obligan a introducirse en diferentes esferas y experimentar emociones extrañas, viviendo su vida irreal. Es una existencia en la que se da mucho y también se recibe; por eso, como la mayoría de las cantantes, necesita algo muy sólido para conservar los pies en la tierra.

"Hay que tener el calor de la familia, los seres amados, hay que edificar una vida tan normal y pacífica como sea posible. Es obvio que la mayor parte del tiempo transcurra en hoteles y aeropuertos, por eso uno debe volver a las raíces, a la normalidad, siempre que pueda. Ser una madre, un ama de casa, cocinar, cuidar el jardín; no concibo una vida sin la belleza de las plantas y las flores. Ser madre ha sido una experiencia especial para mí, como mujer y como artista. Porque hay que conocer los sentimientos que se expresan en escena. La interpretación será más rica si se ha vivido y se han experimentado personalmente esas emociones. Quien no conoce el amor no puede ser convincente al transmitirlo. Tal vez otros no piensen así, pero es lo que yo siento."

Gwyneth Jones, que es CBE (Commander of British Empire) desde 1976, Dama del Imperio Británico desde 1986 y ha ganado el Premio Shakespeare por servicios al European Art en 1987, tiene todas las razones para estar satisfecha con su vida y sus logros. Es enorme el trabajo y es enorme la cantidad de amor que ha puesto en él a través de los años. Cree que una artista nunca debe dejar de crecer, no puede dejar de perfeccionar su técnica y su interpretación. Y su preparacion psicológica es tan importante como la física.

"Uno es consciente de que ha nacido para esto, que es su misión en la vida. Al mismo tiempo, yo me siento una privilegiada porque creo que cantar es una de las cosas más maravillosas para un ser humano; estar capacitado para dar alegría a los demás y a uno mismo a través de la belleza que es la música, en las grandes obras de Wagner, Strauss, Verdi, Mozart o Puccini, es realmente un privilegio único."

Eva Marton

En una época en que casi han desaparecido de la escena las grandes voces femeninas, la húngara Eva Marton tiene una brillante voz de soprano dramática que llega a un agudo claro y potente desde un entrañable registro bajo muy expresivo. Pero sabiendo que ese tipo de voz se hace con frecuencia ruidosa o monocromática, se preocupa por colorearla con una sutil paleta de matices dinámicos que transmiten humanidad a sus personajes, algo que aun la misma Birgit Nilsson eludía hasta después de pasar su cúspide vocal.

Las apariciones triunfales de Marton haciendo Turandot en el Covent Garden, en el verano de 1987, ilustran esta cualidad. Pocas veces la formidable Princesa de Hielo pareció tan vulnerable, y rajada su armadura, se la vio adorable en la interpretación de Marton. Como si todos la contempláramos a través de los ojos de Calaf y descubriéramos a la mujer detrás de la máscara. "Hay un esplendor en su canto que se mantiene aun en las partes más altas o en las más bajas; por fin una Turandot de belleza suprema y creíble juventud", dijo *The Times*.

Turandot convirtió a Eva Marton en una estrella. Lo cantó por primera vez en la Opera de Viena en una nueva producción con José Carreras como Calaf, dirigida por el entonces director musical, Lorin Maazel, y con intervención de Sam Wanamaker, de Hollywood. Se televisó en vivo a toda Europa y fue grabada por la CBS.

"Después de esta producción, el público empezó a tratarme como a una estrella, como a la nueva sensación", recuerda la cantante. "Fue muy interesante. Yo había trabajado bien, en un nivel alto durante años, había debutado en Salzburgo el verano anterior como Leonora en *Fidelio*. Pero fue con Turandot, en Viena, cuando empecé a surgir como favorita ante el público de Salzburgo. Siempre es el público, y en menor escala la prensa y la industria de la grabación, lo que crea a las nuevas estrellas."

Aunque las representaciones en Viena fueron deslumbrantes por el volumen y el brillo de su voz, no alcanzaron la emoción o el interés dramático de las posteriores en el Covent Garden. Marton, que desde entonces ha interpretado el papel a través del mundo, que es una perfeccionista y se conoce a sí misma y a su voz, se ha dedicado a pulir y profundizar su interpretación.

"Después de cantar en la segunda producción de Turandot, reparé en que, mientras mi punto de vista respecto del personaje era correcto, debía renovar y perfeccionar mi interpretación. Veo a Turandot como una chica sencilla, muy normal. Es el poder lo que la hace distinta. Estamos en China y ella es la segunda después del Emperador. Como símbolo de poder, es objeto constante de la adulación pública. Por consiguiente, es natural que no quiera ofrecerse al primer pretendiente que aparezca, olvidando su linaje principesco. Sólo consentirá ante alguien excepcional. Eso es todo. No teme al amor, al contrario, secretamente lo está esperando. Lo que teme es perder su poder y su status."

Marton destaca que, aunque es un papel corto, alrededor de veinticinco minutos de canto, es muy difícil. "Es el equivalente de una carrera de sólo cuatrocientos metros (Marton es deportista y una vez fue miembro del equipo Nacional Húngaro de voleibol). ¡Pero cada representación es una olimpíada! La tessitura es muy alta y muy dramática, y nunca se está seguro de alcanzar todas esas notas agudas... Tal vez ahora, pero sólo ahora, después de tantas representaciones, puedo empezar a confiar en mí misma. En realidad, ahora comienzo a sentirlo con respecto a casi todo mi repertorio."

La autoconfianza de Marton está justificada. Desde su surgimiento al estrellato en 1983, ha ido de triunfo en triunfo. En el otoño de 1984 se adueñó del espectáculo con una cautivante interpretación de Ortrud en *Lohengrin*, que se hacía en el Metropolitan con Plácido Domingo en el papel protagonista. En la temporada 1985-86 cantó Brunilda en una nueva producción de *Sigfrido* hecha en la Opera de San Francisco por Nikolaus Lehnoff, y después, en 1986 y 87, fue proclamada la nueva gran Brunilda en *El Crepúsculo de los Dioses*. "Esta Brunilda que, como sus colegas, es nueva en el papel, nos brindó una de las más nobles, reposadas, *evolucionadas* Escenas de la Inmolación de los anales wagnerianos", dijo el veterano crítico de *Opera* Arthur Bloomfield. Marton cantaría otra vez Brunilda en 1992, dirigida por Zubin Mehta en la Chicago Lyric Opera.

Hasta ahora Brunilda es su papel preferido. Declara que después de su primer *Crepúsculo*, se sintió completa "como ser humano y como mujer", y vivió intensamente el personaje. "Cuando nos encontramos con Brunilda en *La Valquiria*, es una página en blanco. Con el tiempo adquirirá experiencia y llenará la página. Pero cuando la experiencia es demasiado grande, se destruye. Empieza su existencia como ser humno en *Sigfrido*, y cuando llegamos a *El Crepúsculo de los Dioses*, la página está totalmente cubierta y su vida en la tierra terminada, porque ya no tolera la carga de la existencia humana, no es bastante fuerte como para eso."

A pesar de las formidables dificultades de un papel que, junto con Isolda y Norma, está considerado como el monstruo sagrado del repertorio de una soprano, ella dice que "cuando uno siente profundamente la emoción de un papel, puede hacer todo lo que quiere con la voz y encontrar los colores, tonos y matices dinámicos que corresponden." Pero admitie que lo que una cantante necesita para hacer Brunilda es ante todo "vigor y mucha experiencia en escena. En *Crepúsculo* ese papel dura cinco horas y media, y una inexperimentada cantante de veinticinco años, no puede con él. Yo tuve la oportunidad de elegir entre empezar mi ciclo de la *Tetralogía* en San Francisco con *La Valquiria* o *Sigfrido*. Pensé que lo mejor era *Sigfrido*, primero porque es el más corto, son veintisiete minutos de canto, y además es el comienzo de Brunilda como ser humano. Ir directamente de *La Valquiria* a *Crepúsculo* sin haber pasado por *Sigfrido* hubiera significado una distancia demasiado grande desde el punto de vista dramático. Porque es en *Sigfrido* donde Brunilda comprende lo que es la muerte y el renacimiento, y aprende lo que se siente al regocijarse en el sol, en la Luz. Como ser humano, aprecia todo lo que antes recibía de hecho en *La Valquiria*, cuando era una amazona, una semidiosa. Había tenido los mejores caballos, la mejor apariencia, la eterna juventud, la eterna belleza, y no necesitaba mirarse al espejo porque sabía que esa belleza sería para siempre. Tampoco tenía interés en los hombres, excepto los héroes muertos que escoltaba al Valhalla. Después, a través de su experiencia con Sigfrido, se convierte en mujer. Por lo tanto yo no podría establecer el lazo imaginario con ella en *El Crepúsculo de los Dioses* sin haber pasado por *Sigfrido*.

"Como Turandot, Brunilda en *Sigfrido* es corto y muy alto. Pero el mayor problema es que debe ser cantado a las once de la noche. En San Francisco, por ejemplo, el telón se levanta a las siete de la tarde, y yo a las nueve todavía estoy en casa, esperando, tan nerviosa que no puedo hacer nada excepto ver basketball por televisión. Finalmente voy hasta el teatro, estaciono en las proximidades y trato de calmar mis nervios caminando. Una vez en la sala, hay que seguir esperando hasta que Brunilda despierte, al final del tercer acto. Nadie se imagina lo deprimente que es levantarse por la mañana sabiendo que el momento culminante del día no llegará hasta las once de la noche, cuando deberá vestirse, maquillarse y salir a escena y cantar durante veintisiete minutos. Esta espera interminable es el único problema en *Sigfrido*.

Lo más difícil de la *Tetralogía*, para Brunilda, es *El Crepúsculo de los Dioses*, que Marton compara con un maratón. "Pero su indescriptible belleza hace que cada vez que la canto lo sienta como un día de fiesta. La primera vez que lo hice, el público se puso de pie y me ovacionó a mí, a mí sola, el tributo más grande para una artista, y una experiencia por la que estoy profundamente agradecida. En realidad todo mi contacto con Brunilda ha sido único, porque a través de él, creo que he llegado a ser mejor persona. ¡Y si tuviera que morir mañana o en el momento que sea, estaré lista!"

Para Marton la experiencia previa de Wagner había sido Eva en *Los Maestros Cantores de Nuremberg*, en 1976, con la que hizo un debut respetable pero no extraordinario en el Metropolitan Opera House. En 1977 y 1978 hizo Elisabeth y Venus, de *Tannhäuser*, en las producciones de Götz Friedrich en Bayreuth, y Elsa y Ortrud en *Lohengrin*, siendo la última su mayor éxito internacional en personajes de Wagner. Ella explica que, aunque la tessitura de estos dos papeles es casi la misma, la de Ortrud es más alta y más dramática. "Es un personaje muy interesante. Los papeles vehementes, temperamentales, son más fáciles para mi personalidad, y aunque el de Ortrud es más corto que el de Elsa, al ser muy dramático es automáticamente más interesante que el de una joven, lírico-dramática y virginal como Elsa. Es casi verismo alemán y lo he representado de tal manera que se hace difícil decir cuál de los dos papeles es el positivo y cuál el negativo, porque aun las personas negativas están convencidas de que tienen derecho a hacer lo que hacen y se sienten justificadas. Entonces, me imaginé dentro del personaje y creía absolutamente en él."

Los resultados fueron electrificantes: *Time* dijo que "aun teniendo en cuenta la calidad de Domingo, el *Lohengrin* del Metropolitan no fue el espectáculo de un hombre. Marton, deslumbrante soprano wagneriana, igualmente capaz de presentar potentes fuegos artificiales italianos como *Turandot*, fue una protagonista gloriosamente feroz como la hechicera. Su furia ardiente al enfrentar a su débil marido Telramund, casi al comienzo del tercer acto, le ganó una ovación que detuvo el espectáculo." Marton dice que, después de esta experiencia, que "me hizo saltar del personaje", necesita por lo menos un cuarto de hora para calmarse y meterse de nuevo en la obra.

"A veces pienso que el público necesita el aplauso casi más que nosotros, para aliviar la tensión y excitación. Por supuesto que uno es feliz al dar placer. Pero debo reconocer que no me gusta ver oleadas de gente volcándose en mi camerino después de la función. Me gusta irme a casa en cuanto puedo y estar a solas con mi marido. Nos sentamos, tomamos una copa y hablamos detalladamente sobre la función. Después del estreno de *Lohengrin*, por ejemplo, nos quedamos hasta las cinco de la mañana reviviendo la experiencia y tomando champagne. Fue imposible dormir. En realidad, más tarde supe que muchas personas que habían estado en esa función tampoco pudieron dormir, y eso es bueno. Porque el verdadero propósito de la función del teatro es sacudir a la gente."

Marton es una mujer notable, dura y atractiva, llena de temperamento y fuego húngaro ("un tigre", ríe Zoltan, su marido). Ha conseguido un equilibrio aparentemente perfecto entre su vida profesional y su vida privada. "Yo lo intento, pero hay momentos en que el nivel se inclina en una u otra dirección. Pero creo que pocas veces la familia resulta estafada." Contrapone a la absorción que significa su arte, una alegre capacidad para saborear los placeres simples de la vida y los frutos de su fama, sin llegar a hastiarse. "He trabajado dura y honestamente para ganar tantos aplausos. En medio de semejante excitación me dije: calma, quédate donde estabas. Y sigo trabajando", dijo a *Opera News*. "Con más de cuarenta papeles en cuatro idiomas en mi repertorio, a veces pienso: basta. Pero aparece Fedora, un papel maravilloso, y la Gioconda, y ahora Brunilda. Debería empezar también a dar recitales, pero ¿de dónde saco el tiempo para aprender ese repertorio...? Así es la vida de una artista lírica; una vida corta, en la cual uno no tiene tiempo para hacer demasiado, de modo que todos esperamos que no olviden lo que hicimos."

Los padres de Eva Heinrich –su nombre al nacer– no tenían relación con la música, y como muchos húngaros, pasaron graves dificultades en la posguerra. Ella ni siquiera pudo ver una ópera como estudiante de piano con una "mujer maravillosa" que había sido alumna de Bartók. Estudió durante tres años, pero confiesa que no tenía "ni la paciencia, ni el talento ni los nervios para tomarlo como una carrera." Pero la maestra le dijo que su voz era maravillosa, de modo que a los catorce años cambió el piano por el canto, e interpretó canciones folklóricas, pequeñas óperas para escolares y cantó en la Budapest Radio Chorus durante dos años, "solo en una octava, ni alta ni baja". Siendo mayor, ingresó en la Academia Liszt donde además de canto estudiaba historia de la música, música folklórica, algo de filosofía y teoría política, e idiomas: ruso e italiano. Más tarde fue el alemán, después de trasladarse a Alemania en 1972 con su marido y su pequeño hijo. Siendo todavía estudiante había conocido al doctor Zoltan Marton, actualmente cirujano en Hamburgo, se casó, tuvo su primer hijo y decidió seguir su carrera con el apellido de él. "¿Qué pasaría si te divorciaras?", protestó su madre. "¡¡¡Nunca!!!", contestó muy decidida. "Por supuesto que es difícil combinar carrera y familia, pero en mi caso no es tan terrible. Tengo la suerte de estar casada con un hombre que se interesa por mi trabajo, mis dos preciosos hijos, dentro de lo posible, viajan conmigo, y ven lugares que a su edad yo conocía sólo por los libros. Cuando eran más pequeños leían mucho, y estoy orgullosa de ellos. Son tan bien educados que puedo llevarlos a cualquier parte", dijo a *Opera News*. La familia vive en una gran casa en las afueras de Hamburgo, que está equipada con sauna y piscina porque, además de fanática de los deportes por naturaleza, Marton cree que la salud física es fundamental para las cantantes de ópera. Cuando está en casa le gusta vestirse sencillamente, cocinar, cuidar el jardín, y salir a caminar o en bicicleta con su familia, todo lo cual le ayuda a conservar la perspectiva correcta y a recargar las baterías.

Eva Marton hizo su debut profesional en la Opera de Budapest en 1968. Cantó el papel de coloratura de la Reina de Shemakha en *El Gallo de Oro* de Rimski-Korsakov y durante los tres años que siguieron fue miembro de una compañía, sintiéndose frustrada por falta de oportunidades. Las mejores partes parecían ser para colegas mayores. Afortunadamente, Peter Katona, en ese momento administrador artístico de la Opera de Frankfurt (y ahora en el Covent Garden) la vio haciendo Freia en *El Oro del Rhin* y le impresionó bien. La invitó a cantar Alice Ford en *Falstaff*, y a continuación el director musical Christoph von Dohnányi le ofreció un contrato por tres años en Frankfurt, consiguiéndole el visado para salir de Hungría. Los Marton llegaron al oeste con dos grandes maletas, que pesaban alrededor de cien kilos cada una, y pocas cosas más. Su primer salario fue de 2.400 marcos por mes, y así empezaron su nueva vida en un apartamento amueblado. El próximo que habitaron fue arreglado por ellos, y Eva alternaba la confección de las cortinas con el estudio del alemán. Al poco tiempo el doctor Marton encontró trabajo en un hospital y la vida familiar se fue organizando.

Los fructíferos cinco años en Frankfurt fueron vitales en el desenvolvimiento artístico de Eva Marton. Perfeccionó su técnica y estudió la mayoría de su repertorio. En un año enloquecedor aprendió ocho papeles en su idioma original, incluyendo Aída, Amelia en *Un Ballo in maschera*, Leonora en *La forza del destino* y Eva en *Los Maestros Cantores de Nuremberg*. Apareció por primera vez como artista invitada debutando en la Opera de Viena como Tosca en 1973, en Baviera en 1973 y en el Metropolitan en 1976, con intervenciones en Berlín, Zurich, Ginebra y Marsella. Allí recibió su primera ovación verdadera después de Tosca. En 1977 siguió a Dohnányi y a Katona a la Opera del Estado de Hamburgo, con un contrato que estipulaba una cantidad de representaciones, pero con libertad para viajar.

En los años siguientes su reputación internacional se consolidó. Después de diez años de aprendizaje como miembro de compañía en Budapest, las bases de su carrera eran firmes. "Mi desarrollo vocal empezó con Mozart, prácticamente docenas y docenas de Doña Ana y condesas, papeles líricos y luego una lenta progresión a partes dramáticas. Hasta que mi voz tuviera la suficiente elasticidad, evitaba a Wagner y Strauss todo lo posible. Cuando consideré que estaba madura para ello, empecé a cantarlos. Es esencial conocer las propias limitaciones y no ir más allá. Es mejor hacer menos que más de lo que uno puede, porque cuando la voz se perjudique, no hay salida", declaró a *Opernwelt*. De modo que estaba preparada para una serie de importantes presentaciones internacionales: el Bayreuth en 1977, La Scala en 1978 como Leonora de *Il Trovatore* dirigida por Zubin Mehta, y enseguida la primera producción en La Scala en húngaro, *Duke Bluebeard's Castle* de Bartók. En 1979 cantó Magdalena de *Andrea Chénier* en la Chicago Lyric Opera y luego *Tosca* en La Scala con Pavarotti, y una producción televisada de *Andrea Chénier* con José Carreras en el papel protagonista. Se sucedieron triunfos personales como la Emperatriz en *Die Frau ohne Schatten* en el Teatro Colón de Buenos Aires y el Metropolitan Opera House, en 1981. En realidad, la Emperatriz y Tosca "son papeles que me abrieron puertas".

Marton, que ha cantado Tosca en el mundo entero, se identifica fuertemente con el personaje "como artista, como ser humano y como mujer". Lo cantó por primera vez en Hungría, en la Opera de Budapest, y en Italia y en la Opera de Viena en 1973. Como con muchos de sus papeles veristas, se inspiró en Anna Magnani, cuyos films admira. "Siempre fue un ejemplo para mí, y quisiera transmitir a mi Tosca el mismo fuego, temperamento y vitalidad que ella pone en sus papeles. Quisiera demostrar que hay otras posibilidades más que la manera de hacerlo de Callas. Callas, que empezó la revolución para convertir la ópera en teatro creíble, fue única e inimitable. ¿Qué sentido tiene copiarla? Yo, lo mismo que las otras cantantes, deberíamos hacer Tosca con nuestros propios colores y personalidad."

En 1986, Jonathan Miller produjo en Florencia una controvertida *Tosca* que ubica la acción en 1944, durante los últimos días del fascismo, y aunque Marton tenía al principio alguna aprensión, finalmente reconoce que es la más interesante que ha cantado. Y fue emocionante para ella descubrir que Miller se había inspirado en *Roma, città aperta* de Roberto Rossellini, protagonizada por Anna Magnani. "Nunca, en todos los años que he cantado Tosca, me sentí tan atemorizada por Scarpia como en esa representación." Y aunque odia "ese montón de vulgaridades" que se ven en los escenarios de hoy, aceptaría todo lo que hiciera Miller. Junto con Götz Friedrich y Nikolaus Lehnhoff, es el director de escena de quien más ha aprendido.

Marton disfruta intensamente haciendo papeles veristas. "Cuando canto Wagner, Strauss o Verdi, soy una nave entre las olas. Cuando canto verismo, soy las olas. Pero es un género que puede ser peligroso si no se emplea la voz o el cuerpo en la forma adecuada. Lo que hace falta ante todo es una voz media firme, sólida, porque es lo que soporta la mayoría de los embates."

Otro papel verista, clave en su carrera, es el protagonista de *La Gioconda* de Ponchielli, que cantara por primera vez en 1982 en el Metropolitan Opera House, también con Plácido Domingo representando a Enzo. Lo considera uno de sus papeles más difíciles de su repertorio. "Es verdaderamente muy alto, muy dramático, con una tessitura que va desde el registro bajo, especialmente la famosa aria 'Suicidio', a pasajes de coloratura en el final. Por eso cantantes que hacen papeles como Brunilda, Turandot u Ortrud, lo cantan con poca frecuencia. El argumento es más bien estúpido. No es un secreto que Arrigo Boito, que para escribir el libreto se basó en una historia de Victor Hugo hecha con seudónimo, pensaba lo mismo. De todas maneras, como artista que debe representarlo, tengo que encontrar el modo de identificarme y estar convencida de lo que hago para poder convencer al público y a mis colegas. Veo *La Gioconda* como la historia de un hombre que es amado más de lo que ama. No tiene nada que ver con mi experiencia personal, porque mi marido Zoltan y yo todavía estamos muy enamorados, y yo lo estuve desde el primer momento.

"Gioconda es linda y sexi y Enzo la quiso alguna vez, pero no es bastante para él, un Grimaldo. Ella es una cantante callejera, y hay que tenerlo en cuenta en lo vocal y en lo dramático, porque eso la distingue de Tosca, una cantante de ópera. Aunque esa diferencia sea difícil de marcar, porque todas las mujeres enamoradas se parecen, es una realidad y hay que transmitirla. Tosca expresa su angustia en 'Vissi d'arte', de una manera muy bella, muy artística, pero el canto de Gioconda es puro instinto, arranca de las entrañas, es más 'basto' en sus explosiones, lo que la hace más expresiva, más temperamental que Tosca.

"El cuarto acto empieza con Gioconda sola, cavilando. Llegan sus amigos, los actores, y ella les pide que cuiden a su madre ciega, a quien no quiere dejar sin protección. Aparece el cuerpo de Laura; Gioconda le ha dado un somnífero que la hace parecer dormida, para salvarla de la venganza del celoso marido. Ella le está agradecida por haber librado a su madre de manos de la Inquisición. Ve la droga y concibe la idea de matarse. Entra en un estado de frenesí, de delirio, lo único que puede hacer que se suicide. No creo que nadie se mate a sangre fría. Uno tiene que llegar a un estado que haga ver semejante cosa como la única solución, la única posibilidad de fuga."

Marton ha grabado para la CBS *La Gioconda* y casi todos sus papeles veristas –Fedora, Turandot y Magdalena en *Andrea Chénier*– y está convencida de que deberían ser grabados de tal modo que transmitan la sensación de lo que ella experimenta en escena. "Nadie espera de mí sólo hermosos sonidos. Esperan algo más. De alguna manera creo que puedo permitirme de vez en cuando un suspiro audible o un jadeo, si contribuye a que la cosa sea más real. En la grabación hace falta más tensión, más colores, y sobre todo hay que tener el valor de revelar la emoción de la obra más que sólo cantar de una manera bella."

Poco antes de grabar *La Gioconda* en 1987, Marton tuvo que hacerlo con un papel que le interesa particularmente: Judith en *Duke Bluebeard's Castle*, que cantara para su examen de graduación en la Academia Liszt y más tarde hiciera en La Scala en idioma húngaro. Es un papel muy entrañable para ella porque en sus años de estudiante "tuvo una especial relación con Béla Bartók, cuyo retrato tenía colgado en la pared porque amaba su rostro. Es una maravillosa cara, *limpia*, con ojos claros que traspasan, ojos azules profundamente tristes, que he contemplado siempre que estuve desesperada. Era un hombre desdichado porque después de dejar Hungría para establecerse en América, no volvió a encontrarse a sí mismo. Vivió pobremente, en una apartamento pequeño y feo de Nueva York, que visité en una especie de peregrinaje... Es decir que yo solía tener diálogos silenciosos con su retrato en mis días de estudiante, y cantar su música es algo que significa mucho para mí."

Al preparar su examen, Marton estudiaba el papel de Judith con un maestro que a su vez había estudiado con el mismo Bartók. El papel, hoy considerado un clásico en el repertorio del siglo veinte, es muy difícil vocal y dramáticamente. "El texto es tan importante como personal. Como Elsa en *Lohengrin*, Judith es el eterno femenino curioso, preguntando y queriendo saber todo. Pero Elsa es ingenua y virginal, mientras Judith tiene experiencia y sofisticación. El Duque no recibe un nombre de pila. Es solo 'Duque Barba Azul', un personaje simbólico, alegórico, que puede ser Todos los Hombres. Porque todos tienen su personalidad, su sanctasanctórum íntimo, un jardín secreto que quieren mantener aparte hasta de los que aman –uno es lo que es y no quiere que todos sepan todo sobre él–. Hasta cuando el Duque abre las puertas de su alma y su pasado, conserva una cerrada y Judith no puede aguantarlo. Para mí es profundamente inquietante que esta mujer quiera saber e invadir todo. Esta dramática parte alegórica de la obra me interesa muchísimo.

"La música es muy húngara. Es pentatónica y Bartók consigue dar a cada apertura de puerta un diferente tono. Cuando se abre una puerta y Judith goza la vista de los hermosos maizales, estamos en un mundo de sonido distinto del que nos recibe cuando la puerta se abre a una tormenta... De pronto ella empieza a tener dudas y temores sobre este hombre. Surge su inseguridad y se pregunta si es bastante buena para alguien tan rico, rico en todo el significado de la palabra. Y por su insistencia en que abra la que es realmente la última puerta, por su falta de fe, destruye todo. Exactamente como hace Elsa en *Lohengrin*, y el mensaje parece ser el mismo; el miedo y la duda, invariablemente, destruyen el amor."

En 1989, Marton cantó su primera Electra en la Opera de Viena en una producción de Harry Kupfer dirigida por Claudio Abbado, pero en 1990 cosechó un mayor triunfo en el mismo papel dirigida por Solti en el Covent Garden. Marton "está absolutamente loca por Strauss" y sus óperas favoritas son *Ariadna en Naxos* y *Die Frau ohne Schatten*, las dos obras alegóricas. Cantó Ariadna por primera vez en la Opera de Baviera dirigida por Sawallisch con gran éxito pero siempre ha sido "demasiado caro ser contratada para una ópera de un acto". Tiene una concepción muy personal del papel y de la ópera en su totalidad, y está ansiosa por probarlo. "Me gustaría hacer tanto Ariadna como el Compositor, de modo de esclarecer el lazo íntimo entre los dos. Canto el Compositor y desecho la primadonna, que es un personaje extraño, además no puede leer mis notas. Entonces, como el Compositor, doy un paso adelante y canto el papel de Ariadna en la ópera dentro de la ópera. Cuando un director descubra que es una idea fabulosa, estaré lista."

Marton ha cantado otros dos papeles de Strauss, la Condesa en *Capriccio* y la Mariscala en *El Caballero de la Rosa*, del cual piensa que no es ideal para ella. "Simplemente no parece mi papel. Soy demasiado temperamental, demasiado violenta para hacer una tranquila dama vienesa. Siempre se sabe cuando se está haciendo el papel equivocado. Uno pelea y pelea, valientemente y contra todo, como Don Quijote, pero sabe que es una batalla perdida. Lo sentí dos veces en mi carrera: con Leonora en *Fidelio* (a pesar de haber tenido quince invitaciones, después de su debut en Salzburgo decidió que no era para ella) y Helena en *Die aegyptische Helena* de Strauss, que canté en Munich. A pesar de su bella música, me resulta duro hacerlo a causa de su estúpido libreto."

La Emperatriz de *Die Frau ohne Schatten*, también uno de sus papeles preferidos y que tuvo gran importancia en su carrera, le valió importantes triunfos en el Colón y en el Metropolitan. En las dos producciones Birgit Nilsson hacía la mujer del tintorero y, después de la segunda, autografió la partitura de Marton. Esta cantaría su primera mujer del tintorero en 1992, dirigida por Solti en el Festival de Salzburgo.

La Emperatriz ha sido magníficamente cantada durante años por Leonie Rysanek, y Marton sabía que era un antecedente duro. "Pero supe que había llegado mi momento. Tenía que aprovechar esta oportunidad. Supe exactamente que sabía hacerlo y que podía. Lo que no sabía es cómo me aceptaría el público", dijo a *Opera News*. La producción probó que no sólo era la sucesora de Rysanek, sino también de Nilsson. Y durante la última representación de esa temporada, Nilsson pasó el manto de Turandot a Marton.

"Justo antes de levantarse el telón para el segundo acto, estando todos en posición, a los pies de Birgit, ella me dijo de repente: 'Sabes, he estado pensando en cuál sería una buena parte para ti.' (¡Imagínese! La gran Birgit Nilsson pensado en lo que sería bueno para mí.) '¿Cuál?', le pregunté. 'Turandot', me contestó. 'He hecho mi carrera con ella.' 'Muchas gracias, Birgit, pero ¿piensas que puedo hacerlo?' 'Seguro', dijo, y el telón se levantó. Y me pareció fabuloso que, cuando un artista está a punto de abandonar un papel, haya otro preparado para asumirlo y seguir con la tradición. No pasa a menudo, es cuestión de oportunidad, por eso es tan maravilloso cuando ocurre."

Rosalind Plowright

La gran voz itálica llena de matices oscuros de Rosalind Plowright –ideal para Verdi y el *bel canto*– es una de las más interesantes y dramáticamente expresivas, y unida a su figura alta y elegante, le otorgan una presencia escénica imponente. Para su consternación, la han comparado muchas veces con María Callas, a quien admira inmensamente. Pero, sin duda, sería más justo conocerla como "la primera Plowright" que como "la segunda alguien". Cada voz es única, es el sello del artista en cuyo cuerpo se aloja, y la comparación de un cantante con otro es un pasatiempo fútil. Sin embargo es verdad que Rosalind Plowright comparte algunas de las mejores características de Callas y la igualmente inolvidable Leontyne Price, una de las más grandes sopranos de Verdi. La representación de Plowright haciendo Elena en *I vespri siciliani* en la Opera Nacional Inglesa en 1984, la mostró como una de las más emocionantes cantantes de Verdi desde Price. Su Norma en Montpellier, Pittsburgh, Lyon y París permite que se la considere, por lo menos, la primera Norma perfecta después de Callas.

En la época de nuestra primera conversación, Plowright pensaba que no había alcanzado todavía su cúspide vocal. Cinco años más tarde, con dieciséis representaciones de Norma sobre sus espaldas, creía que estaba próxima. Entonces y ahora, su propósito era concentrarse en personajes como Norma porque "me hacen sentir confiada y muestran lo mejor de sí. Elena y Norma son caracteres fuertes y creo que, cuando tengo que ser dramáticamente fuerte, puedo cantar con comodidad algunas de las frases más altas y difíciles." La excepción a esta regla es Desdémona, un papel puramente lírico que cantó por primera vez en la Opera Nacional Inglesa en 1981 y le valió un gran éxito. "Realmente corresponde a mi voz y no me siento nerviosa cuando lo canto. No hay nada verdaderamente difícil en él. Todo lo que hay que hacer es cantarlo en una forma muy bella." El mismo Verdi escribió a su libretista Arrigo Boito: "En Desdémona la línea, el tratamiento melódico, nunca se quiebran, desde la primera hasta la última nota. Repito, Desdémona *canta* desde sus primeras notas, que son una frase melódica, directamente hasta el 'Otello non uccidermi' final, que es otra frase melódica. Así como Yago debería sólo declamar y escarnecer, Desdémona debe siempre cantar, cantar, cantar..."

Desdémona es un "papel Si natural" y el Si natural es una de las mejores notas de Plowright. Al punto de que Plácido Domingo la apodó "Reina Si" cuando grabaron *Il Trovatore*.

Sin embargo, en general prefiere papeles más dramáticos, "los que me dan algo en qué sostenerme y pueda sentirme dentro de ellos". Por eso, entre otras razones, cantar Elena en *Vespri* le resulta una experiencia tan importante. Está esperando la oportunidad de cantarlo otra vez, pero en italiano. "Cantarlo en inglés es terrible, porque las consonantes no son tan claras ni las vocales tan abiertas como en italiano. Pero la mayor dificultad de este papel es que es inmensamente largo, dura más de cinco actos; en la producción de la Opera Nacional Inglesa no hay intervalo entre el cuarto y el quinto. Eso signfica que estoy constantemente en el escenario, y es matador. Otro problema es la diferente modalidad de estos dos actos. El cuarto es fuertemente dramático, y después de tanta dramaticidad no es sencillo aligerar la voz –especialmente al final de esa larga velada, estando exhaustas– y cantar el 'Bolero'."

Pero Plowright, a pesar de lo arduo del papel, salió adelante aparentemente sin esfuerzo, y su representación obtuvo notas entusiastas.

"Su fraseo en el cuarteto del gran Acto IV fue la culminación de la velada, que ella coronó con un deslumbrante siciliano", fueron las palabras del *Sunday Times. The Times* encabezó titulando: "Rosalind Plowright: Emoción en una exigente función", para destacar que "ella ha sido noticia por algún tiempo, pero con esta representación demuestra que es la más interesante soprano inglesa."

Haciendo esta clase de papeles, explica Plowright, es esencial descansar lo que sea necesario. Sería ideal contar con tres días entre funciones, porque "más arduo el papel, más importante el descanso". Asegura que tuvo tiempo suficiente para descansar y prepararse antes de cantar Norma por primera vez, una versión semiescénica en un teatro al aire libre, en Montpellier. La función sería en julio de 1985, y dice que "yo sabía que necesitaría seis meses para preparar Norma, y tuve seis meses. Me preparé tan concienzudamente que no fue una sorpresa el éxito de la representación. Había aprendido que no se puede trabajar simultáneamente con distintos papeles, que hace falta tiempo para profundizarlos y mejorarlos. Nunca más cometería el error de estudiar un papel de corridas. Además de no ser justo para la música, es tonto, porque sólo después de un largo período de estudio uno se puede sentir confiado y seguro."

El paso previo a la representación en Montpellier fue seguir un curso especial de italiano en una escuela de Florencia, después estuvo una semana en Milán con el veterano maestro Roberto Benaglio, que la había ayudado a preparar la grabación para Deutsche Grammophon de *Il Trovatore*, dirigida por Giulini. Al volver a Inglaterra, también tarde, el productor se trasladó allí para trabajar con la cantante. Fue una tarea tranquila, "y para mi asombro, durante la representación me sentí relajada, maravillosamente descansada y saludable. Llegué a los Do agudos al final de la cabaletta 'A bello a me ritorna', y aunque algunos podían haber estado mejor, en general la representación fue muy buena." La prensa francesa la mencionó como una "revelación", y Peter Katona, administrador artístico del Covent Garden, quedó tan impresionado que de inmediato empezó a planear una nueva *Norma* para Plowright. "Ya ve, hace falta algo como esto para mostrar a la gente lo que uno puede hacer", suspira la cantante. (La proyectada *Norma* fue remplazada por *Medea*.)

Muchas de las artistas entrevistadas para este libro coinciden en que Norma es uno de los papeles más exigentes en el repertorio de sopranos porque es largo y requiere mucha vitalidad y amplitud. "Uno puede empezar la representación con una voz fresca, pero hace falta mucha técnica para conservarla así. Porque la *verdadera* Norma empieza después del dúo con Adalgisa, la parte que amo y donde me siento segura. El comienzo es contenido, excepto el vehemente 'No, non tremare'. Por eso creo que para cantar Norma a veces es necesario algo de la disciplina mozartiana. No se puede hacer lo que se hace en Puccini. Hay que controlarse muy cuidadosamente, sosegarse. Teniendo una voz de gran volumen como la mía, se requiere una gran destreza técnica. Pero después de un año cantando Norma creo que he conseguido una nueva manera de encararlo, que me permite usar menos energía y menos voz, aunque el sonido en realidad está más enfocado."

Esta conversación se desarrollaba seis meses después de nacer su primer hijo, Daniel Robert, y ella comentaba que "empezar siempre parece un enorme esfuerzo. Canté *Alcestes* en La Scala seis semanas después de dar a luz, un poco antes de lo que hubiera deseado. Un mes más hubiera sido perfecto. Debiendo hacerlo tan seguido al nacimiento, tuve que trabajar duro con mi diafragma, recuperar energías y tener la voz en forma. Afortunadamente tenía una niñera, de modo que algo podía dormir: uno se siente como gelatina después de tener un chico. Pero poder descansar me permitió normalizar la voz, como cuando terminaban las vacaciones; y para mis siguientes Normas, en junio, mi voz estaba en mejores condiciones que nunca. Parecía que en el intervalo, alrededor de abril, había adquirido mayor seguridad técnica; antes me había empezado a dar cuenta de que estaba haciendo algo mal. Estaba siempre cantando fuerte y perdiendo la habilidad para matizar la voz. Pero creo que volviendo a las bases, he conseguido hacer los ajustes necesarios y manejar las cosas."

Nuestro encuentro anterior había sido poco antes del nacimiento de su hijo, y por razones personales y profesionales ella estaba excitada e intrigada ante el hecho de ser madre. "En muchos papeles que he hecho, como Norma y Medea, he sido madre, así que será interesante averiguar qué se siente en realidad... y será tan lindo cantar Norma algún día, con dos hijos propios. (Su segundo hijo, una niña, nació en Navidad de 1988, y concretó esa posibilidad.) Me gusta especialmente la escena en que Norma se atormenta entre el amor maternal y la urgencia por vengar la traición de Pollione matando a sus dos hijos. Y aquí aparece la diferencia entre las dos mujeres: ella no los mata, en cambio Medea lo hace. Pero Medea es una psicópata, una criatura salvaje, desequilibrada, casi una bruja, llena de deseos de venganza. La han separado de sus hijos que viven con Jasón, el padre, mientras Norma vive con ellos; de modo que el amor maternal se alimenta por el contacto constante. Además es una persona con más capacidad de amar. Medea tiene muchos y súbitos cambios de humor. Primero canta un aria profundamente conmovedora, llena de compasión por sus hijos. Pero los mira a los ojos y en ellos ve al padre, a quien odia. Los empuja a un lado y pide a Neris que los aleje de su vista. Entra en un estado de furia salvaje, dispuesta a matar."

En 1984, Plowright cantó Medea por primera vez en el Festival de Buxton, y en 1985 en Lyon, en la versión francesa con diálogo hablado, *Médée*, incorporando sólo los cortes de Cherubini. Aceptó con fruición el hecho de que debía representarlo como una especie de ritual, con el cuchillo del sacrificio, y dice que "una vez más el drama viene en mi auxilio y me ayuda a fundir mi ser en el personaje". El crítico de *Observer* lo capta y escribe que "Plowright nos brinda una representación de vibrante intensidad." Su siguiente versión de la obra fue la italiana, de Callas. Después de cantar en La Scala el papel de Alcestes en italiano, en lugar de las más frecuentes versiones francesas, declaró que se estaba convirtiendo, sin ganas, en una exponente de óperas en distintas ediciones.

Cantando Medea en versión italiana, teniendo que habérselas con los extremos cortes hechos por Callas, vivió una experiencia totalmente nueva. "Por mucho que admire a Callas, a veces deseo que no hubiera existido. No sólo por las infinitas comparaciones, sino también porque al haber incorporado de nuevo esos papeles al repertorio todos toman lo que dice como si fuera la Biblia, lo que es frustrante y a veces irritante. Fíjense en los cortes en la versión italiana de *Medea*. Supongo que quien los hizo quería incluir todos los recitativos de Lachner, que son muy interesantes, muy dramáticos y hasta bellos. De otro modo no entiendo por qué uno tiene que cortar una partitura tan hermosa como la versión francesa original. Pero una vez que se incorporan los recitativos de Lachner, hay que hacer extensos cortes para que la ópera no resulte muy larga. Por ejemplo, Callas cortó considerablemente el aria 'Dei tuoi figli la madre'. Después de hacer los recitativos, que son tan pronto suaves, tan pronto vehementes, no hay quien pueda cantar el aria entera. Yo repuse al final cuatro páginas de música y me sentí muy cansada por un tiempo. Por eso es que si se quiere hacer la versión italiana hay que respetar los cortes. Pero es una lástima, porque la música de Cherubini, con sus dúos y sus arias y sus repeticiones, es bastante dramática. No hacen falta los recitativos porque la faz obsesiva de Medea está bien expuesta, cosa que creo se pierde en la versión italiana, que obstaculizó mi interpretación después de cantarla en francés en Buxton. Hasta pretendían cortar ese trozo salvaje del final, aunque por suerte pude disuadirlos. Pero de ahora en adelante sólo cantaré la versión francesa." En 1989 lo hizo en el Covent Garden, y la reacción del público y la crítica fue más bien tibia, aunque no a causa de ella.

Plowright ha dejado atrás las inseguridades y los nervios que atormentaron sus primeros años, y las numerosas representaciones de Norma y Medea prueban que tenía razón al sentirse próxima al máximo de su capacidad. Pero se apresura a agregar que esta confianza en sí misma es bastante reciente. La primera vez que se habló de ella como de la promesa de un talento inusual fue en la Sofia Internacional Singing Competition, en 1979, donde ganó el Primer Premio. Pero la culminación llegó después de diez años de terribles dificultades, en los que se sintió destrozada por consejos contradictorios sobre su voz y por la falta de oportunidades. El triunfo sobre circunstancias tan desdichadas habla de su coraje, tenacidad y dedicación. Es justo destacar no sólo qué pasó con ella en su camino ascendente, sino qué puede ocurrirle a las artistas jóvenes, aun las más prometedoras, si no tienen la suerte de encontrar en sus comienzos los maestros adecuados; será útil para disipar la idea generalizada de que, desde el principio, la vida de las máximas cantantes está hecha de brillo deslumbrante.

El hombre que "empezó la cosa" e instó a Plowright a seguir la carrera de la música fue su padre, que tocaba el contrabajo en orquestas de jazz y cuya madre tenía una voz excelente. Teniendo Rosalind doce años, la llevó a ver *El Mikado*, y aparentemente fue decisivo. Sintió el impacto teatral, y durante el viaje de vuelta imitaba a Katisha con una voz oscura y pesada, distinta de la que uno emplea para cantar canciones o comedias musicales. El padre, impresionado, le pidió que insistiera en ese tipo de sonido.

En ese momento la familia se mudó de Warsop, en Nottinghamshire, a Wigan, cuya escuela contaba con un excelente departamento de música. Como estudiaba violín desde los diez años, entró en la orquesta de la escuela y pronto fue concertino; también cantaba en el coro, y con su voz, que ya era poderosa, "transportaba a todos". Pronto fue noticia. En poco tiempo hacía solos, y cantar se convirtió en algo más importante que tocar el violín, que abandonó alrededor de los diecisiete años. Su voz seguía madurando y empezó a tomar parte en representaciones líricas de aficionados.

Los padres, ansiosos por saber si realmente tenía capacidad para ser profesional, pidieron al maestro que arreglara una audición con Frederick

Cox, el director del Royal Northern College of Music. Después de eso "él escribió diciendo que sería una tragedia si yo no me preparaba en forma correcta, ¡porque tenía la posibilidad de convertirme en una cantante de ópera internacional! Por supuesto que estaba muy excitada e inmediatamente empecé a asistir a clases de Canto y Movimiento en el RNCM, antes de iniciar allí los cursos oficiales. De modo que cuando me alisté como estudiante de tiempo completo, estaba algo más adelantada que los demás. Lógicamente, era un honor tener como maestro a Frederick Cox, porque era el director y porque también había enseñado a Annie Howells y Ryland Davies, de quienes en esa época se hablaba mucho."

Cox había profetizado que pasaría un largo tiempo antes de que el gran instrumento de Rosalind Plowright estuviera listo, porque las grandes voces son difíciles de controlar. Se concentraba en el emplazamiento de la voz, y Plowright lo recuerda tratando de enseñarle cómo ubicarla en los resonadores de la cabeza. "Era terriblemente pesado, especialmente en la garganta, porque yo tenía esa fuerte, natural voz de registro medio que había descubierto imitando a Katisha para divertirme. Tenía también un estrato mucho más fino en el agudo, y nada entre ellos. No podía unir el medio con el alto, y la voz parecía temblar alrededor del passaggio. A veces se quebraba en una nota aguda, pero al menos tenía un agudo. Podía cantar arias como 'Vissi d'arte' de *Tosca* y papeles como Frasquita, Fiordiligi y Elsa (había ganado la beca Peter Stuyvesant con el sueño de Elsa) y alcanzaba el Do agudo."

Habiendo completado su curso en el RNCM en 1973, pasó a integrar la sección de sopranos en el Coro del Festival de Glyndebourne, donde también estudió como suplente la Condesa de *Las Bodas de Fígaro* para la Touring Company.

Pero ganar la beca Peter Stuyvesant para estudiar en el hoy desaparecido Centro de Opera de Londres resultó funesto. Porque esta "extraordinaria institución" declaró que sería para su bien integrar la sección de mezzosopranos. "Creo que lo hicieron por su propio bien, porque tenían abundancia de sopranos pero muy pocas mezzosoprano decentes. Por lo tanto querían a alguien que sonara a mezzosoprano, aunque fuera vagamente –con mi voz media fuerte y de oscuro timbre, ocurría– para hacer los papeles correspondientes. La decisión no tenía nada que ver con mis intereses. Me sentía molesta, pero siendo joven y sin experiencia, decidí que sería mejor no contradecirlos. Consulté a Freddie Cox, quien me dijo que no creía que me hiciera daño.

"Bueno, me lo hizo. Mi primer papel fue la madre en *Louise*, una parte realmente para contralto, que me obligó a usar en especial el registro bajo y empujar la voz media. Sentía que algo andaba mal pero no sabía qué, y pregunté al director, James Robertson, si me podrían dar papeles más altos. Se enojó, me gritó y me dijo que debería agradecer cualquier cosa que me dieran, y que de ninguna manera yo era soprano. Me sentía muy amargada con respecto del Centro. Algo había sido destruido en mí: mi voz, mi confianza, mis proyectos profesionales inmediatos. Desaparecieron absolutamente mis notas altas, se me empezó a caer el pelo y me diagnosticaron alopecia causada por estrés. Era muy desdichada, vivía en el East End de Londres, un lugar horrible, porque allí quedaba el Centro, y me sentía sola, miserable y completamente incomprendida."

Es interesante destacar el hecho de que Kiri Te Kanawa también fuera clasificada por el Centro como mezzosoprano, cuando llegó desde Nueva Zelanda para estudiar allí. Esto se oponía a la afirmación de su primera maestra, que la consideraba una soprano "pesado-lírica". Al igual que su colega inglesa, la neocelandesa se sintió muy infeliz en el Centro. Plowright no tenía allí a sus maestros, pero sí una amiga amante de la música, que la oyó en un concurso y aseguró sin equivocarse que su voz no era de mezzosoprano, porque cuando la escuchaba, "podía oír a Bellini y a Donizetti". Hubo sólo otra persona que opinó lo mismo, el pianista Roger Vignoles, quien la instó a "tirar todos esos papeles de Verdi".

Ganó la beca Peter Moores para su segundo año en el Centro, que no fue tan terrible, pero al terminar, en 1975, se sintió feliz de volverle la espalda y escapar a Glyndebourne. Allí le dieron el papel de Agata en *Der Freischütz* como suplente. Linda Esther Grey se enfermó, dándole la oportunidad de hacer una función, y resultó bien. Como premio, se le ofrecieron doce representaciones de la Condesa en *Fígaro* con la Touring Company. "Era un buen papel para mí, porque Mozart siempre es una disciplina conveniente. Conocían mis problemas vocales –a veces quebraba el La natural en 'Dove sono', y en pocas ocasiones me quedaba suficiente energía para 'ingrato cor'– pero quedaron satisfechos con mi Condesa (que hasta le valió algunas notas) al punto de ofrecerme el papel de Elvira en *Don Giovanni* para la temporada 1977 en el Peter Hall, con Thomas Allen en el papel protagonista."

Elvira es un papel mucho más exigente, y puso en descubierto sus debilidades. "Yo tenía las notas. Y también tenía problemas. No me volvieron a pedir que cantara en Glyndebourne, la primera de las muchas puertas que se cerraron en mi cara a causa de mi falta de técnica del sonido..."

El único trabajo que consiguió en esa época fue con la Kent Opera, donde cantó pequeños papeles como la Segunda Dama en *Die Zauberflöte* y el Mensajero en *Orfeo* –"en ese momento hubiera hecho cualquier cosa para ganarme la vida como cantante"–, pero todo fracasó. Mientras tanto, se había casado con un estudiante universitario, y vivía en Liverpool. Le ofrecieron trabajo en la Opera Nacional Galesa, Helena en *Sueño de una Noche de Verano*, pero también ellos advirtieron sus problemas y no la llamaron más. "Nadie se interesaba en mí. Estaba fuera, en el limbo. Por suerte mi marido tenía una beca, y nos manejábamos. Por lo menos me quedaría mi matrimonio cuando mi carrera durmiera el sueño de los justos. Hasta pensé que debía olvidarme de cantar, y prepararme para ser esposa y madre. Pero él no quería oír hablar de eso. Quería que hiciera algo por mí misma, y habiéndome escuchado en Glyndebourne, estaba seguro de que iba a tener éxito. De modo que pensé que debía seguir cantando, o me dejaría. (En realidad, allí empezaron los problemas con mi primer matrimonio). Empecé a viajar una vez por semana a Londres para estudiar con Erich Vietheer."

Erich Vietheer, hoy muerto, recordaba haber oído hablar de ella. Organizaron una entrevista y la primera pregunta de Plowright fue "¿Cree que soy una soprano?" "Y yo, habiendo oído su Elvira en Glyndebourne, recordando cómo me había fascinado la belleza de su voz y me había consternado la falta de técnica de aquel momento, contesté: ¡Por supuesto que lo es! Así fue como empezamos. Ella se pasaba casi todo el día en un ómnibus desde Liverpool y llegaba al caer la tarde para su lección, y otra vez el ómnibus de vuelta. Durante dos años la misma rutina. Pocas veces he encontrado una cantante que recorriera un camino tan duro en su ascenso. Merece cada gramo del reconocimiento que recibe."

Vietheer fue el primero en enseñarle los rudimentos del apoyo de la respiración, "respiración abdominal, baja, profunda. Ella nunca lo había hecho, respiraba desde el diafragma, por lo cual no le quedaban reservas para las notas altas. Y recuerdo la primera tarde en que apoyó correctamente el Do agudo. Fue impresionante. Poco después, deslicé subrepticiamente un Re bemol en una *cadenza* de *Il Trovatore* y también funcionó." Plowright recuerda que "Erich haría cosas rarísimas, como boxearme en el estómago para obligarme a respirar tan bajo y profundo como fuera posible, cosa totalmente nueva para mí. En los cinco años que estudié en el RNCM y los dos en el Opera Center, nadie me dijo cómo apoyar la respiración. Además yo usaba la garganta demasiado abierta y nunca 'cubría' las notas en el passaggio. Pero a medida que aprendía a hacerlo, todo empezaba a sonar mejor. Era emocionante. Erich no sólo me devolvió mi agudo, sino que me infundió una tremenda confianza, me dio esperanzas, y levantó mi moral aunque no estaba cantando especialmente bien. Y me ayudó a establecer contacto con el mundo de la ópera en un momento en que no trabajaba."

Durante seis meses no hizo otra cosa que estudiar, estudiar y estudiar en un cuarto helado. Los dueños del apartamento que habían alquilado, lo habían puesto cordialmente a su disposición, pero ella tenía que envolverse en abrigos y usar guantes de lana.

Por fin apareció el catalizador que hacía falta para que todo empezara a andar. Su amigo Peter Knapp, que de pronto anunció que empezaba con su propia compañía lírica, la invitó a cantar Fiordiligi en su futura producción de *Così fan tutte* en el Riverside Studios de Mammersmith en 1978. Le aclaró que al principio no podría pagarle. "Pero después de tantos meses de no trabajar, estaba tan desmoralizada que lo único que quería era cantar. Además era una buena oportunidad para probar la nueva técnica que estudiaba con Erich." Las representaciones se hacían con una pequeña orquesta y sin coro, pero tuvieron buenas críticas y ella disfrutó su parte, aunque dice que no hizo todo lo que debía. "Conseguí el agudo pero todavía no lo dominaba. Se me quebraba la voz en algún Si bemol. Una noche él me dio ejercicios vocales que me darían seguridad y de pronto el Si bemol fue firme." Esa noche *Così fan tutte* resultó una revelación. "Me sentía como si me hubieran regalado un juguete nuevo. Por fin empezaba a tener una técnica y a controlar mi voz. Tal vez, después de todo, Freddie Cox tuviera razón cuando decía que mi voz no se asentaría hasta que yo tuviera treinta años..."

Peter Knapp le sugirió también que diera una audición en la prestigiosa Sofia International Singing Competition, cosa que debía solicitarse con seis meses de anticipación. Tom Hammond, de la Opera Nacional Inglesa, uno de sus maestros en Opera Center y ex miembro del jurado de dicho concurso, reforzó la opinión de Knapp. Había escuchado recientemente a Plowright, reconocía que era, definitivamente, una soprano y le ofreció hacer la Condesa en *Las Bodas de Fígaro*, en setiembre de 1978, remplazando a Valerie Masterson. "Me ponía nerviosa dar semejante paso con poco tiempo, pero estaba descansada después de mis vacaciones en Escocia, y además tenía a Erich Vietheer para apoyarme –una persona cariñosa, preocupado por sus estudiantes, y que además cantaba realmente bien."

Ante su sorpresa, Hammond le sugirió que preparara el aria de Elvira en *Ernani* "Ernani involami", y Leonora de *Il Trovatore*, cosa que la trastornó porque está repleto de Do agudos. Pero para su asombro los Do agudos aparecían en sus lecciones con Vietheer y sus sesiones de perfeccionamiento con Hammond. Esto ocurría dos meses antes de su presentación en Sofía. El resultado fue que ganó el Primer Premio, y su carrera dio un vuelco completo. También fue en Sofía donde conoció a su segundo marido y manager, Tony Kaye. Después de eso recibió la primera invitación para cantar en el extranjero, haciendo el papel protagonista en *Manon Lescaut* en la ciudad de Puccini, Torre del Lago. Siguieron Abigail en *Nabucco* y Leonora de *Il Trovatore* en Sofía, al año siguiente. De vuelta en Inglaterra, la Opera Nacional Inglesa la contrató para su nueva producción de *Una vuelta de tuerca* de Britten, haciendo Miss Jessel. Esto le valió el premio de la Sociedad de Teatros del West End. Una exitosa serie de audiciones le significaron tres ofertas de Suiza, donde aceptó un contrato por un año en la Opera de Berna, en la temporada 1980-81. Agradeció mucho la oportunidad de trabajar con Gustav Kuhn, el director musical, porque "me enseñó a suavizar y matizar mi voluminosa voz". En Berna obtuvo grandes éxitos con *Ariadna en Naxos* y *Alcestes* de Gluck, y empezaron a llover las ofertas de Frankfurt, Hamburgo, Munich, Berlín, para hacer papeles como Aída, Ariadna, Amelia en *Un ballo in maschera*, Doña Ana y Leonora en *Il Trovatore*.

Después de tales sucesos en el continente, llegó por fin su gran momento en Inglaterra; la producción de Jonathan Miller de *Otelo*, para la Opera Nacional Inglesa, en 1981. Plowright había interpretado allí a la Reina Isabel en *María Estuardo*, con Dame Janet Baker como protagonista. En 1982 Filadelfia fue escenario de su debut americano, en una versión de concierto del segundo acto de *Un ballo in maschera* dirigida por Riccardo Muti; luego hizo Fedora en *El corsario* y el papel protagonista de *Gwendolen* en San Diego. En 1983 debutó en la Opera de San Francisco con *Ariadna en Naxos* y en el Carnegie Hall con el papel titular de *Die Liebe der Danae*.

También, en versión de concierto, cantó Elsa de *Lohengrin* en el Festival de Edimburgo con Claudio Abbado y debutó en La Scala haciendo *Suor Angelica*, interpretando en el Covent Garden a Doña Ana. Un año más tarde volvía a la Royal Opera House cantando Magdalena en *Andrea Chénier* protagonizada por José Carreras, y su debut en el Festival de Munich fue con Vitellia en *La Clemenza di Tito*.

En el mismo año, 1984, realizó su primera grabación importante: *Il Trovatore* para Deutsche Grammophon, que dirigió Carlo Maria Giulini, quien por más de diez años no había grabado óperas. Plowright, que ya había cantado Leonora en Sofía y Frankfurt, la repitió en la Arena de Verona y Covent Garden, pero acabó de grabarla después de un riguroso entrenamiento en Milán con Roberto Benaglio. Todavía piensa que es uno de los papeles más difíciles de su repertorio; "Leonora es 'párese y cante', algo que siempre me parece terriblemente difícil. Su primera aria, 'Tacea la notte', debe ser casi tan pura, etérea y controlada como un aria de Mozart, y termina con un Do agudo. La segunda, 'D'amor sull'ali rosee' es muy bella; no sé qué hacer con arias como esa, y nadie me lo dijo nunca. Exige una vocalización pura hasta terminar. Esta aria tan especial tiene muchas notas altas que hay que cantar piano, y quedan muy expuestas porque la orquesta no hace demasiado. Me gusta cantar con el apoyo de una gran orquesta, con mucho sonido a mi alrededor y cuando me falta me siento al descubierto. Lo que sigue de Leonora es fácil, muy 'cantable'. Y la coloratura en 'Vivrà' no es tan difícil y no me asusta." Plowright cantó Leonora otra vez en el Covent Garden con producción de Piero Faggioni en junio de 1989, y las críticas tanto a ella como a la puesta fueron disímiles.

Disfruta realmente cantando Verdi, aunque sea tan expuesto como cantar Mozart. "Hace falta gran pureza, seguridad y disciplina en la voz, con lo que Puccini es menos estricto. Pero en *sus* óperas, el drama es tan fuerte, la música tan apasionada y requiere tanta voz, que cantarlo resulta agotador. Y aunque no se esté tan expuesto como en Verdi, el problema es que se compite con una orquestación baja y densa." Plowright opina que las protagonistas de Puccini son por lo general más interesantes que las de Verdi, porque "son más reales, son mujeres de carne y hueso más bien que víctimas del destino. Pero no es mi intención hacer mucho Puccini, cuanto más contenida mantenga mi voz, más durará."

Aspira a concentrarse en Verdi y el *bel canto*: Norma, Medea, Elena, Abigail en *Nabucco*, Violeta, las dos Leonoras (*Il Trovatores* y *La Forza del Destino*), Elisabetta en *Don Carlos*, Odabella en *Atila* y finalmente *Lady Macbeth*. Erich Vietheer está de acuerdo con la elección, pero agrega dos papeles líricos de Wagner, Elsa en *Lohengrin* y Elisabeth en *Tannhäuser*. "¿Se dan cuenta de lo bello que sonaría 'Dich teure Halle' en la voz de Rosalind? ¿En esa voz adorable, rica, profunda, femenina, jugosa? Es difícil de imaginar..." En realidad Plowright no está demasiado interesada en explorar el repertorio alemán. No cree que Senta de *El Holandés Errante*, que cantó en el Covent Garden en 1986, fuera adecuada para ella. De las heroínas de

Strauss le gusta Danae, pero encuentra aburrida a Ariadna. "Como tengo una gran voz, todos me preguntan por qué no canto Wagner. Pero en el momento en que empiece a cantarlo, no seré capaz de hacer por mucho más tiempo mi repertorio de Verdi y del *bel canto*, que quiero mantener por lo menos diez años; si cuando tenga cincuenta, conservo una apariencia juvenil, podría cantar Isolda."

Hasta entonces se había guiado por el consejo de Harold Rosenthal, quien la había oído haciendo Magdalena en *Andrea Chénier*, ópera exponente del verismo, y había declarado que Plowright es por naturaleza una cantante de Verdi y el *bel canto*, y de acuerdo con eso debería elegir su repertorio."

El éxito obtenido en el recital con que debutó en el Queen Elizabeth Hall despertó sus deseos de seguir con ellos. Disfruta la intimidad y el contacto con el público y la forma diferente de desafío que significa un recital: "Puedo mantener mi personalidad. Por supuesto que tengo que 'actuar' alguna canción. Pero entre esas canciones, la gente me ve a mí tal como soy. Creo que es bueno que nos miren y nos conozcan como somos, no meramente como personajes de ópera, contentos por tener una espléndida casa, y saber que uno vende las mil cien butacas del Queen Elizabeth Hall."

Plowright tiene que mantener una férrea disciplina para soportar las presiones de una gran carrera internacional. Todos los días hace ejercicios de vocalización y trata de hacer gimnasia, y no bebe alcohol en la semana anterior a la función porque podría deshidratar su garganta. "Pero el mismo día me viene bien una copa de oporto porque me ayuda a relajarme." Está perfectamente al tanto de que cuanto más conocida sea y más importancia adquiera su trayectoria, mayores serán las presiones y más expectativas tendrán "los que vienen a escuchar sonidos maravillosos cada vez que abro la boca. Debo vivir como una monja el día de la función, y el anterior, estar relajada y hacer mis ejercicios... Trato de recordar algo que me dijo Giulini al ver lo nerviosa que estaba cuando grabamos *Il Trovatore*. El estaba totalmente poseído por la música desde el momento en que empezaron a sonar las cuerdas, pero yo no podía aflojarme por completo a causa de los nervios. Entonces me dijo: 'No tienes que estar nerviosa, Rosalind. Dios te ha dado un gran don. Por favor, ahora sal a la plataforma y devuélveselo a El'."

Lucia Popp

"Natural" es la palabra que deberíamos usar para definir a Lucia Popp como artista, cantante y persona. En ella, cantar es algo que parece hacer tan natural como respirar; su encanto dentro y fuera del escenario va parejo con la falta de afectación con que se desliza de sus personajes, haciendo que todo aparente ser tan simple como cambiarse el vestido. Y su carrera ejemplar ha sido una progresión natural desde el repertorio de coloratura de sus primeros años hasta las más ligeras y en realidad más arduas partes líricas, elegidas con tal sensatez que parecen calzarle como un guante.

Todo el mundo sabe que en una carrera artística la apariencia o la ilusión de naturalidad es una de las cosas más difíciles de lograr. Y esto es más real cuando el arte es tan dependiente de la habilidad como lo es el canto, donde el control técnico es esencial, no sólo para manejar los papeles sino para equilibrar la ansiedad de los artistas por abandonarse a la música durante las funciones. Y Lucia Popp es una artesana minuciosa y consciente, dedicada con pasión a la tarea analítica, detallada, de perfeccionar lo que es su don natural. Pero al final, nada da la impresión de que los resultados hayan necesitado algún esfuerzo; la artesanía ha logrado una milagrosa espontaneidad que gana el corazón del público y lo pone en el lugar de los personajes que ella representa.

La habilidad de Popp para conciliar la artesanía con el arte implica un agudo conocimiento de sí misma. Esta cálida checoslovaca, a la vez sofisticada y práctica, cuya sensibilidad, condimentada con un ácido sentido del humor, le gana amigos rápidamente, tiene una lúcida capacidad de autocrítica que nunca es empañada por la indulgencia o la desilusión. La segura apreciación de su bagaje artístico unido a su voz encantadora, clara como una campana, con rasgos del brillante timbre que habla de una ex coloratura, la ayudaron a afirmarse en la cima de su profesión a través de treinta años.

Su carrera empezó en 1963, cuando fue contratada por la Opera de Viena. Permaneció como miembro hasta 1967, cuando se trasladó a Colonia, habiendo obtenido mientras tanto una serie de éxitos internacionales. Durante los años sesenta, se dedicó casi exclusivamente al repertorio de coloratura; en los setenta, papeles líricos livianos (especialmente Mozart, algo de Rossini, y Sofía en *El Caballero de la Rosa*), y principios de los ochenta tuvo una transición a partes líricas más pesadas, que interpretó notablemente. También hizo operetas, un género que refleja su *joie de vivre*, encarnando en forma deliciosa personajes como Hanna Glawari en *Die lustige Witwe* y Adela y Rosalinda en *Die Fledermaus*. Su Adela puede ser escuchada en una grabación de Deutsche Grammophon, y en un álbum de arias de operetas de EMI.

Popp descubrió su voz de una manera muy simple, cantando en casa. La madre, poseedora de una voz muy linda, era fanática de la ópera, y enseñó a su hija varias partes de tenor del repertorio standard, de modo que podían cantar dúos. Durante sus días escolares en Bratislava, su ciudad natal, Popp cantaba en coros locales, con los que hacía algunas giras. Al terminar la escuela hizo dos semestres de medicina antes de decidir que, definitivamente, las ciencias no eran para ella. Soñaba con algo más divertido, tal vez la escena, e indirectamente, esto la llevó a la carrera del canto. Fue contratada por una pequeña compañía local para hacer Nicole en *El Burgués Gentilhombre* de Molière, papel que le exigía cantar una "pastoral". La casualidad quiso que entre el público se encontrara Anna Hrusovska-Prosenkovà, una maestra austríaca que había sido soprano coloratura, quien al terminar la función le preguntó si no le interesaría desarrollar su voz y ser una cantante. Encantada con la idea, de inmediato empezó a estudiar con ella, y a través de años fueron trabajando nuevos papeles. Popp está convencida de que "es una suerte representar grandes papeles encontrando el maestro adecuado, y agradezco a mi buena estrella estar en excelentes manos. Pero hay que creer en el maestro y hacer lo que diga. Aunque yo no pienso que el hecho de cantar haga que alguien se convierta necesariamente en maestro, supongo que no haber cantado nunca dificulta la tarea de enseñar. Una de las primeras cosas, y más importantes, que aprendí con mi maestra, fue a desarrollar la imaginación visual del sonido, hacerme a partir de la partitura una representación mental antes de abrir la boca para cantar."

Todavía utiliza este método al estudiar nuevos papeles. En primer lugar, aleja de su vista cualquier obra grabada, para evitar la tentación de escuchar e imitarla. "No se puede reproducir el sonido de otro, no sonará auténtico, y aunque deseara repetir algo hecho por un colega admirado, no serviría porque cada voz es individual, única. Las ideas deben provenir de la página escrita, no del sonido grabado. Entonces, antes que nada leo la partitura pero no sólo mi parte, sino completa, como un libro, para saber qué están diciendo los otros. (No se ría, esto no es tan común como se podría pensar.) Después me dedico a mi parte. Como tengo buena memoria visual, aprendo rápidamente y puedo recordar hasta la ubicación que tienen mis líneas en la página. Voy al piano y sola o generalmente con un maestro empiezo el trabajo detallado de buscar el color vocal acertado y equilibrar la entonación (soy relativamente entonada pero no totalmente), el ritmo, el manejo de las palabras y por fin la melodía. Sólo queda la tarea de repetición constante hasta saberlo."

De acuerdo con las instrucciones de su maestra, Popp nunca empieza a cantar con la voz plena, hasta saber exactamente dónde ubicar el sonido, porque (señalándose la garganta) "este aparato, las cuerdas vocales, están tan íntimamente conectadas con el cerebro que en el momento en que *piensa* en determinada nota, ahí, en la garganta, automáticamente la emite. De modo que, si uno todavía no sabe la parte o no está seguro de que el sonido esté correctamente ubicado en la mente, es estúpido tratar de reproducirlo. Lo lamento por las cantantes que no han sido convenientemente preparadas y tienen que descubrirlo por sí mismas, porque pueden dañar o hasta arruinar por completo su voz. Pero a mí me enseñaron primero a preparar, después a enfocar, y listo."

A Lucia Popp le gusta la clase de preparación que describe como "trabajar la arcilla", porque "no puedo hacer tazas si no tengo arcilla, es decir, que no hay artista que pueda producir obras de arte sin trabajar en la artesanía. La etapa siguiente es la de construir las frases y encontrar el lugar exacto para respirar, aun cuando la respiración después tenga que ser ajustada de acuerdo con la orquesta, cuando uno está en escena." Ella trata de empezar pronto a preparar los nuevos papeles a fin de poder leer su parte con facilidad, absorbiéndola profundamente a medida que avanza; no cree conveniente aprenderla de memoria "como un loro". La memorización debe darse naturalmente, casi por sí misma: "Un día aparece todo de golpe, lo aprendí. Por supuesto que no siempre las cosas pasan de una manera ideal, porque el tiempo es un lujo en nuestra profesión."

Hecho esto, deja su papel a un lado por un tiempo, a veces hasta por unos pocos meses. "Y cuando vuelvo a él, no se imagina lo familiar que me resulta. Parece que los músculos, automáticamente, hicieran lo correcto. Lo mismo ocurre cuando se trata de un recital. Es increíble la diferencia física que se siente en los músculos cuando ya se sabe la canción y se la ha cantado antes. Uno se desliza como el cuchillo en la manteca, se puede hacer cualquier cosa, mientras que con las nuevas canciones hay que tener mucho cuidado. Por suerte, cada canción nueva se convierte en vieja. El factor 'memoria del músculo' es una razón más para tomarse tiempo y aprender las cosas como es debido, y no abarcar demasiado a la vez." Explica que estas son cosas que las cantantes jóvenes pueden aprender del maestro. El resto, como el tema de la vocalización en el cual no hay dos cantantes que estén de acuerdo, porque lo que encaja con una voz no encaja con otra, tienen que aprenderlo por sí mismas. Popp no vocaliza todos los días porque "mi voz se calienta pronto y se cansa fácilmente. Algunas personas, especialmente las que tienen grandes voces, tienen que trabajar para calentarla y mantenerla bien preparada. La mía, en cambio, con unas pocas escalas está lista."

Después de cuatro años de estudio en Bratislava, durante los cuales hizo su debut profesional en el teatro lírico local haciendo la Reina de la Noche en *Die Zauberflöte*, Popp había asimilado todos esos conocimientos. Al ir a visitar a sus parientes en Viena, su tía, gran amante de ópera, le advirtió que la Opera del Estado buscaba sopranos coloratura. Como explica en *Opera*, Popp no sabía que en Viena cualquiera puede presentarse a pedir una audición. Por supuesto que no iban a ser escuchados por Karajan, entonces director artístico de la Opera. Pero si, como en el caso de Popp, el material parecía prometedor, serían derivados hacia él. Ella lo hizo, y fue contratada. Pero su debut en Viena fue con Barbarina en el Theater an der Wien, en 1963, antes de debutar en la Opera ese mismo año como Reina de Noche.

Este papel es un estereotipo más que un personaje real, la clase de papel que se apoya completamente en pirotecnias vocales. Las cantantes pueden hacerlo por un tiempo relativamente corto porque la voz no se mantiene en condiciones de cantar las arias de manera espectacular, al ser más bien bajo el comienzo de la primera y muy alta la segunda. Al comienzo de su carrera, Popp tenía "todas esas notas vertiginosamente altas, y por consiguiente no había problema con la segunda aria. ¡Parecían fuegos artificiales! Pero me daba la impresión de que *apenas* podía con la primera, mucho más baja. Con los años, la voz se vuelve más grave, de modo que cambian las cosas: la primera aria se hace más fácil que la otra. Por un breve y maravilloso momento, todo parecía fantástico: la voz daba perfectamente para las dos, y yo me sentía en la cumbre."

En tanto las cantantes consideren a la Reina de la Noche como su caballito de batalla, la vida entera depende de esas notas altas que hay que mantener incólumes a cualquier costo. Cuidando este punto y restringiendo el resto del repertorio a un puñado de papeles líricos ligeros que no perjudiquen las notas altas, como pueden ser Norina en *Don Pasquale*, Rosina en *El Barbero de Sevilla*, Constanza en *Un Rapto en el Serrallo* y Oscar en *Un ballo in maschera*, con el que debutó en Covent Garden en 1966, las sopranos pueden seguir cantando, por unos pocos años, el conflictivo papel. Sería difícil expandir el repertorio sin "molestar a la Reina".

Pero el mayor precio que pagan las cantantes al hacer la Reina de la Noche es el desgaste nervioso. Popp confiesa que "estaba terriblemente nerviosa cada vez que tenía que cantarlo, y es duro sobrevivir a esta tensión si se hace durante mucho tiempo. Cantar la Reina de la Noche no es caminar con una cuerda, es *bailar* sobre ella. Supongo que por eso el mundo de la ópera está lleno de cantantes que pueden hacerlo en el ensayo general, pero no la noche de la función. Realmente admiro a quienes pueden mantenerla en su repertorio por más de diez años." En 1971, después de una exitosa función transmitida desde el Metropolitan (donde debutara con ese papel en 1967) Popp decidió, allí mismo, que no habría más Reina de la Noche para ella. "Así el público me recordará en mi mejor momento."

Al tomar esa decisión, se dio cuenta de que todo el repertorio lírico de Mozart se abría ante ella, y también algunos papeles como Gilda en *Rigoletto*, Zdenka en *Arabella* y Sofía en *El Caballero de la Rosa*. En 1967 Popp había cambiado la Opera de Viena, aunque siguió cantando allí regularmente, por Colonia, y se lanzó al mismo tiempo a sus papeles de Mozart más conocidos, con excepción de Despina, que había cantado en Covent Garden en 1968. Hizo Pamina, Zerlina y Susana, los que más tarde representaría con Ponnelle, en el famoso ciclo Mozart de 1977-78. Aunque su Pamina es uno de los personajes más emocionantes, su favorito, y quizá su más famoso papel de Mozart, es definitivamente Susana, que cantó en el mundo entero hasta finales de los años ochenta: Viena, Salzburgo, Munich, Londres.

"Susana es un personaje complejo y muy interesante. Lo odiaría si me pidieran que lo representara como una frívola camarera, liviana y rococó, como se acostumbraba. Siempre la tiran contra las cuerdas, porque es la única que realmente sabe todo lo que pasa, conoce la trama. Esto debería verse claramente desde el principio, cuando trata de alertar a Figaro sobre el peligro inminente. También debería entenderse que sólo se preocupa por Figaro. Su actitud hacia el Conde no tendría que ser ambigua, y eso es difícil cuando lo interpreta Thomas Allen. En lo referente al Conde, Susana es simplemente otra posible pluma en su sombrero. Lo que más lo mueve en su ardiente propósito es que, al revés que la mayoría de las otras chicas, ella se resiste."

Para hacer creíble el último acto, tanto musical como vocalmente, es importante que Susana y la Condesa sean parecidos desde el punto de vista físico y vocal. "No me gusta una Susana con una voz demasiado delgada y una Condesa con una demasiado cremosa. Para que el final sea realmente cómico, no deben ser muy distintos en tamaño y forma. El papel exige mucha concentración vocal y es muy, muy largo, uno de los más largos en el repertorio de una soprano, por ejemplo más que Butterfly. Además Susana está casi siempre en escena, apenas tiene tiempo de recobrar el aliento antes de entrar otra vez en acción. Cuando canto Susana, un papel tan exigente en cuanto a la memoria como a la energía, nunca vuelvo a mi camerino hasta el intervalo largo. Pero es uno de los papeles más gratificantes. ¡Cada página es un milagro! Como otros papeles de Mozart, es muy expuesto. No hay forma de esconder nada, de modo que si uno comete un tropiezo, cualquier idiota puede descubrirlo. Por eso la gente, con toda razón, dice que si alguien puede cantar Mozart, puede cantar todo. Pero yo no diría que daña la voz. Ocurre si uno lo canta equivocadamente (Plácido Domingo expresa la misma opinión en *Bravo*), pero no si lo canta bien. En realidad, nada perjudica la voz si se canta bien.

145

"Hablando en general, Mozart, Bach y Schubert son muy buenos para la higiene vocal. La suya es la artesanía vocal más pura, como un cepillo que barre los malos hábitos, porque expresa emociones limpias, limpian el alma."

Popp ha cantado mucho Bach, *La Pasión según San Mateo* y la *Misa en Si menor*, y ha grabado un álbum de Cantatas. "La música de Bach es algo muy especial. Hay que empezar tomando parte por parte, analizar, y después unir todo de nuevo, trozo a trozo. El ritmo está tan equilibrado que el canto debe reflejar esa economía, como un collar de perlas perfectamente graduadas. No se puede correr, porque distorsionaría el ritmo, desequilibraría la pieza. Cualquier aumento de velocidad debe hacerse en forma progresiva, casi infinitesimal."

Según sir Charles Mackerras, las cualidades esenciales para cantar Bach, Handel y Mozart son "claridad vocal y habilidad para cantar con expresión, y un matiz brillante en la voz, de modo que, por expresiva que resulte, tenga la brillantez de un clarín. Lucia Popp es, para mí, la cantante ideal para Bach y Mozart, y su Reina de la Noche, Pamina y Susana, son inolvidables." A principios de los años ochenta, con gran pesar, ella decidió retirar de su repertorio los personajes de Susana, al que remplazó por la Condesa, Pamina y otro de sus preferidos, Sofía en *El Caballero de la Rosa*, que desde entonces nadie ha cantado con tal perfección.

En 1964, la Opera de Viena la envió a Linz para hacer ese papel antes de cantarlo para el exigente público vienés. "Me gustaría que las cantantes jóvenes fueran preservadas con tal solicitud en su desarrollo. Cuando vi por primera vez la partitura de *El Caballero de la Rosa*, me sentí apabullada y pensé que nunca llegaría a aprenderlo, sobre todo por el idioma. Mi alemán todavía no era muy bueno, porque aunque mi madre nació en Viena, ella y mi padre habían resuelto no hablar en alemán desde la guerra. (En las operas de Mozart el idioma es mucho más simple que en los textos de Hoffmannsthal.) Afortunadamente Karajan trajo un maestro especial a Viena de Hannover, donde se habla un alemán puro, y me ayudó con Sofía. También me puso en manos de un profesor de idiomas, quien trabajó mucho conmigo, pefeccionando el sonido de cada vocal y diptongo. Durante horas no hacíamos otra cosa que repetir las vocales "e", "ä", "u" y "ü". Lamentablemente, ya nadie parece preocuparse por perfeccionar cada detalle. Pero creo que, cuando uno se esfuerza por entender lo que imaginó el compositor para interpretarlo en escena, hace falta todo el conocimiento técnico posible. Es un trabajo duro y no termina nunca."

Es fácil subestimar a Sofía desde el punto de vista técnico, porque, aparte del texto, al verlo escrito parece vocalmente sencillo. "Pero en realidad es muy exigente. Tiene largas notas fluyentes que culminan en notas agudas repiqueteantes. En el tercer acto hay que poner mucha energía para enfrentar su longitud. Y al final la línea sube y sube, más alto y más alto, sobre la Mariscala, y llega al Re agudo, hasta que uno se siente al borde de un precipicio. Da la impresión de que si fuera un minuto más largo, la voz se quebraría. Pero yo lo capté desde el primer momento. No tuve que actuar como Sofía, yo era Sofía, estaba tan metida en ella que podía cantarlo sin ninguna tensión. Como la parte de Susana, tiene infinitas posibilidades. Cada vez que lo cantaba, encontraba algo nuevo para hacer, lo mismo que con Susana. Lo sentía muy mío. Sentía que era mi papel en mi ópera. Pero llegó el momento en que me di cuenta de que eso había sido así. No podía hacerlo mejor. Lo había cantado veinte años en todo el mundo, pero nunca como en la producción de Otto Schenk en la Opera del Estado de Baviera en Munich, lo máximo en ópera. Nadie puede sobrepasarlo. Ser parte de algo tan perfecto es una felicidad incomparable." (Los que han protagonizado esta producción, como Dame Gwyneth Jones, Brigitte Fassbaender, y Kurt Moll en *Bravo*, han declarado lo mismo.)

Popp sabe que, desde el punto de vista técnico, podría haber cantado Sofía hasta los sesenta años. "¿Pero quién quiere ver una Sofía o una Susana de sesenta años? A principios de los ochenta, me empecé a sentir fuera del lugar representando a una chica de quince que acababa de salir del convento. A medida que se crece y se madura, se empieza a buscar nuevos riesgos, nuevos papeles, más interesantes. En ese sentido, el principio de la década de los ochenta fue un momento importante. Mi voz estaba cambiando porque yo estaba cambiando. De modo que decidí que era tiempo de remplazar mi repertorio, desechar algunas partes y ver cómo desarrollar mi personalidad para crecer como artista. Esperé mucho tiempo antes de decidirme a hacer Eva, Arabella, la Mariscala, la Condesa de *Capriccio* o Elsa, hasta que pensé que era hora de zambullirme. Me pregunté a quién le importaría si a los setenta años seguía teniendo una voz fresca. Por cierto que no quería arruinarla, pero sí quería usarla."

Revisando la situación, Popp piensa ahora que debería haber tomado vacaciones para aprender los nuevos papeles. Pero no lo hizo, de modo que, en un momento dado, se encontró aprendiendo los nuevos mientras representaba todavía algunos de los antiguos papeles. Empezó en 1983 con Eva, en el Covent Garden. Hasta entonces no había hecho Wagner y no estaba demasiado interesada en sus óperas. "Nunca las había oído, ni en funciones ni grabadas. Pero cuando lo hice, no pude dejarlo. Era como una droga, me parecía que casi podría volverme adicta. Wagner se apodera de uno y ocupa la mente hasta el punto de no querer ni oírlo. Por ejemplo, nunca vi entera *Tristán e Isolda*, ni la oí hasta que la grabó Kleiber, y entonces llegué a hacerlo dos veces en la misma tarde." Sin embargo cuando representó a Eva, clamaba por más papeles de Wagner.

Popp temía que Eva le exigiera algo no natural a su voz, ya que era "un papel muy rígido, inalterable. Pero no ocurrió. *Maestros Cantores* es una bella obra, muy emocionante, muy humana, a pesar de su complejidad musical, y de que contenga una cantidad de pasajes conversados. Descubrí que podía cantar Eva con la voz natural de Lucia Popp. Mi mayor temor había sido el aria 'O Sachs, nein Freund', de cuya dificultad me habían hablado muchas sopranos. Pero no venían del repertorio de coloratura, que es estratosféricamente alto. El aria de Eva no lo es tanto, aunque el volumen tiene que ser más grande. Por supuesto que yo podía dar el que tengo y nada más, de otra manera el sonido resultaría forzado, feo. Al final, cuando Sachs se da cuenta de que ama a Eva y ella de cuánto lo ama a él, descubrí que podría seguir cantando Wagner." Cumpliría su deseo en 1989, haciendo Elsa en la Opera del Estado de Baviera.

Su siguiente papel fue Arabella, que cantó por primera vez en Munich en 1983, dirigida por Wolfgang Sawallisch. En términos puramente dramáticos, le parecía más interesante Zdenka, que cantara en la década del setenta, porque se va desarrollando en el transcurso de la obra, mientras que "Arabella es más estática, su carácter más bien se ha plasmado antes de comenzar la acción. En realidad me hubiera gustado que Hoffmannsthal hubiera llamado 'Zdenka' a la ópera, así como la pieza en que se basa se llama *Lucibor*. Pero musicalmente la heroína es, sin duda, Arabella. Su música es mucho más bella y exigente, con fabulosas frases líricas que se deslizan. Aunque se trata de una mujer joven, el papel está escrito 'pesadamente', con una orquestación que asume proporciones casi dramáticas."

La representación fue recibida con entusiasmo, tanto en Munich como en Londres, donde la cantó en 1986. "Los aplausos arrolladores al terminar culminaron un gran logro artístico, increíblemente falto de afectación. Con su cálida voz redondeada, sin la menor vacilación ni en las notas más altas, Popp combinó lo artístico y tibio de su Susana con lo caprichoso de su Rosalinda." Fueron las palabras de *Opera* después del reestreno en Munich.

Arabella es una de las varias obras en que Lucia Popp ha hecho transposición de papeles. En *El Rapto en el Serrallo* hizo Constanza, habiendo cantado Blonde, y en *Las Bodas de Fígaro*, años después de cantar Susana, desempeñó el papel de la Condesa, por primera vez en Viena, en 1981 (y dice que por un rato se le mezclaron las líneas) y en *Don Giovanni* representó a Zerlina en los años sesenta para, más tarde, hacer Doña Elvira en concierto y grabado. En *Die Fledermaus* alternó Adela con Rosalinda, y por fin Sofía con la Mariscala, en *El Caballero de la Rosa*.

"Estas transposiciones significan una gran experiencia en cuanto al desarrollo, al paso de los años, a mantener el repertorio acorde con la personalidad. Ahora, al cantar la Mariscala, que es el más gratificante de mis papeles (lo cantó por primera vez en Munich, en 1985, y más tarde en el Covent Garden), no comprendo por qué amé tanto a Sofía, que me parece tonta y poco interesante. Pero la Mariscala es toda una mujer, y me siento feliz cantándola. Me asombra cuánto sabía Hoffmannsthal sobre mujeres... Hace unos días me miraba yo también al espejo y pensaba: '¡He cambiado mucho, pero sigo siendo la misma!'

"No es un papel difícil hablando desde el punto de vista técnico. Musicalmente todo se apoya en la interpretación, en marcar a través de las palabras el hecho de que uno *sabe qué* es lo que está cantando. Es casi una parte actuada, pero con una línea muy bella, compuesta exactamente en la forma en que hay que decirlo: la melodía del lenguaje surge de la línea musical, y cada página aporta un nuevo contenido dramático. En los pasajes hablados hay unos pocos puntos que hay que cuidar, porque la orquesta toca muy fuerte. Pero el canto, realmente, se da en el trío final." Cantar Sofía poco antes de la Mariscala ayudó a Popp a hacerse una idea clara de la manera en que quería que fuera este personaje. Retuvo algunos detalles de sus distintas Mariscalas, los combinó con sus puntos de vista, y logró su impresionante interpretación propia. Describió su debut a la crítica alemana Beate Kayser como "un trabajo progresivo", diciendo que podría tomarle años desarrollar semejante papel.

Pero como destaca la misma crítica en la prensa alemana y en *Opera*, "el debut fue un triunfo. Desde su aparición en el escenario, se anuncia un personaje humano bien redondeado, multifacético... No caben más que alabanzas por su modo de cantar: el progresivo oscurecimiento de su voz a través de los años cuadra a la Mariscala. El timbre sigue siendo ligero, pero el volumen es adecuado para sobrepasar a la orquesta."

En 1987, Popp hizo otro papel de Strauss en el Festival de Salzburgo: la Condesa en *Capriccio*, y al año siguiente la repitió en el Festival Strauss de la Opera de Baviera. En Ginebra grabó y cantó en versión de concierto el papel protagonista de *Daphne* (la heroína favorita de la esposa de Strauss) que le recuerda a Salomé "porque el principio y el final son líricos, pero la parte media es muy dramática". Recientemente se le propuso grabar Salomé, pero rehusó, ya que no le gusta grabar cosas que no haya representado en escena, "porque no sé cómo son realmente los personajes. Lo hice en el caso de Elisabeth, en el *Tannhäuser* grabado por EMI, y con *Daphne*, pero en esa época ninguna sala de ópera ponía esta última. Es difícil representarlo (después lo hizo la BSO, pero no con Popp) y es mejor en concierto."

Su nuevo papel importante fue Elsa en 1989, que se concretó por casualidad. El tenor Peter Seiffert, su segundo marido desde 1986, debía cantar su primer Lohengrin en Munich (donde ellos vivían) y la soprano designada para cantar Elsa, Gabriella Benackova, se retiró. Preguntaron a Popp si la remplazaría, "sólo por el placer de cantar otra vez con mi marido, acepté. Pero fue muy gracioso porque él no estaba satisfecho con mi interpretación. Discutíamos tanto que August Everding (el director de escena) se mordía la corbata y yo pensaba que después de *Lohengrin* nos divorciaríamos. Debo aclarar que nunca había pensado en cantar Elsa. Pero resultó ser una parte absolutamente lírica. Son pocos los momentos en que uno tiene que cantar con voz llena contra toda la orquesta. El resto del tiempo, por ejemplo en el 'Sueño', el sonido debe ser suave, etéreo y lejano. De Karajan aprendí el arte de cantar suavemente. Siempre decía: 'Si quiere ser escuchado, cante suavemente. Nunca compita con la orquesta, perderá, no se puede ganar contra ciento veinte personas.' Pero para realizarlo, hace falta un director y una orquesta de primera. La mejor orquesta lírica es la Filarmónica de Viena, tan sensible, que baja su volumen en el mismo momento en que uno lo hace. No entiendo por qué, en nuestra época, Wagner se asocia con mucho ruido. No ocurre en Bayreuth, donde, por supuesto, tiene que haber clímax, pero muchas partes, como el segundo acto de *Tristán* en manos de Kleiber, o *Parsifal* en las de Karajan, es casi música de cámara."

Popp se describe a sí misma como "un gato de teatro, no una cantante académica", y a eso probablemente se deba, y no sólo a su personalidad efervescente, el que siempre haya disfrutado haciendo opereta. "Me gusta mucho la comedia, y las operetas son una maravillosa forma de escapismo, con su música *esplendorosa*, tan difícil, por lo menos, como la ópera. Rosalinda en *Die Fledermaus* (que Popp cantó por primera vez en Munich y después en Viena con el fabuloso vestuario de Milena Canonero, célebre por filmes como *Barry Lindon* y *Africa mía*) tiene más dificultad vocal que Violeta, y es exigente desde el punto de vista físico; hay que bailar y hablar tan bien como cantar." Popp representa a Hanna Glawari en *La Viuda Alegre* "terriblemente divertido y no demasiado exigente", con el encanto y ligereza que deben caracterizar al género. La cantó por primera vez en la Volksoper, acompañada en el papel de Danilo por el famoso barítono Eberhard Wächter, actual director de ese organismo y director electo de la Opera del Estado desde 1992. "Lehar es el Puccini húngaro. Amo a Hanna y en los recitales siempre elijo el 'Vilja Song' como bis."

Con mirada retrospectiva a una carrera que justifica la satisfacción que manifiesta, Lucia Popp dice que ha cantado prácticamente todo lo que quería cantar. El único deseo que le queda por cumplir es representar Doña Elvira (que ya cantó en concierto) y *Ariadna en Naxos*, "que no es demasiado largo, requiere el tipo de voz media que tengo ahora, y como es una figura alegórica, no hace falta ser muy joven. Así habría cantado todo aquello que podía cantar."

Ahora que Checoslovaquia es otra vez una democracia, Popp actúa apasionadamente en la organización, patrocinada por Vaclav Havel, de un Festival de Mozart y Dvorák en Praga, en 1992, que incluye la visita de la Opera del Estado de Viena. Por otra parte, disfruta de la vida y de un matrimonio feliz.

"Lo que yo quería realmente era cocinar. ¡Pero ya ven, todavía estoy cantando!"

Leontyne Price

Leontyne Price se retiró de la escena en 1985, sin embargo, siendo una de las más grandes sopranos verdianas de todos los tiempos, y una de mis preferidas dentro de su repertorio –la que me ha brindado, y me brinda aún en sus grabaciones, el máximo placer y emoción, sería inconcebible escribir un libro sobre cantantes en el que no figurara.

"No hay nada más molesto o patético que el artista que ya no puede dar lo mejor de sí", declaró Leontyne Price. Para estar segura de que no le ocurriría a la más grande del siglo, se retiró de la escena en enero de 1985, un mes antes de cumplir cincuenta y ocho años. Lo hizo en el Metropolitan Opera House con una brillante representación de su papel más famoso: Aída, con el que revolucionara la historia de la ópera, a partir de 1958, con una serie de estrenos en la Opera del Estado de Viena (dirigida por su mentor, von Karajan), en La Scala y en el Covent Garden.

Al terminar el aria del tercer acto "O patria mia", el público interrumpió la función con una ovación que duró cuatro minutos. El *International Herald Tribune* destacó que, aunque Price se mantenía en el papel, no podía evitar el temblor de sus labios cuando inclinó su cabeza, Al levantarla, se veía el brillo de los ojos... es de imaginar la insoportable emoción de la artista que sabe que es la última vez que canta esas frases (las que ningún ser viviente recuerda haberlas oído mejor cantadas.) Pero antes que esperar a convertirse en sombra de sí misma, Leontyne Price, como una verdadera diva, optó por la dignidad, el orgullo, y el intenso dolor de abandonar sus amados roles mientras todavía podía hacerles justicia. De esta manera perduraría como leyenda. "Trato de demostrar buen gusto. Prefiero partir de pie, como un invitado bien educado deja una reunión", dijo entonces. "Y es conmovedor que a uno le pregunten por qué me retiro y no por qué no lo hago."

No se podía esperar menos del impecable buen gusto de una artista cuyo sello, en treinta y dos años de una carrera incomparable, ha sido la Calidad con mayúscula. Primero y sobre todo la calidad de su voz flexible, brillante, magnífica por su belleza y expresividad. "La más hermosa voz de soprano verdiana que yo haya oído", declara Plácido Domingo, "con un poder y una sensibilidad maravillosa." La opinión de *Time* no es menos rotunda, al afirmar que "es capaz de deslizarse desde el humoso registro de mezzosoprano al oro puro de una soprano en el Do agudo perfectamente prolijo."

También se expresa ese criterio exclusivo de calidad en la elección del repertorio, centrado en cuatro compositores: Mozart, Verdi, Puccini y Strauss, "quien compone exquisitamente para mi tipo de voz, con algunas partes que yo llamo arias en 'tacos altos', las que más gozo porque son realmente partes de soprano, la razón por la cual uno es uno. Y si no se goza con esta aria, no se puede crecer, porque sin agudo la soprano es un híbrido, y lo mismo ocurre con los tenores. Sería mejor que cantaran como mezzosopranos o como barítonos... Arribé a Strauss en una etapa ya madura, cuando canté *Ariadna en Naxos* en el Metropolitan y en la Opera de San Francisco, sintiéndome muy excitada. ¡Qué mujer, esta Ariadna! Deja todo por un hombre que después abandona, entonces se queja y gime y no deja de pensar todo el tiempo en lo que le pasa. Es el nudo de la cuestión, y así debe cantarse. Tiene que desprenderse una cierta sensualidad porque Strauss es uno de los compositores más sensuales. Creo que él y Puccini son los más sensuales. Lo matan a uno, porque están tan enamorados de las heroínas creadas por ellos, que hay que estar por encima de eso, tener total control, no morir mientras lo dice al cantar... o, en *Tosca* por ejemplo, no matar de verdad a Scarpia."

Pero Price reconoce que su aparato vocal está mejor dispuesto para los papeles de Verdi, "tanto en contenido como en el placer que me producen" y que componen el centro de su repertorio. No fue intencional, explica, ocurrió así, como ocurre frecuentemente entre algunos compositores y algunos intérpretes. Los hitos en la carrera de Leontyne Price parecen siempre asociados con heroínas de Verdi. "En lo referente al repertorio, nunca fui una apostadora. Me gustaba darme el lujo de ganar. Adoro ganar y todo lo que emprendo lo convierto en un paso adelante. Ahí está mi emoción."

Es por eso por lo que nunca cantó Elena en *I vespri siciliani* o Abigail en *Nabucco*, y por qué dejó Lady Macbeth después de cantarlo una vez. "Son papeles demasiado dramáticos, hubieran sido el desperdicio de una bella voz lírica... Por eso, hasta a Karajan le dije 'no' en 1961, cuando me pidió que cantara Salomé. Aunque lo he cantado en versión de concierto con Zubin Mehta, sería un error de mi parte cantarlo en escena. Por eso tuve que mirarlo a los ojos y decir 'no', y fue muy difícil. Pero algunas veces hay que decir 'no', hay que cuidar el instrumento vocal y es uno mismo el único que puede hacerlo. Frecuentemente he dicho que 'no' a los directores, aunque a nadie queremos ganarnos tanto como a ellos. Pero cuando están en el foso, yo no les discuto el tempo. Si quieren hacerlo lento o más rápido, me adapto. Nunca me opongo a los directores, y nunca tuve uno malo."

Price es una mujer inmensamente elegante, interesada en la moda, y fue descrita así por la escritora y guionista francesa Marguerite Duras: "No pesado sino opulento... este cuerpo necesita envolver su voz y, como a cierta tierra buena y generosa, hay que nutrirlo de modo que logre tan profundo, tan milagroso terciopelo." A Price le gusta relacionar el repertorio operístico con la moda, y sus heroínas preferidas de Verdi deben estar vestidas, de modo que la ropa les cuadre perfectamente. "Si lo que está de moda no es bueno para su figura, aspecto y personalidad, ¿por qué usarlo? Hay que pensar en el ímpetu que tendrán las entradas en escena y las salidas, o simplemente la presencia y exuberancia de la personalidad, si uno está vestido con la ropa que le queda bien. Con mi modista y amigo Chuck Howard (también de Mississippi) hemos creado ciertos modelos que van con mi figura y personalidad. Cambiamos los colores y las telas, pero siempre usando un determinado patrón con el que me siento cómoda porque sé que es el que me corresponde, estoy lo mejor posible y no incómoda por algo que no es para mí.

"Aplico el mismo criterio a los papeles que interpreto. Si no me gusta uno de ellos o la música, si no siento que hay algo que pueda expresar con gran alegría, sencillamente no lo intento. Porque para mí cantar es alegría plena. Como dice la canción de Dorotea en *La Rondine*, ¿qué importancia tienen la riqueza, la gloria y todas las cosas materiales si no se encuentra la felicidad? Y lo que a mí me hace feliz es cantar. Cuando canto, me siento totalmente bella, me siento lujosa, cómoda y plena, me siento como si estuviera fuera de mi ser y al mismo tiempo que soy yo misma."

Para Price cantar es algo que se vierte hacia afuera, no una cuestión de introversión. Y por cierto, nunca es una dificultad. Resuelve los problemas técnicos en el estudio y trabaja los detalles con calma, de modo que puede llegar tranquila al final. Una vez más, compara este proceso con la moda: "Elegir del guardarropas los complementos que convengan al vestido que voy a usar, lo cual implica que uno dispone de varios adornos y accesorios, pero yo me atengo a la calidad más que a la cantidad. Vocalmente esto me salva y también me mantiene inquieta, joven, nunca aburrida y selectiva hasta el punto de angustiarme con algunos empresarios que han empezado a entender mis razones sólo hacia el final de mi carrera. No me preocupa en lo más mínimo no haber cantado todos los días. No creo que uno pueda producir calidad si lo hace. Como en cuestiones de amor, o cualquier tipo de relación entre la gente, el misterio es la carta de triunfo. No es necesario ser la mujer más hermosa del mundo, pero la forma en que uno se presenta puede volverlo más seductor, y hacer que deseen verla más a menudo que a alguien que sea una belleza, pero aburrida... Una carrera artística, una relación amorosa con el público, es algo todavía más especial y uno tiene que ser aun más cuidadoso. Supongo que se da más en casos como el mío porque –¿seré descortés?– fui una presurosa, derribé barreras, fui la pionera negra de la ópera en mi país y tambien aquí, en Salzburgo." Realmente, la carrera de Leontyne Price empezó en 1955 con una gran explosión, al convertirse en la primera cantante negra de ópera que apareciera en televisión. Hizo *Tosca* para la NBC, y después fue rápidamente contratada para dos producciones más, abriendo así camino a sus sucesores negros.

"¿Cómo podría explicarlo? Si uno es la persona que obtiene semejante espacio para expresar algo que constituye una revolución, se encuentra en una posición semejante a la del atleta. El país lo elige para que corra, entonces uno se entrena y corre con todas sus fuerzas para *conseguir* la medalla de oro. Probablemente tiene algo que ver con la programación de la vida. No quiero sonar como una Juana de Arco de chocolate, porque podría haberlo hecho otra persona. Pero si en el momento de la verdad es *uno* el designado, lo toma y hace todo lo que puede tratando de que signifique algo para los que vienen detrás. Para el que rompe la tradición, la responsabilidad es extra. Debe hablar por alguien más que por uno mismo. Si fracasa, fracasa sin más; son elementos o sectores del pueblo los que fracasan. Nunca perdí de vista este aspecto de la cuestión. Es lo que hace que la corriente fluya, la razón por la cual ser un pionero no es una obligación, sino un desafío que pone al descubierto la bestia que hay en mí. Pero al final, la alegría de romper tradiciones se convierte en una adicción... Y con un terrible montón de suerte encuentro oro."

Y realmente tendría suerte en ese 1955 en que obtuvo un éxito fenomenal con Tosca para la NBC-TV, también el año en que Herbert von Karajan fue por primera vez a América como director musical de la Filarmónica de Berlín. Antes de Tosca, Price había triunfado en Broadway cantando el papel protagonista de *Porgy and Bess*, en 1952, y había recorrido el país dando una serie de conciertos y recitales, en su mayoría de autores contemporáneos como Virgil Thomson, Samuel Barber, Lou Harrison, William Killmayer y John La Montaine. André Mertens, director de la poderosa Columbia Artists Management, quería que la oyera Karajan, entonces director musical de la Opera del Estado de Viena, además de director musical de la Filarmónica de Berlín.

"De modo que me llevó de la mano al Carnegie Hall, donde ese hombre de pelo color sal y pimienta comía un sandwich sentado en la platea, en el intervalo de su ensayo. Martens le preguntó si escucharía a esta prometedora soprano joven. Murmuró algo que sonaba como 'debo hacerlo, debo hacerlo', yo me instalé en la plataforma con mi acompañante y empecé a cantar 'Vissi d'arte' de *Tosca* y 'Pace, pace, mio Dio' de *La forza del destino*. Hacia la mitad, Karajan tiró el sandwich, trepó a la plataforma, apartó a mi pianista y se sentó él al piano. Al terminar, anunció que yo sería una de las primeras artistas que invitaría a Viena. Y cumplió su palabra."

Antes de ir a Viena Price debutó en la Opera de San Francisco en 1957 en *Diálogos de las Carmelitas* de Poulenc, y poco después cantó Aída en sustitución de Antonietta Stella, "quien, bendita sea, fue operada de apendicitis". La recepción con Aída se presentó en 1958 en la Opera de Viena dirigida por Karajan y la prensa la aclamó como a "un fenómeno", siendo pronto contratada para las dos temporadas siguientes. En el mismo año debutó en La Scala logrando que un crítico dijera que "nuestro gran Verdi la habría considerado su Aída ideal", y casi enseguida en el Covent Garden.

En 1959 Karajan la dirigió en su debut del Festival de Salzburgo en la *Missa Solemnis* de Beethoven. Al año siguiente se presentó como Doña Ana en una histórica producción de *Don Giovanni*, dirigida por Karajan e interpretada por grandes estrellas: Eberhard Wächter en el papel protagonista, Elisabeth Schwarzkopf como Doña Elvira, Graziella Sciutti como Zerlina, Cesare Valletti en Octavio y Walter Berry como Leporello (hay una grabación en vivo de esta representación). En 1961 debutó en el Metropolitan cantando Leonora en *Il Trovatore*, y la ovación duró cuarenta y dos minutos, la más prolongada de la que fuera testigo ese teatro en los últimos veinticinco años.

Había sido un largo viaje desde Laurel, Mississippi, donde Leontyne Price naciera el 10 de febrero de 1927. Su padre trabajaba en un aserradero y su madre era partera, ambos, miembros del coro de la iglesia de esa ciudad segregada. Nieta de ministros metodistas, quizás allí se encuentra la raíz de su profunda fe, sin la cual "no puedo hacer nada". También ella cantaba en el coro con sus padres, por quienes fue apoyada y a quienes estuvo muy unida hasta que murieron en los años setenta. Al terminar la escuela, asistió al Central State College de Wilberforce, Ohio, de concurrencia negra en su mayoría, y cantando en coros, se hizo conocer por la calidad de su voz y se la animó a seguir seriamente estudios de música. Ganó una beca para la Juilliard School de Manhattan, que pudo aceptar gracias a la generosidad de un matrimonio blanco que vivía en su ciudad natal. Alexander Chisholm y su mujer se ocuparon de su manutención en Nueva York, y muchos años después la hija asistiría a la despedida de Price en el Metropolitan, como su invitada.

Como en muchas otras personas, Price encontró una mina de oro en su maestra. Florence Page Kimball estableció las bases de su desarrollo vocal enseñándole que debía cantar siempre con los intereses y no con el capital. "En otras palabras, teniendo la capacidad mental, las cosas técnicas se irán dando por sí mismas, y al crecer en una carrera, la experiencia se vuelve parte de tu bagaje. Cantas de la misma manera, desde tus raíces, pero desarrollas una paleta de colores desde donde transmitir. Tengo suerte –y espero no sonar arrogante– al poseer una voz como una pintura impresionista. Puedo aplicar un color aquí o allá, a voluntad, cualidad importante en las sopranos líricas." Aunque siempre se la consideró lírico-spinto, ella y "mi amiga, es decir mi voz", creen que es lírica. "Digo esto porque mi voz es mi mejor amiga. De otro modo, no hubiéramos sobrevivido."

A través de su carrera, Price ha seguido los consejos de su maestra, lo que ha preservado la duración de su voz, conservando hasta el último momento la calidad y el brillo. Pero recuerda vívidamente una ocasión en que se sintió segura como para proceder por su cuenta. En 1977 Karajan la invitó a Salzburgo para el reestreno de *Il Trovatore* que se había hecho en 1961 (se puede conseguir una grabación de EMI de 1977 y una soberbia grabación pirata de 1961). "En realidad él me pedía a mí, a los cincuenta años, que compitiera con mi propia versión hecha a los treinta y dos. Me emocionaba volver al mismo escenario, al mismo ambiente, con la misma producción, y durante los ensayos, antes del general, yo lo estaba pasando bien exhibiéndome. Soy realmente una egomaníaca, me gusta el *show-off*. No estaba cantando con los intereses sino con el capital, y era divertido. Pero Karajan, que había conocido las etapas de desenvolvimiento de esa voz, no se dejaba impresionar. Todos estaban pendientes en sus asientos, y yo me di cuenta de que la persona cuya aprobación me importaba más que *ninguna otra cosa* estaba completamente aburrida.

"A la mañana siguiente, me explicó la razón. Me dejó sola en un cuarto con algunas grabaciones de nuestra representación de 1961 y me dijo: 'Yo podría haberme encontrado con esta maravillosa, fresca y joven soprano lírica de América'. Y oyendo estas grabaciones tuve que reírme. Ella era fantástica. Haciendo lo que hice en los ensayos, realmente no había sonado así. Como dijo él, 'no estoy seguro de conocer a *esta* persona, y no me gusta en absoluto.' (*Por supuesto* que me lo dijo en la cara. ¿De qué otra manera aprendería?) Rápidamente traté de olvidarme de sonar como Brunilda y volver a cantar con interés. El estreno salió muy bien y Karajan tomó mi cara entre sus manos, me besó y pronunció una sola palabra: 'sublime'. Fue suficiente. Había subrayado la filosofía que me inculcara mi maestra. Después me hizo prometer que no retomaría las malas costumbres que había abandonado. Esto es ser un verdadero mentor: saber cuándo uno se sale de cauce, hacer ostentación, y negarse a creer que uno es negligente." Ella y Karajan siguieron siendo grandes amigos, y Price lo llamó alguna vez sabiendo que se sentía deprimido, y le cantó 'O Karajan, O Karajan' con la música de 'O Tannenbaum'."

Price hizo sus más importantes debuts cantando heroínas de Mozart o Verdi, e insiste en que usa la misma forma vocal para llegar a ellas, y que "Mozart no es más difícil que Verdi." Es simplemente más *expuesto*. La *entrega vocal* es más expuesta y la orquesta y el período en que él componía tienen mucho que ver con eso. Mientras mi manera de cantar Mozart es a pura garganta abierta, *bel canto*, es un poco más *contenido* que en Verdi porque en Mozart tratamos con una dimensión más de ópera de cámara.

Además es un centro europeo, que por definición es más moderado que un italiano. Mozart admiraba Italia, había en él un sabor itálico, pero su tierra era Austria, y esto se me hace evidente desde el punto de vista vocal. No quiero decir que sea orgulloso –los centroeuropeos son lo más profundamente emotivo, sentimental, que uno se pueda imaginar, pero se les ha enseñado a controlar sus sentimientos. Es lo que pienso sobre Mozart. Es una manera de cantar muy cálida pero contenida. Es un poco más expansivo en la magnificencia de *Don Giovanni*, pero generalmente su idioma es ópera de cámara, en especial ópera de *ensemble*.

"Así son las de Verdi, en el sentido de que los conjuntos expresan el canto y el patrón de los personajes *al mismo tiempo*. Y los dos compositores son genios insuperables al pintarlos en un lienzo abierto, con una paleta de colores absolutamente increíbles. Mientras se representa o se estudia un personaje de Verdi o Mozart, deslumbra la belleza de su pintura dentro del esquema de la ópera, al punto que uno sabe exactamente dónde ubicarse, y parece que el trabajo ha sido ya hecho para uno. Refiriéndose al aspecto puramente vocal, diría que en Verdi, a causa de cierta vehemencia en la orquestación, hay que oprimir un poco el pedal –oprimir, no empujar– y abrir algo más el canal vocal. El tipo de voz que se adecua a cada compositor, lo que constituye la esencia de lo que se llama 'estilo', me parece que es resultado natural del período y el área en que estaba componiendo."

Price explica que el área en que están ubicados los *personajes operísticos* juega un papel fundamental en la determinación de la forma en que deben ser interpretados. Como ejemplo, marca la diferencia entre representar Aída y representar una dama de la corte española, como Leonora en *Il Trovatore* y Leonora en *La Fuerza del Destino*, las dos extraídas de las más estricta tradición católica española, que les exige tratar de reprimir sus pasiones y emociones. Lo mismo pasa con Doña Ana en *Don Giovanni*. "Pero a veces las emociones latentes tienen más fuerza", y una de las razones por las que ella cree que siempre obtuvo éxitos al interpretar estos papeles es que no tuvo miedo de representarlas como "maravillosas mujeres de sangre ardiente, cantando una *bella* música, y muy *bravas* para comportarse en la forma debida, a pesar de su educación. Aída es muy diferente. Es una princesa real, pero el ambiente es totalmente distinto. Y el ambiente es lo que determina cómo debe hacerse un personaje."

Si tiene que elegir un papel como su preferido, definitivamente opta por Aída. "Es mi parte guerrera, el latido de mi corazón. Me ayuda a sentirme más *bellamente* negra, si se da cuenta de lo que quiero decir. Lo explicaré. Como soprano negra, fue la única vez que hice un personaje negro. Normalmente, ser negra no tiene importancia desde el punto de vista artístico. Aída dice cosas sobre el lugar que ocupo como mujer y como ser humano, sobre mi vida y el progreso o falta de él de millones de personas en los Estados Unidos, cosas que yo no podría decir de un modo tan elocuente. De manera simple, muestra el conflicto no sólo dentro de mí, sino conflictos raciales, disturbios, deberes y obediencia, todas estas cosas muy profundas."

Price dice que cuando hizo el papel por primera vez en 1958 en San Francisco, Viena, Milán y Londres, su Aída era un torbellino. Más tarde su interpretación fue muy distinta. "Dio una vuelta hacia el espíritu puro de Aída, que entonces estaba fuera del torbellino, muy puro y *mucho* más real. Pienso que a veces se escapa la noción de que Aída es verdaderamente una princesa. Creo que no debe ser rebajada en ningún sentido. Por eso perturba tanto a Amneris, porque siente que hay algo equivocado con respecto a su esclava. Y la ofende enormemente. Creo que uno de los motivos por los que siempre se me consideró una buena Aída es porque nunca me tiré al suelo pidiendo clemencia a Amneris, o agaché la cabeza o me rebajé, jamás. Aun capturada y convertida en esclava, soy de cuna regia, como ella lo es. Por eso nunca vacilé en aceptar la atracción y los avances de Radamés. ¿Por qué iba a hacerlo? Soy de la misma *clase* que él. Y hasta cuando el miedo me tienta a ser humilde, sólo puedo irme lejos, porque soy real..."

Según su punto de vista, el papel de Aída la expresa a ella como expresa a América como totalidad, "porque una de las grandes cosas de América —porque aunque tengo mucho respeto por algunos países, soy desagradablemente, chauvinísticamente americana— es que tenemos sólo una dificultad: lograr las cosas de una *sola vez*. Después, son aceptadas y se olvidan las dificultades. Por supuesto, muchos mártires dieron su vida para que exista esa libertad. Pero ahí está, en el suelo de mi patria."

Leontyne Price es la única artista lírica honrada con la más alta condecoración civil: la Medalla de la Libertad. Su país sabe bien que en esta gran dama tiene uno de sus mejores representantes. Es la única estrella de la ópera nombrada por la revista *Life* "Mujer Americana Notable", en su número del Bicentenario, y fue invitada a la Casa Blanca a la celebración de la firma del Tratado de Paz entre Egipto e Israel, a cantar en la ceremonia de bienvenida al Papa Juan Pablo II, y también a la comida con la reina de Inglaterra y el príncipe Felipe en el *Britannia*, en la Bahía de Nueva York.

Justo reconocimiento a la orgullosa, valiente pionera y artista incomparable que puede mirar hacia atrás y estar segura de que "he hecho algo bien. Cuidé lo más extraordinario que tengo, mi voz. Y (se ríe) creo que tengo una de las más bellas voces de soprano lírica que he oído. Estoy *loca* con mi voz. Es *magnífica*. La quiero tanto que de vez en cuando tomaba un poco de champagne en una de mis mejores copas de cristal y brindaba por ella. Creo también que es el instrumento del alma. ¿Sabía que las iglesias ortodoxas orientales no permiten instrumentos musicales en misa porque piensan que el único instrumento digno de rezar a Dios es la voz humana? Creo que lo entiendo. Hay algo oscuro en las voces rusas que parece brotar de las entrañas y al mismo tiempo de las profundidades del alma, y me hace pensar en una corriente subterránea también presente en las voces negras.

"Aclaro esto porque nos lleva a un punto importante: las cantantes deben entrenarse, pero nunca deshacerse del bagaje de atributos naturales que constituyen su personalidad. Si se pierde, uno se convierte en un híbrido, porque la voz es la cosa más personal que tiene. Por eso, cantar es la más popular de las experiencias, y el público la considera la más artística y emocionante, por eso nosotros, los cantantes, nos distinguimos de los instrumentalistas de este mundo. Porque su aparato vocal es *usted*, la expresión de su personalidad, está con usted todo el tiempo. Cuando está mal, cuando se siente bien, a través de todos los acontecimientos emocionales y psicológicos que *usted* atraviesa. Lo primero que hay que aprender como parte del proceso de maduración es cómo controlarla y no permitir que nos controle."

Sin embargo la voz siempre se las arregla para controlar la vida de los artistas en cuyo cuerpo mora, exigiendo total dedicación y frecuentemente grandes sacrificios personales. En el caso de Leontyne Price, después de un temprano casamiento y rápido divorcio en sus días de Broadway, otra vez vivir sola, sin chicos, significó un sacrificio, y a pesar de que no ha estado "privada de amor", no puede haber sido fácil de realizar. Pero después de todo se siente serena –"y con esto no estoy hablando de estancamiento"– sabiendo que "nadie puede darle lo que el público le da. Por eso no me he vuelto a casar ni me he involucrado totalmente en algo que no sea mi canto. Y a pesar de haberme sentido solitaria algunas veces, no estoy sola. He sido una mujer feliz, gratificada. Ningún ser humano podría haberme dado lo que mi público, lo que esos grupos de dos o de cinco mil personas me dieron".

June Anderson como Elvira en *Los Puritanos*, producción de Adrei Serban. "En el *bel canto* son fundamentales los buenos directores orquestales y de escena, porque puede sonar mortalmente aburrido o como la música más excitante que uno pueda imaginar."
(Daniel Cande)

Josephine Barstow en su papel favorito, Elisabeth de Valois en *Don Carlos*. "Las heroínas de Verdi tienen una vida interior que se trasluce en su música, y a quien el intérprete llegará a conocer íntimamente. Por eso no basta cantar a Verdi con pasión. Hay que cantarlo con el *corazón.*"
(David Schneinmann)

Hildegarde Behrens como Salomé, el papel que la lanzó a la fama internacional, y del que cree que "debe ser cantado con la belleza y la inocencia de una chica muy joven completamente natural, directa y sin escrúpulos."
(Siegfried Lauterwasser)

(Arriba izq.): Montserrat Caballé. En 1985 su carrera parecía haber terminado a causa de un tumor cerebral, pero después de un tratamiento con láser, volvió a la escena haciendo en Madrid *Armide* de Gluck. "Me siento como vuelta a la vida. La posibilidad de no cantar nunca más me hizo reconocer y valorar con intensidad lo que antes consideraba natural. Ahora cada día, cada representación, me parece un regalo." *(Cortesía de Montserrat Caballé)*

(Abajo): Ghena Dimitrova como Lady Macbeth (Renato Bruson interpreta a Macbeth), un papel que según ella exige una considerable madurez *artística*. "Es el motor de toda la trama. Sin una Lady Macbeth realmente fuerte, sólida, la ópera se convierte en una gelatina. Por lo tanto, uno tiene que haber resuelto sus problemas vocales para poder concentrarse en el drama."
(Cristina Burton)

Mirella Freni, quien desde sus comienzos "sentía un amor profundo por mi instrumento vocal y estaba dispuesta a tratarlo con respeto y protegerlo celosamente." Y lo ha conservado en excelentes condiciones hasta más allá de los cincuenta años. En esta fotografía encarna a Tatiana en *Eugène Onegin*. *(Donald Cooper)*

Edita Gruberova en el papel que la llevó a la fama, Zerbinetta en *Ariadna en Naxos*. "El secreto de mi éxito, en este papel, es que siempre lo he cantado con inmenso júbilo. Me gusta Zerbinetta, su efervescencia, su filosofía práctica. Me siento segura en el papel y disfruto lo divertido de la situación."
(Donald Cooper)

(Arriba izq.): Dame Gywneth Jone[s] como la Mariscala en *El Caballero de [la] Rosa*, una ópera que después de hace[r] *Salomé* y *Electra* le parece "un mund[o] diferente, casi como cantar música d[e] otro compo- sitor. La orquestación e[s] ligera, porque estamos en un mund[o] más gentil... Y hacerlo bajo la direcció[n] de Carlos Kleiber, en Munich, fue habe[r] pasado un plumero que arrasara con la[s] telarañas. Todo suena como recié[n] inventado, burbujeante, excitant[e,] nuevo, una brisa de primavera."
(Christina Burton)

(Derecha): Eva Marton en el papel de [la] Emperatriz en *Die Frau ohne Schatte[n]* una "obra alegórica que me abrió toda[s] las puertas." Cuando la cantó en el Me[-]tropolitan Opera House, con Birg[it] Nilsson interpretando a la mujer de[l] Tintorero, esta autografió su partitur[a:] "Sabía bien quién había cantado antes e[l] papel. (Leonie Rysanek.) "Sabía que m[e] había llegado el momento, que deb[ía] aprovechar la oportunidad. Sabía qué e[s] lo que sé y qué es lo que puedo hacer. L[o] que no sabía era cómo me recibiría e[l] público." *(Gert von Bassewitz)*

Dame Kiri Te Kanawa como Arabella, un papel con el que se identificó de inmediato porque "en ella hay mucho de mí. Yo también soy capaz de poner distancia con las situaciones emotivas y contemplar las cosas fríamente." Y, como siempre, es la música lo que da la clave del personaje. "Si uno escucha la música cuando Arabella baja las escaleras al final, se puede oír la suavidad de una mujer. Y la mujer es maravillosa si es suave y se hace sentir femenina y se da a un hombre."
(Cristina Burton)

Rosalind Plowright en *Don Giovanni* interpretando a Doña Ana. Trata de controlar sus nervios, recordando las palabras de Carlo María Giulini: "No debes estar nerviosa, Rosalind. Dios te dio un gran don. Por favor, entra en escena y devuélveselo."
(Christina Burton)

Lucía Popp como Eva en *Los Maestros Cantores de Nuremberg* en el Covent Garden, su primer papel wagneriano. Descubrió con sorpresa que podía cantarlo "con mi voz natural de Lucía Popp... Al final me encontré deseando que durara más, y que pudiera cantar más Wagner."
(Christina Burton)

Leontyne Price en Aída, "mi parte guerrera, el latido de mi corazón, el papel que me hizo sentir más *bellamente* negra, y la única vez que, siendo una soprano negra, canté una heroína negra. Normalmente ser negra no tiene importancia desde el punto de vista artístico. Pero en este caso las cosas dichas se refieren a dónde estoy como mujer y como ser humano, a la vida y el progreso, o la falta de él, de millones de personas en los Estados Unidos, cosas que de otra manera yo no podría haber dicho en forma tan elocuente."
(Donald Southern)

Katia Ricciarelli como Desdémona en *Otelo*, de Verdi, un papel ideal para ella desde el punto de vista vocal y temperamental. "Muy femenina y al mismo tiempo una mujer con mucho carácter. Tener el coraje de casarse con un negro en aquella época, en aquel medio, contra los deseos del padre. Hoy no es precisamente fácil, ¡pero entonces!
(Christina Burton)

Renata Scotto, "que no teme emitir alguna vez un sonido desagradable, pero un sonido desagradable que significa tanto que uno lo acepta inmediatamente." En la fotografía aparece como Lady Macbeth (con Renato Bruson en Macbeth) "Un persojane que muestra sus dos aspectos. Sí, está sedienta de sangre y es ambiciosa, pero también es una mujer bella, joven, *sexy*, muy enamorada de su marido. Hay que tener mucha experiencia, como mujer y como cantante, para interpretarla."
(Donald Cooper)

Cheryl Studer en *Tannhäuser* representando a Elisabeth.
En 1985 obtuvo con ese papel uno de sus mayores triunfos en el Festival de
Bayreuth. "Una típica mujer de su época porque es la única que no retrocede o huye cuando Tannhäuser declara que él ha estado en el Venusberg. No
importa lo que haya que soportar, ella está preparada para defenderlo afirmando que todos son pecadores... Pero la verdadera tragedia es que al final
Elisabeth es incapaz de afrontar todas las implicaciones del hecho. Muere por
él, pero no puede vivir con él."
(Donald Cooper)

Dame Joan Sutherland como
Lucrecia Borgia, un papel en el
cual el mayor desafío es
"combinar uan bella música con
el personaje de una envenenadora malvada ¡Casi imposible! Pero
del libreto surge el amor por su
hijo y el deseo de protegerlo.
Quizá por eso Donizzeti compuso para ella tan magnífica
música. Por más que trato, no
encuento nada maligno para
trasmitir."
(Cortesía de Christina Burton)

Anna Tomowa Sintow interpretando a la Condesa en
Capriccio, "una ópera en la que
se siente la presencia de Strauss
casi como un miembro de la
familia. Su filosofía está descrita
en el papel del Compositor y su
música, especialmente en las
maravillosas canciones, terrenales pero al mismo tiempo
excelsas."
(Cortesía de
Anna Tomowa Sintow)

Teresa Berganza en *Carmen*, el papel que cambió su vida. "Su espíritu se adueño de mí con tal fuerza que me llevó a liberarme de mis represiones y limitaciones. De repente también yo me sentí libre, decidida a que nunca más nada ni nadie me detuviera o me frenara."
(Christina Burton)

Agnes Baltsa como la Princesa Eboli en *Don Carlos*, con Herbert von Karajan que "me moldeó como artista y como ser humano... fue el más grande esteta de la música en el siglo, y casi inconscientemente uno *tenía* que cantar como él dirigía, y emitir un sonido largo, sin interrupción, como el arcoiris. La famosa "línea Karajan".
(Siegfried Lauterwasser)

Christa Ludwig, una leyenda viviente, está muy satisfecha con su carrera. Es "lo que los orientales llaman "centrada", moderada, nunca excesiva, lo que corresponde a una voz de mezzo soprano. Estamos en el medio. De modo que soy una mujer del medio, de ningún extremo, ni en mi voz ni en mis deseos, contenta con lo que tengo..."
(Siegfried Lauterwasser)

Tatiana Troyanos, una verdadera cantante actriz, interpretando a Romeo en *Los Capuletto y los Montesco*. Le atribuye enorme importancia al texto. "Si uno piensa en las palabras, y mira la música para ver cómo el *compositor* se refiere a ellas, entonces solo debe decidir qué es lo que *uno* puede hacer, con la propia voz, para trasmitir todos esos colores."
(Bill Cooper)

e Bumbry como Salomé, su er papel de soprano és de años de haber sido e las más grandes mezzos undo. Dice que le gustaría cordada como la cantante voz desafía toda clasifi-
.
stina Burton)

te Fassbaender como Oc- o en *El Caballero de la* "un papel que ha podido rollar a lo largo de más de e años, en sus mínimos les, al punto de sentirme o de su piel, y nunca se me burrido".
ld Southern)

Lucía Valentini Terrani en uno de sus papeles rossinianos más famosos, Isabella en *La Italiana en Argel*. "Una verdadera primadonna que domina por completo la escena sin ningún esfuerzo. La ópera entera depende de ella. Brillante, llena de recursos, sagaz, maneja las cuerdas manipulando como un títiritero a todo el mundo, incluyendo al público." *(Deutsche Grammophon)*

Frederica von Stade como Charlotte en *Werther* (con José Carreras en el papel protagonista), un papel que a pesar de ser triste, a ella "le parece divertido hacerlo, porque después de representar tantos chicos y cenicientas, es gratificante hacer una heroína que en el tercer acto deja su mundo de niña para vivir una gran pasión. Y creo que en eso consiste la ópera." *(Donald Cooper)*

Katia Ricciarelli

Cuando tenía siete u ocho años, Katia Ricciarelli gozaba trepando a los árboles y cantando a los pájaros. Temerosa de que alguien la oyera, elegía las ramas más altas, rompía a cantar su tonada preferida, "Un bel dì vedremo", de *Madama Butterfly*. Era una chica tímida y solitaria, y la muerte de su padre, teniendo ella dos años, la había herido profundamente. La pronta desaparición de su tres hermanos y su hermana la unieron más a la madre, encargada de la custodia de la escuela en su Rovigo natal, en el Veneto. Eran pobres, y ella trabajó tres años armando fonógrafos portátiles antes de reunir el dinero suficiente para estudiar canto. Comenzó con Iris Adami-Corradetti en el Conservatorio Benedetto Marcello de Venecia.

Ser cantante, según ella, no sólo requiere voz y talento artístico, sino la energía necesaria para afrontar los obstáculos que puedan interponerse en el camino. "Hay gente que nace para cantar, y otra que no. Creo que *yo sí*, porque soy muy fuerte. Tuve voz desde el principio. Pero después necesité otras cosas. Hace falta voluntad, carácter, ambición de triunfar. Si uno no tiene ambición, no puede tener una carrera", dijo a *Ovation* unos años atrás. Tuvo la entereza que necesitaba para llegar a la cima y soportar las presiones de una gran carrera internacional –por algo es una capricorniana– unida a una femenina vulnerabilidad. Aun en sus momentos de serenidad, da la sensación de que hay algo que la hiere, muy a flor de piel. Sus perso-

161

najes, a través de una voz que refleja esa vulnerabilidad, son siempre muy afectivos. No hay una Desdémona como la suya, o como la Luisa Miller de sus comienzos. Mientras algunas sopranos pueden cantarla bien, no consiguen esa combinación de cualidades vocales, físicas, dramáticas y emotivas, el tono lacrimoso que insufla a su radiante sonido lírico, la fragilidad de su aspecto, la sencillez de su actuación. El resultado es una perfecta fusión entre la artista y el papel.

El repertorio de Ricciarelli se basa en el *bel canto*. Aunque ha hecho muchas óperas de Rossini, es una Julieta conmovedora en *Los Capuletos y los Montescos* de Bellini, y considera como sus mejores logros las tres reinas de Donizetti; Ana Bolena, María Estuardo y Elisabetta en *Roberto Devereux*, pero no los pondría en el mismo nivel que sus Desdémona o Luisa Miller. Ha tenido algunas equivocaciones en la elección de sus papeles; en 1980 hizo Lucia di Lammermoor en su versión original, más alta, en 1984 Aída en el Covent Garden y una grabación de Turandot con Karajan, ninguna de las cuales convenían a su voz. Afortunadamente, lo advirtió enseguida y desechó esos papeles. Esto ocurrió a principios de los años ochenta, cuando vacilaba entre dedicarse al *bel canto* y papeles líricos de Verdi, o al más pesado repertorio lírico-spinto incluyendo algo de verismo.

"Katia cantó mucho Puccini en una época, y su voz creció", dice Nina Walker, que fuera profesora de italiano y asistente de coro en el Covent Garden, y ahora es ejecutiva en la industria de la grabación. "Pero tuvo problemas: su voz empezó a sonar forzada, como sucede con los cantantes que interpretan el papel equivocado. Después dedicó mucho tiempo a estudiar y preparar Ana Bolena, y parecía que la voz recuperaba sus condiciones. Cuando la volví a oír, era más matizada, más limpia, con su brillo anterior. Me puse muy contenta, porque amaba la Luisa Miller que hizo aquí en 1979. Tenía encanto, calidez, y una deliciosa coloratura verdiana. En resumen, era perfecta, y Lorin Maazel, que dirigía, estaba tan conmovido como yo. Espero que siga con este repertorio y no vuelva a papeles más pesados."

Dispuesta a seguir este camino, Ricciarelli haría Elisabetta en *Don Carlos*, cuya versión completa había cantado en 1972 en la famosa producción de Piero Faggioni en La Fenice de Venecia. Como muchas artistas que la hicieron, tiene un afecto especial por ella: "La música es sublime, especialmente en el dúo final, una de las cosas más nobles y bellas que se han compuesto". Coincide con las demás intérpretes de Elisabetta en que la versión de cinco actos, incluyendo el acto de Fontainebleau, es infinitamente preferible. "Explica todo acerca del personaje y hace más fácil seguir su evolución dramática. Por un lado tenemos dos jóvenes enamorados, por otro el juego político. El contraste entre el aspecto privado y el aspecto público en sus vidas, algo que disfruto mucho, debe reflejarse en la voz y la actuación. El acto de Fontainebleau, en que vemos a Elisabetta y Don Carlos comprometidos oficialmente, da la necesaria perspectiva, mientras que en la versión de cuatro actos, el encuentro del primer acto suena casi incestuoso. Otra cosa que amo en esta ópera es la forma en que el drama se desenvuelve gradualmente hacia el final; cuando explota y culmina con un glorioso dúo, 'Un dì ci vedremo in un mondo miglior'. Aunque el canto es pianissimo, suave, desde el punto de vista vocal el dúo es realmente una explosión: Elisabetta y Don Carlos se han confesado su amor y saben que no pueden concretarlo en esta tierra, sólo les queda la esperanza de reencontrarse en el mundo espiritual."

Contrariamente a lo que se supone, Ricciarelli no cree que este papel sea pesado o especialmente tramposo para las voces jóvenes, y piensa que la clasificación estricta de papeles generalmente es errónea. Micaela, por ejemplo, cantada con frecuencia por "sopraninos ligeras cuyas notas altas suenan como chillidos", no está escrito para una lírico ligera sino para una soprano lírica completa, y es, increíblemente, uno de los más difíciles que ha cantado. "También muchos papeles de *bel canto*, como Julieta en *Capuletos*, y la mayoría de los papeles de Donizetti, no son ligeros sino lírico-graves, tendiendo al dramático. Uno debe ser capaz de sostener largas líneas. Pero deben ser cantados de una manera 'lunar'. Como las voces graves, pesadas, no pueden producir este efecto 'lunar', la gente llega a la conclusión errónea de que deben cantarlos las sopranos lírico-ligeras. Por la misma razón es un error decir que Desdémona es un personaje puramente lírico. No lo es. Algunas partes, especialmente en el tercer acto, son muy dramáticas."

Es obvio que Ricciarelli ama este personaje. "Tanto dramática como vocalmente, es un papel maravilloso. Desdémona es muy femenina, pero también una mujer de mucho carácter. Tener el coraje, en esa época, de casarse con un negro, en ese medio, contra los deseos de su padre, no es algo exactamente fácil, ni aun ahora. ¡Pero *entonces*! Solamente podría hacerlo alguien con un carácter muy fuerte. Además es ingenua y de alguna manera poco imaginativa, por eso no ve a través de la conducta de Otelo y es tan insistente en el tercer acto, cuando lo presiona a propósito de Casio, más o menos como una mujer que hoy fastidiara a su marido, obviamente cansado y preocupado, para que le comprara un nuevo abrigo de piel. Una mujer 'perspicaz' hubiera sentido que es el momento equivocado. Pero Desdémona no es 'perspicaz' en ese sentido. Es directa y totalmente honesta. La parte que prefiero en toda la ópera es su plegaria en el cuarto acto. Empieza un día cualquiera, porque es algo que ella hace automáticamente todas las noches, como cepillarse los dientes, y además el Ave María es una oración común para nosotros los católicos. Pero siente que está por pasar algo, tiene la premonición de que va a morir, y su oración realmente brota de ella. Se vuelve muy dramática, punzante, asume una dimensión que va más allá de una oración formal."

Nunca ha sido tan emocionante la actuación de Ricciarelli ni en el escenario ni en la pantalla, como en esta escena. En el estreno del film de Franco Zeffirelli, *Otelo*, todos los ojos se humedecieron en el Barbican de Londres cuando Ricciarelli canta la plegaria. Fue muy feliz haciendo esta película, y no le importaría hacer otra pero, como muchos artistas que vienen del teatro, encuentra agotadora y frustrante la técnica de filmación, las largas horas para pocos logros, el hecho de tener que filmar escenas íntimas rodeada de iluminadores y sonidistas. "Nunca me imaginé a qué grado de fatiga se podía llegar al final de un largo día dando vueltas. Todas las tardes me sentía hecha trizas, físicamente. Si no fuera por eso, no me importaría filmar otra vez. Pero yo estoy hecha para el escenario, para su maravilloso contacto inmediato con el público."

Ricciarelli ha cantado Desdémona en casi todas las grandes salas del mundo, siempre con Plácido Domingo, el Otelo de hoy.

Considera la producción de Elija Moshinsky en el Covent Garden (que volvió a hacerse en enero de 1990, dirigida otra vez por Carlos Kleiber) como una de las mejores.

Es notable el grado de empatía que ella y Domingo han desarrollado, al punto de que en sus representaciones pueden suceder cosas mágicas. Durante una función en la Opera de Viena, en febrero de 1989, la fusión entre ellos y la que se produjo con sus papeles era tan grande que Ricciarelli "se sentía casi con otra dimensión, temerosa de lo que ocurriría. Nunca había experimentado algo semejante en mi carrera, *nunca*. El público lo sentía también, y mi marido, que estaba en la platea, me dijo que había un silencio total, como si nadie osara siquiera respirar... Son, en realidad, momentos muy raros. Los alemanes los llaman 'Sternstunden', y pasa dos o tres veces en toda la vida de un artista. Nos aplaudieron durante cincuenta minutos, cosa que no me había pasado desde mi primera Luisa Miller en la Opera de San Francisco, con Pavarotti."

Luisa Miller es uno de los numerosos roles de la primera época de Verdi en el repertorio de Ricciarelli, que incluye Medora en *El Corsario*, Lucrecia en *I due Foscari*, Lida en *La Batalla de Legnano*, Giselda en *Jerusalén*, Amalia en *I Masnadieri*, y el papel protagonista en *Juana de Arco*. "Amo al Verdi de la primera época. Por supuesto los personajes no han alcanzado la madurez de *Otelo* o *Falstaff*. Pero sí se encuentra en ellos una tremenda vitalidad y atractivo. Siempre comparo al Verdi del final con el champagne y al del primer período con un clásico Labmrusco (un pesado espumante italiano de la región de Emilia). Las heroínas de sus últimas óperas, Elisabetta por ejemplo, son más reposadas y líricas y su línea vocal es el legato mientras que en Amelia de *I Masnadieri* y en Luisa Miller, sube y baja, es instintiva y visceral."

Pero destaca que los primeros Verdi en general, y Luisa Miller en particular, son muy difíciles de cantar. "Es un papel muy exigente. No como Violeta en *La Traviata*, que empieza siendo difícil y progresivamente se va haciendo más fácil desde el punto de vista vocal. Luisa es difícil al principio y otra vez al final. La entrada del primer acto es muy alta, llena de 'picchiettati' y requiere un sonido muy ligero. El segundo es dramático mientras el tercero tiene una dimensión casi wagneriana: uno está en escena todo el tiempo y la partitura vocal tiene muchos 'picchiettati' que van del pianissimo al forte. Dramáticamente, me gusta esta chica sencilla que se enamora de un joven noble, y gozo con la calidad emocional del papel. Otra vez encontramos en Verdi un padre importante, muy riguroso, y una heroína cuyo sacrificio recuerda el de Violeta, algo que me parece que nos llega especialmente a las mujeres.

"Por muy liberadas o emancipadas que seamos, nos gusta ser dominadas por amor, y en mi caso, por el macho. Aunque tengo éxito, una carrera importante y paso la mayoría del tiempo viajando sola alrededor del mundo, siempre he soñado con encontrar un hombre al que me pudiera someter voluntariamente y que me dominara de una manera amorosa, afectiva."

Exactamente eso es lo que encontró en su marido, Pippo Baudo, una estrella de televisión cuyo programa en la RAI-TVE es como una versión italiana de *Wogan*. "Es un carácter muy fuerte, un siciliano, y completamente opuesto al clásico 'marido de la diva'. Es famoso por derecho propio y muy seguro de sí porque su carrera es, hasta en lo más mínimo, tan importante como la mía. Además es inteligente, culto, excepcionalmente sensible y comprensivo."

A través de los años Ricciarelli fue invitada con frecuencia al programa de Baudo. Su relación amorosa empezó en setiembre de 1985, cuando ella cantaba en La Scala *Il viaggio a Rheims*. El le telefoneó para despedirse y pedirle que se encontrasen en Roma, si fuera posible. Casi inmediatamente ella fue allí a cantar un concierto de música barroca con las Cuerdas de La Scala. Lo llamó y se citaron para comer. Fue una romántica comida fría con champagne en la suite del hotel de Katia, y al terminar decidieron que *sí*. A los cuatro meses se casaban en Sicilia, en una pequeña iglesia de las afueras de Catania. La boda se festejó en el barrio más importante de Catania, con la gente colgando de los balcones, con carabineros tratando de contener a la multitud. ("Muy operístico", me animé a decir. "No, pura operetta", me contestó ella.)

Nadie se sorprendió tanto ante el curso que habían seguido los acontecimientos como la misma protagonista. "Nunca creí que pasaran esas cosas. Cuando realmente conocí a Pippo en setiembre de 1985, después de años de trato profesional, yo tenía treinta y nueve años y él cuarenta y nueve. De modo que sabíamos lo que hacíamos. Yo había tenido una larga e intensa relación amorosa con un colega (José Carreras), pero no buscaba un nuevo amor. Estaba emocionalmente hastiada, realmente exhausta, porque en trece años de relación las cosas terminaban y empezaban de nuevo. Ahora me sentía siendo yo, dedicada sólo a mi carrera. Pero el paso del tiempo es todo en la vida. Por supuesto, uno debería ser lo bastante lúcido como para seguir adelante, tener la fuerza necesaria como para cerrar ciertos paréntesis, ciertas puertas. Si no, si no es libre de espíritu y de corazón, no se pueden abrir otras."

No conozco demasiada gente que merezca haber alcanzado la felicidad, como esta mujer llena de simpatía, cuya vida no ha sido fácil. "He vivido mucho y he sufrido mucho, y creo que eso es bueno para un artista. También he pasado épocas fabulosas. Pero más allá de todo, siempre estaba presente la inseguridad, las preguntas sobre mi futuro. '¿Qué haré, que será de mí, estaré sola cuando llegue a vieja?' En 1980 nos encontramos por primera vez. Me dijo entonces que la vida de cantante es dura para una mujer. Fascinante, excitante, pero muy complicada, llena de sacrificios y restricciones. Uno da y da, y nunca recibe bastante a cambio. Cuando reviso mi vida, me doy cuenta de que no he tenido nada. Mi madre, mi casa, eso sí, por supuesto, pero no tiempo para vivir. Me gusta quedarme en mi casa de Spoleto, en los montes de Umbría, con tiempo para leer y hacer largas caminatas. Me gusta bailar, pero nunca hay tiempo para ir a discotecas. Siempre debo pensar en la voz. No puedo correr el riesgo de pescar un resfriado ni comer o beber mucho o quedarme en cama hasta tarde. ¡Uf! Lo ideal para mí sería retirarme en ocho o diez años más, mientras aun sea razonablemente atractiva, y vivir un poco."

Pero la ansiedad ya no existe. "Todo eso ha desaparecido. Me siento serena y segura como ser humano y como mujer. Espero, en realidad sé, que esto se refleja en mi trabajo. No podría ser de otra manera, porque cuando los artistas entramos en el escenario, llevamos con nosotros todo nuestro bagaje personal. Por eso es por lo que me gustaría volver a mi antiguo repertorio. *El Corsario, Juana de Arco, Luisa Miller,* y ver si puedo aportarles algo nuevo." Pero su retorno a La Scala con Luisa Miller en 1989-90 no fue para nada un éxito.

Tanto como aportar un "nuevo contenido humano" a esos papeles, debe adoptarse una técnica diferente. "Hice alguns cosas muy bellas antes, pero algunas han desaparecido", dijo a *Opera News*, "Esos *pianissimi*, esos *legati* entonces eran naturales en mí, pero ahora debo pensar conscientemente en ellos. La concentración y la comprensión hacen todo. Las mejores representaciones a veces se dan cuando uno piensa mucho (lo mismo opina Josephine Barstow). A lo largo de un año, el treinta por ciento de las representaciones no requieren esfuerzo, mientras que en el resto realmente hay que pensar en lo que se está haciendo. Siempre surge un problema, el cansancio, un resfriado sin importancia, algo que nos tensiona. Y quedaron atrás los días, los del principio de mi carrera, en los que llegaba al final del espectáculo mejor y más fresca que al empezar."

La carrera internacional de Katia Ricciarelli produjo una verdadera conmoción en 1971, dos años después de su debut en Mantua, cuando ganó el Voci Verdiani Competition en la Televisión Italiana. Ya en Milán y Parma había ganado premios en 1970, cantando Leonora en *Il Trovatore*, en el Teatro Regio, con Richard Tucker en el papel de Manrico. Pero fue en el Concurso Voces de Verdi donde produjo el mayor impacto imaginable, al punto que empezaron a llover las invitaciones para los más importantes teatros. Fue aclamada por la prensa como "la nueva Callas", "la nueva Tebaldi", una estrella de primera magnitud, en tanto que "yo no era más que una cantante joven con talento y con derecho a cometer errores". En un año, había debutado en Roma, en el Chicago Lyric (haciendo Lucrecia en *I due Foscari*) y en la Opera de San Francisco, con *Luisa Miller*. En 1973 la Opera del Estado de Viena fue escenario de su Liù en *Turandot*, y en 1974 debutó en el Covent Garden, la Opera de París y el Metropolitan, haciendo Mimí. En esta cadena de inmensos éxitos hubo una excepción, Amelia en *Un ballo in maschera* en La Scala, por la que recibió críticas desastrosas. "Fue una terrible experiencia, organizada por quienes pensaban que yo era demasiado joven para cantar en La Scala. Cuando una artista alcanza inmediatamente el primer nivel, la gente enloquece. La publicidad fue terrible. Esperar que cantara como Callas o Caballé en sus mejores momentos había sido estúpido. Yo no soy Callas, tengo mi personalidad. Fue un momento muy duro. Unos pocos amigos me ayudaron, pero el problema estaba *aquí*, sobre mis hombros. Decidí tener la fuerza necesaria para atravesar ese momento. Y lo hice. Ahora he sido probada y todos esperan de mí lo mejor." Esas fueron sus declaraciones a *Ovation*.

Ricciarelli tuvo razón al decidirse a seguir adelante, y lo confirmó brillantemente con su primera Ana Bolena, un éxito asombroso. Muchas sopranos que cantan "un papel de Callas" aseguran no haberla oído nunca, aunque Ricciarelli está segura de que "desayunan poniendo el cassette de Callas y se lo toman todo junto". Ella, en cambio, admite que "escuchó y escuchó" la grabación de ese papel. Pero después de dos meses suspendió y se dijo a sí misma que debía olvidarlo porque "no soy yo, la voz es completamente distinta. Tenía que crear un personaje diferente de la Bolena de María, y sentí una gran emoción cuando me di cuenta de que podía. Y no se imagina el éxito que resultó. Los críticos dijeron: '¡Es inteligente, porque pensó en Callas, pero hizo un personaje más intimista, más adecuado a su personalidad!' Katia Ricciarelli ha cantado brillantemente otros importantes papeles de Donizetti: María Estuardo, Maria di Rudenz y la Reina Isabel en *Roberto Devereux* . Cantar los dos últimos le produce gran alegría porque, al no ser representados frecuentemente, haciéndolos, uno no se estanca en los llamados "tradicionales"...

"Uno es libre de moldear la interpretación de acuerdo con sus reacciones ante la música y el drama. Es lo que trato de hacer, hasta cierto punto, con mis personajes: recrearlos sobre mi personalidad. Creo que el público lo percibe y responde a mi actuación porque es simple y sincera."

De todos los compositores de *bel canto*, el que más se adecua a la voz de Ricciarelli es Rossini. En la época de nuestro último encuentro, estaba preparando Nanetta en *La gazza ladra* para el Festival Rossini de 1989 en Pesaro, al que es invitada todos los años haciendo, con gran éxito, numerosos papeles de ese compositor. Entre ellos podemos citar Madama Cortese de *Il viaggio a Rheims*, que más tarde cantó en La Scala y en la Opera de Viena, y grabó en disco para la Deutsche Grammophon; el papel protagonista en *Bianca e Faliero*, Amenaide en *Tancredi*, Elena en *La donna del lago*, Palmira en *L'assedio di Corinto* y *Le siège de Corinthe*, los papeles protagonistas en *Armida* y *Semíramis*, y Matilde en *Guillermo Tell*.

La cantante afirma que los requerimientos vocales de Rossini son diferentes de los de otros compositores y que es "un ejercicio físico muy distinto. Conviene alternar papeles de Rossini con los de Bellini y Donizetti porque requieren un canto más sostenido y líneas largas, mientras el anterior exige agilidad; hay que subir rápido las notas y dejarlas ir de inmediato, sin sostenerlas. De ahí que puede resultar peligroso ser sólo cantante de Rossini. La respiración y las cuerdas vocales se emplean de tal manera que se hace difícil cantar frases de legato largas y sostenidas. He visto lo que ocurre con muchos cantantes de Rossini; la especialización limita mucho. Si uno quiere recorrer el mundo cantando nada más que Cenerentola o el Cherubino, está bien. Pero es imprescindible la variedad para hacer una carrera realmente internacional. Y además una cierta inteligencia y discriminación en la elección de los papeles."

En los últimos años Ricciarelli ha cantado mucha música barroca y clásica, tanto en escena como en conciertos: *Anacreon* de Cherubini en París, *Ifigenia* de Piccinni, *El Barbero de Sevilla* de Paisiello, además de Handel, Vivaldi y Gluck. Es una experiencia refrescante, "como sumergirse en una corriente de agua lo más limpia, pura y cristalina que se pueda imaginar, en la que las impurezas y manchas desaparecen de golpe. Implica una disciplina tremenda, por eso cantar barroco, antecedente natural del *bel canto*, es agotadoramente difícil. Para comprenderlo y cantarlo he contado con una gran ayuda: mi conocimiento del canto gregoriano (una tradición en Venecia debido a su relación con Bizancio). Lo estudié con alguna profundidad en el Conservatorio Marcello. Consiste en 'equilismi', patrones cíclicos, que es lo que trato de imaginar cuando hago música barroca."

En los planes futuros de Ricciarelli figuran conciertos con conjuntos de cuerdas, aunque los conciertos le parecen más agotadores que la escena porque exigen "un más alto grado de concentración, tanto física como mental". Una de sus mayores ambiciones es cantar Adriana Lecouvreur, para lo que se siente preparada vocal y dramáticamente, pero aún no hay nada resuelto. Los papeles veristas son más arduos que el *bel canto* "porque muchos de ellos están escritos en registro medio. Hasta Mimí, con el que debuté e hice tres grandes estrenos internacionales, tiene algunas partes muy difíciles, especialmente el dúo con Marcelo. Pero en cambio, en cuanto a la *actuación* son papeles más fáciles que los de *bel canto*, en los que hay que concentrarse profundamente en la emisión vocal, en la coloratura y los adornos, por lo cual la mente no cuenta con la libertad necesaria para entregarse a la parte dramática. Hay que ser muy cuidadoso al cantar verismo, no dejarse ir hasta lo más alto porque resultaría vulgar. Siempre trato de cantar mis papeles veristas en forma 'belcantística', sin exageraciones." Una emocionante y delicada interpretación de Tosca, grabada y hecha en versión de concierto en febrero de 1982, bajo la dirección de Karajan con la Filarmónica de Berlín, demuestra que en ese punto logra lo que se propone.

Esa *Tosca* fue una de las apuestas que aceptó y ganó. Nunca ha rehusado un riesgo. "Nadie merece realmente una carrera si no corre unos pocos riesgos; a veces grandes riesgos, que ayudan a crecer y traspasar los límites impuestos, por lo que es seguro y natural. Después de caer de bruces una o dos veces, puede alcanzarse la meta. Pero si sobre un total de diez apuestas gana ocho, será una artista."

Renata Scotto

La biografía de Renata Scotto, *Más que una diva*, describe en su título a esta prolífica cantante actriz cuya carrera se extendió por casi cuatro décadas, con un repertorio de más de cincuenta papeles y cuyo propósito ha sido siempre "no dar al público la impresión de una cantante gozando con el sonido de su propia voz".

"No soy esa clase de diva, sino una *intérprete*, una artista que busca revelar la verdad dramática en cada partitura de ópera." Como Callas, Scotto es lo que los italianos llaman "un animal di palco" (un animal de teatro), llena de electricidad en escena y una buscadora de "la palabra en la música".

Admite ser alérgica a la ópera tal como era antes de la revolución Callas: casi por entero dependiente del virtuosismo vocal y la pirotecnia, "un fenómeno de circo". Pero con el advenimiento de Callas "las cosas empezaron a mejorar y también yo he tratado de aportar mi grano de arena, promoviendo el concepto de ópera como teatro creíble, de la manera en que los compositores la imaginan." Hay veces en que, buscando la realidad dramática de los personajes, la acción puede exigir un sonido desagradable; esto es lo que piensa Scotto, y no vacila en hacerlo. "Un desagradable sonido que significa mucho más de lo que parece", según palabras de Ubaldo Gardini, actualmente uno de los principales maestros de ópera.

171

La vehemente intensidad de las interpretaciones de Scotto y su negativa a buscar sólo la belleza del sonido, hace que se la considere una artista muy controvertida. El público y los críticos lo piensan, y sus detractores se hacen oír tanto como sus admiradores. Entre los últimos, figuran colegas como Zinka Milanov –"me gusta su mensaje vocal"–, y directores como Riccardo Muti, Lorin Maazel y James Levine, con los cuales ha trabajado disfrutando intensamente su asociación.

Scotto es una apasioanda defensora de la fidelidad al texto, y ha tenido parte importante en la "purificación" del verismo que se intenta desde hace algunos años. Según ella, son sus compositores –Puccini, Mascagni, Giordano, Cilea, Leoncavallo, Catalani y Zandonai– quienes han sufrido las mayores arbitrariedades interpretativas debido a la llamada tradición de la representación. Es un punto de vista con el que disienten Ghena Dimitrova y Eva Marton, como podemos comprobar en los capítulos dedicados a ellas.

"Esos compositores han escrito música muy bella y muy interesante... Pero pocas veces se representan del modo correcto. Frecuentemente se canta de una manera vulgar, exageradamente melodramática, que recuerda apenas lo que realmente hay en la partitura, todas notas bajas, poniendo poca atención al tono o a las indicaciones 'piano'. Pero los compositores pensaron larga y profundamente antes de escribir sus frases –Puccini hizo cinco bosquejos de *Manon Lescaut* y cuatro de *Madama Butterfly*– entonces, ¿por qué no tratar de hacer lo que querían? ¿Por qué buscar una interpretación arbitraria?"

Scotto acepta que en alguna música, por ejemplo la del período barroco, en la cual las frases han quedado deliberadamente inconclusas a fin de que los cantantes puedan agregar sus propios adornos, la fidelidad textual no es requisito imprescindible. "Pero la música de Verdi (especialmente la última, óperas como *Aída, Don Carlos, Otelo* y *Falstaff*, en las que resumió en pocas frases emociones que expresaba, en sus primeras épocas, en una cabaletta entera), y la de los compositores veristas, está escrita en un estilo diferente y hecha para un teatro diferente: mucho más densa y concentrada, tanto musical como dramáticamente. Mi propósito ha sido tratar al verismo como corresponde, y levantarlo al nivel que merece. Algo comparable al revisionismo del *bel canto* hecho por Callas quien, con ayuda de Tullio Serafin, fue la primera que *realmente* lo entendió."

Renata empezó su carrera como cantante de *bel canto*. Nació en Savona, en la costa de Liguria, en 1934, y empezó a estudiar canto a los catorce años. Continuó en Milán, dos años más tarde, permaneciendo en un convento de monjas canosianas. En 1953 ganó un concurso para artistas jóvenes con "Sempre libera", de *La Traviata*, y poco después debutó profesionalmente con la misma ópera en el Teatro Nuovo de Milán. En esa época tenía "una bella voz, oscura y con timbre lírico" y llena de temperamento. Fue contratada por La Scala, donde debutó en el papel de Walter en *La Wally*, de Catalani, cuyo reparto estaba encabezado por Renata Tebaldi y Del Monaco dirigidos por Carlo Maria Giulini. Admite que "no fue, definitivamente, mi técnica", sino su temperamento lo que la ayudó durante un tiempo. Pero en un par de años la falta de bases técnicas del sonido la hizo sentir como una inválida en escena.

"No podía hacer lo que quería. Ahí estaba, con mi temperamento pero con muchas dificultades, hasta para actuar, porque si uno carece de técnica, se pierde el tiempo preocupándose por los problemas vocales y no se está libre para dedicarse a la interpretación. Así que pensé que había llegado el momento de buscar otro maestro." Hasta entonces había tenido cuatro, pero ninguno le había enseñado lo que necesitaba aprender. Afortunadamente estaba cantando *La Traviata* con Alfredo Kraus, quien le propuso presentarle a su maestra, Mercedes Llopard, una española que cantara como soprano y a quien debió su soberbia técnica y la longevidad de su voz.

Apenas la conoció, Llopard dijo a la cantante: "Mi Dios, tiene una voz muy hermosa, pero no sabe qué hacer con ella. No haremos nada más que cantar Mi bemoles durante dos meses." La respuesta fue que, no teniendo siquiera un Do agudo, sería imposible. Pero resolvió darle una oportunidad al método de Llopard y probar seis meses dedicándose a mejorar su técnica. Y ya bastante segura, después de dos meses, empezó con el Mi bemol, y se decidieron a trabajar el repertorio de coloratura. "Fue muy inteligente de parte de mi maestra porque no hay nada mejor para los cantantes jóvenes que estudiar Mozart, Bellini y Donizetti, cuya música enseña líneas, entonación, control de la respiración, todas las cosas básicas con las que debe crecer la técnica de los jóvenes. ¡El temperamento puede esperar!"

Llopard se concentró especialmente en el emplazamiento de la voz más que en el control de la respiración, e insistía en pedir a Scotto que la ubicara alto. "Me enseñó que la voz no tiene que salir de la garganta, que puede salir de la cabeza. De este modo, y con el repertorio de coloratura, me ayudó a enfocar la voz sin empujar el registro medio, lo que podría haber forzado el sonido acortando mi carrera. Y, al revés que muchos maestros, en especial los de hoy, me enseñó que lo más importante es no sólo aprender cómo cantar sino cómo entender la música."

A los siete meses de haber empezado con Llopard, Scotto estaba lista para recomenzar su carrera, y en 1956 hizo su debut internacional en Londres, en el Stoll Theatre, cantando Adina en *L'elisir d'amore* y Elvira en *Don Giovanni*. En la siguiente década su reputación se consolidó en Italia, cantando seis temporadas consecutivas en La Scala y muchos otros teatros italianos. Pero realmente se abrió paso en el orden internacional en 1957, remplazando a Callas en *La Sonámbula* cuando visitó el Festival de Edimburgo. Llegó al Metropolitan en 1965 haciendo Madama Butterfly, y volvió para cantar Gilda, Violeta, Lucía y Adina. Después de una triunfante aparición como Elena en *I Vespri Siciliani* en 1974, pasó a ser diva residente del Metropolitan, apareciendo desde entonces casi todas las temporadas en sus papeles más importantes, la mayoría de los cuales han sido transmitidos en vivo en la PBS Televisión. En esta época, asegura, las relaciones públicas y la televisión son un aspecto muy importante del trabajo de un cantante, y de acuerdo con eso se sometió a un régimen especial para bajar los kilogramos aumentados después de nacer sus hijos. Perdió 22 kilogramos en un año, cosa realmente fundamental para ella, ya que "la cámara no miente, por lo tanto es importante asegurarse de que Mimí o Manon Lescaut pueden realmente ser Mimí o Manon Lescaut."

Scotto ha sido muy inteligente en la elección del repertorio. Durante más de una década se dedicó totalmente al *bel canto* además de algunos papeles con coloratura de la primera época de Verdi, como Gilda y Violeta. Con el tiempo su voz se fue oscureciendo y agregó papeles como Griselda en *I Lombardi*, Elena en *I Vespri Siciliani* y finalmente Lady Macbeth. También añadió papeles del verismo: Magdalena de *Andrea Chénier*, *Fedora* y *Adriana Lecouvreur*. Ciertos riesgos que corrió en este proceso pudieron haber sido causa de ocasionales estridencias que sus detractores se apresuraron a calificar como desagradables. Su explicación es que "siempre quise un repertorio amplio y odio la rutina. No puedo ser una de esas cantantes que se sienten a salvo cantando media docena de papeles. Me gusta el desafío. Sé que puede ser peligroso, uno llega al escenario y, por desafiarse a sí misma, puede arriesgar toda su carrera. Pero me gusta".

"La cantante que hay en mí goza haciendo *bel canto*, pero la actriz prefiere el verismo porque brinda la oportunidad de dar forma y moldear los personajes como personas reales. En las óperas de *bel canto* existe el problema de que, a causa de su construcción musical: recitativo-aria-cabaletta, es muy difícil actuar. Hay momentos en que *musicalmente* no hay nada que hacer sino detenerse y cantar y exhibir las hermosas líneas del *bel canto*. Por otra parte las óperas veristas pertenecen a un mundo diferente, el cambio de siglo, y tienen una estructura musical totalmente distinta. La secuencia recitativo-aria-cabaletta, de la que hablamos a propósito de la última época de Verdi, ha sido remplazada por una densidad y brevedad nuevas, lo que es mucho mejor en términos teatrales porque el drama es tan ceñido y centralizado que realmente se puede actuar. El Verdi de la última época y las obras veristas son un conjunto de juegos para la música. Aun las arias más espectaculares, aquellas con las que se puede 'detener el espectáculo', parecen impulsar la acción en lugar de suspenderla, como ocurre con las óperas del *bel canto*."

La única obra de *bel canto* en la cual encontramos la misma clase de densidad, y en la que la acción no se detiene ni por un momento, es *Norma*, que Scotto, con razón, considera "la perfecta ópera del bel canto". Como la mayoría de sus colegas, cree que el personaje es uno de los más difíciles dentro del repertorio de soprano, no sólo para cantar, sino especialmente para interpretar. "Norma surge del libreto, que también es maravilloso, como un profundo personaje multifacético. Primero, como la Alta Sacerdotisa de una nación bárbara, que no sólo encarna el ideal de pureza, sino que puede declarar la guerra y hacer la paz: una mujer realmente poderosa. En segundo lugar, como mujer enamorada, experimenta todos los sentimientos que experimentaría cualquier otra en tal situación; y tercero, como madre, es por cierto una madre muy tierna. Hay que meterse en la piel de esta mujer y hacer brotar todas las facetas y conflictos que lleva dentro: la melancolía, la nostalgia, la furia, la ternura, el miedo, todo lo cual está expuesto de una manera bellísima en la música de Bellini."

Según Scotto, es raro que el drama deba estar tan densamente comprimido en una ópera musicalmente típica del *bel canto*; y todavía más raro que tenga trazas del temprano Verdi en sus recitativos, los más importantes de todos en cualquier ópera de bel canto. "En realidad son aun mejores que las arias. A pesar de la apabullante belleza de la famosa oración de Norma a la luna, 'Casta Diva', no es esa la clave para Norma. Su personaje nos llega mucho más en los recitativos, que no son una mera transición al aria. Cada uno de ellos tiene un propósito musical y dramático.

"Tomemos el recitativo monumental del primer acto, que empieza con Norma hablando a su doncella. Ya sabe que Pollione está cansado y sospecha que tiene otra mujer. Sigue el dúo con Adalgisa, la joven sacerdotisa que acude a la Alta Sacerdotisa pidiendo ayuda. Norma siente simpatía por la chica que, como ella, ha quebrado sus votos de castidad. Pero cuando descubre que la 'otra mujer' de Pollione es Adalgisa, enfurece y la trata como a una rival. Después las dos mujeres forjan un fuerte vínculo de amistad. En el gigantesco Acto III, Norma deja todo por el hombre. Creo que en ese momento utiliza su poder para decirle algo a Pollione, *sabiendo* que morirá por él. Pero quiere usar ese momento, y yo creo que allí se muestra toda la grandeza que hay dentro de Norma. Se convierte en una gran mujer, la gran figura trágica que está en la música de Bellini.

"Y si la intérprete fracasa en entender o transmitir esta dimensión trágica, si no pone en cada línea y en cada recitativo la tensión del drama, habrá fracasado la música. Por eso Tullio Serafin, el veterano director, dijo a la joven Callas cuando fue a verlo para estudiar esta ópera: 'Vuélvase a casa y venga mañana a recitar la ópera completa, del principio al fin. No la música, sólo las palabras. Ya sé que puede cantar el personaje, por eso la contratamos. Pero cuando pueda poner las palabras en la música de Bellini, habrá encontrado la clave de Norma.' Y tenía razón. Porque en lo que respecta a la música pura y simple, Norma no es tan difícil de cantar, dando por sentado, naturalmente, que uno tiene una buena técnica."

Inmediatamente aclara que, al decir que no es tan difícil, significa que no lo es en comparación con Verdi, el más exigente de todos los compositores. No hay diferencia en cantar los llamados papeles ligeros de Verdi o los graves. El solo hecho de que sea de Verdi, lo hace más difícil, más serio que cualquiera con el que uno se haya enfrentado nunca. Porque para cantar Verdi hay que tener una técnica *fabulosa*. Veamos la partitura de *I Vespri Siciliani*, *La Traviata* y *Rigoletto*, por ejemplo. Elena es clasificado generalmente como un papel dramático, mientras Violeta y Gilda se consideran lírico-ligeros. Es un error, porque vocalmente han sido escritos de la misma manera. En *Rigoletto* tenemos un personaje suave, tanto dramática como psicológicamente. Pero musicalmente hay coloratura, y también algo muy dramático en 'Tutte le feste al tempio', y en el dúo que le sigue. Entonces tenemos la misma clase de música que en *I Vespri Siciliani* porque Verdi exige siempre una soprano que pueda dar la gama completa de posibilidades vocales: notas altas, notas bajas, canto piano, canto dramático, coloratura, una bella línea de legato. Por eso nadie puede cantar Verdi sin una técnica perfecta."

Renata Scotto cantó por primera vez Elena, de *I Vespri Siciliani*, en Florencia, y en 1974 triunfó con él en el Metropolitan. Cree que es el más difícil de todos los papeles de Verdi, o más aun, de todos los de su repertorio. "Exige todo lo que uno puede dar como cantante; poder, suavidad, línea, aliento largo, notas altas, canto dramático, y como dura cuatro horas y media, se necesita un vigor y resistencia semejantes a los que requiere Wagner. Y dicho sea de paso, muchas cantantes wagnerianas tienen miedo de cantar Verdi."

"Desde el punto de vista dramático, Elena es multifacética como Norma: una mujer que lucha por su gente, y también una triste y romántica enamorada. En la escena de la prisión, canta su amor por Arrigo, con quien no puede casarse. Esta maravillosa aria, que sigue a un dúo muy dramático, empieza con un Si bemol pianissimo, baja con un canto aun más suave para culminar en una *cadenza* casi imposible de cantar. Va de un Do agudo a un Fa abajo del pentagrama; en realidad la mayoría de las sopranos transponen esa nota. Pero Verdi lo escribió así, y esperaba que sus sopranos pudieran hacerlo. De modo que cuando lo canté en Florencia y luego en el Metropolitan, decidí probar y hacer lo que él escribiera. Y realmente me sentí muy orgullosa al conseguirlo, porque había trabajado muy, muy duro para encontrar esa nota. Pero a esto se dirige el arte de cantar: poner la técnica al servicio del compositor, a usar el máximo de la habilidad de cada uno. Después de esta aria, Elena vuelve a la coloratura para cantar el aria más popular, el siciliano, en la escena de la boda. Y esta especial coloratura sigue hasta el final de la ópera, a las once de la noche (o a las dos de la madrugada si le toca cantar en España, donde a veces las funciones empiezan a las nueve y media). Por eso prefiero, tratándose de *I Vespri*, cantar en la matinée.

Scotto obtuvo un gran éxito con otro papel de Verdi cuando por primera vez cantó Lady Macbeth en el Covent Garden, en producción de Elijah Moshinsky y dirigida por Riccardo Muti. Era su primera heroína shakespeariana en Londres, un verdadero desafío. Alrededor de dos años antes, había barajado la posibilidad de hacerlo, después de grabar *Nabucco* con Muti, aunque nunca pensó interpretar a Abigail en escena por razones dramáticas y vocales. Siempre le había resultado un personaje desagradable, porque lo considera "duro, feo, antipático y totalmente parcial, no como Lady Macbeth, que presenta dos facetas diferentes y es mucho más interesante. Claro, está increíblemente sedienta de sangre, es ambiciosa, pero también es una mujer bella, joven, atractiva, muy enamorada de su marido. Me sentí feliz cuando Moshinsky en Londres y Peter Hall en Nueva York me ofrecieron la oportunidad de representarla."

Scotto cree que no es un personaje para jóvenes inexperimentadas. "Hay que tener una gran experiencia vital, como mujer y como cantante. La música es endemoniadamente difícil, cualquiera sea la edad de la soprano que la interpreta, porque Verdi pretende todo lo que uno se pueda imaginar en cuanto a sonido: coloratura, pianissimi con seis ppppppp, silbidos, susurros, quejidos y una cantidad de sonidos desagradables que uno mismo debe encontrar. Y el auxilio con que contamos es únicamente la comprensión de las palabras." Pero el papel es todavía más difícil desde el punto de vista dramático porque *Macbeth* es un despliegue de todas las dificultades típicas de las primeras obras de Verdi. Los personajes no tienen la nitidez de los de Shakespeare, y musicalmente se conserva la estructura recitativo-aria-cabaletta.

"Lady Macbeth entra en escena leyendo la carta de su marido e inmediatamente irrumpe con el aria 'Vieni t'affretta', seguida por una canción popular sin dar tiempo a perfilar el personaje, ya que apenas llega a tres minutos. Creo que ella necesitaría un rato para reaccionar ante la carta (opinión compartida por Grace Bumbry) y dar la medida de su ambición y codiciosas ansias de poder. En la obra original el tiempo es suficiente, pero no en la ópera. Es en estos casos en que hay que recurrir a la experiencia y la madurez." Scotto cree que ella afrontó este papel exactamente en el momento de su carrera en que debía hacerlo. La prueba está en que después de cantarlo diez veces, precedidas por un mes de ensayos, su voz estaba en las mejores condiciones imaginables. Su representación de Lady Macbeth le valió grandes elogios de otra famosa Lady Macbeth, Grace Bumbry, poco dada a loar a sus colegas.

Hemos dicho ya que el primer papel de Scotto fue una de las más famosas heroínas de Verdi, Violeta en *La Traviata*, que además grabó en los años sesenta con Antonino Votto. Durante dos meses se reunieron en el apartamento de Votto para trabajar el papel y perfeccionar cada frase y cada palabra. La desaparición de esta tradicional raza de directores que dedicaban largo tiempo a preparar y enriquecer a las cantantes es, según Scotto, una de las actuales tragedias de la ópera. Y es imposible no darle la razón. "Los directores de hoy están muy ocupados para hacer esta clase de cosas. Tienen su propia carrera y son egocéntricos. Piensan que una ópera es casi un concierto sinfónico en el cual ven a su orquesta ejecutando la parte más importante. Es cierto que tienen buena técnica, es cierto que saben muy bien el repertorio sinfónico. Pero en cuanto a la ópera y el arte del canto, la mayoría sabe poco más que nada. Se limitan a decir 'este es el *tempo*, síganme'. No hay uno del cual la joven generación pueda aprender."

En las décadas de los cincuenta y los sesenta, aparte de Votto había varios grandes directores de ópera. Serafin, que la ayudó mucho, y la llamaba "la Scottino", Gui y Gavazzeni, que eran "muy paternales, amaban a las cantantes y las protegían. Nunca hubieran permitido que una cantante hiciera el papel equivocado, ni aun el correcto antes de tiempo. Y cuando nos preparaban, nos hablaban de expresión, del significado de las palabras, nada de 'tempo y síganme'. No es que yo espere directores que me sigan a mí. La comunicación entre los dos debería ser tan intensa y sutil que durante la representación uno se sienta unida al director por una suerte de lazos invisibles, y los dos deberían sentir lo que el otro quiere. Un director que sigue al cantante tampoco es lo ideal. El debería *anticiparse*, saber qué tempo va a tomar el cantante, o cuándo necesita recuperar aliento. Existiendo este grado de comunicación, el cantante responderá haciendo lo que *el director* espera. Quien entendía perfectamente este punto era Herbert von Karajan, dándose cuenta de qué debía hacer para que el cantante se sintiera libre. Y cuando se sienta libre, cantará bien."

Scotto sintió en la misma intensidad, aunque de distinta manera, la comunicación con Riccardo Muti con quien grabara otra vez *La Traviata* en 1981. La sensación de estar como en su casa fue inmediata, al ver la forma pura en que el director encaraba las partituras, su impaciencia ante la llamada tradición de la representación, que finalmente puede distorsionar las intenciones originales del director. La grabación de *La Traviata* lo ilustra hasta el punto de que para Scotto es "la concreción de un sueño. Cuando la canté por primera vez en Italia, a principios de los cincuenta, tuve que seguir las tradiciones de la representación de la obra, que incluía *cadenzas* de grandes cantantes del pasado, por ejemplo Toti dal Monte. Yo era demasiado joven para comprender que no tenía por qué seguir los hábitos de otros, que debía ser yo misma, y eso pesaba sobre mis hombros. Pero cuando fuimos a grabar *La Traviata* con Muti, me dijo: '¿Por qué no tratamos de hacer lo que escribió Verdi, y nada más?' Y lo hicimos. Yo miraba la partitura buscando entender e interpretar el papel con mi personalidad, pero sobre todo con y a través de la música de Verdi.

"Cada frase de esa grabación es fiel a la partitura. Hay cantantes, y he oído a varias, que usan a los compositores para exhibir su virtuosismo vocal. Para mí, adornar una frase como la de Amina, 'a, non credea mirarti', una de las más bellas en toda la ópera, es un *crimen*. Riccardo Muti y yo hablamos el mismo idioma en lo referente a este punto. Aparte de él, he gozado trabajando con Herbert von Karajan y con James Levine, que realmente entiende de voces. Lo mismo con Lorin Maazel, en especial en Puccini, cuya música parece llevar dentro y entenderla mejor que la mayoría."

Renata Scotto opina que Puccini es el más humano de los compositores, y ha leído sus conmovedoras cartas. "Tuvo muchos problemas en su vida, y volcó en las óperas todas sus experiencias. Se identificaba en un cien por ciento con los personajes, especialmente los femeninos –hubiera deseado que viviera hasta terminar *Turandot*– y sabía exactamente cómo llegar al público." Scotto, famosa ella misma por la forma en que se posesiona de sus papeles, como todas las actrices de verdad, trata de convertirlos en seres de carne y hueso, "con sencillez, sin melodrama". Y muy especialmente a Madama Butterfly, una de sus grandes caracterizaciones.

Desde que representó por primera vez a esta humana, entrañable heroína, la convirtió en una de sus preferidas. "Cuando canto Butterfly, siento que llego a cada persona del público y hablo directamente con ella. Esto significa una gran diferencia, porque hace que cada representación sea única. Con otros personajes, por ejemplo con Manon Lescaut, no tengo la misma sensación. Pero con Butterfly no deja de suceder, quizá por eso el público reacciona tan cálidamente a mi Butterfly. Pero *jamás* lloro al cantarla, creo que es la manera errada de llegar al público. Mi intención es mostrarles la verdad acerca de ella y dejarlos decidir si quieren llorar o no. Sería vulgar *subrayar* para ellos que en este o en aquel punto tienen que hacerlo, y esto también sirve para *Suor Angelica*, una ópera en la que es muy fácil llorar. Como parte del público, lo hago cuando voy a verla." Por tales razones evitó el llanto al representar el papel protagonista del *Tríptico* de Puccini (las otras dos óperas son *Il tabarro* y *Gianni Schicchi*) en el Metropolitan, durante la temporada 1981-82. Fue la primera cantante que hizo las tres óperas en una misma función, y más tarde dirigió este *Tríptico* en la Arena de Verona.

Scotto ha interpretado otros famosos personajes de Puccini, como Mimí y Musetta en *La Bohème*, "una obra maestra sobre la gente joven y libre de determinada época. Puccini lo sabía todo sobre este tipo de existencia, ya que había vivido de manera muy parecida en su primer período en Milán, cuando todavía escribía a la madre pidiéndole dinero para comprar alimentos. En 1977 canté por primera vez esta ópera en el Metropolitan, y pensé que Mimí era maravillosa. Pero gradualmente me fui dando cuenta de que Musetta también lo es. Son diferentes y sin embargo su estilo de vida es el mismo: libres para vivir como les gusta y estar con el hombre elegido. Excepto que una es sana y la otra está enferma, pero aparte de esta diferencia fundamental, las dos están llenas de vida, de diversión, y de la necesidad de amar y ser amadas.

"Cuando cantaba Mimí, miraba a Musetta a través de sus ojos, y cuando canté Musetta en el Metropolitan en la producción de Zeffirelli de 1981-82, me pasaba lo contrario. Es algo muy especial ver a Mimí de esta manera, tratando desesperadamente de aferrarse a la vida, de encontrar el amor. Porque es ella quien quiere conocer a Rodolfo y va a golpear a su puerta. Aunque está enferma, quiere tener un amigo, alguien con quien hablar, quizás un nuevo novio. Es ella quien provoca el encuentro, en una decisión realmente osada si tenemos en cuenta cómo se suponía que debían comportarse las chicas en esa época. De modo que ella y Musetta son espíritus libres. En determinado momento Mimí deja a Rodolfo pensando que pagando sus remedios se arruinará, y se va a vivir con otro hombre. Pero cuando sabe que está agonizando vuelve, porque quiere morir en brazos de Rodolfo." Como Mirella Freni, Scotto cree que Mimí es uno de los más humanos entre los personajes de ópera.

El papel protagonista de *Manon Lescaut* que en 1980 cantara por primera vez en el Metropolitan, con Plácido Domingo interpretando a Des Grieux, dirigidos por James Levine en producción de Giancarlo Menotti, es otro de sus grandes logros; una de las representaciones fue televisada en vivo para Estados Unidos e Inglaterra. Renata Scotto ha sido muy feliz trabajando con directores de escena como Elijah Moshinsky, Peter Hall y Raf Vallone, pero la experiencia de hacerlo con Menotti, que como importante compositor de óperas "entendía todo", fue una de las cosas más gratificantes de su carrera. También él quedó asombrado por su vehemencia al actuar y moverse mientras cantaba, algo a lo que muchas cantantes son renuentes. "He leído muchas veces el libro y vi claramente a Manon como una chica coqueta de dieciséis años, llena de *joie de vivre*, que disfruta al ser admirada por los hombres. Pensé que todo esto debía destacarse, sobre todo en el tercer acto, y salté y corrí hasta el punto de que Menotti dijo que nunca había creído que una cantante pudiera hacer todo eso. Fue maravilloso trabajar con un gran músico como él. Al mismo tiempo, los directores de escena que he mencionado no son músicos y no saben nada de música técnicamente hablando, pero son muy musicales y nunca me pidieron nada que fuera contra la música."

Preguntamos a Scotto qué director de escena hubiera elegido para su primera Adriana Lecouvreur (la cantó en el Metropolitan con Plácido Domingo en el papel de Maurizio) y menciona a Raf Vallone, el famoso actor de cine con el que hiciera su primera Norma y que me enseñó a actuar. Es fácil llegar al escenario como una gran prima-donna. Pero hay que expresar las muchas facetas de los personajes no por medio del canto, sino de la actuación. Y al principio me resultó muy duro. Raf Vallone estaba todo el tiempo instándome a no usar las manos de la usual manera operística, sino sólo al hacer un gran gesto cuando quería subrayar algo realmente importante. Actuar y cantar son de por sí cosas bastantes difíciles. Pero actuar mientras uno canta es todavía más difícil."

Y es particularmente arduo en el caso de *Adriana Lecouvreur*, basado en la vida real de una gran actriz muy controvertida en su época porque preconizaba la sencillez y el realismo en escena. "Por lo tanto es vital no comportarse como una cantante de ópera sino como una actriz cantante. Amo y me identifico especialmente con esta heroína porque es una artista, y una artista enamorada. La ópera es una hermosa historia de amor entre una gran actriz y un príncipe, Maurizio de Saxony, a quien ella quiere como sólo puede hacerlo una actriz o una cantante. Yo creo que los artistas aman de manera diferente, aman más que el resto de la gente. Esa dimensión extra de nuestras vidas en la escena y en la música aumenta nuestra capacidad de amar y ensancha nuestros límites emocionales. Adriana, de acuerdo con esto, está llena de amor por Maurizio, a quien además ayuda económicamente, pero que mira a otras mujeres. Su amor por él cambia a la gran artista y la convierte en una simple mujer que ama al hombre a quien entrega su corazón, y con todos los problemas de la mujer enamorada. Por eso me parece excepcional esta obra, su música es fantástica, uno de los mejores ejemplos de *bel canto* en una ópera verista. (Porque *bel canto* no es sólo un determinado período en la historia de la ópera. Es una manera de cantar que puede utilizarse en la mayoría de los papeles, con obvias excepciones, como

Lulú o María en *Wozzek*.) Pero es fácil caer en lo vulgar, cosa que sería un crimen."

Scotto dedica una buena cantidad de tiempo y concentración a la preparación de nuevos papeles, empezando siempre por el texto. "Pero en escena, lo primero es la música. Cuando estoy aprendiendo una obra nueva, debo saber por qué el compositor quería que la música fuera como es. Por lo tanto busco la explicación en el libreto o en los antecedentes históricos, tratando así de entender al personaje. Debo terminar esta tarea antes de trabajar en la música, que aprendo con ayuda de un maestro. Como último recurso, la música me da el esquema real de los personajes. Musicalmente podría aprender un papel en quince días, pero uno como Lady Macbeth me lleva un año."

El día de la función, Scotto prefiere relajarse, concentrarse y evitar las charlas superficiales con quienes la rodean. Por la mañana hace una caminata y a eso de la una come un gran sandwich. Antes de la representación bebe una taza de té, y otra en el intervalo y después del espectáculo se va directamente a la cama. Todos los días pasa una hora vocalizando y vuelve a hacerlo durante una media hora en su camerino, antes de la función, porque "las cuerdas vocales son músculos y si no se ejercitan a diario se aflojan como los de una bailarina".

Renata Scotto está casada con el director Lorenzo Anselmi y tienen un hijo y una hija. Viven en una casa muy grande en Westchester County, donde ella se ha ganado la reputación de buena jugadora de poker y entusiasta golfista. Su hogar artístico es el Metropolitan, muy cerca del cual tienen un parador. Pero no acepta que digan que lo prefiere a otros teatros "porque no es verdad. Adoro cantar en cualquier lugar, en todos los lugares."

Cheryl Studer

La temporada 1987-1988 fue realmente una cadena de éxitos. Empezó con un debut triunfal en el Covent Garden, con Elisabeth en *Tannhäuser* para terminar con brillantes interpretaciones de Elsa en Londres y Bayreuth, y la Emperatriz de *Die Frau ohne Schatten* en el Festival de Munich. Después de eso Cheryl Studer fue nombrada "Soprano del Año" por el crítico de ópera de *The Times*.

El título estaba completamente justificado; ya sir George Solti había declarado, cuando la escuchó en audición en 1986, que en más de una década no había habido una voz de soprano tan emocionante. Peter Katona, administrador artístico de la Royal Opera, es igualmente entusiasta: "Studer tiene una voz maravillosa, conmovedora, en realidad es la voz *ideal* para los papeles líricos de Wagner."

Obtuvo su primer éxito internacional cuando debutó como Elisabeth en Bayreuth, en la producción de Wolfgang Wagner de *Tannhäuser*, a la que se había incorporado sabiéndolo con sólo tres semanas de anticipación, al retirarse Gabriella Benackova. Estaba en esa ciudad para hacer Freia en *El oro del Rhin*. Nunca había cantado, y no lo sabía, el papel de Elisabeth, y consiguió leer a primera vista "Dich teure Halle", en una audición organizada apresuradamente para que la oyeran Wolfgang Wagner y el director Giuseppe Sinopoli. Los impresionó lo bastante como para que le dieran el papel, lo que significó ensayarlo y aprenderlo al mismo tiempo. Studer no los desilusionó. El público la ovacionó de pie y la crítica exaltó su actuación: "Cheryl Studer es el descubrimiento del día", dijo *The Times*. "El saludo de Elisabeth al empezar el segundo acto, 'Dich teure Halle', tiene toda la impetuosidad y el impulso juvenil que caracterizan a las primeras óperas de Wagner. Miss Studer comienza su carrera con una frescura en el tono y el volumen que son los exactamente requeridos por Wagner. Y la plegaria del Acto III está matizada con un sentido de la línea cuidado y preciso, sin fluctuaciones en el tono." Al fin la clase de soprano que la música esperaba, capaz de insuflar nueva vida en el repertorio lírico juvenil de Wagner.

Studer, siendo muy inteligente y organizada, reflexiona cuidadosamente al encarar sus papeles y describe la interpretación como "el arte de lo obvio, en el sentido de que es, o debería ser, absolutamente lógico. Nuestra tarea como intérpretes es descubrir la lógica que está detrás de la acción y las emociones de cada personaje para clarificar la razón por la cual la música ha sido compuesta de esa manera. La intención yace generalmente en pequeños matices y detalles escondidos en el texto y la partitura; a menudo pasan desapercibidos, aunque ellos pueden dar la diferencia del personaje. Dando por hecho que uno tiene la voz para hacerlo, las líneas anchas se cuidan por sí mismas. Pero las notas pequeñas, las semicorcheas, pueden hacer confuso a un personaje. Es el tipo de cosas a las que presto más atención y en las que trabajo con más ahínco, y aunque lo hago con todos los papeles, me esfuerzo más con Elisabeth. Ella es completamente honesta y debe traslucirse. En realidad su honestidad es su caída."

Studer cantaba ese personaje de *Tännhauser* en la versión de Dresden, preferida por la mayoría de los teatros, incluyendo el Covent Garden y Bayreuth. Pero al grabarla para Deutsche Grammophon, con Plácido Domingo, descubrió que Sinopoli, como lo hiciera Solti, optaba por la más larga, la de París, y al compararla con la anterior, le pareció fascinante. Ayuda a clarificar esta obra tan compleja: "La música del primer acto, en el que no interviene Elisabeth, es totalmente distinta. Me asombré al escuchar el ensayo de la orquesta. Tiene mucho más color, es más sensual y moderna: casi parece otro Wagner que el de la versión de Dresden. Venus tiene una parte mayor, algo muy importante desde el punto de vista dramático porque destaca el conflicto entre las dos mujeres, simbolizando las dos facetas de Tannhäuser." Pero la musica de Elisabeth no es del todo diferente, y en las dos versiones es "una mujer atípica en su época porque es la única que no retrocede o se va cuando *Tannhäuser* anuncia que ha estado en el Venusberg, sea lo que sea lo que deba afrontar. Está dispuesta a defenderlo afirmando que todos son pecadores, aunque es obvio que las declaraciones de él la han herido. Pero quiere enfrentar a toda la sociedad en su nombre. La tragedia real es que al final ella tampoco es capaz de enfrentar las implicaciones. Por propia voluntad muere por él, pero no puede vivir con él. Es un papel poderoso, verdaderamente trágico."

Desde el punto de vista vocal, Elisabeth, que se adecua muy bien a la voz de Studer, está escrita de manera interesante. Por ejemplo, la mayor dificultad no radica, contra lo que se podría suponer, en las dos arias de Elisabeth, "Dich teure Halle" y la Plegaria a la Virgen, "sino en todos esos pequeños monólogos muy *parlando*, cuyo texto es fundamental. Naturalmente, la voz debe superar la orquesta. Pero más importante es cómo estoy cantando –el aspecto vocal– es qué estoy cantando. En lo que hace al desenvolvimiento vocal, está compuesta de manera muy distinta a Elsa en *Lohengrin*. Arranca con 'Dich teure Halle', un aria jubilosa, exuberante, para volverse más y más solemne y vocalmente más lírica a medida que transcurre la obra. En cambio, Elsa está escrita más a 'la italiana', con largas y melódicas líneas cantables. Empieza de manera distinta que Elisabeth, con simples y puras líneas líricas, casi como un lied de Schubert, para hacerse más dramática en el segundo acto y casi histérica en el tercero, momentáneamente loca."

La primera vez que Studer se enfrentó a *Lohengrin* no le gustó, le pareció estático y un tanto aburrido. Pero al sumergirse en la preparación de las representaciones de 1988 en el Covent Garden, la fue entendiendo gradualmente y decidió que, con frecuencia, Elsa había sido malinterpretada por las cantantes, que hacían un personaje demasiado suave, menos fuerte de lo que es en realidad. "Estoy convencida de que no es de ese tipo de personas débiles que sueñan despiertas con su Caballeros de Brillante Armadura. El 'salvador' es una obsesión. Y cuando se convierte en realidad, reacciona pensando que ella es parte de lo que debe ser. Se interna en una especie de viaje del yo que le produce una sensación maravillosa. Ortrud destroza la ilusión."

El canto de Elsa debe reflejar su naturaleza obsesiva. Aun su sueño –Einsam in trüben Tagen– casi visionario, no debe ser cantado de un modo demasiado suave o soñador. "Hay que cantarlo de manera *fanática*, como si estuviera obsesionada. En realidad es más una persona obsesiva que esa especie de leche aguada que es como se la representa por lo general."

El crítico del *Sunday Telegraph*, después de elogiar la "exactitud como de flecha" de su caracterización vocal, "fraseada radiante, en el estilo clásico de Wagner", dice que su representación fue sorprendente. Elsa suele ser presentada como una señora llorosa, pero el apasionado, infatigable interrogatorio de esta Elsa a Lohengrin sobre su identidad, en el Acto III, recuerda el de Judith en *Duke Bluebeard's Castle* de Bartók, con la misma desastrosa falta de habilidad para respetar los más recónditos secretos del marido. También Eva Marton habla de la similitud entre Elsa y Judith.

"Studer cree con razón que el amor destruido no por el odio sino por las dudas y el miedo es el eje de *Lohengrin*, que se desenvuelve entre elementos humanos y suprahumanos. Sea Lohengrin un espíritu sagrado, un gran artista, o lo que fuere, es alguien que de una manera que no es lo normal en este mundo, capta las vibraciones de quienes entran en contacto con él. Por eso Elsa siente que hay algo inadecuado, y ese sentimiento yace detrás de sus dudas. Elsa todavía no sabe que es ella la inadecuada, y se pregunta 'quién es esa persona a quien no puedo ser igual'. Esto la carcome por dentro, de modo que las palabras de Ortrud dan en el blanco. Ella y Lohengrin pertenecen a diferentes mundos que nunca podrán unirse, funcionan en distinta longitud de onda. Al final, Elsa se da cuenta de eso y en el tercer acto canta que nunca podrá alcanzar el nivel de Lohengrin –'Ach! Könnt'ich deiner wert erscheinen"– sin importarle si él le dice su nombre o no."

Para la época en que hizo Elsa en Covent Garden, Studer ya había cantado otros diez papeles de Wagner: las Hijas del Rhin y las tejedoras del destino Freia, Sieglinde, Gutrune, Eva, Irene en *Rienzi* y Drolla en *Die Feen*. Pero para disgusto de sus admiradores, había resuelto cambiar el repertorio y dejar Wagner por unos años. Sus apariciones como Elsa y Elisabeth en el Festival de Bayreuth de 1989 y durante el tour japonés de Bayreuth en el otoño de ese año, fueron las últimas por cierto tiempo. La tessitura de muchos roles wagnerianos, aparte de Elsa y Elisabeth, le parece en este momento muy baja para ella, y un buen ejemplo es Eva en *Los Maestros Cantores de Nuremberg*, que había interpretado en la Opera de San Francisco en 1986.

A pesar de estar escrita líricamente, con largos arcos que recuerdan el fraseo de Elsa, Eva tiene muchos pasajes hablados en bajo especialmente en el dúo con Sachs, que exigen un gran esfuerzo físico. Por lo tanto, y aun habiendo obtenido excelentes críticas, Studer decidió que Eva había terminado para ella. Lo mismo con Sieglinde, "el más maravilloso papel del mundo", que cantara en Munich y fue grabado por Ariola. Pero tomó el papel fuera de repertorio porque, aunque sabía que es bajo, hasta que lo cantó no se dio cuenta de cuán bajo era, o con qué otros papeles podía combinarlo sin riesgo. Podía hacerlo, por ejemplo, con Elisabeth, pero no con la Margarita de *Fausto*, que cantó en el Metropolitan en 1991. Tampoco con Doña Ana, Violeta, Lucía, Norma, Semíramis o Matilde de *Guillermo Tell*, que cantó en La Scala en diciembre de 1988.

"De modo que, aunque he cantado mucho Wagner –con grandes baches en el medio– tambien he dicho 'no' muchas veces. Después de los éxitos de Bayreuth y del Covent Garden, se fue haciendo cada vez más difícil decir que no porque todo el mundo me pedía que hiciera Wagner. No es que cantar Wagner a mi edad sea peligroso, a menos que lo hiciera demasiado a menudo. Pero significaría que no puedo hacer todo el repertorio que estoy ansiosa por explorar. Por eso, aunque disfruto haciendo Wagner, amo sus papeles y con seguridad volveré a ellos algún día, por el momento tengo que dejarlos para cantar todo lo que quiero cantar."

Studer goza particularmente con los papeles alemanes líricos ligeros: partes de Mozart como la Condesa en *Las Bodas de Fígaro*, Doña Ana, y heroínas de Strauss como Arabella y Chrysothemis en *Electra*, nunca tan seguido como para que resultara potencialmente perjudicial, "ya que es muy bajo y dramático, hay que empujar y empujar sin respiro". Le gustaría cantar la Emperatriz y Daphne otra vez, en producciones nuevas. Daphne calza perfectamente con su voz y la obra entera le fascina por su vigencia para nuestra época. "Creo que Daphne es la fundadora del movimiento ecológico."

Su incursión en el repertorio italiano fue controvertido porque la primera impresión es que carece de la necesaria "italianità". Aparte de los dos papeles de Mozart que mencionamos, cantó Lucía en Filadelfia en 1989 y abrió la temporada 1989-90 de La Scala como Elena en *I Vespri Siciliani*, dirigida por Riccardo Muti. Defiende su decisión afirmando que aunque esos papeles, especialmente Elena y Semíramis, no son necesariamente más ligeros que los de Wagner, son más altos y corresponden a su voz. "Mi voz está emplazada muy alto y, aunque sea difícil de creer, tengo también una coloratura cómoda. Tengo Fa agudos, y he grabado la Reina de la Noche para Philips. Pero los papeles de Wagner que están ahora a mi alcance tienen una tessitura más baja y sólo alcanzo el Si natural. El único Do agudo que he cantado en Wagner fue Irene en *Rienzi*, lo cual significa que gran parte de mi voz no ha sido usada. Y a menos que sea cuidadosa, bajará."

Peter Katona está de acuerdo en que Studer no debería ser instada a cantar *demasiado* Wagner o lanzarse a sus papeles más graves, "de otro modo su voz encarará tantas cosas, que en dos años le pedirán que cante Isolda, cosa que por cierto no debería hacer". Aprueba su elección de papeles de Mozart y Strauss, aunque lamente no poder alternarlos con los papeles líricos de Wagner a intervalos razonables. En cuanto a los papeles italianos, opina que no debería hacer más que algunos, como Desdémona, que no exige un timbre o un ataque típicamente italiano. "No creo que le convenga interpretar a Lucía, Gilda, Violeta o Semíramis, porque aunque pueda dar todas las notas, no tiene la presencia o el temperamento de una cantante 'italiana'."

Es interesante comparar esta opinión con la de Riccardo Muti, quien declara que la voz de Studer está "hecha a medida para la ópera italiana". Es evidente que, cuando aparece una voz tan excepcional como esta, los directores están dispuestos a explotarla tratando de captarlas para el repertorio que les interesa. Pero en última instancia, es el cantante quien deberá decidirse, pesando sus cualidades vocales, dramáticas, físicas y temperamentales y así dar un rumbo certero a su carrera.

Después de las aclamaciones recibidas por los estrenos de *Semíramis y Guillermo Tell*, Studer me dijo que se había sentido muy cómoda en esos papeles, especialmente en Semíramis, el cual se había negado a transportar y para el que escribió sus propias cadenzas. Pero también admitió que ni afectiva ni intelectualmente estos papeles le resultaban tan gratificantes como los de Wagner o Strauss. Es explicable que muchos admiradores se hayan desilusionado cuando abandonó sus personajes alemanes para remplazarlos por los italianos. Excepto Desdémona y Elena, con los que probablemente se destacará, como ocurre con papeles que tienen mucho más que simple brillo vocal, surge la pregunta: ¿Debe alguien insistir en papeles como *Guillermo Tell* si eso significa privarnos de una cantante capaz de dar vida a los más sublimes papeles del repertorio alemán, especialmente Wagner? Sospecho que Studer empieza a preguntarse lo mismo, aunque insiste en que cantando repertorio italiano está "volviendo a las bases en las que se apoyaron mi entrenamiento y mi carrera".

Studer nació el 24 de octubre de 1955 en Midland, Michigan, la hija menor "con amplio margen" de padres que, "como todo buen americano de una ciudad pequeña", participaban activamente en la iglesia local. La joven Cheryl cantaba los domingos en la sección de niños del coro parroquial, e invariablemente la gente se quejaba de que su voz se destacaba demasiado. Pasó a la sección de adultos, pero se destacaba todavía más. De modo que empezó a hacer solos. A los ocho años participaba en concursos de talentos locales, tomaba lecciones de ballet, piano y viola, inapreciable esta última por lo que le enseñaba "en cuanto a entonación, fraseo, apoyar y sostener una nota".

A los doce años, después de clamar por lecciones de canto, persuadió a la madre de que le pusiera una maestra, quien pensó acertadamente que era demasiado pequeña. Pero en vista de la determinación de Cheryl, consintió, siempre que las clases fueran muy livianas. Empezaron con ejercicios de Vaccai, que Studer sigue considerando valiosísimos. El bajo americano Samuel Ramey comparte esa opinión, y se juega por esos ejercicios, que "están preparados para desarrollar línea y agilidad".

Al terminar la escuela, Studer concurrió a varios conservatorios americanos y a la Universidad de Tennessee, antes de seguir un curso en el Berkshire Music Center, de Tanglewood, durante tres años (1975 al 77) con una beca completa de Leonard Bernstein. Seiji Ozawa, director musical de la Boston Symphony, se sintió tan impresionado que la invitó a dar una serie de conciertos en 1979. Para entonces había ganado el High Fidelity/Musical America Award (1977) y las Audiciones del Metropolitan en 1978. Animada por estos logros, decidió proseguir sus estudios en Europa, y en 1979 se dirigió a Viena. Concurrió al Instituto Franz Schubert, ganando el Premio 1979 a la Interpretación del Lied. En 1980 estuvo en el Hochschule für Musik estudiando también con Hans Hotter.

Después de una audición, fue aceptada en la Opera del Estado de Baviera en Munich, donde debutó haciendo la Primera Dama en *Die Zauberflöte*. Pero a pesar de que en su audición había cantado arias de *Rigoletto* y *Fausto*, y de que sólo tenía veinticinco años, inmediatamente le dieron papeles de valquiria y norn, y empezó a inclinarse al repertorio alemán, especialmente Wagner. "Yo era muy ingenua y crédula –todavía lo soy, pero menos, espero– y pensaba 'si toda esa gente que *entiende*, piensa que esos papeles son los correctos para mí, ¿quién soy yo para decir que no?' Entonces ni siquiera cuestioné su elección." Pero cuando los papeles se volvieron pesados como Marenka en *La Novia Vendida* de Smetana, y empezó a circular el rumor de que pronto haría papeles como Salomé y la Emperatriz, decidió no renovar el contrato después de ser dos años miembro de la Opera de Baviera. Fue entonces comprensible que, habiéndola descubierto ese organismo, se sintieran molestos y, según Studer, se creara enemigos.

Era tarde para darse cuenta de que había cometido un error, pero no habiendo llegado a los treinta años, quería probar un repertorio distinto en un tearo pequeño. En 1982 el Darmstadt State Theatre la contrató por dos años, empezando con una producción de *Otelo* en la que cantaría Desdémona. También se habló de Constanza, que en ese momento le interesaba mucho. Pero el contrato no especificaba otras actuaciones en particular y de pronto se encontró debutando como Tatiana en *Eugene Onegin* y cantando el papel protagónico de *Katya Kabanová*, ninguno de los cuales respondía a lo que deseaba hacer. Para colmo, en una temporada cantó noventa funciones de repertorio. Terminó su contrato en 1984 y abandonó el teatro para probar suerte en la Deutsche Oper en Berlín. Resultó igualmente frustrante. En dos años, todo lo que cantó fue Freia y Gutrune en una nueva y muy interesante producción de la Tetralogía a cargo de Götz Friedrich, siendo *forzada* a cantar Elisabeth. No quería hacer ese papel a menos que fuera en Bayreuth, donde la acústica elimina mucho de la tensión que significa cantar Wagner. Habían sido programadas tres representaciones del *Mesías*. "Fui a la administración a rogar alguna representación de Doña Ana. Lo conseguí después de suplicar. Desde que los dejé, no he hecho más que trabajar *free lance*." Es extraordinaria la falta de visión de una empresa que no pudo aprovechar un talento de tal magnitud. Pero Studer no perdió el tiempo, porque fue invitada a cantar Freya en Bayreuth, en 1985, y después hizo Elisabeth, que la puso en camino hacia el estrellato internacional.

Después de dejar la Opera de Baviera, Studer siguió apareciendo como artista invitada en el Festival de Munich, donde cantó Irene en *Rienzi*, en 1983. En temporadas sucesivas interpretó Doña Ana, Sieglinde, el papel protagonista de *Euryanthe* de Weber y la Emperatriz en *Die Frau ohne Schatten*.

Llegó el momento de debutar en América y lo hizo en 1984 en el Chicago Lyric Opera, interpretando a Micaela en *Carmen*, producida por Ponnelle. Plácido Domingo encarnó a Don José, y observándolo aprendió cómo cantar piano. "La habilidad para pulir su canto me impresionaba. Yo había oído tenores que chillaban y bajaban. De repente me di cuenta de que en realidad no tenía por qué gritar más de lo que quería o necesitaba, y me pregunté 'Si puedo cantar piano, ¿por qué hago esto?' Por supuesto que es fácil decirlo, pero cantar piano es más difícil que cantar forte: sostener una línea en piano mientras se canta, mantener una hebra de seda que debe estirarse suavemente sin ninguna sacudida, implica un minucioso control al respirar y enorme concentración." Carlo Bergonzi, otro maestro en este arte, explica detalladamente la técnica en *Bravo*.

Studer debutó en París representando Doña Ana en 1985 en Radio France, seguida por su debut en la Opera de París como Pamina en 1986 y Chysothemis en 1987. En esta época se separó de su primer marido. Desde entonces, su constante compañía ha sido Edward Schwartz, que fuera amigo íntimo de la pareja y siempre ardiente admirador de la cantante, a cuya carrera se ha consagrado, alentándola en sus decisiones. Pero después de los estrenos de *Semíramis* y *Guillermo Tell*, hablando con Studer llegué a la conclusión de que es ella misma quien asume, paso a paso, la responsabilidad de cada nuevo repertorio.

Por ejemplo, su experiencia con *Semíramis* le enseñó y la llevó a reflexionar sobre la naturaleza de la técnica vocal, que define como "el equilibrio entre tensión y relajación". Cada cantante tiene sólo una técnica vocal, afirma Studer, pero debe ser adaptada a cada papel, a cada frase. La diferencia entre cantar Semíramis y cantar un papel wagneriano, aunque este no sea mucho más bajo, estriba en que en la música del último hay una tensión armónica, mientras en Rossini hay más relajación armónica, y por consiguiente menos tensión vocal. Por eso sus actuaciones son menos agotadoras. Pero si tuviera que elegir el papel en que se sienta más cómoda actualmente, sin duda elegiría Doña Ana.

Cantó por primera vez este papel en versión de concierto en el Festival de Munich de 1985, y dos años más tarde debutó con él en La Scala. Le parece ideal desde el punto de vista vocal y dramático: un personaje misterioso que exige todo lo que una cantante pueda dar. "Siempre aparece la pregunta, que no debería ser pero es tonta, sobre si pasó algo entre ella y Don Giovanni en el dormitorio de la protagonista, antes de empezar la ópera. No creo que haya pasado nada, pero carece de importancia, porque lo que realmente interesa es que ella quería que pasara. Haya sido un beso o un abrazo apasionado, el contacto físico la despertó. Es el hecho fundamental en Don Giovanni: todo el que lo conoce, cambia a través de su contacto. Es una poderosa personalidad, electrificante, casi un rayo láser, que no permite que nada tocado por él siga siendo lo mismo."

Ruggiero Raimondi opina lo mismo que Studer, y su trabajo conjunto con la Opera del Estado de Viena, donde Luc Bondy pusiera una nueva *Don Giovanni* en 1990, dirigida por Claudio Abbado, se convirtió en un hito en la historia de esta obra.

Studer coincide con Raimondi en que las convenciones sociales son protagonistas de esta y de todas las óperas de Mozart/Da Ponte, y que siempre desembocan en un engaño. "Creo que si Giovanni hubiera llegado más tarde a Ana, y le hubiera pedido permiso formal para cortejarla, con vistas a casarse alguna vez, hubiera saltado a su cuello, porque está locamente encaprichada con él. Pero como Giovanni está fuera de las convenciones sociales, aunque ella realmente *quiera*, no puede aceptarlo. Le resulta dura la relación con Octavio, casi un padre sustituto. Punto. No sé si hay algún interés afectivo. De modo que desde el principio, Ana es una personaje dividido, es muy, muy loca.

"Desde el punto de vista vocal, cantarlo es maravilloso. Especialmente la segunda aria, 'Non mi dir', que yo disfruto especialmente con un director como Muti que entiende la clase de sentido interno que hay en la música. En realidad, de toda la música que dirige extrae ese sentido dramático, demoníaco, pero más en 'Non mi dir' porque no es un aria estática. Debe ser etérea, pero con una especie de sonido *surgente*, hay que percibir cómo brota del cuerpo, y su sensualidad hace que uno goce al cantarlo."

Pero Studer cree que el momento más importante del personaje es el recitativo "Don Ottavio, son morta" antes de la primera aria. No sólo es la parte fundamental y más comprometida de toda la obra, sino que se menosprecia, porque "nadie se preocupa mucho del recitativo, aunque sea la clave del personaje. En él está la explosión de todos los sentimientos que ella experimentó recientemente, y los que ha mantenido encapsulados durante el trascurso de su vida. Es muy dramático y muy difícil vocalmente, tan intenso que lo deja a uno sin aliento. Si algo es, es intenso. No soy la clase de persona que deje pasar desapercibida la intensidad. Tengo que darla, tengo que hacerlo, no puedo evitarlo. Pero encontré la forma de conservar la intensidad mientras reduzco la *tensión* empezando el aria tal como fue compuesta: piano, no forte, pero un piano *intenso*. Después los crescendos, pero sólo hacia el final. El segundo problema se refiere a la marcha de la escena completa, desde el principio del recitativo hasta terminar el aria, fraseando y desarrollándola de tal manera que no sean dos añadiduras sino como una escena manejada por el recitativo. Por lo tanto es importante asegurarse de que uno no está 'cantando' al final del recitativo, si no, el aria no sonará bien."

La identificación de Studer con sus papeles es una de sus características, y lo atestiguan las estupendas representaciones en el Festival de Viena de 1990. Ha desechado docenas de invitaciones para cantar, por tratarse del repertorio de rutina, en el que no está interesada. Interviene sólo en cuarenta representaciones por año, con grandes intervalos, haciendo una serie y luego dejando descansar, por un tiempo, determinado papel. Prefiere esto antes que cantar dos o tres veces aquí y allá cada pocos meses, con lo que llegaría a la rutina. "No quiero que le pase a ninguno de mis papeles, *nunca*. Tengo treinta y tantos años y he llegado a una etapa de mi carrera en la que puedo elegir. Mi repertorio abarca más de cincuenta papeles, algunos eran inadecuados para mí y lo siguen siendo. Por lo tanto, voy a elegir. Hasta ahora no podía. En este momento puedo y voy a aprovechar la oportunidad de hacer lo mejor para mi desarrollo artístico y para mi voz, por su salud y su duración, y quiero extraer de mi trabajo la máxima satisfacción."

Dame Joan Sutherland

Mientras este libro estaba en preparación, Dame Joan Sutherland se retiró de la escena. Su última representación fue Los Hugonotes *en la Opera de Sydney, en octubre de 1990, y su verdadera despedida artística se realizó en el Covent Garden con la Escena del Party del Acto III de* Die Fledermaus *en la época de año nuevo de 1990 al 91, que provocó momentos realmente emocionantes.*

"Disfruto la sensación física de cantar. Pero hacerlo bien demanda mucho tiempo. Lo principal es la respiración, sostener y proteger el sonido como en una columna de aire. Pero muchos se quejan y he oído cantantes que se refieren a 'los músculos de mi garganta'. Yo digo que, si siento algo en la garganta, quiere decir que estoy cantando mal, sosteniendo incorrectamente o forzando el sonido, o haciendo alguna otra cosa equivocada." Esta directa manera de hablar es típica en Joan Sutherland, "la Stupenda", como la llaman los italianos. Es una de las más destacadas sopranos coloratura del siglo, y en el transcurso de sus treinta y ocho años de carrera ha contribuido enormemente a la rehabilitación del *bel canto* que empezara María Callas.

El arte de Joan Sutherland va aparejado con la longevidad de su voz, y su opinión coincide con la de Monserrat Caballé cuando expresa que la adquisición de una saludable técnica respiratoria a edad temprana es crucial. "Sin ella, yo no podría haber seguido cantando a la avanzada edad de sesenta y cinco años. Porque la voz es una cosa física, es parte del cuerpo. Si se rompen otros instrumentos musicales, pueden remplazarse, pero cuando la voz se arruina, se acabó. Como muchas dolencias del cuerpo, las de las voz pueden tratarse, pero no volverá a ser lo que era. Habrá siempre una cierta debilidad, una falta de brillo."

Joan Sutherland nació en 1926 en los suburbios del este de Sidney, hija de un sastre escocés, a quien adoraba, pero que murió cuando ella tenía sólo seis años. Su madre era mezzosoprano y había estudiado con Marchesi, de quien aprendió una técnica respiratoria de primer nivel. Cuando advirtió que la hija no sólo disfrutaba del canto desde chiquita sino que podía emitir agradables sonidos pensó que debía estimularla. "Entonces empezó a sentarse al piano veinte minutos por la mañana y veinte por la tarde haciendo escalas y ejercicios, además de un aria y un par de lindas canciones, explicándome todo lo que hacía. No era enseñanza en el sentido estricto de la palabra, porque no era rígida y no le gustaba la idea de que alguien tan joven tratara de proyectar el sonido. Pero de esta manera casual me quedaron grabados muchos conocimientos, especialmente al ser algo más grande, hasta el punto de que, cuando empecé a estudiar en Sydney, a los nueve años, ya estaba muy adelantada."

La temprana muerte del padre y la necesidad de ganarse la vida la obligaron a dejar la escuela a los dieciséis años y trabajar como secretaria durante el día y continuar sus clases de música al atardecer. Estando en Sydney y siendo sus maestros John y Aida Dickens, debutó profesionalmente en 1947, haciendo el papel de Dido en una versión de concierto de *Dido y Eneas* de Purcell. Enseguida se le presentó la oportunidad de cantar Dalila y la Mujer Israelita en *Sansón* de Handel, y el papel protagonista de *Judith*, una ópera de sir Eugene Goossens, director del Conservatorio.

Fue entonces cuando conoció a un joven pianista que tendría decisiva influencia en su vida y su carrera: Richard Bonynge, con quien se casó en 1954. En un documental para la televisión, *A life on the Move*, se evoca el momento en que la oyó por primera vez en los años cuarenta: "un sonido grande y brillante, mucho más frío de lo que es hoy. Era más un instrumento técnico, sin muchos armónicos ni tanta calidez como la que adquirió más tarde."

En realidad Sutherland creía en ese momento que su voz era más apta para Wagner, y su ambición era convertirse en una cantante wagneriana. "Creo que era una expresión de deseos de mi parte porque admiraba mucho a Kirsten Flagstad, y además estaba entusiasmada por las historias góticas narradas en las óperas de Wagner. Las leíamos en la escuela, y en casa tenía una enorme colección de obras de Wagner grabadas por Flagstad, considerada entonces el pináculo al que podía llegar una cantante. De modo que me parece natural haber querido cantar como ella. Pero no me arrepiento de haber tomado otra senda. Aunque disfruto a lo grande cuando voy a oír óperas de Wagner, mi fascinación disminuyó. Hace poco vi una nueva producción con subtítulos de la *Tetralogía* en Sydney, y me pareció superior, estoy totalmente a favor de ellos."

Después de encontrarse nuevamente con Richard Bonynge en el Royal College of Music, decidió tomar un nuevo rumbo. Había llegado a Londres en 1951, después de ganar el Primer Premio, muy sustancioso económicamente, en la Mobil Quest Songing Competition, en Australia. Con el añadido de un generoso cheque, regalo de un tío, ella y su madre pudieron irse a Londres. Bonynge asistía frecuentemente a las mismas clases en el RCM, donde el profesor de canto de la joven era Clive Carey. Se dio cuenta de que, en privado, ella cantaba con un mayor sentido de libertad y una voz más alta, diferente de la que usaba en clase, y se convenció de que era una soprano coloratura en potencia. Pero era Joan Sutherland quien no estaba segura.

"Me había criado en una casa llena de música para mezzosoprano; mi madre era mezzosoprano, y yo también acostumbraba a cantar en ese registro. De modo que, aunque podía alcanzar las notas más altas, se me hacía duro cantar una tessitura consistentemente alta. Aun Mozart y Handel, los primeros compositores que enfrenté antes de inclinarme al repertorio italiano para sopranos, con una voz media más sólida, me parecían muy altos. Todo el tiempo me parecía estar haciendo algo para lo cual no tenía los recursos naturales y me preguntaba si estaba haciendo lo correcto."

Bonynge confió una vez a *The Telegraph Magazine*: "Esa locura la impulsó a apartarse del piano de tal modo que no podía ver el teclado y, explotando la falta de un oído absoluto, gradualmente fue subiendo hasta pasar su imaginario límite del Do agudo y cantó Mi bemol." Aun así, su transformación en soprano coloratura fue un proceso doloroso y a veces tormentoso. Discutían terriblemente, él se enfurecía ante la negativa de Joan respecto de sus expectativas. Pero al final, brotó la brillante soprano coloratura que conocemos, y ella tuvo que reconocerlo, aceptar los consejos de Bonynge y aceptarlo a él como marido, de lo cual surgió una notable unión musical.

"No podría imaginarme la vida sin Richard, sin su sostén afectivo y artístico", declara. "Recorrer el mundo sola es muy triste y puede ser un terrible problema, especialmente para las cantantes. Sé de lo que hablo porque cuando tuve aquel gran éxito con Lucía en 1955, no teníamos dinero para que Richard viajara conmigo. Fue horriblemente solitario... Me hizo recordar que una vez oí a una famosa soprano alemana quejándose: '¿Por qué estoy aquí, en este miserable lugar, siempre en horribles cuartos de hotel, teniendo mi preciosa casa, mi propio hogar?' Y yo, joven y tonta como era, pensé: 'Desagradecida, tiene una gran voz, una gran carrera, de qué tiene que quejarse?' Ahora la entiendo tan bien, pobre mujer. ¿Qué estoy haciendo aquí en un piso prestado, en Kensington? Debería estar en casa (un gran chalet suizo sobre Montreux, con una espectacular vista del Lago de Ginebra) atendiendo mi jardín.

"Pero por lo menos yo tengo un marido que viaja conmigo y un hijo casado, y nietos. Debe ser muy feo estar sola en esta profesión que pone los nervios de punta. Pero también es muy, muy difícil para una mujer mantener el equilibrio entre las exigencias de la vida privada y la profesional, especialmente si se trata de una carrera como la ópera, en la que se viaja tanto. Por eso es por lo que muchas de nosotras se ponen neuróticas, se destruyen matrimonios y muchos maridos de cantantes pretenden ser empresarios, a veces sin saber nada del tema. Richard y yo nos entendemos perfectamente y cada uno respeta las necesidades del otro. El hace sus palabras cruzadas y yo arreglo mi jardín, aunque tenemos nuestras diferencias, nuestras peleas y riñas."

Quienes la conocen de cerca y trabajan junto con Sutherland, están de acuerdo en afirmar que su estable vida privada es la causa de su modo de ser sano, alegre y práctico. "Soy una persona común, muy sencilla", asegura ella, que es famosa por su generosidad hacia los colegas, su maravilloso sentido del humor, que suele aplicarse a sí misma. Franco Zeffirelli declara en su autobiografía que "la mayor razón por la que Joan es tan sana y tan estable es su matrimonio con Richard que, siendo músico, es capaz de apoyarla e inspirarla profesionalmente, y aun más importante es Adam, su hijo. Muy distinto de la apasionada pero poco satisfactoria relación entre Callas y Onassis."

Hay otro punto de vista, y es que Sutherland puede haber logrado tal estabilidad en su vida privada precisamente porque tenía ya esas cualidades.

Geoffrey Parsons, que ha acompañado a las más grandes cantantes del último cuarto de siglo, habla sobre el papel fundamental que juega en sus vidas una relación equilibrada. "Aparte de las consideraciones afectivas, no tiene precio el tener un segundo par de orejas a mano. Lucia Popp lo tuvo en su primer marido, el director Gyory Fischer, Ileana Cotrubas lo tiene en Manfred, su marido, también director, la mujer de Plácido Domingo era soprano y Elisabeth Schwarzkopf tuvo a Walter Legge que, mientras vivió, la guió y la supervisó en todo lo que hacía. Siempre la comparo con la pobre Rita Streich, que no teniendo ese par de orejas, viajaba con un grabador al que llamaba 'mi pequeño Walter'."

Bonynge, que ha ayudado a su mujer con su gran conocimiento del *bel canto*, llegando a escribir los adornos, ha sido a veces criticado por lo que algunos consideran exagerada intervención en la carrera de la cantante, y en especial por dirigir casi todas sus representaciones y grabaciones durante los últimos veinticinco años. Y no ha dejado de atacársele que convirtiera en coloratura lo que debió haber sido una gran voz de soprano dramática. Quienes se refieren a este punto, alegan que fue su obsesión por el *bel canto* lo que lo impulsó a hacerlo. "El decidió qué es lo que iba a ser ella, y lo fabricó", dice Nina Walker, acompañante y ejecutiva en la industria de la grabación. "Es brillante la forma en que aprendió el estilo del *bel canto* y a cantar los papeles de coloratura tan estupendamente. Pero de alguna manera se puede sentir la 'manufactura' y, aunque sea brillante, su voz no se apodera de uno, o por lo menos de mí."

La transformación gradual en coloratura fue dándose mientras Sutherland era miembro de la compañía del Covent Garden. Se había incorporado a la Royal Opera en 1952, con un salario de diez libras por semana, y permaneció allí siete años. "Probablemente sea lo mejor que me ha pasado, una gran base sólida sobre la cual construir mi futura carrera. Todo el tiempo teníamos maestros que nos ayudaban, y por supuesto, yo trabajaba en casa con Richard. Lamentablemente, no muchas cantantes jóvenes cuentan con semejante base, porque suelen viajar por todo el mundo como invitadas, en lugar de quedarse algún tiempo en un teatro, aprendiendo su oficio y, lo que es fundamental, adquiriendo gradualmente el vigor físico necesario para los grandes papeles."

Durante esos invalorables siete años, "que no cambiaría por nada en el mundo", Sutherland cantó varios papeles: Clotilde para la *Norma* de María Callas en la histórica producción de 1952 en la que también intervenía Ebe Stignani como Adalgisa, *Aída* como protagonista, Amelia en *Un ballo in maschera*, Lady Penélope Rich en *Gloriana* de Britten, Helmwige en *La Valquiria*, Agata en *Der Freischütz*, la Condesa Almaviva en *Las Bodas de Fígaro*, que hizo también en el Festival de Edimburgo, y en Glyndebourne, Doña Ana en *Don Giovanni*, Jennifer en *The Midsummer Marriage* de Tippett. En *Los Cuentos de Hoffmann* interpretó a Olimpia, Antonia y Julieta, en *Carmen* a Micaela, en *Die Zauberflöte* a Pamina, en *Diálogos de las Carmelitas* a Madame Lidoine, en *Otelo* a Desdémona y en *Rigoletto*, en 1957, a una muy elogiada Gilda.

El año 1957 fue un hito en su carrera. Alcanzó un triunfo que significaría mucho en su futuro: la interpretación del dificilísimo papel de Alcina en la ópera de Handel del mismo nombre, con la Handel Opera Society, que le ganó notables críticas y la convirtió en centro de comentarios. Fue el papel ideal para que pudiera lucir su brillante agudo y su extraordinaria capacidad para la coloratura, resultado de la prolongada, ardua enseñanza de Bonynge. Su siguiente papel fue el protagonista en *Rodelinda* de Handel, con el que logró críticas del mismo tenor.

"La más importante característica del estilo handeliano es la longitud de las arias y la expresividad de los recitativos. Pero sus óperas son más bien estáticas, con muchas repeticiones, y hay que ser muy, muy organizado al cantar los adornos, que requieren una gran precisión. Pero como ocurre con toda la música del siglo dieciocho, es saludable cantar Handel o Mozart, me siento como si hubiera hecho un tratamiento para poner la voz en condiciones. Me atrevería a decir que es porque la mayoría de la música del siglo dieciocho está integrada por una serie de ágiles legatos, subiendo y bajando en la escala muy regularmente, casi como un ejercicio de canto que alternara líneas con adornos. Estoy segura de que es por eso por lo que siento tal sensación de bienestar después de cantar a esos compositores."

Al éxito obtenido por su espectacular Alcina siguió, un año después, otro semejante: Doña Ana, en su debut en Vancouver, en su primer encuentro con el público americano. Todo esto convenció a la administración del Covent Garden de que ya estaba preparada para una producción realmente importante: *Lucia di Lammermoor* de Donizetti, dirigida por Tullio Serafin y con dirección de escena a cargo de Zeffirelli. Desde entonces, su interpretación del papel pasó a ser leyenda, y ella empezó a pensar en él como "un viejo par de zapatos muy cómodos, justo de mi medida". No hay para qué aclarar que en sus primeras épocas estaba lejos de serlo. "Tenía problemas desde el punto de vista físico y dramático, pero contaba con Serafin y con Zeffirelli, y los tres trabajamos juntos para convertirlo en un éxito. Serafin era un viejo maravilloso, dulce y gentil, aunque a veces podía enojarse. (Me acuerdo cómo se disgustó con Zeffirelli el día que me llevó a pasear por Palermo en un auto abierto, antes de un ensayo importante.) Quería lo que quería, pero nunca era dictatorial o desagradable. Siempre decía que 'tempo es lo que la cantante puede soportar cómodamente. Hay que guiarse por lo que uno siente que es correcto para cada artista; rápido puede ser rápido, pero no demasiado para la cantante de ese momento.' Estoy segura de que estarán de acuerdo en que no muchos directores de hoy han aprendido esa lección."

Comparándolo con algunos de los papeles más difíciles, como Norma o Ana Bolena, que Sutherland ha cantado después, Lucía no lo parece tanto. "No quiero decir que sea fácil, no pienso que de ninguno de mis papeles pueda decirse eso, pero está compuesto de una manera tan bella y tan bien pensado que parece que lo transportara a uno. La clave es el paso que se sigue. Hasta que lo hice, mis papeles más exigentes habían sido Alcina y las heroínas de *Los Cuentos de Hoffmann*. Pero en esas dos óperas, hay momentos en que puedo relajarme y descansar un poco. En *Lucia*, estoy mucho tiempo en escena, por lo que es fundamental no gastar todas las reservas a la vez. Por ejemplo, inmediatamente después del aria del primer acto, 'Regnava nel silenzio', viene el gran dúo con el tenor. Pero me reservo con la Escena de la Locura al final. De modo que, desde el punto de vista de la marcha pausada, fue una lección."

Junto con su Marie en *La Hija del Regimiento*, que parece ideal para la faz cómica de Sutherland, ella piensa que Lucía es su interpretación más convincente, y otorga todo el crédito a Zeffirelli, "quien trabajó y adaptó a mí sus ideas de modo que me sintiera maravillosamente protegida. Estaba lleno de ideas y sugerencias sobre el personaje, pero al mismo tiempo me permitía, hasta cierto punto, guiarme por mi instinto dramático, lo cual me daba la seguridad de que estaba en el buen camino. Además me hacía confiar tan increíblemente en que podía ser bella, que creo que en esa producción lo fui. Aprendí de él a tener olfato y sentido de lo 'correcto' en cuanto a la moda y lo que yo debería o no debería usar. El se ocupaba del escote, de la línea, de todos los detalles, lo cual me hacía sentir tranquila, libre para concentrarme en el personaje, en lugar de preocuparme por lo que llevaba puesto. Esta es una parte importante del oficio del diseñador. Hay demasiados que tienen ideas definidas sobre cómo quieren vestir a determinado personaje, pero no piensan en el físico del artista que lo representa, ni tampoco planifican la adaptación de los diseños para sucesivos intérpretes."

Zeffirelli recuerda en su autobiografía que su mayor deseo era "hacer algo con ella. Veía que el mayor problema eran sus propios miedos y frustraciones; sabía que le faltaba gracia, que se mantenía apartada y costaba mucho alcanzarla. Me acerqué a ella, le rodeé los hombros con mi brazo, y para mi sorpresa, se retiró asustada, casi enojada. Esto hacía difíciles las cosas, porque soy un animal táctil, tengo que tocar a la gente, sentir la presencia física y la calidez de una persona. Le expliqué lo que pensaba, y siendo el ser maravilloso que es, tomó aliento profundamente y me dio un verdadero abrazo."

El estreno de esa producción convirtió a Sutherland en una estrella. Lo afirmaron el público y la crítica, y lo predijo María Callas al asistir al ensayo general y referirse a ella como a "una gran artista". "Ninguna soprano del siglo ha cantado las grandes escenas de *Lucia* con una rara y preciosa combinación de canto maravilloso e interpretación dramática de la música. En la compañía, Miss Sutherland es ahora la cantante más famosa de Donizetti, desde Pasta hasta Callas", afirmó Andrew Porter en *The Financial Times*; sir John Tooley, ex director general de la Royal Opera House, dijo que "el salto que se produjo en ese momento fue vertiginoso; de miembro de la compañía, al estrellato. No recuerdo ninguna otra cantante que se haya hecho tan famosa en una noche." Empresarios de todo el mundo, alertados por rumores sobre "una nueva sensacional soprano" ya desde los ensayos, estaban ahora ansiosos por su firma. No había dudas sobre su permanencia como miembro de compañía.

El problema era que todo pasó de repente y ella, en cuanto al repertorio, no estaba preparada para el estrellato. Los únicos papeles que sabía en italiano eran Lucía, Doña Ana y Desdémona. Había cantado los otros en inglés. "De modo que allí estaba, una estrella internacional y sin repertorio para cantar internacionalmente. Pero Franco sentía que era importante operar en caliente y conseguir que cantara en italiano, y Richard estaba ansioso porque siguiera trabajando con Serafin, quien podría enseñarme mucho y me protegería como lo había hecho con María Callas."

De modo que los tres se decidieron por *Alcina*, poco conocida en Italia y era el tipo de ópera que le permitiría a Sutherland dar lo mejor de sí. Zeffirelli preparó una producción espectacular para La Fenice de Venecia, dirigida por Nicola Rescigno, y el mundo operístico en pleno se dispuso a escuchar el debut italiano de 1960 de la cantante. Su despliegue de virtuosidad lírica y el asombroso don que era su coloratura produjeron un frenético entusiasmo en el público. No le permitieron irse sin un bis: "Let the Bright Seraphim", con Bonynge, en ropa de época, acompañándola en el clave. A la mañana siguiente, la prensa la aclamaba como "La Stupenda", y desde entonces el mundo sería su morada.

El próximo ofrecimiento llegó desde el Teatro Massimo de Palermo que le dio carta blanca para una serie de nuevas producciones durante la temporada, empezando por *Lucia* (que hizo después en Venecia y París) y culminando con *Los Puritanos* que más tarde pasó a Venecia y el Covent Garden. El electrificante virtuosismo vocal de Sutherland, en el agotador papel de coloratura de Elvira, se convirtió, como su Lucía, en leyenda, y Amina en *La Sonámbula* sigue siendo uno de sus papeles preferidos. Su debut en la Opera de París en abril de 1960 y en La Scala un año después afirmaron su reputación como la cantante número uno de *bel canto* del momento.

Joan Sutherland dice que algo muy importante para recordar cuando interpreta *bel canto* es no limitarse al despliegue de bravura sino encontrar el sentimiento que hay detrás. "Las óperas de *bel canto* no son una serie de fuegos artificiales. Hay música muy expresiva en la que uno debe mantener una línea vocal. No se puede gemir y gruñir de la manera en que lo haría, hasta cierto punto, en el verismo."

Explica que, cuando estudia sus partes de *bel canto*, la mayor dificultad no está en aprender la música, lo hace con bastante poco esfuerzo, pero no le pasa lo mismo con la letra. Aunque empieza por el libreto, es la música lo que invariablemente aprende primero. "Algunas frases de *La Sonámbula* y *Los Puritanos*, por ejemplo, son intercambiables, y lo mismo pasa con *María Estuardo* y *Lucrecia Borgia*, que aprendí en un período muy corto. En una de las arias de Lucrecia me confundí y terminé cayendo en María Estuardo. Es un problema cantar varios papeles del mismo compositor."

Otra vez se encontró con problemas al aprender el papel protagonista de *Ana Bolena*, último añadido a su repertorio, al que describe, despreciativamente, como "más de lo mismo". Algunas frases musicales y trozos de texto pueden ser confundidos fácilmente con otros de Lucrecia Borgia y María Estuardo. Como siempre, se tomó mucho tiempo para aprenderlo con calma, desde el principio al fin, antes de cantarlo en Toronto, durante la temporada 1983-1984, y a continuación en San Francisco, en octubre de 1984. En 1988 volvió a hacerlo, esta vez en el Covent Garden. Le parece un hermoso papel para ser cantado, y emocionante su interpretación.

"En el aspecto vocal, Ana Bolena no es tan cómodo como María Estuardo o Lucrecia Borgia. Hay que estar tranquila y serena para poder cantarlo, y prestar mucha atención a la marcha porque la cabaletta del final, lo mismo que la última en *Lucrecia Borgia*, es realmente ardua. El papel tiene un recorrido amplio tanto vocal como dramáticamente, con algunos recitativos importantes pero tramposos; en determinadas partes la tessitura es muy baja. Y en cuanto a lo dramático, la pobre mujer ha sido premiada con la tarea de representar una cantidad de maldades junto con el *monstruo* de su marido. Fíjese que en la vida real no era semejante monstruo; empezó siendo un rey bueno y popular, y poco a poco se convirtió en un monstruoso tonto. Lo que nos demuestra que la política no era mejor entonces que ahora."

Joan Sutherland encuentra especial placer en leer todo lo que puede sobre los antecendentes históricos y literarios de sus personajes, aunque la realidad tiene poco que ver con lo que se describe en los libretos. Por ejemplo, la conversación entre Isabel I de Inglaterra y María, reina de Escocia, es maravillosa, en teatro, uno de los momentos más dramáticos en *María Estuardo*. Pero nunca tal encuentro existió. "En realidad la tragedia de María es que Isabel nunca accedió a tal reunión. De modo que no importa *lo que* haya pasado histórica o literariamente, nosotros tenemos que interpretar el libreto, y sobre todo la música."

Uno de los grandes riesgos en *Lucrecia Borgia* es equilibrar la sorprendente belleza de la música con la interpretación de una viciosa envenenadora. "¡Es casi imposible! Hemos aprendido que Lucrecia era un peón en manos de su familia, manipulado por malas personas como su marido, que realmente es un villano, y la usaba para lograr sus fines. Pero lo que surge con fuerza del libreto es su enorme amor por el hijo y el deseo de protegerlo. Probablemente por eso Donizetti le puso tan magnífica música. Por más que trato, no puedo encontrar nada malo en ella para transmitir."

Sutherland es consciente de que su preocupación por la música y la línea vocal, y su relativa falta de interés con la interpretación en el sentido puramente escénico, se considera un defecto en el bagaje artístico. "Me han criticado mucho por dedicarme a la línea vocal y no ser lo suficientemente dramática. Pero creo que el compositor ha escrito la línea vocal lo mejor que podía para expresar los sentimientos que quiere. Creo que la gente va a la ópera antes que nada por el sonido del canto. Si buscan una gran representación dramática, que vayan simplemente a ver una obra de teatro." Su declaración es definitiva.

Monserrat Caballé ha expresado lo mismo, y es una opinión que destaca la eterna controversia sobre la naturaleza real de la ópera, controversia que divide en dos campos a los amantes del género; los aficionados que buscan virtuosismo vocal, y se quejan de su desaparición en las nuevas generaciones, lo cual es cierto; y los que, acorde con Callas, que revolucionó la ópera buscando transformarla en teatro vivo, se impacientan con las representaciones apoyadas sólo en valores musicales.

Como Caballé, Joan Sutherland se considera profundamente involucrada con la cantante desaparecida y el estilo que impuso. La conoció cuando cantaba Clotilde en 1952, en la Norma de Callas, con Ebe Stignani, la gran mezzosoprano italiana, haciendo Adalgisa. Sutherland se evoca a sí misma "inclinada ante estas dos mujeres, especialmente Callas, cuya interpretación era *fabulosa*. Uno recibía un golpe. Nunca olvidaré el impacto de su 'Casta Diva', esa voz gloriosa derramándose a su alrededor. Recuerdo que pensé '¿cómo lo hace? ¿Cómo mantiene su voz en tal nivel y tal intensidad? Si yo lo hiciera, estaría terminada.' La volví a oír cantando Norma varios años después, pero vocalmente ya no era lo mismo. Aquellas Normas de 1952 estarán para siempre en mi memoria."

Quedó tan impresionada por esas representaciones que hasta una década después no se decidía a cantar Norma. Por fin, en 1962, se animó a hacerlo en Vancouver, con Marilyn Horne como Adalgisa. Pero la perseguía aún el recuerdo de Callas, y lo peor era que las representaciones no estaban bastante espaciadas. "Así que por primera vez en mi vida tuve una desagradable reacción psicosomática; sentía náuseas, hasta el punto que llegué a preguntarme si estaría embarazada. No lo estaba, de modo que la única forma de explicarlo era por la tensión de haber siquiera *intentado* cantar el papel, después de haberlo hecho tan maravillosamente Ya-Saben–Quién. Estaba segura de que era una reacción a mi tremenda falta de educación a la realidad. Yo nunca he sido así, pero el caso es que cuando terminó el ciclo se terminaron las náuseas."

Las representaciones de Vancouver le enseñaron no sólo a controlar sus nervios, sino que le dieron una lección fundamental: no cantar ese papel sin tener por lo menos dos días libres entre una función y otra.

Norma es una ópera muy larga, y por eso, según Sutherland, el mayor problema es aprender a seguir el paso. "Como muchos papeles del *bel canto*, empieza con un aria de 'grand entrance'. Y es atemorizante cantarla, continuar con el magnífico recitativo dramático y la *espléndida* aria lírica, 'Casta Diva', todo eso después de la cabaletta tan visceral, 'A bello a me ritorna' al empezar la ópera, *sabiendo* lo que falta, y que el único descanso en toda la función es el dúo entre Adalgisa y Pollione. No puedo dejar de pensar que quienes *creen* que pueden cantar Norma no tienen en cuenta todo esto. No consideran su dificultad musical, dramática o desde el punto de vista del vigor físico. Probablemente se dicen: 'Bueno, doy tal o cual nota, por lo tanto puedo cantarlo.' Pero cantar Norma significa mucho más que eso. Uno tiene que saber de qué es capaz antes de poder manejarlo, porque no sólo hay que hacer las cosas, hay que hacerlas durante horas. Y ahí está Pollione cantando al mismo tiempo que uno, y hay que aprender a combinar la voz con la de Adalgisa. Los dúos deben resultar una mezcla perfecta. No puede andar una a golpes por ahí, y la otra por allá. Tienen que estar absolutamente combinadas. De modo que uno tiene que ser capaz de aumentar o suavizar el sonido según quién sea en ese momendo Adalgisa." (Lo ha hecho con Marilyn Horne, Ebe Stignani, Fiorenza Cossotto, Margreta Elkins, Tatiana Troyanos, la joven cantante americana Nova Thomas y, en grabación, Montserrat Caballé.)

Naturalmente que al madurar su voz el papel le ha ido resultando más fácil. Protesta por el hecho de que, al ser mayor y tener un diferente timbre de voz, es mucho más sencillo cantar algunas partes de Norma. "En las primeras épocas la voz era mucho más ligera y yo temía deprimir demasiado el sonido en ciertos momentos porque podría afectar mi agudo, y yo necesitaba para otros papeles de mi repertorio una tessitura mucho más alta. Ahora Norma me parece vocalmente cómoda y en lo dramático lo tengo bien afianzado. Adoro a esa mujer. Ella, Violeta, de *La Traviata*, y Adriana Lecouvreur, que es uno de mis papeles más recientes, son mis favoritas. Las quiero porque son más humanas, más 'gente de verdad' que muchas de las otras heroínas que canto."

Fue una época realmente turbulenta aquella en que cantó Violeta por primera vez. Todavía se oían los ecos de la triunfal Lucía de 1959, y Sutherland confiesa sus temores ante el nuevo desafío: "Tenía realmente pánico. Yo no era la primera ni la última en subestimar la longitud y las exigencias del papel, que requiere diferentes clases de voz, desde la brillante entrada del primer acto, 'Sempre libera', con mucha coloratura. En cuanto a mí, es un papel *asesino*, porque está ubicado mucho tiempo en la voz media. Además hay que tener gran cantidad de voz, por la baja tessitura de la primera escena del Acto II, muy tramposo, que culmina en el grito 'Amami Alfredo'. En la segunda escena del mismo acto, la música de Violeta es maravillosa, en especial después de la denuncia de Alfredo. Nunca olvidaré la forma en que Callas cantaba 'Alfredo, Alfredo, di questo core', como si estuviera en un plano diferente. Lograba un efecto increíble, como su tristísima manera de cantar 'Dite alla giovine' en la primera escena del segundo acto."

Dentro del verismo Joan Sutherland ha hecho solamente dos papeles: *Suor Angelica* de Puccini, y *Adriana Lecouvreur*, que cantó por primera vez en 1983, en San Diego. Su amor por el segundo se debe a que "es tan humana, con sus sentimientos de celos, rivalidades en el teatro y demás. Posiblemente por mi edad, no la veo como un personaje inmaduro en el estilo de Gilda, Amina o Elvira, aunque la verdadera Adriana Lecouvreur murió muy joven. Como era una actriz conocida, automáticamente nos llega como una sofisticada mujer de mundo. Por supuesto, el género verista tiene algo que ver con esto."

A Sutherland siempre le gustó escuchar obras veristas, y gozaba cantando Adriana y Suor Angélica, aunque afirma que, a menos que la cantante sea cuidadosa y se restrinja un poco, el verismo puede ser arriesgado. "No como el *bel canto*, que se componía con una especie de decoro, en el verismo hay un cierto abondono que causa un problema: uno tiende a dejarse llevar por la emoción, más que en las blandas heroínas del *bel canto*. De este modo se cae fácilmente en la trampa de empujar la voz. Pero es gracioso. Por un momento pensé hacer *La Gioconda* pero al final desistí. Primero, hay una increíble representación de Gina Cigna, y en segundo lugar, está lleno de cosas menos peligrosas para cantar." Por ejemplo, la ópera francesa, un campo que Sutherland ha explorado tan profundamente como el *bel canto*. "El francés es un idioma maravilloso para cantar, emparentado con el italiano pero con más cambios en las vocales. Mi profesor de francés me decía que yo remarcaba los sonidos cerrados, y yo le contestaba diciendo que era un mecanismo de defensa contra la tendencia a deslizarme en mi mejor acento australiano. Pero por más que trataba, siempre aparecía un lindo diptongo australiano; ¡realmente es terrible este tonito nuestro!" Su repertorio francés incluía las tres heroínas de *Los Cuentos de Hoffmann*, Ofelia en el *Hamlet* de Ambroise Thomas, la reina Margarita de Valois en *Los Hu-*

gonotes de Meyerbeer, Sita en *El Rey de Lahore* de Massenet y el papel principal en su poco representada obra, *Esclarmonde*. Cantó esta última por primera vez en 1974, en la Opera de San Francisco y en 1983 la repitió en el Covent Garden.

Richard Bonynge siempre pensó que la voz de su mujer era adecuada para interpretar el papel de Thaïs y el de Manon, pero en un momento dado ella no pudo seguir con ellos. "Aunque vocalmente me convinieran, interpretar a la joven bailarina de un templo y a una chica recién salida del convento cuando una tiene los años que yo tengo, sería ir demasiado lejos. Pero es triste que Massenet sea conocido casi únicamente por *Werther* y *Manon*, habiendo compuesto óperas maravillosas. Algunos trozos de *Esclarmonde* son magníficos y muy cantables. Pero han quedado en un estante durante años, desde la muerte de Sybil Sanderson, para quien fue compuesta." La razón más probable es que, hasta Sutherland, nadie haya podido cantar esta música torturantemente difícil.

Hay otro género con el que disfruta, que es la opereta, muy adecuada a su faz cómica. La considera "música realmente de seres humanos" al compararla con las rebuscadas tramas de la mayoría de las óperas de mi repertorio. "Hasta la música se aproxima más a la de nuestra época. Pero es un trabajo arduo, es arduo interpretar bien el diálogo porque es fácil subestimar la calidad y el estilo de voz requeridos."

Con un repertorio tan amplio como el suyo, con tal cantidad de grabaciones, es justificado el orgullo de Sutherland por seguir cantando de manera tan notable hasta los sesenta y cinco años. No cree que hubiera podido hacerlo de haber seguido la carrera de cantante wagneriana "porque la orquesta wagneriana es muy pesada, y para imponerse a ella las cantantes tienden a empujar la voz, aunque no deberían. Después de todo, las primeras cantantes de esas óperas estaban entrenadas en la tradición del *bel canto*, y Wagner inventó el foso hundido y cubierto, de modo que las cantantes pudieran hacerse oír sin necesidad de gritar. Pero hay un problema, y es que, aparte de Bayreuth, esas óperas no se representan en teatros con fosos cubiertos y su especial y ampulosa manera de sonar lleva a muchos directores a extremar sus actitudes. De modo que las cantantes, para hacerse oír, tienen que valerse de una proyección extraordinaria y, tratando de agrandar sus voces, disminuyen su capacidad para la coloratura y la fioritura del repertorio de *bel canto*.

"De modo que no me arrepiento de haberle vuelto la espalda a Wagner y no tengo ansias secretas sobre ninguna de sus heroínas, no, ni siquiera de Isolda." Dame Joan Sutherland se inclina sobre su trabajo de aguja, un gato negro de mirada pícara en un pequeño almohadón, tarea característica en ella, que "me mantiene calmada en los ensayos y sesiones de grabación".

Dame Kiri Te Kanawa

Con mirada retrospectiva es fácil entender por qué la maorí Kiri Te Kanawa tardó sólo una noche en convertirse en estrella, después de una sensacional representación de la Condesa en *Las Bodas de Fígaro* en el Covent Garden. Era el mes de diciembre de 1971. El autor y crítico Andrew Porter la ensalzaba en el *Financial Times* diciendo que "no he visto nunca una Condesa Almaviva semejante, ni en el Covent Garden, ni en Salzburgo, ni en Viena... La nueva estrella es Kiri Te Kanawa."

Ante todo, es poseedora de una de las más bellas voces de soprano de la actualidad. Adjetivos como "cremosa", "perlina", "voluptuosa" no les alcanzaban a los críticos para describir su esplendor, su calidad, su capacidad para deslizar su voz sobre largas líneas, y la facilidad con que se abre en las notas más altas "como una deliciosa rosa". En segundo lugar, tiene una radiante presencia escénica y un don de comunicación innato. El público la ama, y la lista de sus fanáticos admiradores incluye a miembros prominentes del sexo opuesto como Bernard Levin, cuyas rapsodias publicadas en *The Times* son legendarias, y el príncipe Carlos. Habiéndola invitado a cantar "Let the Bright Seraphim", de Handel, en su boda, le retribuyó nombrándola Dama del Imperio Británico en el New Year's Honours de 1982.

De esta artista extraordinaria podría mencionarse un único defecto: cuando no se siente estimulada por el director de escena, puede no involucrarse lo suficiente en el aspecto dramático de la representación. Pero con Peter Hall, Otto Schenk y Joseph Losey, ha logrado interpretaciones rotundamente convincentes. Es una artista más intuitiva que racional, y matiza sus personajes con impulsiva reacción a la música antes que al texto. No es afecta a largos períodos de concentración, y en sus primeras épocas tendía a aprender sus líneas casi en el último momento. Esto no es tan poco común como se podría suponer. Montserrat Caballé es famosa por el mismo hecho.

James Lockhart, director de música de la Opera del Estado de Koblenz, que antes lo fuera en la Opera Nacional Galesa, cree que es natural en cantantes con voces excepcionalmente bellas. "Si tienen problemas técnicos, es obvio que deben trabajar más duro. Pero si su voz es fantástica, no necesitan trabajar tanto. Funcionará el instinto que un profesor de música no tiene; él será apto para hablar de la estructura de una ópera, le traducirá un libreto palabra por palabra. Pero no podrá hacer vivir ni siquiera una canción de cuna." Vera Rosza, maestra de Te Kanawa durante años, opina que "su antigua tendencia a dejar las cosas para el último momento se debía en parte a que no le gustaba trabajar de más, quería que la dejaran tranquila, y, en parte, a que disfrutaba el riesgo de caminar por el filo de las cosas."

En la naturaleza de Kiri Te Kanawa hay una misteriosa contradicción entre la artista seria y dedicada, y la mujer extravertida que ama la diversión y goza de la vida hasta donde puede. Ella considera que el hecho de ser Piscis tiene que ver con su dualidad, cosa que se advierte en el aspecto vehemente de su temperamento, ideal para papeles como Doña Elvira en *Don Giovanni*. Por otro lado, su faz plácida, a veces próxima al letargo típicamente maorí, según dicen quienes conocen esas latitudes, la hace intérprete perfecta de las heroínas más tranquilas de Strauss y Mozart.

Después de su triunfo en el Covent Garden, durante un par de años Te Kanawa no cantó más que Mozart. Como Joan Sutherland, también convertida en estrellas, en el transcurso de una función, haciendo *Lucia di Lammermoor*, carecía de repertorio y no estaba preparada para la afluencia de invitaciones internacionales que empezaron a llegar. Estaba en condiciones de aceptar solamente la de Lyon, en la primavera de 1972, la de San Francisco para el otoño del mismo año y la del Festival de Glyndebourne que se realizaría en el verano del 73, haciendo en todos el papel de la Condesa. Mientras tanto, aprendía nuevos papeles y ahora agradece que su falta de repertorio le impidiera hacer tanto y tan rápido, obligándola a cantar mucho Mozart, que ella considera un compositor "tranquilizante".

"Mozart es tremendamente técnico y muy exigente, en el aspecto musical y en el dramático. Vocalmente, porque su música es tan limpia, desprovista de lo superfluo, que es imposible disimular nada. Dramáticamente, porque hay que encontrar la manera de expresar pasión y emoción dentro de esa forma clásica y limpia. Y hay que expresarlas, porque Mozart era una persona muy cálida, sensible y de sentimientos profundos, cuya naturaleza se reflejaba en su música, casi siempre magnífica. De modo que necesariamente hay que expresar todas esas sensaciones dentro del marco clásico. No estoy segura de poder explicar cómo debe uno conducirse para poder representarlo. Hágalo usted. Hay gente que puede analizar las cosas y gente que no. Yo nunca analizo demasiado los papeles y no soy muy buena hablando. Me cansa y creo que es mejor dejárselo a los políticos, que siempre parecen salir del paso. ¡Yo soy mejor cantando!"

Hace tanto tiempo que aprendió la Condesa que no puede explicar cómo llegó a interpretarla, que sería como "pedir a una cámara que explique cómo toma cierta fotografía. Probablemente respondiera que no sabe lo que pasa por su mente, que simplemente lo hace; una reacción refleja ante un estímulo determinado, que en mi caso es la música... Pero el momento más arduo fue y sigue siendo 'Porgi amor', porque hay que cantarlo en cuanto se llega al escenario, sin tiempo para entrar en calor. En aquella época seguía el consejo de Colin Davis y lo cantaba cuatro o cinco veces en mi camerino antes de salir a escena."

En abril de 1972 representó con la Opera Escocesa su siguiente papel importante, Desdémona, en *Otelo* de Verdi. Un año después cantó en el Covent Garden haciendo de Micaela en *Carmen*, papel que interpretó Shirley Verrett con Plácido Domingo en el papel de Don José y dirección de sir George Solti. Hizo también Doña Elvira, en *Don Giovanni*, con Cesare Siepi en el papel protagonista y Amelia en la producción de Tito Gobbi, de *Simon Boccanegra*. La última le valió grandes elogios de dos de los principales críticos ingleses, conocedores fervientes de Verdi: Andrew Porter, que dijo en el *Financial Times*: "Es un placer inusitado poder elogiar a la intérprete de una heroína de Verdi, sin ninguna clase de reservas", mientras Harold Rosenthal, que en vida fuera editor de *Opera*, habló de "la revelacion de la noche... he aquí una soprano de Verdi cantando al más alto nivel".

Cuando Te Kanawa hizo un debut no programado en el Metropolitan Opera House, en febrero de 1974, un mes antes de lo planeado, su interpretación de Verdi conmocionó también a los críticos americanos. Había sido comprometida para cantar Desdémona el 7 de marzo, en la producción de Franco Zeffirelli, pero la mañana del 9 de febrero Teresa Stratas avisó que estaba enferma y debería cancelar su actuación. Con unas pocas horas por delante, se pidió a Kiri que acudiera a suplirla. Estaba sola en Nueva York. Su marido, su maestra y su agente –"todo el sistema de seguridad de mi vida"– no eran esperados hasta poco antes del debut previsto. Ella se sentía como "la persona más solitaria del mundo". Después de una hora de calentamiento en su casa, tomó un taxi, esperó unos pocos minutos para observar la complicada puesta en escena, sus distintos niveles, y a la hora de levantarse el telón estaba lista.

Porque el papel era adecuado para ella, porque su adrenalina funcionaba, según Jon Vickers, quien se desvió de su camino para "echarme un vistazo y hacerme sentir que estaba entre amigos", su debut fue sensacional y tumultuosamente aplaudido. Las críticas no lo fueron menos: "Miss Te Kanawa se ganó al público desde el comienzo y no lo perdió", dijo *New York Times*. "Su voz tiene un adorable sonido fresco, su emisión vocal es suave, su canto elocuente y su actuación emocionante e invariablemente elocuente", mientras el *New Yorker* la calificaba de "belleza fuera de lo común, soprano lírica llena de gracia, con una voz pura, bien entrenada, que usa como una artista". Jon Vickers recuerda que ella "se remontaba como un barrilete", y le costó dos días bajar de las nubes. Su debut "oficial", el siete de marzo, fue igualmente un éxito pero sin temores.

En esa época, su modo de encarar a Desdémona era sencillo, porque ella era "joven y fresca, y nueva para el papel", que había hecho sólo en Glasgow. "La veía como un personaje infantil, una chica en el éxtasis del amor. Había luchado contra todos para casarse con Otelo, se entrega a su matrimonio con arrobamiento, ciega a toda sospecha, a la turbulencia interior de Otelo y a su gigantesca animosidad. En el tercer acto, cuando es obvio que algo anda mal, se pregunta qué es lo que ella hizo para provocar ese cambio de carácter. Vocalmente es un papel cómodo porque fluye sin esfuerzo. Dramáticamente es un poco frustrante porque el personaje es algo pasivo para mí. Soy muy positiva y me es más fácil hacer funcionar una actuación hacia arriba que hacia abajo."

Su siguiente personaje le permitió hacerlo: Doña Elvira en *Don Giovanni*, que cantó en el Covent Garden en el otoño de 1973, en el Metropolitan en enero de 1975 y en la Opera de París un mes más tarde. Era un papel que hacía con verdadero placer porque "me lleva al borde de la locura. Ella es una persona muy positiva, en una posición muy positiva, pero que no puede controlar. Es salvaje, todo fuego, y esta faz del personaje tiene un eco profundo en mí. De modo que siempre paso buenos momentos con ella. Pero también tiene una imagen penosa: muchas veces es estúpida, porque intenta cambiar a un hombre, algo que nadie puede hacer. Es terriblemente sexual, pero al mismo tiempo es mujer de un solo hombre; la única en la obra que ama realmente a Giovanni por encima y a pesar de todo. Por eso nunca se identifica con Ana y Octavio. Trato de pintarla casi insana; hay lapsos de calma y lucidez, y de golpe ¡zas! al otro extremo. El tremendo salto de ese estado maniático a los momentos de frialdad la aproxima a mí." Te Kanawa disfruta representando personajes histéricos porque "la razón de la histeria" debe traslucirse en la interpretación. Ahora se manifiesta en su muy personal Elvira, en el *Don Giovanni* filmado por Joseph Losey.

A pesar de sus grandes triunfos, a ambos lados del Atlántico, a principios y mediados de los años setenta, la cantante dice que no empezó a creer que su carrera "estaba realmente llegando a alguna parte" hasta 1977, cuando hizo el papel principal en *Arabella* de Strauss, en el Covent Garden. Era su primera representación de Strauss, y estaba atemorizada por la enormidad e importancia del papel, muy distinto de cualquiera que hubiera hecho. Después de aceptarlo, dos años antes de la representación, voló a Colonia sin saber nada sobre el tema, ni el texto, ni la música, para ver una función y averiguar cómo la impresionaría. "Creo que a veces es importante ver una pieza 'en crudo' y descubrir los sentimientos y reacciones espontáneas."

208

Su respuesta fue indentificarse inmediatamente con Arabella, porque "en mí hay mucho de ella. Yo también puedo apartarme de las situaciones emocionales y las crisis y mirar las cosas fríamente." Para su sorpresa, descubrió que cuando llegó al Covent Garden a estudiar el papel había retenido lo que más la había impresionado cuando lo vio en Colonia: el dúo entre Arabella y Zdenka en el primer acto, y el de Arabella y Mandryka en el segundo. Y otra vez sintió que Matteo la irritaba. "Seguía poniéndome los nervios de punta como lo había hecho antes porque, desde el punto de vista de Arabella, es insufriblemente aburrido, y da vuelta alrededor de las cosas de un modo muy bonito, lo que es un error. Si alguien no lo ama a uno, no se pueden hacer derramamientos antes esa persona con cartas y ramos de flores y cosas por el estilo. Hay que ir al grano y decir: '¿Me amas o no? Si no me amas me mataré, y si me amas vamos a casarnos'."

Como siempre, fue la música lo que le permitió hacerse un claro esquema del personaje. "Si uno escucha la música cuando Arabella está bajando las escaleras al final, con una copa de agua en la mano, se puede oír la suavidad de una mujer. Y una mujer es maravillosa cuando se ablanda y se la siente femenina y se está dando a un hombre. Se puede oír, en la música, esa humildad que es todo lo que una mujer debería tener... de vez en cuando."

William Mann, renombrado experto en Strauss, dijo en *The Times*: "La escena final en la escalera fue lo más radiante y adorablemente detallado que puedo recordar entre las Arabellas, en décadas de dedicación a este trabajo." Al final del ciclo, la misma Te Kanawa sintió que estaba "en el buen camino representando a Strauss, lo mismo que siempre pensé sobre Mozart".

Arabella probó, más allá de toda duda, que ella era soprano de Strauss de nacimiento; y explica cómo "el secreto de cantar Strauss se reduce a saber si uno puede cantar todos esos millones de notas y sentirse cómodo. Su música es muy, muy especializada y diez veces más difícil que cantar ópera italiana (aunque para mi voz no es tan cansadora como Puccini) y eso explica que sea menos 'popular', en el sentido más amplio de la palabra. Cantar cosas italianas es más fácil, porque uno se deja llevar por la línea melódica, y el trabajo se hace casi por sí mismo, aunque hay algunos puntos, como el final de ciertas arias, en que los cantantes se detienen, un poco esperando aplausos. (Hasta lo hacen en los ensayos. Pero yo nunca espero aplausos hasta que llegan.) En Strauss no es cuestión de hacer una pausa para eso, hay que seguir. No hay un momento de respiro, ni siquiera para pensar en el aplauso."

En diciembre de 1981 cantó su siguiente papel importante de Strauss, la Mariscala, en *El Caballero de la Rosa*, dirigido por Solti, en producción de John Schlesinger, y lo repitió en noviembre de 1984 y febrero de 1985, siempre en el Covent Garden. Le llevó mucho tiempo y trabajo prepararlo, más que Arabella, porque es "como un rompecabezas que hay que armar trozo a trozo". Desde el punto de vista dramático, los primeros cinco minutos del primer acto le parecen lo más complicado que haya hecho en cualquier ópera. "Una vez pasados esos cinco minutos, en los que está en la cama con otra mujer, se puede salir adelante. Para que fluya la acción, es fundamental estar tranquilo, y pensar en el largo monólogo que hará la Mariscala al final del acto. En caso contrario, uno se sentirá confundido en el trastorno de la recepción y todas sus maquinarias perdiendo la continuidad del personaje.

"Musicalmente, si se toma el Acto Primero compás por compás, uno se pregunta cómo hizo el hombre para escribir tantos y hacer que funcionara. Cantándolo, tratando de memorizar todos los cambios de humor, de modo de pensar, todos los maravillosos detalles en que se detuvo, a uno le parece demasiado para que la mente pueda abarcarlo. El tercer acto casi se desliza solo, pero en el primero eso no ocurre hasta después de la recepción. Mientras Ochs todavía está ahí, es un caos, hay pánico, y es en ese momento cuando hay que estar más alerta ante todos los cambios. Las dificultades del primer acto se sintetizan en aprender a reaccionar a las diferentes modalidades y palabras de los personajes, a lo que están diciendo en relación con lo que yo estoy diciendo, y no anticipar sus pensamientos sin que realmente hayan hablado. Es lo más difícil de todo el papel para alguien como yo, que no hablo demasiado alemán; muchísimo más difícil que aprender la música."

La segunda vez que cantó el papel en el Covent Garden, acababa de atravesar una serie de problemas. "No golpes serios, no tragedias como las que tiene que soportar mucha gente, pero creo que bastantes como para entender un poco mejor a la Mariscala. Es una gran mujer, un personaje más bien contemplativo, introspectivo. De modo que si uno ya tiene algunas canas, es más fácil hacerlo." Mientras ensayaba para este ciclo, trabajaba afanosamente en su alemán, ayudada por George Solti, hasta llegar a hablarlo casi perfectamente.

Solti es la persona que, además de su maestra Vera Rosza, le ha enseñado más a través de los años. "Los dos son judíos húngaros, y su energía, aun cuando sólo piensen en la música, es increíble. Reconozco que harían falta por lo menos veinte personas para producir semejante energía, semejante cantidad de ideas y conceptos sobre la música como los que hay en ellos. Toman su trabajo con tal intensidad, que a veces consiguen convertir a una perezosa como yo en una adicta al trabajo. Sin esos dos húngaros tan importantes en mi vida no hubiera tenido la habilidad, el conocimiento o el impulso necesario para salir adelante y hacer lo que estoy haciendo... A veces me imagino a Vera lívida, moribunda, pero que fiel a su promesa de 'hacer que te sientas maravillosa en dos minutos' consigue alentarme y darme fuerzas."

Vera Rosza no sólo le enseñó a Kiri Te Kanawa lo más importante de su soberbia técnica, sino que la aconsejaba sobre la elección del repertorio, consciente de que "sería criminal empujar esta voz lírica; no me puedo imaginar otra que sea la quintaesencia de lo lírico como la de Kiri." Su repertorio relativamente corto incluye principalmente papeles de Mozart: Pamina, Elvira, la Condesa y Fiordiligi; Mimí en *La Bohème*, Micaela en *Carmen*, Tatiana en *Eugene Onegin*, Rosalinda en *Die Fledermaus*, Violeta en *La Traviata* y los papeles de Verdi y Strauss de los que ya hablamos.

Hacia 1980, ella pensó que su voz había adquirido la necesaria madurez y resistencia como para intentar dos de los papeles más pesados de Puccini: *Tosca* y *Manon Lescaut*, usualmente cantados por sopranos lírico-spinto. Kiri era consciente de que corría un riesgo y entraba en un aria de inseguridad vocal, especialmente con Tosca, al que considera "un papel maravilloso, pero vocalmente yo sólo puedo cantarlo con la voz que tengo, y supongo que siendo lírica quedaría agotada en el proceso. En Puccini el problema está en la orquestación, grande y densa, y en su costumbre de hacer que la orquesta repita una línea vocal. No hay forma de que una voz puramente lírica pueda competir con una enorme orquesta que está doblando el canto, y menos si es en el registro más bajo. Hace poco pensaba en esto mientras grababa con Nelson Riddle. Me dijo que una de las reglas de oro para componer acompañamientos orquestales para cantantes es no doblar nunca su canto con el de la orquesta. Los suyos eran como almohadones, podía descansar en ellos. ¡Denme un almohadón *así* cuando canto a Puccini!" Después del estreno de *Tosca* en París las críticas resaltaron la dificultad a que se refería la cantante con respecto a la proyección en el registro más bajo. Con mucha sensatez y conciencia de sus posibilidades, no volvió a hacer el papel porque excedía su natural capacidad vocal.

Su experiencia con Manon Lescaut tampoco fue feliz. Cantó en el estreno padeciendo una fuerte gripe y desoyendo los consejos de su maestra, que quería que se suspendiera. "Fue la única vez que le recomendé a Kiri cancelar una función de ópera", confirma Vera Rosza, "porque había estado luchando con la enfermedad durante unos meses." Te Kanawa opina ahora que debería haber interrumpido su trabajo por lo menos por dos meses. Pero le decían que no podía dejar colgados a los demás colegas, como Plácido Domingo en el papel de Des Grieux, Thomas Allen como Lescaut, el director Giuseppe Sinopoli y el director escénico Piero Faggioni, y al mismo teatro, porque la obra iba a ser televisada y filmada en vídeo. "Con una agenda como la mía, no podía permitirme estar enferma o cancelar. Pero si uno no lo hace a tiempo, al final termina con problemas que duran meses o años. Como consecuencia de haber hecho Manon Lescaut, no estuve bien durante un año, sin dejar de trabajar, claro, pero luchando.

"Nadie se puede imaginar cuánta gente me dice que no puedo cancelar, aun cuando yo sé que debería. Entonces pregunto, '¿Y yo, qué?', ante lo que encogen los hombros y responden: 'Oh, estarás bien, yo te veo bien.' Y el resultado es que uno canta no sintiéndose bien, y el mundo, por un solo papel, la juzga mal para siempre. Pero si cancela, porque puede verse obligado a hacerlo, todos los que nunca se han preocupado por nada, como empresarios, la gente de la industria de la grabación, etcétera, aparece para decir que uno se pasa el tiempo cancelando, y se adquiere reputación de informal. Por lo tanto, nunca se está en situación de ganar... La única manera de sobrevivir, en este negocio, es creer en uno mismo y proceder de acuerdo con las propias convicciones. Si uno se pone a escuchar a los críticos y a toda la gente que opina, se iría derecho a la cama sin preocuparse en absoluto; porque siempre se los oye diciendo que es muy baja o muy gorda, o que determinado papel estuvo mal, o que el papel no es el indicado, que la voz no es tan fresca como era, o que el modo de cantar no responde al estilo. Mi regla es no escuchar a nadie excepto a mí y a mi maestra, Vera Rosza."

Por lo general, Te Kanawa ha tenido suerte con sus maestros, desde Vera Rosza a la hermana Mary Leo, una monja católica con quien durante su adolescencia estudió en Nueva Zelanda. Kiri nació el 6 de marzo de 1944, en la costa este de la Isla del Norte, de padres maorí-europeos. Muy chiquita fue adoptada por un matrimonio con las mismas características: un padre maorí, al que adoraba, y una ambiciosa y dinámica europea cuyos antepasados provenían de la Isla del Hombre. La niña era extravertida, le apasionaba tocar el piano y cantar, y llenaba la casa de amigos. La querían muchísimo y le hacían sentir que era extraordinaria; es interesante el hecho de que nunca vio a sus verdaderos padres.

A los tres años, su madre le enseñó algunas canciones infantiles y se dio cuenta de que, a pesar de que daba sólo cuatro o cinco notas, eran bajas y oscuras. A los siete años, empezó con lecciones de piano; estaba dispuesta a que la hija hiciera una gran carrera como cantante sin que nada se interpusiera en el camino. Recorrió toda Nueva Zelanda en busca del maestro adecuado. Cuando oyó que la mejor era la hermana Mary Leo, de la Escuela Católica para Niñas St. Mary, en Auckland, le escribió de inmediato, y la respuesta fue que once años era una edad muy temprana para lecciones serias, y que lo mejor sería esperar hasta los dieciocho. Pero la madre no lo aceptaría. Dos años más tarde, toda la familia se fue a Auckland y Kiri ingresó en St. Mary.

A los dieciséis, había dejado la escuela, pero continuaba sus clases con la hermana Mary dos veces por semana. Para ayudar a pagarlas, realizaba pequeños trabajos como vendedora local. Durante la tarde cantaba cosas ligeras, por el estilo de "María", de *West Side Story*, "I could have danced all night" de *My fair Lady* y "Climb Every Mountain" de *The Sound of Music*, en restaurantes, clubes y casamientos, grabando también para algunas emisoras de radio. Todo esto le dio cierta experiencia y oportunidad de demostrar su comunicabilidad innata y habilidad para cautivar al público. No había pasado mucho tiempo cuando ya era una celebridad en su tierra natal.

Algo faltaba en ella: motivaciones para seguir seriamente una carrera musical y capacidad de concentración y estudio durante períodos largos. No sabía realmente si quería dedicarse a la ópera o a la música ligera. En 1956 llegó "el momento de la verdad", tuvo una seria conversación con los padres, quienes la instaron a decidir qué quería hacer con su vida. Habían conseguido una beca de la Maorí Trust Foundation para que la hija continuara sus estudios, de modo que debía decidirse ya, y "como no quería ser una mecanógrafa decidí aceptar."

La hermana Mary pensó que el primer paso sería dar a conocer a su talentosa alumna. La inscribió en todo concurso local que valiera la pena, y también en el prestigioso *Sydney and Melbourne Sun Aria Competition*. Como siempre, se preparó en el último momento, lo que le significó un segundo puesto en Sydney. Pero este baño frío la sacudió sacándola de su letargo demostrando que sí quería hacerlo, que era capaz de tener una gran energía. Se encerró en el cuarto del hotel con la hermana Mary y un pianista acompañante, y trabajó hasta que cada línea del aria que debía cantar fuera perfecta. Obtuvo el Primer Premio: 560 libras, y una beca por valor de mil trescientas. Mientras estuvo en Australia, ganó también dos concursos de menor importancia, cada uno de los cuales representó alrededor de cien libras. Una multitud de varios miles de personas le dio la bienvenida al llegar al aeropuerto de Nueva Zelanda.

El concurso demostró que la hermana Mary y la madre habían tenido razón: estaban en presencia de una voz con un potencial que justificaba seguir estudios serios en el extranjero. La maestra escribió a James Robertson, director del recién fundado London Opera Center, en el East End de Londres, institución afiliada a la Royal Opera House. Robertson había sido jurado en un concurso local, en el que Te Kanawa había obtenido un merecido segundo puesto, de modo que conocía su voz y aceptó oír una nueva audición.

En 1966, madre e hija llegaron a Inglaterra. Empezó a estudiar en el Opera Center, donde pasó tres desdichados años peleando con la disciplina de los cursos formales, y añorando la minicelebridad que disfrutaba en su tierra. La hermana Mary había clasificado correctamente su voz como "soprano lírica grave", pero en el Centro la consideraron mezzosoprano. Durante esos años empezó a llamar la atención en producciones del Centro: *Dido y Eneas*, *Die Zauberflöte* y *Diálogos de las Carmelitas*. Después de una representación de *Ana Bolena*, fue apoyada por el representante Basil Horsefield. En 1968 estaba cantando Idamante en versiones de concierto de *Idomeneo*, con el Grupo de la Opera Chelsea, dirigida por Colin Davis. Un año más tarde, hizo una parte pequeña en *Alcina*, de Handel, en el Festival Hall, con Joan Sutherland en el papel protagonista. En 1970 pasó a ser miembro junior de la Royal Opera y durante un año cantó varios papeles menores, que la llevaron a su triunfo como la Condesa. Más o menos en esa época empezó a estudiar con Vera Rosza, después de haber probado una o dos maestras.

Mientras estuvo en el Centro, conoció a un ingeniero de minas australiano, Desmond Park, con quien se casó, resultando un marido comprensivo y un gran apoyo. Después de sufrir un aborto, adoptaron una niña, y pocos años más tarde, ante la repetición del desagradable incidente, adoptaron un varón. Kiri Te Kanawa es una madre apasionada, consciente de lo que significan los niños en su vida, y no se cansa de repetírselo a ellos, "lo mismo que mis padres hicieron conmigo". Durante la época en que más la necesitaban, se vio ante la decisión crucial de bajar el ritmo de su carrera o someterse a los apremios de aprender nuevos papeles, como Elisabeth de Valois, en *Don Carlos*, eliminado de su agenda de 1989 en el Covent Garden, lo mismo que el papel protagonista, en *Ariadna en Naxos*. En febrero de 1991 cantó la Condesa en *Capriccio*, obteniendo injustas críticas negativas. Los dos papeles descartados eran ideales para ella y espera fervientemente hacerlos en el futuro. Ultimamente, optó por dedicarse más a conciertos, recitales y especiales de televisión, muy lucrativos y de menor tensión; además le dejan mucho más tiempo para su vida familiar, uno de los principales factores que alivian las exigencias de su carrera. "Los chicos me necesitan, de modo que dejo las presiones del trabajo en la puerta de calle y sólo me reencuentro con ellas al día siguiente. Soy una mujer afortunada, porque pocas cantantes pueden combinar una actividad profesional satisfactoria con una feliz vida de hogar. Claro que uno renuncia a lo social, apenas nos vemos con unos pocos amigos íntimos. Pero al terminar el día siento que mi salud ha sido preservada por los chicos, y al mismo tiempo he hecho mi trabajo lo mejor que podía."

Anna Tomowa Sintow

"**E**s natural que las cantantes gocemos a veces con el sonido que emitimos y que saboreemos una nota o una frase. No hay nada de malo en ello, siempre que tengamos presente que somos meros instrumentos en la realización de una obra y que nuestra función es unirnos a los colegas hasta que seamos uno con el director, y a través de su imaginación, con el compositor." Anna Tomowa Sintow agrega que, de acuerdo con su experiencia, esto ocurría frecuentemente con von Karajan. Karajan tenía un pequeño y muy selecto grupo, las "cantantes de Karajan", visitantes regulares de la Filarmónica de Berlín, los Festivales de Salzburgo, de Pascua y de verano, e intervenían en numerosas grabaciones, tanto en disco como en vídeo. Desde 1973 hasta la muerte del director en 1989, la búlgara Anna Tomowa Sintow formó parte del grupo. Son evidentes las cualidades que le valieron el aprecio del gran maestro: una segura voz lírica capaz de manejar el repertorio más amplio y versátil, una innata musicalidad unida a una gran sensibilidad interpretativa. Su temperamento suave, su amabilidad con los colegas y su presencia sosegada están muy lejos del neurótico y egocéntrico histrionismo de las primadonnas.

La carrera de Tomowa Sintow comenzó en Europa Oriental en 1967 y la llevó a los más grandes teatros del mundo; aparte de su trabajo con Karajan, ha sido también visitante regular del Metropolitan, del Chicago Lyric, del de San Francisco, de Hamburgo, la Opera del Estado de Viena y de Baviera, La Scala y el Covent Garden. Su repertorio incluye a Mozart, Strauss, Wagner, Verdi y papeles del verismo: Doña Ana en *Don Giovanni*, Fiordiligi en *Così fan tutte*, la Condesa en *Las Bodas de Fígaro*, Desdémona en el *Otelo* de Verdi, Amelia en *Un ballo in maschera*, Violeta en *La Traviata*, Leonora en *Il Trovatore y La Forza del Destino*, Elisabeth de Valois en *Don Carlos*, y Aída. De Puccini representó a Tosca, Madama Butterfly y Manon Lescaut; de Wagner, a Elsa en *Lohengrin* y a Elisabeth en *Tannhäuser*. En *Andrea Chénier*, de Giordano, hizo el papel de Maddalena, y de Strauss cuatro importantes papeles: la Mariscala en *El Caballero de la Rosa*, la Condesa en *Capriccio*, Arabella y Ariadna.

No hay duda de que Tomowa Sintow será recordada siempre como extraordinaria intérprete de Strauss. A pesar de sus memorables interpretaciones de Doña Ana, Fiordiligi, la Condesa y Elsa, son sus personajes de Strauss los que exhiben la total fusión de las características vocales, dramáticas y temperamentales de sus grandes representaciones.

"Strauss es sobre todo un compositor para mujeres. En realidad, es a la música lo que Maupassant a la literatura. Los personajes centrales de sus óperas son siempre mujeres y él tiene la facultad de penetrar profundamente en la psicología femenina, más que cualquier otro compositor, excepto, quizá, Puccini. Pero, en Puccini, las cosas tienden a suceder frontalmente, sus heroínas maduran ante nuestros ojos, en el transcurso de la acción dramática: Mimí a través de su enfermedad, Tosca a través de la captura de Cavaradossi, mientras que en Strauss se desenvuelven más en el nivel psicológico, bajo la superficie."

El director Jeffrey Tate, destacado especialista en Strauss, está de acuerdo con Tomowa Sintow en que Strauss tiene una agudeza inusual para ahondar en la psicología femenina y describir su interior y sus vidas mundanas con gran realismo, en buena parte por la naturaleza de los libretos, que en la mayoría de los casos son extremadamente detallados. "A Wagner no le interesa si el peinado de una heroína está bien o si ella se ha descubierto alguna cana. Esas no son sus preocupaciones ni es la clase de persona sobre las que trabaja. Strauss, siendo él mismo capaz de disfrutar lo mundano, anima a sus libretistas a exaltar este factor, el despliegue de hechos y preocupaciones normales.

"Lógicamente, hay algo de esto en *Salomé* y en *Electra*, llamadas por lo general sus óperas 'wagnerianas'. Pero el análisis de la psicología femenina es más profundo en las comedias. Es cierto, por supuesto, que los matices del alma humana se revelan mejor en las comedias que en los dramas serios. En Mozart, conocemos más a las mujeres de *Las Bodas de Fígaro*, que a las de *Don Giovanni*, más misteriosas, más impenetrables, que descubren menos sobre sí mismas que la Condesa o Susana. Por la misma razón, comprendemos mejor a la Mariscala o a Octaviano en *El Caballero de la Rosa* que a la Emperatriz o a la mujer del tintorero, en *Die Frau ohne Schatten*.

Pero dada una situación de comedia, Strauss tiene una habilidad única para revelar a las mujeres."

Este don se advierte especialmente en *El Caballero de la Rosa*, tanto en la descripción de una chica, Sofía, como de una mujer madura, la Mariscala. Tomowa Sintow cantó por primera vez este último papel en el Metropolitan, en 1979, y luego, en 1983, en la producción de Herbert von Karajan, en Salzburgo. Ya había sido filmada en los años sesenta con Elisabeth Schwarzkopf, antecedente que significaba para Tomowa Sintow un serio riesgo. En contra de todo lo que se esperaba, tuvo éxito con su emocionante interpretación, profundamente sentida y por completo diferente aunque igualmente válida que la de Schwarzkopf. Descubría todas las facetas ocultas en este complejo personaje. En lugar de presentarnos a una belleza mundana que se preocupa por sus arrugas y sus primeras canas, nos enfrenta a un ser humano pensante, que reflexiona profundamente sobre la naturaleza del tiempo y la proximidad de las madurez, a la que llega sin haber tenido verdaderas satisfacciones.

Fue sorprendente descubrir que esta notable interpretación, que junto con la de Ariadna y Elsa está firmemente implantada en la memoria de quienes se dedican con fervor a la ópera, fue fruto de una lenta y profunda preparación que duró varios años. En 1974 la invitaron a cantarla en la Opera Alemana de Berlín, pero no aceptó porque pensaba que, aunque el papel carecía de problemas vocales, había en él algo que se le escapaba. "La Mariscala es una mujer en proceso de desarrollo y maduración, lo que proporciona a una cantante el tipo de oportunidad generalmente reservada a una actriz de teatro o cine. Además significa una total filosofía de vida y una amplia gama de emociones. Por lo tanto, el papel necesita una cierta madurez. No demasiada, porque también tiene una imagen fresca, práctica, vital. Después de todo, ella es también una Lerchenau, lo que se hace evidente al comienzo, en la escena con Octaviano, y durante su payasada con la doncella, Mariandel. Más tarde expresará, en su monólogo, que con Octaviano está experimentando algo que nunca había conocido en su juventud, y enfrenta el hecho con gran placer.

"La Mariscala cae de esta modalidad juguetona para verse caminando hacia una duramente alcanzada madurez, cuando Ochs le habla sobre Sofía, la joven recién salida de un convento, con quien intenta casarse por su fortuna. Instintivamente, porque es una mujer muy intuitiva, la Mariscala trata de proteger a la chica de un destino como el suyo. Es evidente que su casamiento por conveniencia no ha sido feliz, y se ha pasado la vida buscando el amor sin encontrarlo. Ni siquiera con Octaviano. Es simplemente el último de una larga serie de amantes, aunque probablemente lo quiera algo más que a los otros a causa de su encanto y frescura. Pero no es ciertamente ni el primero ni el último, porque la Mariscala es una mujer nacida para la pasión, el abandono, lo excitante, cosas que no ha encontrado en su matrimonio. Pero si oír a Ochs hablando de Sofía es un paso hacia las consecuencias finales, la tragedia real empieza en el momento en que exhibe la pequeñez de la joven y propone a Octaviano que le lleve la rosa. En ese momento, segun von Karajan 'algo llora en la música'; su intuición de mujer le advierte lo que va a pasar, y por eso empieza a sentirse vieja y fea, no porque su peluquero se haya equivocado con el peinado."

Tomowa Sintow cree que es significativo que la Mariscala no aparezca para nada en el segundo acto, y está convencida de que Strauss y Hoffmannsthal lo planearon deliberadamente para que ella hiciera la transición a la gran dama del final, que ha encontrado la manera de ver las cosas desapasionadamente, aunque duela, y la grandeza de retirarse con dignidad, sin autocompasión. "Canta aunque ella sabía que iba a llegar el momento en que debiera despedir a Octaviano, no pensando que sería tan pronto, o que la experiencia la heriría así. Sin embargo, encuentra la fuerza necesaria y la generosidad para remontarse sobre sus emociones y ayudarlo, aunque como él, ya no entiende lo que pasa en el mundo."

Tomowa Sintow cantó la Mariscala en el Metropolitan, pero en realidad empezó a aprenderla con von Karajan, muchos antes de haber siquiera hablado de Salzburgo. "Cuando canté Doña Ana en el Festival de Salzburgo de 1978, dirigida por Karl Böhm, Karajan me preguntó por mis planes futuros. Siempre se interesaba por sus 'chicas', como llamaba a las cantantes que trabajábamos regularmente con él. Le dije que me había comprometido a cantar la Mariscala en el Metropolitan, que no la sabía y estaba asustada. Al día siguiente me llamó a su habitación, se sentó al piano y cantó todo el papel, explicándome todo a medida que avanzábamos. Me dijo que, desde el punto de vista puramente vocal, era un 'juego de niños', de modo que yo debía poner minuciosa atención en el texto y prepararme muy bien musicalmente, para dedicarme con libertad a la interpretación. En especial, en el monólogo, en el dúo con Octaviano (en el que ella murmura algo sobre el reloj de arena y el paso del tiempo) y, por supuesto, en el trío final. También aclaró que, aunque el papel consiste en largos pasajes parlando, mi canto debería ser lo más puro posible, especialmente en los seis primeros compases del trío que había que cantar no solo pianissimo, insistió, *pianississimo*. (En las representaciones que por fin hicimos juntos lo marcó en particular. Yo hice lo mismo. Pero sólo puede hacerse con él, porque consigue un sonido trasparente en la orquesta.) Para el resto del trío exigía absoluta uniformidad de sonido sin destacar una nota más que otra."

Después de estas sesiones iniciales, volvimos a *El Caballero de la Rosa*, cuando nos reunimos para otras representaciones o grabaciones. De modo que la Mariscala surgió línea por línea, y cuando tuvo que hacerla dirigida por Karajan en el Festival de Salzburgo de 1983, se hizo evidente el fruto de su larga preparación. "Tomowa Sintow, alguna vez cantante sin gran sutileza, ha hecho enormes progresos este año, y por su dignidad, delicadeza y sobre todo por el canto puro, no forzado, su Mariscala está ahora entre los grandes", dijo *The Times*, mientras *Opera* afirmaba que "Con su adorable Mariscala, desprovista de afectación, Tomowa Sintow es uno de los mejores elementos en esta obra."

Su trabajo en el papel protagonista de *Ariadna en Naxos* es igualmente fuera de serie. Lo cantó por primera vez en 1987, en el Covent Garden, combinando belleza vocal con una sutil y refinada interpretación dramática que ilumina las características nebulosas de la obra. Pasó a ser uno de sus papeles favoritos, porque "como Arabella, pero no como la Mariscala y la Condesa de *Capriccio*, que contiene largos pasajes parlando, Ariadna es un papel muy 'cantable', lleno de esas maravillosas frases de Strauss que se deslizan haciendo que uno cante con alegría. Desde el punto de vista dramático, su ambigüedad lo hace particularmente interesante y lo convierte en un desafío. La filosofía de Strauss se expresa en esta ópera en términos más bien simbólicos y al final es tan ambiguo como para que, a partir de la música, podamos sacar nuestras propias conclusiones sobre su significado real. Esta misteriosa dimensión es una de las cosas más fascinantes en *Ariadna*. Aunque creo firmemente que, tratándose de óperas, el texto y la música son una sola cosa —no obstante podría argüirse que en *algunas* obras de Strauss, como *Arabella*, el texto es ligeramente superior— siempre es la música la que guía y la que responde todas las preguntas.

"En *Ariadna*, por ejemplo, la pureza del Compositor y de Ariadna es la característica que establece la relación interna entre los dos. El personaje del Compositor, por supuesto, es el mismo Strauss, pero la identificación no es en *Ariadna* tan clara como en *Capriccio*, donde se percibe la presencia de Strauss y se siente que es como de la familia, su filosofía está expuesta en el papel del Compositor y en su música, no tanto en las líneas como en las maravillosas canciones, a la vez terrenales y excelsas. Pero por muy clara o poco clara que sea la relación entre el Compositor ficticio y Strauss, tanto en *Ariadna* como en *Capriccio*, nunca debe ser subrayada o demasiado expresiva en una interpretación que, en cuanto al canto y la actuación, tiene que ser lo más natural y directa posible. Hay que dejar que la música establezca la relación y aclare el místico significado subliminal."

Tomowa Sintow insiste en la forma vívida en que Strauss describe a sus personajes, y una de las cosas que más admira en él es la capacidad de ver a la gente como realmente es. "Sus personajes despliegan emociones muy 'humanas' y Strauss parece conocer en detalle su vida interior, en especial la de los personajes femeninos. Como dije antes, su único rival en cuanto a la penetración en la psicología femenina es Puccini. Pero *musicalmente* también tienen mucho en común, porque escriben maravillosas líneas largas y melodiosas que uno puede cantar con verdadero abandono, cosa que no se puede hacer ni en Mozart ni en Verdi, quienes exigen la máxima pureza de línea y precisión. En Strauss y en Puccini uno casi puede olvidarse de controlar la voz para dejarse llevar por la música y el drama, y siempre que se tenga una buena técnica y no haya que luchar con problemas de salud hasta se puede seguir adelante aunque haya algún pequeño defecto. ¡Sería impensable en Mozart o Verdi! En realidad, Strauss y Puccini se cantan mejor si uno no se pone a controlar conscientemente cada sonido, por eso yo no siento la más mínima fatiga vocal cuando canto a estos dos compositores. No tengo la misma sensación de libertad con Mozart, el más difícil de *todos*, aunque sea el más saludable en el aspecto vocal."

Tomowa Sintow cantó por primera vez Mozart en 1968, y lo hizo con Doña Ana, en Berlín Oriental. Fue su tarjeta de visita durante muchos años y con ella realizó todos sus debuts en Estados Unidos: en San Francisco en 1974, en el Chicago Lyric en 1980 y en el Metropolitan en 1986. Sentía que era el papel ideal para ella, vocal y temperamentalmente. "Admiro a Doña Ana y los contrastes que encarna, posiblemente porque yo misma sea un poco así. En mí hay cosas que no expreso en la vida real, pero sí a través de la música y los papeles que interpreto. Doña Ana es, por supuesto, una mujer insatisfecha. No está enamorada de Don Ottavio, es obvio, y espera en secreto algo que ha vislumbrado –o gustado, depende del punto de vista con que se mire lo que pasó antes del comienzo de la ópera– en Don Giovanni. Siente afecto y amistad por Don Ottavio, pero es una mujer nacida para la pasión y para llegar a extremos emocionales, todo sugerido en la música y en la exagerada, casi desquiciada, reacción ante la muerte del padre.

"Sabe perfectamente que con Ottavio nunca alcanzará esos extremos; por eso pospone su casamiento. Por supuesto, es la suprema egoísta, una mujer interesante que ve las cosas sólo desde su punto de vista. En sus recitativos uno no hace más que oír: 'yo, yo, yo' todo el tiempo. No puede pensar más que en su sufrimiento. El hecho de que Ottavio también está sufriendo, ni se le pasa por la mente. Es una caso de 'primero yo', y punto. Se la ve sospechosamente cerca de revolcarse en su pena, como si la disfrutara, siendo tan renuente a deshacerse de su angustia. Creo que hay dos razones para eso: el deseo de posponer la unión con Ottavio, y la culpa de haber causado indirectamente la muerte de su padre. Y todo esto, todos los matices de su carácter y sus sentimientos, están en la música de Mozart, compuesta de una manera tan inspirada que cada intervalo y cada sílaba tienen una razón de ser, porque Mozart, como destacó Karajan cuando canté con él la Condesa en 1978, integraba su psicología en su música."

Vocalmente, lo más difícil de Doña Ana, en el aspecto musical, es la primer aria; es una clara línea lírica con algo de coloratura. Pero según ella, lo mismo que las demás artistas consultadas en este libro, siempre es difícil ir del canto dramático al lírico. "Si fuera la secuencia contraria y se cantara el aria lírica antes de la dramática, el papel de Doña Ana sería mucho más fácil", suspira. La única vez que vi a Tomowa Sintow en Doña Ana fue en el Festival de Pascua, de Salzburgo, en 1987, y su representación no mostró la precisión vocal ni el interés que uno hubiera esperado.

Tratándose de Mozart, el papel que menos le gusta es la Condesa en *Las Bodas de Fígaro*. Siempre le ha resultado difícil entenderlo y llegar al fondo de él, aun dirigida por Karajan, cuya interpretación "ayuda a revelar la naturaleza femenina del personaje. Pero el hecho es que no me *gusta* demasiado la Condesa. No parece saber lo que quiere, y se la ve como desamparada y ligeramente masoquista, en especial en la interpretación de Karajan, que está perfectamente de acuerdo con la música. Pero creo que hay una contradicción entre la forma en que Beaumarchais ve a la Condesa y la forma en que la ve Mozart. La música de Mozart es demasiado bella para esta mujer que, aunque triste por las infidelidades de su marido, no excluye la posibilidad de una aventura con Cherubino; en versión de Beaumarchais tiene finalmente un hijo con él. Supongo que, por más reacio a admitirlo que uno sea, esto es un poco como en la vida real; nos gustaría quedarnos donde estamos, pero por otro lado no nos opondríamos a un poco de excitación..." Añade la cantante que, además de resultarle difícil entender el personaje, no es fácil cantarlo. Su primer aria, "Porgi amor", es corta pero, si no es perfectamente cantada, arruina la función porque crea inmediatamente una mala relación con el público.

En cambio, Fiordiligi en *Così fan tutte*, papel con el que debutó en el Covent Garden en 1976, le gusta vocal y dramáticamente porque "es un personaje natural, alegre, juvenil y fácil de amar, que trata de encontrar una forma de vida acorde con sus ideales. Descubrir su debilidad y aprender a convivir con ella no le es tan fácil como a Dorabella, su hermana. Aunque es muy largo, está tan maravillosamente compuesto que lo canto sin esfuerzo desde el principio hasta el fin. En Berlín canté dos veces las partes 'da capo', y yo incluyo invariablemente el rondó porque ayuda a resaltar su lado 'infantil', burbujeante, y aporta los diferentes colores y matices vocales. Nunca siento que me tengo que concentrar de una manera especialmente dura en Fiordiligi. Todo parece suceder naturalmente, por sí mismo." Se trata de un punto de vista muy particular, porque es un papel exigente y difícil. Es evidente que el placer que le produce cantarlo, y su adecuación a él, se traslucen en la interpretación, de ahí las críticas laudatorias que le han valido a través de su carrera.

Cantar a Mozart, declara, requiere una técnica perfecta "y en este sentido siempre relaciono a Mozart con Verdi, cuyo estilo es también muy puro y limpio, y no admite que uno se desvíe de la partitura. En Verdi uno se puede apartar un poquito más que en Mozart haciendo pequeños deslizamientos y portamenti aquí y allá, siempre que estén en la partitura. Por otra parte, exige también una articulación clara. Lo que más admiro en Verdi es la grandeza de que están imbuidas sus obras. Hay una nobleza increíble en sus coros y sus conjuntos; el canto parece brotar de lo más profundo del corazón. También me gusta cantar los exquisitos *piani* y *pianissimi* que compone en los momentos más íntimos..."

Pero aunque la música de las heroínas de Verdi sea "sublime" para cantar, dramáticamente sus personajes le parecen menos interesantes que los de Puccini, porque, en general, son mujeres insatisfechas. "Al revés que sus héroes, que son inmensamente viriles, personajes de carne y hueso, sus heroínas tienden a ser 'mujeres de ensueño', símbolos, y casi invariablemente desdichadas en el amor. Todas, se trate de Aída, Elisabeth de Valois, Gilda o las dos Leonoras, la de *Il Trovatore* y la de *La Fuerza del Destino*, encierran algún secreto que impide la realización de su amor, son sensibles y tremendamente religiosas. Creo que, en este sentido, Verdi se aproxima más a Wagner, cuyas heroínas son también mujeres idealizadas, mujeres de ensueño."

El repertorio wagneriano de Tomowa Sintow está integrado por Elisabeth en *Tannhäuser* y Elsa en *Lohengrin*. En el Festival de Pascua de Salzburgo, en 1976, cantó este papel por primera vez, dirigida por Karajan, y lo repitió en diciembre de 1977, en el Covent Garden, bajo la dirección de Bernard Haitink, con una inolvidable producción de Elijah Moshinsky que destacaba la etérea cualidad ensoñadora de la obra. Harold Rosenthal, entonces editor de *Opera*, escribió sobre la representación: "Me gusta que mis Elsas tengan una voz de cierto cuerpo, y el sonido lleno y lozano de miss Tomowa Sintow contribuyó a que el personaje se convirtiera en una criatura de carne y hueso y no en la aguachinada que es por lo general."

Elijah Moshinsky se encontró con que la cantante recibía como un premio el hecho de trabajar con él, y le extrañó que, a pesar de haber hecho el papel con Karajan en Salzburgo, fuera tan receptiva, tan fresca y sin ningún tipo de egocentrismo. "Y gracias a su disposición dulce, su Elsa fue fantástica. Tenía la cualidad que muchas veces falta en las sopranos wagnerianas: hacer comprender el personaje. Su interpretación era muy sutil y ligeramente 'cubierta'. Su interpretación vocal también era suave, sutil, con la cualidad etérea de un tul finísimo, esencial en el papel, y no-alemana, en el sentido de que no era chillona o ampulosa como suelen ser las cantantes wagnerianas... Ella es una persona sencilla, simple, directa y centrada, y aporta a las óperas de Wagner algo que no pueden aportar otras con su dulzura ficticia."

Tomowa Sintow cree que esa sutil y "cubierta" dimensión es esencial no sólo para Elsa sino para todas las heroínas wagnerianas. "Si uno interpreta los personajes de Wagner 'frontalmente', se pierde completamente el estilo y se arriesga a terminar sin nada. Elsa, por ejemplo, muchas veces dice una cosa que quiere significar otra, y en esos casos, como dije a propósito de Ariadna, es fundamental seguir la música porque ahí están los indicios de sus verdaderos sentimientos. Wagner es un idealista y todas sus óperas tienen una fuerte dimensión espiritual. Sus personajes, hombres y mujeres, son más simbólicos que humanos. Como en Verdi, las mujeres de Wagner pocas veces ven realizado su amor, y la intensa espera de esa realización aparece en su música que generalmente está en desacuerdo con el texto, pero qué siempre revela la verdad."

Aunque admira a Wagner, dice que sólo cantaría otro personaje de ese compositor: Sieglinde. Porque por mucho que disfrute "sondear en lo profundo" con sus papeles de Strauss y Wagner, después de cantar uno detrás de otro, necesita "salir a la superficie en busca de aire" y cantar algo de su repertorio italiano. "Viniendo de Bulgaria, de los Balcanes, *necesito* los papeles italianos, *necesito* el mundo del Mediterráneo..."

Anna Tomowa Sintow nació en Stara Zagora, hija de un maestro de escuela especializado en física y de una cantante del coro, en el teatro de ópera local, uno de los más antiguos de Bulgaria y el único donde se representaba un amplio repertorio en idioma original. Creció en los difíciles años de posguerra, y su padre se vio obligado a trabajar de noche para aumentar sus ingresos. La madre no tenía con quien dejar a la niña cuando iba a cantar, de modo que la llevaba con ella a los ensayos. En otras palabras, creció oyendo ópera. Desde muy pequeña empezó a cantar, y a los ocho años pidió lecciones de piano. (En la actualidad es una pianista competente, y disfruta sentándose al piano en las sobremesas, para entretener a sus amigos cantando arias, canciones folklóricas y melodías populares.)

En 1960 se presentó a una audición en el Conservatorio Nacional en Sofía, eligiendo entre otras la *Romana* de Tchaicovsky. El profesor de canto, Georgi Zlatev Tscherkin, que también había enseñado a Ljuba Wellitch, decidió admitirla, pero como mezzosoprano. De modo que pasó sus años de conservatorio cantando el repertorio de mezzosoprano. Le resultaba bastante fácil, según dice, porque su voz siempre fue de rango amplio. Pero descubrió gradualmente que las arias más difíciles o los solos en el coro la dejaban muy cansada. "Tenía también la clara sensación de que para mí era algo erróneo, vocal y temperamentalmente; porque, por supuesto, la voz y la psiquis son una, aunque lleve mucho tiempo darse cuenta y encontrarse a uno mismo."

Su madre también advirtió que algo andaba mal y la llevó a ver a una soprano retirada, Katja Spiridonova, quien en pocas lecciones advirtió que no era mezzosoprano, la instó a emplear el registro de soprano y la puso en la buena senda. "En el momento en que sucedió, me sentí tremendamente liberada. De repente, todo sucedía con naturalidad, yo me dejaba llevar. Por fin tenía libertad para ser yo misma. Mientras cantaba en el registro de mezzosoprano, tenía que concentrarme mucho para obtener el sonido. Pero en cuanto cambié, el sonido parecía llegar casi sin ningún esfuerzo."

Se graduó en el Conservatorio, después de cantar Tatyana en *Eugene Onegin* para el examen oficial, y tuvo la suerte de ser inmediatamente contratada por la Opera de Leipzig. Debutó en esa ciudad en 1966, con el papel de la Condesa de Ceprano, en una producción de estudio de *Rigoletto*, y en la temporada siguiente se produjo su debut oficial en el teatro, interviniendo en *Nabucco* como Abigail. "Sé que resulta sorprendente, porque es un papel muy dramático, pero la facilidad y el optimismo de los jóvenes puede con todo..." Allí aprendió gran parte de su repertorio, incluyendo Violeta, Madama Butterfly, Doña Ana y Arabella, para trasladarse, en 1972, a la Opera del Estado Alemán, en Berlín Oriental. En 1973 apareció por primera vez con von Karajan, cantando *De Temporum Fine Comoedia* de Karl Orff, en Berlín y en el Festival de Salzburgo. Después de debutar en Estados Unidos y en Salzburgo, en 1974 y 1975, el siguiente año fue un hito en su carrera. Se presentó en el Festival de Pascua de Salzburgo haciendo Elsa, en el Covent Garden, con el papel de Fiordiligi y en el Metropolitan como Doña Ana. A continuación apareció por primera vez en La Scala —ya estamos en 1981— donde, dirigida por Claudio Abbado, interpretó a Elsa.

Tomowa Sintow ha conseguido compaginar su triunfal carrera con una vida privada estable y satisfactoria; mientras estudiaba en el Conservatorio de Sofía, conoció al que sería su marido, Avram Sintow, con quien tuvo una hija, Silvana, actualmente ejecutiva en una empresa internacional de grabación. Poco después del nacimiento de Silvana, retomó su carrera, y las circunstancias le impidieron ser nuevamente madre.

"He nacido para mi profesión, me siento obligada a seguir su llamado y la carrera de cantante no es lo ideal para la vida de familia. Pero no sería nada sin mi única hija, sin la maravillosa experiencia de tener un hijo..."

Mezzosopranos

Agnes Baltsa

Si en algo no se puede pensar siguiendo los inquietos desplazamientos de Agnes Baltsa en el escenario es en la monotonía. "Tiene la tensión de Callas, el terrible fuego griego y la energía visceral que, en el tope de su radiante voz, la convierten en una presencia escénica verdaderamente electrificante", dice el director de cine y de escena John Schlesinger, que trabajó con ella en el Covent Garden haciendo *Los Cuentos de Hoffmann* y *El Caballero de la Rosa*. Herbert von Karajan, importante pieza en el ascenso a los más altos estrados de su carrera, la considera "la más importante mezzosoprano dramática de nuestros días". En sus mejores momentos, la rica y expresiva voz de Baltsa, lánguidamente sensual en los registros bajo y medio, y poderosamente penetrante en el alto, es uno de los sonidos mezzosopranos más interesantes de los últimos veinte años. En momentos no tan buenos, se le presenta una dificultad: la combinación de registros no se resuelve en un todo. Sin embargo, su magnetismo y carisma le permiten cautivar al público aun en las raras ocasiones en que su nivel vocal no es sobresaliente.

En las mejores interpretaciones de esta cantante: Romeo en *Los Capuletos y los Montescos*, la Princesa de Eboli en *Don Carlos*, el papel titular en *Sansón y Dalila*, su controvertida Carmen, Elisabetta en *María Estuardo* y Santuzza en *Cavalleria Rusticana*, no sólo se advierte la unidad musical y dramática sino una búsqueda espiritual de la verdad y una fusión próxima a

227

lo místico entre la artista y el papel. Pero según ella, esos instantes, que deberían ser de regocijo, "la llenan de temor y melancolía" por su transitoriedad. "Pasan como un relámpago y en pocos minutos se convierten en recuerdos", suspira. "A veces quisiera que duraran algo más, desearía que nuestro arte fuera menos efímero."

Pero, en general, Baltsa está satisfecha con sus logros artísticos. Muchas de sus colegas han tenido infortunadas ansias de convertirse en sopranos; no es su caso. Ha llegado a rechazar la invitación de Riccardo Muti para cantar Lady Macbeth, porque es "muy feliz de ser y seguir siendo lo que soy. Me he expresado totalmente a través de mi repertorio de mezzosoprano y nunca me he sentido segundo violín." Su repertorio incluye óperas italianas, francesas y alemanas, y va desde papeles clásicos como Orfeo de Gluck y partes de Mozart: Cherubino, Dorabella, Sextus, y grabaciones de Idamante y Doña Elvira, al *bel canto*. Dentro de este género ha hecho Adalgisa, Romeo, Elisabeth en *María Estuardo*, Leonora en *La Favorita*, y unos cuantos papeles de Rossini: Isabella en *La Italiana en Argel*, Rosina y la Cenerentola, y de Verdi: Eboli, Preziosilla y Amneris, estos dos grabados. De Strauss cantó Octaviano, Herodías, el Compositor en *Ariadna en Naxos*, para pasar a la ópera francesa con Didon en *Las Troyanas*, Julieta en *Los Cuentos de Hoffmann*, Dalila en *Sansón y Dalila*, Carmen y Charlotte en *Werther*. Y finalmente, en el verismo, cantó Santuzza.

"Hay papeles que obligan a los cantantes a tomar decisiones drásticas acerca de la dirección que darán a su carrera, dice Baltsa, y si quieren sobrevivir deberán aprender a decir 'no'. E incluso a los más importantes directores. El criterio tendría que ser: ¿puedo cantar tal o cual papel sin estropear mi capital vocal? En 1980, por ejemplo, me vi *forzada* a decirle 'no' a Karajan cuando me ofreció grabar un disco de Kundry y cantarlo en Salzburgo, porque, aunque sea un papel maravilloso, hay que aceptar el hecho de que uno no puede cantar todo. Así que me pregunté: Si acepto Kundry, ¿qué papeles de mi repertorio tendré que descartar? Y la respuesta fue todo Rossini, y hacerlo es como un elixir para mí. Es imposible cantarlo después de Kundry, porque la voz se ha moldeado de manera diferente. De modo que hubiera sido un error por mi parte, vocal y temperamentalmente. Soy una mujer del sur, del Mediterráneo, con voz italianizada, y es en la ópera italiana, a lo sumo en la francesa, donde logro mi mayor rendimiento."

Desde muy joven se hizo evidente la capacidad de autoconocimiento de Agnes Baltsa. Nació el 19 de noviembre de 1944, en la isla griega de Lefkas, en el mar Jónico, adonde regresa frecuentemente "para recargar sus baterías" y a los seis años pidió tomar clases de piano. En dos años más, empezó a componer "cosas invariablemente trágicas o melancólicas", y a escribir sobre sus sentimientos, hábito que conservó durante su niñez. Hace pocos años, su madre desempolvó sus cuadernos, y la cantante, con gran asombro, descubrió que hoy escribiría las mismas cosas. "Esto me demuestra lo poco que he cambiado. Siempre hay algo que me empuja compulsivamente a expandirme, a trepar, a descubrir nuevo sentido a todo, y me hace tratar de ser cada vez mejor. No hay necesidad de aclarar que, cuanto más madura un artista, más altas son sus aspiraciones. Por supuesto que ayuda tener 'un nombre' y tener éxito, pero hasta cierto límite, y sólo en lo que concierne al público. Para los artistas, la fama nos hace todo más difícil, porque nos vuelve más y más exigentes, menos satisfechos con nuestro trabajo."

Teniendo Agnes catorce años, la familia integrada por padres y hermanos mayores, a quien sigue muy unida, se trasladaron a Atenas para que continuara sus estudios en el Conservatorio. Se recibió en 1965 con el grado máximo y ganó la beca María Callas, que le permitió seguir sus estudios en Munich. Estudiaba canto con un profesor particular, el doctor Schöner, recibía clases de drama y asistía a cursos de idioma y literatura alemanes en la Universidad. "Porque ¿cómo hubiera podido interpretar textos como los de Hoffmannsthal sin entender las palabras, sin tener siquiera la posibilidad de hacerlo como merece?"

Después de tres años en Munich, fue escuchada en audición por Christoph von Dohnányi, desde hacía poco intendente de la Opera de Frankfurt, en la que debutó profesionalmente en 1968 haciendo Cherubino y donde permaneció tres años. En 1970 se presentó en la Opera de Viena con el papel de Octaviano, el más joven en los anales de ese teatro, y un año más tarde se incorporó como miembro de compañía de la Opera Alemana, en Berlín. En la misma época, ya en 1971, debutó en Estados Unidos interpretando a Carmen en Houston y volvió a América cuatro años después, cuando Karl Böhm la dirigió haciendo Dorabella durante la visita de la Opera de Viena a Washington. Con el mismo director y el mismo papel debutó en 1978 en La Scala, y ese mismo año, fundamental en su carrera, se presentó en el Covent Garden y en la Opera de París, otra vez con el papel de Cherubino. Von Karajan la dirigió en su debut en Nueva York. "Mi voz y yo madurábamos lenta y gradualmente y pensé que uno no debe perseguir las cosas sino dejar que vengan hacia uno. Por supuesto, al principio tenía que cantar papeles como Magdalena en *Rigoletto*, pero eso le daba tiempo a mi voz para desarrollarse en armonía con mi crecimiento emocional e intelectual. Me sirvió de mucho saber exactamente en qué etapa estaba, y usar cada una para bien de mi voz."

Explica que cuidar la voz significaba planear su agenda de tal modo que sus papeles quedaran agrupados de acuerdo con la tessitura. Nunca debía cantar partes de *bel canto* como Romeo, antes o después de Carmen, primero porque la tessitura es otra, segundo porque la letra ofrece muchos contrastes, vocal y estilísticamente. "Carmen no tiene nada que ver con el *bel canto*. Exige gran extensión de la voz, se expresan emociones de muy amplia gama, hay que usar toda clase de efectos vocales, como gritos y cosas por el estilo. En suma, la interpretación no se basa sólo en lo vocal. Factores como magnetismo y presencia escénica juegan también un importante papel. En cambio el *bel canto* depende pura y simplemente de lo vocal. Pero después de cantar Carmen, la voz puede quedar demasiado cansada para responder a los requerimientos vocales de cualquier papel de *bel canto*. Por eso trato de agrupar mis representaciones de Carmen para que la voz se tome un breve descanso antes del 'cambio de velocidad'. Como ningún otro instrumento musical, la voz depende del nivel en que uno la va a entonar. Así como no se puede cantar Romeo antes o después de Carmen, tampoco se puede cantar Orfeo de Gluck al mismo tiempo que Rosina. Musicalmente son distintos, Orfeo es vocalmente muy bajo. En cambio, Romeo combina muy bien con Adalgisa de *Norma*, por su similitud de estilo y tessitura. Otros dos papeles que se pueden agrupar son Charlotte en *Werther* e Isabella en *La Italiana en Argel*."

Baltsa trata, en general, de programar juntos su papeles de Rossini, porque la voz puede trabajar en el mismo nivel. "Todos los papeles de Rossini exigen brillo y una tremenda precisión. En realidad, cuando canto coloraturas de Rossini, me imagino un rosario o un collar de preciosas perlas, hasta del mismo tamaño. Al ver escritas las coloraturas de Rossini, puede sentirse pánico porque hay *tantas* notas que uno piensa que no podrá cantarlas nunca. Pero hay que cantarlas y de tal manera que suenen sin esfuerzo, naturalmente. El público tiene que sentirlo así, un sonido impresionante pero natural, como si no pudiera tener tantas dificultades. Porque la coloratura no sólo es una demostración de histrionismo vocal, sino una forma única de expresión musical. Si se hace con ese espíritu, realmente puede resultar sensacional. Por supuesto que habrá parte del público que sólo quedaría satisfecha si notara signos visibles de esfuerzo físico; es la 'mentalidad deportiva'. Es ofensivo para el compositor porque significa que, en vez de perderse en el papel, uno está inmerso en los problemas técnicos o en el exhibicionismo." Baltsa no se atiene a reglas inflexibles sobre la cantidad ni la duración del tiempo que debe trabajar su voz. Podría ser todos los días, o cada diez. Depende. Si está en medio de una apretada programación de representaciones y grabaciones, cree que lo mejor que puede hacer por su voz es dejarla descansar hasta que recupere por sí misma su humedad y elasticidad. Acepta que, siendo su voz el más personal e individual de los instrumentos, cada cantante debe tener su propio punto de vista y su propio método. "Personalmente estoy convencida de que si uno canta y practica todos los días, pierde un poco de frescura en la calidad del sonido. Es algo contra lo que deben protegerse los cantantes, porque la idea es que todas las notas tengan la misma calidad, como si se desplegara un manojo de cartas cayendo cada una en el lugar que le corresponde. Esto ocurre con los grandes instrumentistas, sean pianistas, violonchelistas o violinistas, todas sus notas están en el mismo nivel, perfectas en un ciento por ciento, y debería ser lo mismo tratándose de cantantes. Por supuesto que es más duro para nosotros que para ellos, porque nuestro instrumento está alojado en el cuerpo y sujeto a la menor fluctuación de nuestro estado físico, mental, emocional y espiritual. No puedo separar mis cuerdas vocales del resto del cuerpo, o de la mente o la psiquis. Mi voz y yo somos uno. Hay una total interdependencia. Si estoy en buenas condiciones físicas, haré interpretaciones bien redondeadas desde el punto de vista dramático y vocal. Pero si me siento espiritualmente ajada, todos los papeles, hasta los más fáciles, me pesarán y serán cada vez más difíciles." Baltsa admite que en cualquier momento puede sentirse perezosa. Y es entonces cuando trata de obligarse a la "paciencia y humildad" de poner a un lado sus grandes papeles "y volver a la voz como si fuera tierra virgen, y trabajar en ella con sencillez, casi como una principiante, una alumna ignorante. Y lo hago con gran amor."

El hecho de trabajar arduamente no garantiza el éxito de manera automática, ni siquiera a los cantantes de notable talento. También se necesita suerte, y Baltsa la tiene, y siente "extremada gratitud" por las oportunidades que se le presentaron en el camino. "Tuve la fortuna de trabajar con los mejores directores, como Karajan, Abbado y Muti, que me guiaron hacia el repertorio correcto y me enseñaron mucho." Trabajó por primera vez con Abbado en enero de 1985, en La Scala. Se trataba de la puesta en escena que hizo Faggioni para *Carmen*, y más tarde en la Opera de Viena en 1987 y 1988 para *La Italiana en Argel* de Ponnelle. En 1988 se reunieron para hacer *Don Carlos* de Pizzi. Lo considera "un director inmensamente carismático", cuya economía de gestos y la tensión del trabajo la hacen sentir "como si hubiera hecho una buena dieta que eliminara cualquier flaccidez superflua."

Muti puede ser dictatorial en los ensayos, pero a Baltsa le parece maravilloso durante la representación porque "deja volar y llegar a las más altas manifestaciones". Nunca tiene necesidad de discutir con él, como nunca tuvo que hacerlo con Karajan. Se entienden perfectamente, y él sabe que puede confiar en que la cantante hará lo que han preparado juntos, pero también sabe que alguna vez se impondrá su instinto "y sigue inmediatamente si hago algo espontáneo, en el impulso del momento; eso es regocijante."

Fue con Muti con quien Agnes Baltsa hizo, durante muchos años, su papel más famoso de *bel canto*: Romeo en *Los Capuletos y los Montescos* de Bellini, primero en la Opera de Viena y después en Florencia en el Covent Garden. Romeo le parece el desafío más grande que haya afrontado, vocal y dramáticamente. "En la mayoría de las óperas de *bel canto*, uno puede olvidarse del libreto, las referencias al personaje deben apoyarse en la música, porque aunque la historia sea de Shakespeare, el libreto carece de la necesaria estructura dramática que contribuya a armar arquitectónicamente el personaje. Puede sonar extraño, pero creo firmemenete que todo personaje de ópera tiene su propia arquitectura. Se moldea sobre un material específico, material que en esta ópera se encuentra sólo en la música. Y el Romeo y la Julieta que surgen de la música de Bellini son muy distintos de los de Shakespeare, y ya desde el comienzo están imbuidos de una especie de ansias de muerte. Están tan terriblemente enamorados, son tan terriblemente románticos, tan melancólicos y casi resignados a la imposibilidad de su amor, que la única solución posible es la muerte. En realidad, esperan morir, porque en la muerte podrán unirse."

La suavidad y dulzura de Romeo se hace particularmente difícil. "Su primera entrada es 'sotto voce' hasta el punto de que parece un ser etéreo, no de carne y hueso. De modo que hay que buscar la manera de expresar su pasión, su romanticismo, su opresivo amor, y al mismo tiempo su profundo dolor, casi mudo e inexpresable, a través de una presencia sosegada, introspectiva, tácita."

Según Baltsa, esos instantes en que los sentimientos son tácitos más que manifiestos, son los más fuertes, y las críticas indican que les ha dado el necesario valor: convirtiendo a Romeo en una de sus más emocionantes interpretaciones.

"El Covent Garden tendrá la suerte de contar en esta temporada con la mejor representación personal", declaró *The Times*, mientras Harold Rosenthal decía en *Opera* que "la forma en que miss Baltsa acomete la canción popular de la casi handeliana primera aria, y su manera de cantar la más deliciosa página de la partitura, 'Deh tu bell'anima', habla de las pocas rivales que puede tener en esta clase de música, y confirma que su Adalgisa de hace cuatro años no fue una casualidad."

En la vida profesional de Herbert von Karajan hubo pocos sueños no realizados, y uno fue ver a Agnes Baltsa encarnando a Adalgisa en *Norma*. Se habían encontrado por primera vez, encuentro fundamental para el futuro de la cantante, en 1974, en la Filarmónica de Berlín. Ella se presentó a una audición para la parte de mezzosoprano en la *Missa Solemnis*, que recuerda haber cantado "atrozmente", e intentó excusarse diciendo que estaba muy nerviosa y aturdida. "No está nerviosa o aturdida", dijo Karajan, "usted quiere estarlo". Había percibido instantáneamente el potencial de esta imponente *jolie-laide* (Baltsa no era todavía la atractiva criatura de pelo alborotado y siempre vestida a la moda en que pronto se convertiría), le dio el puesto y la hizo miembro destacado del pequeño y selecto grupo de "cantantes de Karajan", con el que trabajaba regularmente en Berlín y Salzburgo. "Me formó y puso su sello en mí, como artista y como ser humano", dice, y hasta el presente sus palabras evocan constantemente a Karajan.

La histórica puesta en escena de *Salomé* en 1977, papel que también lanzó a la fama a Hildegard Behrens, fue el primer trabajo conjunto de Karajan y Baltsa. Probablemente ella nunca hubiera pensado en hacer Herodías, cantado generalmente por sopranos con experiencia. Pero Karajan, que podía ser asombrosamente persuasivo, tenía un punto de vista diferente y mucho más atractivo con relación al papel. "No quería el habitual 'montón de carne vieja' ('Kein kaputtes Fleisch', como decía él) sino una mujer joven y hermosa, impactantemente vestida –una verdadera competencia para Salomé– siseando los más venenosos pensamientos con la mayor compostura." Baltsa aceptó porque se identificaba con la percepción musical y estética de Karajan.

"Siempre me abría nuevas sendas y me enseñaba nuevas maneras de interpretar los papeles, a millas de distancia de las banalidades habituales. Tratándose de él, era imposible dar vueltas o alardear con el trabajo, sólo admitía la forma más pura de cantar y hacer música. Karajan era el esteta de la música más grande del siglo y, casi inconscientemente, uno tenía que cantar como él dirigía y producir una línea larga, donde no se notara la costura, como un arco iris; la famosa línea Karajan. Y si no lo conseguía, uno tenía que preguntarse a sí mismo el porqué, dado que tres años atrás parecía perfectamente factible. Y entonces empezaba un trabajo realmente duro y la voz volvía a ponerse en forma. Su magnetismo personal era tan intenso que rápidamente inducía a una especie de trance en el que uno se relajaba dejando que las cosas pasaran naturalmente, y más importante, con alegría. No había confusión o aturdimiento en su manera de hacer música.

"Pero este jubiloso estado sólo se alcanzaba después de una larga y minuciosa preparación, durante la cual Karajan insuflaba la forma musical que quería, ciñéndolo a uno con una faja que él mismo ajustaba. Es decir, que tomaba la materia en bruto y la moldeaba dentro de su ideal musical, desbrozándola de espinas, de las malas costumbres que se hubieran adquirido. Y había que obedecer como un soldado. Pero con la representación llegaba la alegría, cuando después de todo el ejercicio hecho en los ensayos él nos desataba de golpe y nos liberaba para explotar y galopar como un animal salvaje. Es decir, nos dejaba libres de hacer lo que él quería, pero con nuestra personalidad."

Mientras yo preparaba mi libro *Maestro*, von Karajan vivía aún, y explicaba que siempre recomendaba a los cantantes no esperar sus indicaciones para cada entrada. "Tienen que cantar como quieran, como han cantado en los ensayos. En realidad, la cosa depende de ellos hasta el punto de que ni siquiera serían *capaces* de hacerlo de otro modo. Y cuando saben exactamente lo que hay que hacer, entonces puedo acompañarlos, porque tienen que estar preparados de tal manera que piensen que son libres. Y si lo piensan, cantan bien."

Dos años después de *Salomé*, Baltsa cantó Eboli en *Don Carlos* para la producción de Karajan del Festival de Salzburgo de 1979, que se reestrenó en el Festival de Pascua de 1986. Fue uno de los grandes triunfos en la carrera de la cantante. El papel se adapta a su voz y temperamento, y ella admira esta "ópera sublime, que se interna en la historia y las personalidades de un período determinado."

La profundidad y solidez de un libreto como este es importantísimo para Baltsa. Siempre se negó a cantar Azucena en *Il Trovatore*, por ejemplo, porque tanto la historia como el libreto le parecen "disparatados".

Karajan produjo en 1983 *El Caballero de la Rosa* en Salzburgo, y trabajaron juntos por tercera vez. Entretanto, Baltsa había logrado otro éxito en ese Festival, cantando Dorabella en *Così fan tutte*, dirigida por Riccardo Muti, en producción de Michael Hampe.

El papel de Octaviano no era nuevo para ella, lo había hecho en 1970 en la Opera de Viena, y "se había enamorado, de la cabeza a los pies, de este joven con todas sus sorpresas, disculpas y momentos de ternura con la Mariscala, y lo representaba como un muchacho permanentemente sofocado por el entusiasmo y alegría de la juventud. Pero Karajan buscaba una interpretación más tranquila, más restringida, posiblemente quería que la música lo dijera todo. Noté que en los momentos de mayor éxtasis en la orquesta nos tenía a los cantantes especialmente quietos. Librada a mi criterio, yo hubiera procurado un contacto más intenso entre él y la Mariscala. Pero quizá mi llama de pasión griega no existiera en la Viena del siglo dieciocho."

Como muchos de sus colegas, Baltsa piensa que trabajar con Karajan, director de escena, era mucho menos satisfactorio o enriquecedor que Karajan director de orquesta. Recuerda que, ante cualquier desacuerdo que se produjera, él lo resolvía con un "se hace porque yo lo digo", táctica que nunca usaba en cuanto director de orquesta. Según Baltsa, "El sello de un gran director de escena es la habilidad para adecuar su concepción al elenco y adaptar sus ideas a sus personalidades. En esto Jean-Pierre Ponnelle (que murió prematuramente de un infarto en 1988) era un genio. Cuando hicimos *Carmen* en Zurich, por ejemplo, planeó su producción para hacer resaltar mis mejores cualidades, y consiguió que yo diera todo lo que fuera capaz. Sin embargo, creó una *Carmen* diferente, pero igualmente válida para Teresa Berganza, *en la misma producción*."

La interpretación de Carmen, que Baltsa y Ponnelle desarrollaran en Zurich, fue "hecha a medida para mí, para mi voz, mi temperamento, mi cerebro y mi cuerpo, mi fuerza y mi debilidad, mis capacidades, mis perversidades y todas mis posibilidades. Yo soy una criatura de extremos emocionales; todo mi aspecto humano, mi gama de colores afectivos, estaban ahí, hasta el punto de que no pasó mucho tiempo antes de que sintiera que no estaba representando a Carmen, era Carmen." La Carmen de Agnes Baltsa era una criatura de carne y hueso, una chica de dieciséis años llena de deseos y no una prostituta. "No es ella sino quienes la rodean los que crean esa atmósfera de inquietud y conmoción. Es casi inconsciente del grado de fascinación que ejerce sobre los demás. Pero apenas sale de la fábrica, los hombres la rodean como las abejas la miel. Uno de sus mayores atractivos es su independencia y su impredecibilidad. Nadie sabe qué hará al momento siguiente y eso la hace irresistible. 'Ahora te amo, ahora ya no, de modo que ten cuidado', esa es su actitud, pero nadie es capaz de aceptar semejante cambios de humor. Lo impredecible es la clave de su personalidad."

Musicalmente, la clave debe ser buscada en esos acordes, que Baltsa llama "acordes de la muerte", insertados por Bizet en la introducción y repetidos en el momento en que sus ojos se detienen en Don José. "Esa mirada implica: 'te vi y te advierto que te quiero y eso significa que te tendré, aunque firme mi sentencia de muerte. Si debe ser, será, no me importa.' En realidad, lo único que la preocupa es vivir libre para vivir como quiere. Y en la producción de Jean-Piere nosotros hacemos surgir toda su capacidad de pasión, de odio, de aislamiento. Fue, junto con el *Don Carlos* de Karajan, el más grande *Sternstunde* de mi carrera. Me sentía en éxtasis, con tal alegría humana y artística que, si al final me hubiera enterado de que no podría volver a cantar, no me habría importado."

Pero cuando se presentó a interpretarla en Salzburgo, se enteró, con gran desesperación, que Karajan no quería algo semejante. Se oponía a todo lo hecho en Zurich, pero aparentemente sin una alternativa definida. "Me sentía como si me hubieran amputado las piernas, sin siquiera haberme dado muletas. El no tenía una concepción determinada para ofrecerme. Toda la producción parecía un hoyo, el telón de fondo para alguna escena folklórica (completado con el baile flamenco importado). En este caso, le faltaba el genio de directores escénicos como Ponnelle, con la habilidad para extraer lo mejor de nosotros y minimizar las debilidaddes de cada uno."

Pero cuando Karajan y Baltsa grabaron juntos para la Deutsche Grammophon, se entusiasmaron el uno con el otro. "Me llevó mucho tiempo encontrar una Carmen con la obsesión en su voz", dijo Karajan, mientras Baltsa se conmovía porque "él afinó mi interpretación. Ponnelle me dio lo salvaje, la entereza de Carmen, Karajan me dio el perfume, la crema, la delicada filigrana. No es que sospeche que estábamos probando el nirvana en escena... Por cierto, que la representación de Salzburgo en 1985 no lo fue. En realidad, nunca he visto una producción de Karajan aburrida como esa."

Su reestreno al año siguiente fue el paso hacia la ruptura en la colaboración artística del director y la cantante. Durante los ensayos se producían desacuerdos y tensiones, al punto de que en el ensayo general Karajan eliminó a Baltsa de la producción y del Festival de Salzburgo, una lamentable pérdida para los dos artistas y a la larga para el mundo musical. Felizmente, en los últimos tiempos de Karajan arreglaron sus diferencias. Ella, reconociendo lo que le debía en cuanto a su "carrera" y a su crecimiento artístico, cantó el Requiem de Mozart en la Catedral de Salzburgo, que poco después de morir, en 1989, se realizó en su memoria.

Baltsa tiene un carácter fuerte, pero nunca se encapricha en "hacer lo suyo" en escena, ni se niega a nuevas propuestas siempre que el director la convenza. Elijah Moshinsky, que produjo el *Sansón y Dalila* de 1985 en el Covent Garden, y que la estimuló en el logro de una de sus interpretaciones más acabadas, se asombraba ante su disposición para aceptar riesgos y exigirse a sí misma. "Trabajamos a través de lo emocional más que a través del texto, dejando mucho librado a la improvisación, probando cosas en el momento. Baltsa tiene una espontaneidad increíble, como nunca encontré en una cantante, aunque dicen que en Callas era asombrosa. Es vehemencia, no en el sentido de tempestuosidad en general, sino de habilidad para hacer lo que hace con frescura, como si fuera recién inventado. En una ópera como *Sansón y Dalila*, en la que el sexo y la posesión son importantes, es fantástico. Al principio la dirigía sin hacer hincapié en lo sexual, y era ligeramente monótona y santurrona. Yo sabía que el sexo estaba ahí, pero no lo lograba con el reparto original (Jon Vickers y Shirley Verrett). Después, con Baltsa y Domingo, fue una cosa completamente distinta; los dos se estimulaban y se obligaban a trabajar realmente duro.

"Tengo la impresión de que Baltsa es consciente del poder que ejerce en escena y sobre lo que debe hacer para usar ese poder, usar su presencia. Su lado griego la posibilita a instantáneos cambios de modalidad, de temperamento, con mucha más inmediatez que en otras personas, y es una cualidad fundamental para hacer Dalila. Puede hacer una escena de seducción absolutamente convincente, y en el acto lanzar una mirada que muestra el otro aspecto de su carácter. Esta cualidad tan inquietante es muy apta para describir la traición, y en Dalila estas idas y vueltas excitan al público."

"Es una artista que hace que la escena parezca más viva cada vez que sale –dijo *Opera*– y no sólo ella, sino todos."

En 1991 Baltsa volvió a cantar Dalila en el Covent Garden, y conserva este papel en su repertorio para un futuro próximo. Desde *Carmen* su voz ha crecido y se ha hecho más dramática, y ella clama por papeles más reales, personajes en carne viva más que los tranquilos papeles de su primera época. Proyecta eliminar algunas de las heroínas de Rossini, por ejemplo Rosina, cuya representación de 1990 en el Covent Garden fue anunciada como la úlitma, y la Cenerentola, que cantó en noviembre de 1991 en el Teatro de la Monnaie de Bruselas. Además, conservará el papel de Isabella en *La Italiana en Argel*, junto con Charlotte en *Werther*, representada en Munich y Bruselas durante 1991. Hay en este momento dos papeles que le interesan en especial, y con los que tuvo gran éxito: Elisabetta en *María Estuardo* de Donizetti, que cantó en la Opera de Viena en 1989 y que luego grabó para Philips, y espera cantar en 1992 y 1993. El otro es Santuzza en *Cavalleria Rusticana*, que hizo en la Opera de Viena en enero de 1990 y fue grabada por Deutsche Grammophon, papel que había ansiado muchos años pero supo esperar hasta el momento oportuno.

Santuzza es el primer papel verista en la carrera de Baltsa, quien dice que, aunque exige hasta el último aliento, en términos puramente vocales, el verismo requiere menos exactitud que el *bel canto*. "La orquestación es tan grande y densa que, al distraer la atención, protege al cantante, mientras que en el *bel canto* uno queda totalmente expuesto. Esta rica orquestación ayuda también a encontrar los colores vocales correctos."

Cuando lo cantó por primera vez en Viena, la crítica y el público juzgaron que el papel le cuadraba perfectamente. "Que la Santuzza de Agnes Baltsa fuera una criatura de pasión, temperamento y fuego, era previsible", dijo *Die Presse*. "Lo que sorprende es su habilidad para desarrollar la interpretación desde la intimidad emocional hasta la explosión final. Nada parece artificial o calculado. La Santuzza de Baltsa no es una furia rugiente, y su venganza no es la ira salvaje de Némesis, sino la reacción de una mujer enamorada ante el desdén y la humillación. La 'proscripción social' es tema central, y Baltsa lanza el horripilante grito de Santuzza 'estoy excomulgada' de una manera que realmente destroza el corazón."

Giuseppe Sinopoli, que dirigió *Cavalleria* en Viena y en grabación para Deutsche Grammophon, opina que Baltsa es la intérprete ideal de Santuzza porque es una artista que "combina frenesí –en un maniático rasgo dionisíaco– con control. Es un frenesí *teórico*, siempre atemperado por el intelecto. Es parte fundamental de los antiguos ritos dionisíacos estar a punto de consumar el acto pero no hacerlo realmente, llegar justo a la máxima *posibilidad* de consumación. Es la Santuzza más interesante que he visto, porque es mezcla de pasión y profundo sufrimiento, que surge de su sentimiento de aislamiento social. Envuelve las dos formas de dolor, el de la mujer rechazada y el de la paria social, de la manera más fascinante."

Fuera de la escena, Baltsa es una mujer de hoy, activa, amante de la natación, a quien le gusta salir a comprar ropas y antigüedades y no se opone a ir de vez en cuando a una discoteca. Estuvo casada muchos años con el barítono Günther Missenhart. Viaja todo lo que puede con su hermana mayor, que es también su mejor amiga, y un apoyo vital en su vida. Intensamente griega en aspecto y temperamento, dice que cualquier contacto con las cosas griegas, sean alimentos, paisajes o música, la reviven y recargan sus baterías. Le gusta vivir la vida a fondo y ama apasionadamente su trabajo. En realidad, tuvo razón Elijah Moshinsky cuando dijo que estar en el escenario "la excita eróticamente", y ella misma explicó una vez a una revista alemana: "No puedo cantar sin estar viva, y no puedo estar viva si no canto."

Teresa Berganza

"Cuando hablo de Teresa Berganza, me vuelvo lírica." Son palabras de Janine Reiss, la maestra francesa que conoce el tema de la voz del derecho y del revés y ha trabajado durante décadas con cantantes. "Para mí es la artista *ideal*, una mezcla de sabiduría y sencillez. He aquí una cantante que puede tocar el piano y leer música perfectamente, y tiene un respeto inmenso por la partitura y el texto. Es al mismo tiempo una mujer completa que pone en sus interpretaciones lo que sólo una verdadera mujer puede poner. Por eso es la perfecta expresión de este fenómeno humano: la cantante que ha vivido una vida plena, aporta mucho más a sus interpretaciones."

Berganza es más modesta y atribuye su éxito a la suerte de haber encontrado una gran maestra al comienzo de sus estudios. "No existe una buena cantante sin un buen maestro. Sin una Elvira de Hidalgo no hubiera habido una Callas," declara Teresa Berganza, una de las mejores mezzosopranos líricas de los últimos treinta años y cuya voz, con más de cincuenta años, sigue siendo un valor a tener en cuenta. "El lazo entre Lola Rodríguez de Aragón, alumna de Elisabeth Schumann y yo, es fuerte y profundo, más que entre madre e hija. Por sorprendente que parezca, mi maestra sabe de mí más que mi madre, porque conoce mi lado *artístico*, ese lado oscuro, interior, misterioso que nadie más conoce."

Berganza piensa que las maestras de canto tienen decisiva importancia en la vida de las jóvenes y que deberían ser escrupulosamente honestas y *saber* realmente lo que está pasando. "De otro modo corren el riesgo de arruinar no sólo una voz sino toda la vida de una artista. Sin embargo, hoy hay mucha gente, incluyendo pianistas, que se establecen como maestros de canto sin tener la experiencia necesaria. Tuve suerte al encontrar una que entendió mi voz y mi personalidad y me preparó adecuadamente. Con ella aprendí todos mis papeles y canciones y seguimos trabajando juntas. Cuando me encuentro con un problema vocal, como perder la calidad de un cierto sonido, ella invariablemente me ayuda a solucionarlo."

Cuando asistió por primera vez a las clases de Lola Rodríguez en el Conservatorio de Madrid, Teresa Berganza se consideraba "completamente virgen" en lo referente a técnica vocal. Tenía poco aliento, tres diferentes voces que no parecían enlazarse juntas, porque "España todavía era un país cerrado y aislado", y no había visto una ópera en su vida. La primera aria que cantó para su maestra fue "Voi che sapete", de *Las Bodas de Fígaro*, "que puede sonar como la más simple de las tonadas pero es una de las arias más difíciles en el repertorio mezzosoprano lírica. En comparación, cualquiera de las arias de Carmen es fácil." Trabajaron cuatro semanas en ella. La inteligente selección de ejercicios hecha por Rodríguez debía capacitar a su alumna para combinar los registros en un todo y producir la uniformidad de tono esencial para sostener una línea mozartiana. Desde el momento en que sintió "la música de Mozart firmemente alojada en mi garganta, me hice adicta a ella para toda la vida".

Aprendida el aria, comenzaron a trabajar en el resto del papel, poniendo gran énfasis en el texto y el significado de la obra completa, algo que ella considera fundamental en la formación de los cantantes jóvenes para dar *sentido* a las interpretaciones. "Cuando me presenté a una audición ante el director del Festival de Aix-en-Provence (para debutar en julio de 1957 como Dorabella), sabía *todo* sobre *Così fan tutte* y *Las Bodas de Fígaro*, desde el principio al fin, todos los recitativos y dúos. A veces las arias son lo más fácil de una ópera. Por ejemplo, mucha gente puede cantar un aria de Verdi. ¿Pero cómo acometer la ópera completa, con sus dúos, sus recitativos y cuartetos? Sólo conociendo un papel en su totalidad, se puede saber si uno es capaz de cantarlo o no."

Teresa Berganza nació en Madrid en 1935 y debutó profesionalmente en el Ateneo de Madrid con *Frauenliebe und Leben* de Schumann. Un año más tarde, en 1957, obtuvo un enorme éxito haciendo ópera por primera vez en Aix-en-Provence, y al mes siguiente cantó el Cherubino en Deauville. Se trataba de una producción estelar, con Graziella Sciutti como Susana, y a partir de allí el Cherubino se convirtió en una "mascota", cantándolo alrededor del mundo. Con más de cien representaciones en veinticinco años, nunca se aburrió con él. "Algunos papeles *pueden* volverse tediosos a través de los años, pero no el Cherubino, probablemente porque hay distintos modos de cantarlo. *Non so più cosa son, cosa faccio*, por ejemplo, puede hacerse de doce maneras diferentes." Al principio solía poner más atención en la música que en el texto, por lo que le llevaba algún tiempo meterse en la piel del personaje. Pero cuando lo cantó en el Colón de Buenos Aires, con Gundula Janowitz en la Condesa, llegó a identificarse tanto que en el recitativo con la Condesa casi sentía la emoción de un hombre, lo que "con el tiempo me alarmó. No quiero ni pensar lo que hubiera pasado si yo no hubiera dominado la música y las exigencias vocales del papel, sintiéndome libre para introducirme en el personaje."

En 1977, Berganza hizo el papel de Zerlina en el histórico film de Joseph Losey *Don Giovanni*, y el resultado no fue una joven graciosa y liviana, sino una sensual mujer madura. "Ella admite que es experta en el amor, y en aquella época pocas jóvenes hubieran tenido la oportunidad de hacerlo. Es una mujer experimentada y con ciertos instintos, por eso Don Giovanni le canta inmediatamente eligiéndola entre otras campesinas. Hay un algo alrededor de ella, esa sensualidad instintiva que un hombre puede percibir. No tiene nada que ver con la forma en que uno se viste, y no se aprende. Se tiene o no se tiene. Carmen lo tiene en abundancia, y es lo que la distingue de los otros cientos de cigarreras y hace que los hombres la rodeen a ella."

Berganza cree que la cristalina música de Mozart es la mejor escuela para las cantantes, y que lo es en alto grado para los pianistas. Leonard Bernstein siempre decía que él practicaba mucho tiempo y muy duro una sonata o un concierto de Mozart, más que ninguna otra música para piano. Exige una seguridad y precisión casi instrumental, y es una buena disciplina para todas las cantantes convertir su voz en un instrumento perfecto. "Personalmente trato de imitar al violonchelo, el más sensual y bello de los instrumentos, cuyo sonido es como el de una mezzosoprano. Es algo especial porque uno lo abraza, lo pone entre sus piernas, como un hombre o una mujer, y su sonido es diferente a todos los demás. Es más visceral y parece llegar casi desde el cuerpo, como la voz. E idealmente la voz humana debería sonar como sin una costura, de lo más bajo a lo más alto, como un violonchelo."

La maestra de Berganza se preocupó mucho por enseñarle que la voz debería tener una sola sonoridad, aunque según lo que uno interprete, puede tener millones de matices y colores y dinamismo, y por supuesto sin que los cambios entre los registros sean audibles. "En realidad, no hay una cosa como la voz de pecho o la voz de cabeza. Hay una sola voz, dos cuerdas vocales que funcionan a través de las vibraciones causadas por el paso del aire mediante una respiración bien controlada. Lo que crea la *ilusión* de una voz alta o baja es el hecho de que hay varias cavidades de resonancia. En el centro de la voz existe una zona donde a veces se puede oír el paso, por eso se llama voz baja (pero como he explicado, no es tal cosa) y mi maestra trabajó arduamente para asegurarse de que en mi voz ya no se oiría la transición."

Después del éxito de Cherubino y Dorabella en 1977, Berganza dedicó la siguiente década a cantar especialmente a Mozart y Rossini, convirtiéndose pronto en notable intérprete de su música. Recorrió el mundo cantando Rosina en *El Barbero de Sevilla*, Isabella en *La Italiana en Argel* y el papel titular en *La Cenerentola*, mereciendo elogiosos comentarios de Spike Hughes: "Un éxito resonante, con esa peculiar calidad hispánica en la voz y la personalidad, que caracterizaba la clásica representación del mismo papel hecha por Conchita Supervia." Comentario que no le gustó mucho a Berganza, quien se opone a la comparación entre cantantes. "Una voz no tiene nada que ver con otra." Su Rosina en el Covent Garden entusiasmó a Harold Rosenthal, de *Opera*, quien dijo que "su vocalización es puro júbilo. Canta tan naturalmente como nosotros hablamos, y su aristocrático fraseo y su suavidad permanecerán como un tesoro."

La famosa producción de Jean-Pierre Ponnelle en La Scala, dirigida por Claudio Abbado y también filmada, contó con Teresa Berganza otra vez en el papel de Rosina. Estuvo unida a Abbado en algunas de las mejores experiencias de su carrera, "momentos en los que no era muy consciente de ser yo misma". Además de *El Barbero*, hicieron *Las Bodas de Fígaro, La Italiana en Argel* y *Carmen*. Carlo Maria Giulini fue otro de los directores que le enseñaron mucho durante su formación. "Los grandes directores siempre son un estímulo porque nos dan ideas nuevas e invariablemente interesantes y nos enseñan a mirar el papel por dentro. Una nueva idea sobre un recitativo puede cambiar la manera de ver todo el papel, y en esa época Giulini me dio muchas, por ejemplo, sobre Rossini. Ahora, yo misma armo los personajes, muchas veces después de investigar a fondo, leer y visitar museos."

Aprende sola los nuevos papeles, encerrándose en su sala de estar y leyendo toda la partitura, y en ocasiones se acompaña al piano. El primer paso es decidir si la tessitura es la que corresponde a su voz. A veces no lo es, porque, aunque al principio haya un do natural conveniente para ella, quizás haya pasajes que no puede dominar. Sucede con Eboli y Violeta. En el primero está en condiciones de cantar las arias pero no los tríos, y en el segundo la amplitud no es problema, pero sí la tessitura. "La Scala me ofreció *La Traviata* en 1960, pero tuve la voluntad necesaria para negarme, aunque fue una renuncia profundamente frustrante porque he admirado a Violeta desde 1957, cuando vi a María Callas cantándola. Me impactó y temblaba de emoción antes y después del espectáculo; esos ojos, esa economía de gestos lograda sólo con la mirada, cuando otras habrían caído en toda clase de histrionismos. Me marcó para siempre como artista. Decidí que lo haría de esa manera o no lo haría."

En 1958 Teresa Berganza había tenido la oportunidad de trabajar junto a la gran cantante en Dallas, cuando hizo Neris en su Medea. Le resultó una experiencia inolvidable, y de alguna manera sorprendente. "Era la más tierna, en realidad la única *verdadera* compañera en mi carrera. Yo hacía la nodriza y tenía que ser maquillada para parecer vieja. Pero se acercó y le dijo al director de escena: 'Déjela ser una nodriza joven, déjeme tener una Neris joven para variar, queda mucho más hermosa así.' Y durante los ensayos y las funciones me trataba como a una hermana menor, lo que me hacía sentirme como Alicia en el País de las Maravillas; nunca permitía que me quedara sola en el hotel. También recuerdo que me ovacionaron largamente después de mi aria, que yo cantaba de espaldas al público, y ella se inclinó murmurando: 'Date vuelta y agradece el aplauso', y me hizo girar suavemente. Por eso, cuando oigo a la gente hablar de ella, no me parece que hablen de la mujer que *yo* conocí. Después de la *Medea* de Dallas, me sugirió varias veces que la visitara en París, pero estúpidamente, como comprendí más tarde, lo rehusé porque temía molestarla. El día que murió sentí profundos remordimientos. Quién sabe, quizá si muchos de los colegas que le gustaban se hubieran mantenido en contacto, eso podría haberla ayudado.

"Tal como sucedió, ninguna cantante me *dio* nunca tanto como ella lo hizo en aquellos tempranos días de Dallas. Y aprendí de ella una tremenda cantidad de cosas sobre el arte de la disciplina: por ejemplo, lo duro que tenía que trabajar, teniendo mala vista, para que ese subir y bajar por las escaleras pareciera natural. Es casi la Lección Número Uno para todo artista: hacer que las cosas parezcan hechas sin esfuerzo, naturales ante el público, aunque llegar a esta naturalidad represente horas, días, *años* de trabajo. Callas fue, además, la primera en convertir la ópera en verdadero teatro y demostrar que, cuanto más traslada uno el drama a la ópera, más poderosa brota la música. Desde entonces, nadie la ha igualado."

El repertorio de Berganza incluye también Gluck, Handel y mucha literatura para concierto, la cual, siendo música tan extraordinaria (estudió piano y dirección orquestal), le brinda enorme satisfacción. Escucha música todo el tiempo –"necesito ser *alimentada* con música"– excepto cuando lee. Aunque se da cuenta de que, como mezzosoprano lírica, muchos de los grandes papeles de Verdi para mezzosoprano dramática, como Eboli, Amneris y Azucena, podrían estar fuera de su alcance, a mediados de los años setenta clamaba por papeles más dramáticos. La primera fue Charlotte en *Werther*, y después comenzó a pensar en Carmen. "En el momento en que uno se acerca a los papeles dramáticos, sólo puede pensar en cantar esta clase de música. Todo lo demás, todos los papeles de Mozart y Rossini, empiezan a parecer peso liviano."

Nos cuenta que el camino recorrido hasta llegar a Carmen fue largo y tuvo una resonancia monumental en su vida. Su padre, a quien veneraba, era un hombre liberal, casi ateo, de gran cultura, acostumbrado a llevar a sus hijos a museos, conciertos y al teatro, pero, no obstante, muy estricto y "muy español". En casa no se mencionaba el sexo y no me dejaban salir con chicos. Todo eso me marcó. A pesar de estar casada y tener hijos jóvenes, estaba muy inhibida, encerrada en un matrimonio muy "español", en el que la palabra de mi marido era ley, no sólo en casa sino también en mi carrera. El resolvía qué, dónde y cómo cantaría. El peso de mi educación era tal que no podía liberarme de esa mentalidad cerrada y ni siquiera podía pensar en Carmen, la quintaesencia de la libertad de espíritu. Yo era más bien como Rosina de *Barbero*; prisionera, esperando por un Almaviva. Pero tenía una familia, había levantado muros a mi alrededor y ni siquiera me animaba a mirar a otro hombre."

De pronto apareció Peter Diamand, por entonces director del Festival de Edimburgo, propuso *Carmen* y su ofrecimiento revolucionaría la vida de Teresa Berganza. Se sumergió en la pieza de Mérimée, que tenía desde hacía semanas junto a su cabecera. Estudió la forma de vida de los gitanos de la época y fue a Sevilla para interiorizarse de todo ese mundo. Descubrió que tenían la misma dignidad y que eran mucho menos extravertidos de lo que generalmente se cree. Explotan en momentos de pasión, pero el resto del tiempo son más bien contenidos. Las mujeres en particular le recordaban a las indias, en el sentido de que son exóticas, por supuesto, pero muy reservadas y decorosas en su trato con los hombres. "El concepto de la gitana desgreñada es un mito, por lo menos en cuanto a las gitanas españolas. Yo había encontrado una antigua escena de tres gitanas peinándose unas a otras para una reunión con sus novios, y eso se aproxima más a la realidad.

"Así entré en el mundo de Carmen. Y al mismo tiempo empezaba a liberarme de mis represiones y frenos, el primero de los cuales, y el más grande, era mi marido. Gracias a Carmen, que ya era parte de mí, a su honestidad y su absoluto rechazo a la mentira, encontré el coraje para separarme. El espíritu de Carmen se adueñó de mí de tal modo que me atemorizaba, porque parecía dictarme con toda claridad que ya no amaba a ese hombre, que debía dejarlo. Antes de resolverme a dar este paso, viví un par de años muy difíciles luchando contra ello y tratando de seguir con la misma forma de vida. Pero se trataba de algo más fuerte que yo y me urgía ser libre, ser dueña de mí misma, no por más tiempo bajo el yugo de mi marido. Carmen me liberó para siempre."

Como es lógico, el momento en que tomó la gran resolución le ha dejado un recuerdo muy vívido. Transcurría agosto de 1977, y en el preciso instante en que cantaba "la liberté, la liberté" al terminar el segundo acto del ensayo general en Edimburgo, de repente se sintió libre, libre de quien pudiera retenerla o frenarla. Su marido estaba allí, y allí mismo le dijo que no podía estar más tiempo con él. Se fue a un hotel con sus hijos, a quienes ama apasionadamente, y en hoteles pasó los tres años siguientes. "Mis hijos, que estaban ahí, entendieron que la libertad de las gitanas no es irresponsable ni licenciosa sino la libertad de ir donde uno quiera en cualquier momento, sin que nadie pregunte nada. Hoy estoy en París, pero mañana puedo querer estar en Balí, y ¿quién me detendrá? Por eso nunca hay que representar a Carmen como a una prostituta, sino como a una mujer totalmente honesta, mucho más que Doña Ana en *Don Giovanni*, que se muere de amor por él pero las convenciones sociales le impiden hacer nada al respecto. Es esa libertad total de los gitanos lo que asocio con Carmen, a quien veo como a una amiga que me salvó del yugo y me devolvió la alegría de vivir." Finalmente, Berganza encontró a un hombre, José (Pepe) Rifa, con quien se siente tan íntimamente unida como sólo se había sentido con su padre, y que parece tener "todo lo que necesito y me gusta en un hombre". (Se casaron en abril de 1986; "después de diez años de ensayo", ya era tiempo para la representación. Fue una ceremonia muy especial; cinco minutos más tarde, la hija mayor de Teresa se casó con el pianista de su madre, para darle después una nieta.)

Teresa Berganza se considera muy afortunada por haber estado rodeada de un equipo de primera clase en aquella *Carmen*, no sólo grandes profesionales sino una verdadera ayuda en todos los pasos que tuvo que dar. Domingo interpretaba a Don José, Mirella Freni a Micaela, Tom Krause a Escamillo, y dirigía Claudio Abbado, con quien Teresa había estado entusiasmada antes. Piero Faggioni era director de escena, y logró una de las más memorables que se hayan hecho de Carmen. Berganza lo considera un genio. "Es uno de los raros directores que tienen realmente una *técnica* de la puesta en escena y son capaces de enseñar gran cantidad de cosas sobre movimientos, posiblemente porque ha sido actor." Fue fundamental también la presencia de la francesa Janine Reiss, una de las más inspiradas maestras de interpretación, "con increíble habilidad para ayudar a las cantantes. Trabajaba cada detalle del texto y la dicción, porque cantar en francés es muy difícil. No tiene vocales abiertas como el italiano ni consonantes clara y fuertemente articuladas como el alemán."

"Carmen es una de las partituras más mutiladas en el repertorio", dice Janine Reiss, "porque para empezar, el personaje es excesivo, una mujer libre hasta el punto de que, cuando se estrenó, resultó chocante para los burgueses franceses. Inmediatamente temieron que sus mujeres e hijas se liberaran, y para colmo varias cantantes la representaban de una manera exagerada y vulgar. Desde el momento que miro a una cantante, trato de darme cuenta de la trampa en que caerá." Teresa rechazó el papel durante *años* porque detestaba la manera vulgar de las interpretaciones, con el cigarrillo en la boca, meciéndose sobre los talones, con aire de prostituta, cuando nada más lejos de esa imagen en la partitura o en el texto. Al contrario, es una mujer que *nunca* ha hecho el amor por dinero, sino por gusto, y es lo suficientemente honesta como para decírselo a un hombre cuando ya todo terminó.

"De modo que cuando Teresa me dijo que había rechazado la invitación de Peter Diamand para cantar Carmen en el Festival de Edimburgo porque odiaba todo eso, le contesté que 'todo eso' no estaba en la partitura y la invité a mi piso de París donde toqué la obra completa. Quedó estupefacta y me dijo que nunca antes la había oído así. Después de otra sesión resolvió decir que sí y pedir a Diamand que me contratara como maestra. El resultado fue una *Carmen* de vuelta a la realidad original, y la producción se convirtió en una 'Carmen referencial'. Ahora sabemos que Carmen es así. Pero es a ella a quien se lo debemos, y su extrema honestidad profesional y fidelidad al texto es algo que tiene en común con Callas. Es bastante curioso que, en el ensayo general, me dijera que los críticos opinarían que era muy interesante, pero 'no Carmen', y así lo hicieron. Pero el segundo año, la pusieron en el cielo con sus elogios."

Berganza dice que "todo está muy claramente indicado si se sigue la partitura. Pero uno frecuentemente la percibe distinta de lo que intentó Bizet. En la Escena de la Carta, por ejemplo, en la partitura no hay un solo *forte*, porque Carmen está cantando sobre la fatalidad, cara a cara con el destino, y tiene la premonición de la muerte. Se canta suavemente a sí misma y no sería el momento indicado para gritar. Lo mismo pasa al final, si uno oye la música se da cuenta de que la describe yendo hacia la muerte, caminando directamente hacia el cuchillo de Don José, al que ha empezado a despreciar en el Acto II, cuando deja de hacer el amor para responder a la llamada del regimiento. En toda la ópera se vive una realidad profundamente española."

Esta histórica producción se repitió en Hamburgo y París, lamentablemente sin Abbado ni Freni. Berganza la cantó nuevamente en el Covent Garden, Chicago, Niza y con Ponnelle en Zurich. Es muy interesante destacar que, siendo la misma producción en la que Agnes Baltsa cantó su primera Carmen, Ponnelle creara y adaptara una totalmente nueva para Berganza. Y evidentemente tuvo razón, porque la voz es el más personal de los instrumentos musicales, la suma de los atributos de la artista en cuya garganta se aloja. De modo que también está sujeta a fluctuaciones de salud y humor, y puede convertirse en obsesión, que es lo que le puede ocurrir a Berganza según ella misma confiesa.

"Soy de la clase de persona que ama y disfruta la vida, la buena comida, la bebida, la ropa, el arte, mi familia, mis amigos. Pero vivo obsesionada con mi voz. Lo primero que hago cuando abro los ojos por la mañana es ver si está en su lugar. Ensayo varias notas altas y en pocos minutos me doy cuenta. Si funciona, se me presenta un buen día; si no, se me arruinó, sin considerar que pueda estar bien en el momento necesario. La frustración será la misma, porque la voz es el centro de mi vida. Mi marido siempre dice que vivimos un *ménnage à trois*: él, yo y la Voz. Y en cuanto a prioridades, la que gana es la Voz. Temo que cuando uno es un verdadero artista debe ser así, porque, al fin y al cabo, nada puede compararse con la sensación que tenemos cuando cantamos bien, cosa que no hacemos siempre. Pero en esos raros momentos casi perfectos a uno le parece que toca el cielo. Lo único que puede compararse a esa suerte de éxtasis es el momento exacto del parto, o los igualmente raros raptos de amor que se dan una o dos veces en la vida."

La gente suele creer que las cantantes son egocéntricas, pero Berganza aclara que las verdaderas artistas no viven pendientes de *ellas mismas* sino alrededor de *la Voz*, ese don que llevan en sí, y siendo la música una cosa sagrada, son responsables de él ante Dios. "Deberíamos tratar este don de Dios como sagrado. Si lo pensamos bien, hay pocos cantantes en el mundo. Si tener voz *es* claramente un regalo, un regalo que debe usarse sólo cuando uno se siente en disposición de dar todo lo que tenemos, y por medio de él hacer que la gente pueda también tocar el cielo. Si no me siento en condiciones de hacerlo, no canto."

Quien es capaz de expresarse así en relación con la voz, también está dispuesta a hacer todos los sacrificios necesarios para cuidarla. Pero, además, opina que no deberían sacrificarse en *todo*, no sólo porque la vida sería triste y vacía, sino porque el canto terminaría siendo árido, sin el sabor y la sazón que resultan cuando se vive una vida plena. Es feliz por haber tenido sus hijos siendo joven, y porque ello la ayudó a mantener el equilibrio entre la vida privada y la pública. A los veintiún años empezó su carrera, y a los veinticinco se sentía pesimista y ya pensaba en el retiro y en lo que haría después. "Siempre pensaba en la amarga realidad de que un día la carrera iba a terminar, y entonces empecé a probar y saborear cada minuto mientras puedo."

Y como evidentemente aún puede hacer mucho, cantó en Madrid *La voz humana* de Poulenc, en marzo de 1991 y al mes siguiente *Rinaldo*, y tenía ya programada *Carmen* con Domingo para la Expo Sevilla de abril de 1992. "Pero no sé *qué* haré más tarde. Quizás algo directamente en teatro."

Grace Bumbry

Desde Callas, ha habido pocas "divas" en el verdadero sentido de la palabra, combinando una voz excepcional y una alta capacidad artística, con calidad de estrella dentro y fuera de la escena. Grace Bumbry es una de ellas, y, junto con Leontyne Price, una de las primeras cantantes negras que pisaron un escenario operístico. Pryce era soprano y Bumbry mezzosoprano. Las dos tenían una gran y brillante voz, con el profundo matiz sensual y el timbre ardiente característico de las cantantes negras, y agreguemos también, como características, la calidad espiritual y la pasión visceral.

Bumbry se convirtió en estrella prácticamente en una noche de 1961. Tenía veintidós años y era la primera vez que una negra se presentaba en el Festival de Bayreuth. Su "Venus Negra" en el *Tannhäuser* de Wieland Wagner levantó controversias y fue tema en la prensa mundial. Como Callas, Bumbry era bastante perspicaz como para darse cuenta de que si una artista es sobresaliente, vocal y dramáticamente, provocar controversias, aunque sean pequeñas, y hasta algún escándalo, agrega condimento a su carrera y aumenta su fama. Capitalizó, sin perder tiempo, su "Venus Negra" y se rodeó de todas las galas del éxito: una flota de brillantes autos deportivos, ropa de alta costura, pieles, una "villa" a orillas del Lago Lugano, en Suiza, y devotos fanáticos que no se oponían a pagar un decorado especial de su camerino en algunas ciudades. Se convirtió en algo relativamente raro: una estrella entre las mezzosopranos.

Es difícil imaginar que esta mujer, con su presencia escénica imponente y su voluntad imperial, fuera alguna vez una joven tímida, con tan poca confianza en sí misma que no soñaba siquiera en ser cantante de ópera, conformándose con hacer carrera dando recitales. Grace Melzia Bumbry era la menor de tres hijos, la única mujer, nacida de una familia religiosa y musical, en St. Louis, Missouri. Su padre era empleado de ferrocarril, su madre maestra. El padre tocaba el piano, y Grace empezó a recibir clases de dicho instrumento a los siete años "para complacer a mi madre". Los padres cantaban en coros de distintas iglesias, y los hermanos en el coro juvenil. Algunas veces, cuando todos estaban ensayando, no había con quien dejar a la niña. Tenían que llevarla, y a los once años ella también estaba cantando en la Union Memorial Methodist Church.

Dos años después ingresó en el coro "a cappella" de verano de la Sumner High School y empezó a estudiar canto con Kenneth Billups, quien le enseñó la técnica de respirar correctamente, base de una buena cantante. "Fui afortunada al encontrar en mi ciudad un maestro tan bueno como mister Billups. Créanme, es cuestión de suerte caer en manos de un buen maestro. Si de entrada se da con uno malo, una puede arruinar la voz para el resto de su vida."

Animada por Billups, que era director del coro de la escuela, se presentó y ganó un concurso de canto para adolescentes, organizado por la emisora local de radio, KMOX. El premio consistía en un Bono de Guerra de mil dólares, un viaje a Nueva York y una beca por mil dólares para el Instituto de Música de St. Louis. Pero los ejecutivos de la radio ignoraban que el Instituto no admitía estudiantes negros. Sintiéndose comprometidos, ofrecieron clases particulares segregadas; una proposición que Grace Bumbry, sus padres y maestros rechazaron con dignidad. "Hasta entonces nunca me había dado cuenta realmente de que existían diferencias raciales. Pero no me amargué. Estaba más bien contenta de no tener que aceptar la beca porque quería ir a la Universidad de Boston, y fui. De modo que no me sometí a la humillación de las clases particulares."

Avergonzado, y queriendo reparar la humillación, el director de KMOX, que creía en el joven talento, arregló una audición para un programa muy conocido, "Talent Scouts", que se transmitía por la red nacional dirigido por Arthur Godfrey.

Bumbry cantó el aria de la Princesa Eboli, "O don fatale", de *Don Carlos*, y su electrificante interpretación emocionó a Godfrey hasta las lágrimas. Le significó una beca para la Universidad de Boston, transferida más tarde a la de Northwestern. Allí conoció a Lotte Lehmann, quien en el momento decidió llevarla a California para enseñarle particularmente en Santa Barbara, mientras trabajaba para ganar un título en la Academia Musical del Oeste. "Había encontrado una estrella. Va a ser tan famosa como Marian Anderson, y es mi descubrimiento", escribió Lehmann en su cuaderno de notas, que legaría a Bumbry al morir. "Ella es natural. Es como encender la luz." La influencia de Lehmann fue decisiva en la vida de Bumbry, "la gracia salvadora, una verdadera enviada del cielo. Siempre digo que mi madre me dio la vida por primera vez, y madame Lehmann por segunda. Me abrió el camino al mundo."

El propósito de Grace Bumbry era seguir los pasos de Marian Anderson (quien declaró después de oírla que era "una magnífica voz de gran belleza") y de Dorothy Maynor, dando recitales. Pero a medida que se involucraba cada vez más profundamente en el estudio de la interpretación, Lotte Lehmann empezó a detectar una naturaleza operística que no se imaginaba. "Lo asombroso es que yo era tan tímida e inhibida que no podía verme en ninguno de los extravertidos papeles de las óperas." El cambio se produjo prácticamente en una noche, después de uno de los días más frustrantes de su vida.

"Un día, Lotte Lehmann decidió que debía cantar el papel de Amneris en clase, y cantarlo como *ella* quería que lo hiciera. Se había dado cuenta de que tenía la voz indicada, una voz enorme, con todo el color y la emoción. Pero yo no podía expresarlo con los movimientos correctos. Bueno, ese día en especial ella decidió que debía hacerlo bien. Lo intenté y lo intenté, pero la cosa no funcionaba. Era la experiencia más desagradable que había tenido en mi vida, me caían las lágrimas, porque *quería* complacerla, quería hacer lo que me pedía, y sabía que era lo correcto. Me sentía una tonta. Volví a casa completamente deprimida. Me gritaba a mí misma que si alguien en la clase podía hacerlo, yo podía, no era una estúpida. Sólo era cuestión de librarme de mis inhibiciones. Puedo expresar lo que quiero significar sólo diciendo que, en cuanto a la representación, uno tiene que dejar atrás su yo y soltarse en el personaje. Es decir, hay que llegar al extremo de olvidarse de Grace Bumbry, o quien quiera que *uno* sea. Lo que importa es el personaje que hay que interpretar. Se me ocurrió cuando estaba sumida en la frustración. En cuanto me di cuenta, ahí estaba. Al día siguiente lo hice. Lotte Lehmann no podía creer a sus ojos, nadie podía creerlo. Me preguntó qué había pasado y se lo dije. Me contestó que era el cambio de personalidad más rápido que nunca hubiera visto. Y todo fue atribuido al hecho de que había estado demasiado pendiente de mí misma. Estar pendiente de uno mismo es un gasto de energía."

Mientras estudiaba interpretación con Lotte Lehmann, Bumbry continuaba perfeccionando su técnica vocal con Armando Tokatyan, recomendado por ella. El profesor consideraba que la voz estaba perfectamente ubicada por naturaleza, de modo que se concentró en desarrollar su ya sólida técnica, enseñándole a hacer *conscientemente* lo que estaba haciendo, ayudándola en su larga carrera y especialmente en esas noches en que se sentía mal, tal vez a causa de un resfriado. "Puedo cantar estando resfriada, siempre que no afecte mi garganta. Si se trata de la cabeza y la nariz, no me preocupo porque el sonido puede ser más bello. Si se *ha* instalado en mi garganta, no canto, cualesquiera que sean las circunstancias. En algunos casos suele suceder que uno no puede oírse. Lo único que se puede hacer entonces es vocalizar y cantar *técnicamente*: ubico naturalmente el sonido y confío en esa sensación que uno tiene en la cabeza cuando el sonido está correctamente emplazado."

La primera aparición profesional de Bumbry fue en 1958, en la celebración de los setenta años de Lotte Lehmann realizada en el Little Theatre del Palacio de la Legión de Honor de California. Cantó las canciones de Schubert, Schumann y Brahms que generalmente se relacionaban con la gran maestra. Ese mismo año, teniendo veintiuno, ganó el premio nacional Marian Anderson y el Kimber en San Francisco. Al mismo tiempo la hicieron miembro de la John Hay Whitney Foundation y un premio de mil dólares de las Audiciones del Aire del Metropolitan Opera. De pronto se vio en condiciones de irse al extranjero. Lehmann la llevó a las salas de ópera de Londres, Viena, Salzburgo y Bayreuth, y durante seis meses escuchó y aprendió, y lo que quedaba del año 1959 lo empleó en estudiar canciones francesas con Pierre Bernac. Ese mismo año debutó en París, en la iglesia de La Madeleine con el Coro Filarmónico de París, haciendo la Cantata *Actus Tragicus* (Nº 106) de Bach. Con el mismo grupo cantó en el *Mesías* de Handel, que le significó un gran éxito.

París fue también testigo de su debut en ópera, en marzo de 1960. Cantó Amneris en la Opera, y después de oírla en ese papel nadie podía sorprenderse por la forma en que irrumpió en el mundo musical. Con ese personaje recorrió el mundo, incluyendo La Scala, en la que debutó en 1964-1965, más tarde en el Covent Garden y el Metropolitan, donde había cantado Eboli. Su Amneris me sigue pareciendo lo más brillante que yo haya visto, tanto vocal como dramáticamente. Su interpretación se basa en lo que aprendió de Lotte Lehmann, quien le explicó que "Amneris tiene mucho en común con Ortrud, en el sentido de que no es sincera, excepto en su amor por Radamés. Empieza muy astutamente en la escena segunda del primer acto, tratando de inducir a Aída a revelar su amor por Radamés, y toda esa adulación, esos 'hermana mía', son un despliegue de la sagacidad de que es capaz una mujer. Después, sólo queda la venganza. Amneris no puede aceptar que el hombre que ama, el más grande héroe de su pueblo, tenga amores con la esclava. Es un personaje imperioso, con una sola dimensión –uno sabe todo el tiempo lo que está pensando– mientras Aída tiene más facetas, aunque, como sabemos, hasta cierto punto es poco sincera.

Esto es lo que Lotte Lehmann había querido que yo entendiera. Más importante aun, quería que entendiera la conexión entre las palabras y los detalles dinámicos del compositor, de modo que yo pudiera ver qué es lo que él destacaba y por qué quería que la cantante hiciera determinadas cosas. Ella decía que las marcas dinámicas eran la verdadera guía hacia la naturaleza del personaje. Esto se cumple en cada cosa que uno canta, sea ópera o lied. Para descubrir lo que quiere el compositor, hay que mirar las marcas dinámicas, y también sus indicaciones básicas sobre el *tempo*, para averiguar dónde se centra el ímpetu en esas marcas. Entonces hay que preguntarse por qué indicó un *crescendo* y no un *diminuendo* en tal lugar y, finalmente, uno quizás empiece a entender que es porque quería que ese pasaje se cantara de esa manera y no de otra. Siempre hay una razón para todo. Los compositores saben exactamente qué es lo que quieren y por qué. Uno no puede escribir su propia ópera. El compositor ya lo ha hecho, y si uno realmente sigue la partitura, encontrará que todas las pistas están ahí.

"Operas como *Aída* son obras maestras. La gente dice que el centro es Amneris. Pero si, como hago yo, uno canta también Aída (Bumbry lo hizo en Belgrado cuando estaba en proceso de cambio de mezzosoprano a soprano en 1972, y más tarde en Munich, Wiesbaden y en el espectáculo gigantesco de Rossi en El Cairo, en París, Londres y el Arena de Verona) y lo canta como está escrito, no quedan dudas acerca de la verdadera heroína: es Aída. Habiendo interpretado los dos papeles, sé de lo que hablo. Lo que pasa es que la mayoría no lo canta en la forma en que está compuesto. Lo cantan del modo que corresponde a su voz, sin prestar atención a la dinámica. Por ejemplo, en 'O Patria mia', hay marcas dinámicas que las sopranos líricas no observan. Y a continuación, en 'O ciel, mio padre', el *crescendo* sube y baja otra vez, terminando en *pianissimo*. Y no decir que nunca se canta así. Pero Verdi tuvo una razón para eso, y si uno *puede* hacerlo de esa manera, ahí estará la diferencia, en los colores y el interés. Hay muchos detalles como este: al final de 'O terra addio' hay un Si bemol agudo que debería ser cantado *pianissimo* o *dolce* pero es generalmente interpretado *mezzoforte*. Por supuesto que a esta altura muchas sopranos están cansadas; es humano. Pero Verdi no lo compuso del modo en que lo hizo porque probablemente en su época existían cantantes capaces de hacer lo que él quería.

"Pero volviendo a Amneris, dramática y vocalmente la parte más importante está en la escena primera del cuarto acto, la Escena del Juicio, en especial las últimas páginas. Y la estructura hasta llegar al clímax es fundamental. Hay que armarlo de modo tal que el público vaya avanzando con uno. Y hay que hacerles comprender que *ese* es el momento más importante, no el anterior. En muchos casos no hay uno solo sino dos o tres momentos culminantes. Hay que determinar en la propia mente cuál es *el* momento, el verdadero clímax, y trabajar en ese sentido.

"Hablando desde el punto de vista vocal, lo más dramático generalmente coincide con las notas más altas. En el caso de Amneris, la más alta es un Si bemol expuesto en la Escena del Juicio. (Tiene un Do bemol en la Escena del Triunfo, pero se trata de un conjunto.) Hay que conservarse en condiciones para esos momentos, porque no importa cuántas maravillosas notas bajas pueda dar o cuán bella pueda ser la voz media, si las notas altas no están sólidamente afirmadas, el público no quedará satisfecho. Se empezará a preocupar, y nadie quiere que eso ocurra. Debe sentirse muy, muy cómodo con lo que está oyendo, y tener la impresión de que todo sucede naturalmente, sin esfuerzo. En cuanto a mí, nunca he tenido problemas con el Si bemol en la Escena del Juicio. Pero insisto en que, si uno abusa de la voz al principio, estará muy cansado para las notas altas. Los atletas hacen mucho hincapié en esto de tomar las cosas con calma: si los corredores o los jugadores de tenis no lo hacen, pronto 'quedarán fuera de juego'."

Seguir una marcha pausada es algo que las cantantes aprenden mediante la experiencia escénica. A Bumbry siempre le han parecido menos interesantes las representaciones que la preparación: la investigación de los antecedentes de la obra y la gradual profundización musical. Cuando estaba preparando Lady Macbeth, por ejemplo, recibió muchas clases de Dame Judith Anderson, una de las grandes intérpretes teatrales del personaje, y cuando decidió representar ella misma la Danza de los Siete Velos en *Salomé*, preparó una interesante coreografía con Arthur Mitchell, del Teatro de Danza de Harlem. Bumbry se siente a veces deprimida por el nivel medio de los directores de orquesta y de escena y la falta de una preparación a fondo. "Pocas veces se encuentra un director dispuesto a sumergirse en la obra y sus antecedentes. Nunca olvidaré lo que fue trabajar en Amneris con Fausto Cleva en el Metropolitan. Sabía tanto que podía sentarme a escucharlo durante *horas*. En el primer ensayo repasamos toda mi parte, compás por compás, y entonces me dijo que yo podía irme. Pero le pedí quedarme a escuchar lo que tenía que decir a las otras cantantes. Se asombró mucho de que una cantante quisiera aguantar un ensayo más tiempo del necesario. Pero tenía tanto que decir, *musicalmente* tenía tanto que decir, que oírlo era como remachar los conocimientos. Las cosas que pude *oír*, los detalles que él destacaba en la orquesta o en el piano, eran sorprendentes. Convenimos en trabajar otra vez juntos en el otoño siguiente, en *Il Trovatore*, pero desgraciadamente murió ese verano. Nunca había trabajado con un director así. Ni volví a encontrar uno que me conmoviera tan profundamente. ¿Cuántas veces se conoce a alguien con semejantes conocimientos y preparación en la actualidad?"

Después del inmenso éxito que Bumbry obtuvo con Amneris en la Opera de París, fue inmediatamente contratada para Carmen, un papel del que siempre pensó que era poco gratificante. Son raras las cantantes a quienes no les gusta Carmen, y Bumbry es una de ellas. "Como Don Giovanni, Carmen es la clase de personaje que la gente ha idealizado. En los dos papeles, si uno no supera lo previsto, lo rechazarán. Vocalmente Carmen es muy difícil, no de recorrido demasiado amplio pero exigente en la voz media. Hay que empujarla mucho porque la orquestación es más bien densa. Por eso una intensa dieta de Carmen no es buena para la salud. (Agnes Baltsa está de acuerdo en ese punto.) En una época la canté mucho, incluyendo una producción de Karajan, también dirigida por él, en el Festival de Salzburgo de 1964. Pero dejé de hacerlo por la fuerza con que tenía que emplear la voz media."

En realidad, hay una razón que no es de carácter vocal por la que Carmen le parece frustrante y se refiere a lo dramático: "Nunca tiene una escena propia. Todas las llamadas arias, la Habanera, la Seguidilla, la Canción de Bohème y la Escena de las Cartas, no son tal cosa sino escenas con otra gente: el coro, José, Frasquita y Mercedes, que se incorporan en algún momento. Los otros personajes tienen arias maravillosas: José tiene la canción de la flor, Escamillo la del torero, y Micaela hace un aria y un dúo. Pero Carmen no tiene nada. Es simplemente un personaje característico, una serie de estampas, como decía Callas. Y si la cantante no tiene temperamento fuerte, o se siente con nivel vocal un poco bajo, entonces el acontecimiento será de Micaela, especialmente si Micaela es Mirella Freni." Poco después de sus roles como Amneris y Carmen en 1960, Bumbry fue contratada por el Basle Opera, donde debutó como Ortrud en el otoño de 1961 y permaneció por dos años.

Durante 1960, el año de su éxito en Amneris y Carmen, Bumbry se trasladó a Colonia para una audición con Wolfgang Sawallisch, director del *Tannhäuser* que Wieland Wagner pondría en el Festival de Bayreuth de 1961. El sabía que Wagner todavía buscaba desesperadamente una Venus que colmara sus grandes exigencias, y le habló de la joven Grace Bumbry. Wagner se dio cuenta de que en ella había algo sensual y al mismo tiempo sutil que respondía a su ideal, descrito en un reportaje de esa época. "Venus debe ser erótica pero no de acuerdo con los clichés de lo que Hollywood considera una *sex-symbol*; tampoco puede encarnar el clásico ideal pasivo. Venus debe encontrar el justo medio entre los dos extremos, y no conozco ninguna cantante europea que reuniera esas condiciones."

Venus fue el primer papel wagneriano que cantó Bumbry. Pero su sólida formación en canciones alemanas y profundo estudio del lied con Lotte Lehmann (incluyendo los *Wesendonk Lieder* de Wagner) la dotaban especialmente para un papel como el que debía hacer. (Es de destacar que todas las cantantes consultadas en este libro y que hayan representado a Venus, como Christa Ludwig y Tatiana Troyanos, asociaran inmediatamente el papel con el lied.) Bumbry explica que, a pesar de haber estudiado los *Wesendonk Lieder* que la familiarizaron "un poco" con Wagner, ella no era consciente de estar aprendiendo un estilo específico, porque "cuando uno es joven no se piensa en algo como eso deliberadamente. Se aprende la música y todo está allí, en la música."

Grace Bumbry siente profundo reconocimiento hacia el profesor Selter por su éxito en Venus y otros papeles alemanes. El la preparó en el Teatro del Estado durante sus dos años en Basilea, en donde fue contratada por la Opera de Basilea. Allí debutó con el papel de Ortrud en 1961. "Era muy estricto y no sólo me enseñó a cantar en alemán sino la manera alemana de hacer las cosas, la actitud alemana, la disciplina y la mentalidad, así como el modo de cantar y enfatizar determinadas palabras. Es difícil explicarlo, pero básicamente surge del hecho de que se está manejando un texto alemán."

Al empezar los ensayos en Bayreuth se sentía cómoda cantando en alemán. En comparación con otros papeles wagnerianos, Venus no le parecía especialmente difícil, porque "es muy melodioso, realmente bello. En la versión de Dresden, la que se usa en Bayreuth, Venus es definitivamente un papel para soprano. La tessitura es alta, y desde el momento en que vi la partitura, supe que podía cantarla. En cambio, en la versión de París (que ella cantó en el Metropolitan venciendo su resistencia, y que finalmente resultó mejor), es más un papel de mezzosoprano. Venus tiene que cantar más, incluyendo una parte media que baja mucho. Frecuentemente se la suprime ya que no hay mucha gente que pueda cantarla, y es artificiosa porque establece poca relación entre lo que se está cantando y lo que sigue inmediatamente después." Pero en Bayreuth, le resultó más difícil que el aspecto vocal el hecho de tener que quedarse quieta en la cima de Venusberg casi una hora, durante la introducción, la bacanal y toda la música de Venus. Además estaba cubierta de pintura dorada y envuelta en metros y metros de lamé del mismo color.

Su sensacional representación obtuvo críticas brillantes, pero ya se había insinuado un gran escándalo debido a la decisión de emplear una cantante negra en lo que muchos veían como el templo del ideal germánico. Los hermanos Wagner fueron prácticamente bombardeados por violentas reacciones racistas, y el partido neonazi habló de "una desgracia para la cultura". La prensa internacional destacó la noticia y sus implicaciones, y la Venus Negra se convirtió en una celebridad mucho antes del estreno. Wieland Wagner tuvo que hablar del tema en una entrevista: "Contrataré artistas negras, amarillas y marrones si creo que son apropiadas. No pretendo un espécimen del Ideal Nórdico. Mi abuelo compuso para colores de voz, no para colores de piel."

El triunfo de Bumbry tuvo ribetes sociales, y Jacqueline Kennedy la invitó a cantar en la Casa Blanca mientras la revista *Mademoiselle* la elegía una de las "Diez jóvenes del año". Profesionalmente, le significó una serie de estrenos internacionales. Pero *Tannhäuser* tuvo otras resonancias para Bumbry. En 1972, exactamente diez años después de su primera Venus, debió hacer, en la misma función, el papel de Venus y el de Elisabeth. Fue en la Opera del Estado de Baviera, en Munich, y le pareció una experiencia maravillosa. "Siempre pensé, por supuesto, que esos dos papeles representan las dos facetas de una mujer. Para mí, *Tannhäuser* representa al hombre en busca de la completa realización, que de manera ideal proviene de la misma mujer. Venus representa el lado sensual, apasionado de una mujer, mientras Elisabeth es la imagen pura e ideal. Ninguna mujer es completa, ni puede colmar las aspiraciones de un hombre, si no combina en su naturaleza estos aspectos opuestos."

En esa ocasión se hizo la versión de Dresden, en la cual las dos partes son para soprano. Pero los colores vocales, destaca Bumbry, deben ser totalmente distintos. Es sorprendente que, a una cantante que durante diez años hizo exclusivamente papeles para mezzosoprano, le resultara más fácil Elisabeth que Venus, porque esta es "la más dramática y problemática de las dos y además el personaje más bajo. Elisabeth es más humana, y en cierta manera más plácida, aunque llega a un punto en que se defiende, protege a Tannhäuser y se vuelve heroica. Pero sigue siendo unidimensional, mientras que Venus tiene tres dimensiones y hay que matizarla más sutilmente. El modo de cantar de Elisabeth es, en el estilo del de Leonora, sincero, muy bello. Desde el punto de vista vocal disfruto más con él. Es jubiloso y noble como su carácter, lleno de ardor y comprensión. Se puede *sentir* el amor por

Tannhäuser brotando de ella, y aunque todavía no es físico, es maravillosamente puro y *honesto*. Me parece muy estimulante interpretar dos personajes tan diferentes. Me gustan y busco siempre los contrastes. Necesito, por ejemplo, el contraste entre el concierto y la ópera, porque esta no me resulta tan gratificante."

Y en realidad, el debut internacional más importante, poco después del de Bayreuth, fue un recital en el Carnegie Hall de Nueva York. La prensa no escatimó sus elogios: "Una artista soberbiamente dotada... una voz jubilosa, clara, vibrante... un porte regio y la presencia escénica de una triunfadora", dijo el *New York Times*, y el *New York Post* hablaba de "una Marian Anderson joven, poseedora de un gran timbre de mezzosoprano capaz de llenar la sala con una marea de sonido."

Al año siguiente, en 1963, el éxito en el Covent Garden fue comparable al anterior. Interpretó a la princesa Eboli en el *Don Carlos* de Luchino Visconti, y hasta hoy es su representación preferida de la ópera que, según ella, es la más grande de Verdi. "La más bella, deliciosa, coherente pieza musical que él escribiera; una verdadera obra maestra sin una sola nota superflua. Después del Rey Felipe, Eboli es el papel más importante, un personaje eje cuyos actos impulsan el desarrollo de los acontecimientos. Siempre debe emerger con mucha fuerza, pero también con mucha simpatía porque hay un aspecto muy humano en ella, que es lo que hay que mostrar primero."

"Vocalmente, tiene dos momentos difíciles: la canción del velo en el primer acto y 'O don fatale' en el cuarto, y su dificultad es diferente. Lo más importante en la canción del velo es el virtuosismo. No tiene nada que ver con el personaje. Es algo que simplemente canta para entretener a la corte con mucha pirotecnia vocal y encanto, con una voz llena de vida. Sigue exactamente lo opuesto, la torturada aria 'O don fatale', que debe cantarse con un inmenso poder visceral. Pero la forma en que Verdi compuso la ópera, especialmente la parte de Eboli, se presta para una interpretación maravillosa. Primero nos da la canción del velo, una pequeña aria muy bella como para calcular la voz, porque cuando uno sale a escena es raro, o debe serlo, que esté templada. Gradualmente se llega, a través de la ligereza de la canción, a algo más serio en el Trío del Jardín y, finalmente, con 'O don fatale', se acaban los frenos. Es realmente un papel perfectamente compuesto." Bumbry, que sigue siendo una de las Eboli inolvidables, la cantó en la Opera de Viena también en 1963, y en 1965 en el Metropolitan Opera, y siempre con entusiastas aclamaciones. "La mejor Eboli que hemos oído y que realmente pudiéramos desear; un verdadero triunfo", dijo *The Times*, y después del debut en el Metropolitan, Alan Rich la ensalzó como "una cantante inquietante, magnética, dinámica... que llena de fuego musical las líneas de Verdi."

Bumbry dice que algunos papeles, aun de Verdi, no están tan bien compuestos, y cita como ejemplo Lady Macbeth, que cantó en Basilea por primera vez, en 1963, y al año siguiente en el Festival de Salzburgo y en el

Coven Garden. "Lady Macbeth es un caso completamente opuesto, escrito de una manera un tanto torpe. Al salir a escena tiene que cantar un *aria* y una *cabaletta*, y diez minutos más tarde otra aria. A veces me pregunto si será porque en esa época la experiencia de Verdi era relativamente escasa o si tiene algo que ver con la línea de la historia. Pero en *Aída* –y Verdi ya tenía mucha experiencia– cuando Radamés debe cantar 'Celeste Aída', en el momento de salir al escenario, me inclino a pensar que se trata de esto último. En el caso de *Macbeth*, da la impresión de que desde el libreto está faltando algo. No hay tiempo de desarrollar gradualmente el personaje, que está integrado en su mayoría por arias poco espaciadas, y todo sucede más bien bruscamente. En la escena en que camina dormida, todo ocurre demasiado de golpe, demasiado fuera de contexto. Parece que nos perdemos algo. Quizás hiciera falta otra cosa entre la escena anterior (Malcolm y Macduff con el pueblo) y esta, que dicho sea de paso, pocas veces he visto bien realizada, excepto en Salzburgo, donde Oskar Fritz Schuhe utilizó la maravillosa puesta en escena del Felsenreitschule. Durante el preludio, Lady Macbeth deambula de un lado a otro entre cada una de las arcadas, con el candelero en la mano."

A principios de los años setenta, Bumbry empezó a representar más papeles de soprano, de los cuales el primero y de mayor éxito fue Salomé, que hizo en el Covent Garden en 1970, dirigida por sir George Solti, y más tarde en el Metropolitan. Con ella debutó en la Opera de Toronto en 1975, y en la de Houston en 1986. Un cambio de este tipo siempre suscita controversias y significa algún riesgo, se puede dañar la voz media y dejar de ser mezzosoprano alta sin convertirse por eso en soprano alta. Cuando se trata de una de las más brillantes mezzosopranos de la era de posguerra, uno no deja de preguntarse por qué arriesgarse. "¡Porque llegó la invitación! En realidad, yo ya había sido invitada muchas veces, y lo rechacé. Pero esta oferta en particular vino nada menos que de un hombre como George Solti, entonces director musical del Covent Garden. De modo que pensé que debía tomármelo en serio."

Como siempre que se enfrenta con un nuevo papel, echó un vistazo a la partitura y tocó la línea vocal al piano. Tratándose de territorio desconocido, como era Salomé, puso especial atención en "dónde encontrar las largas notas altas y cómo se encaran (en este libro y en *Bravo*, la mayoría de los cantantes dicen que en esto consiste la diferencia y las dificultades de los papeles), si hay notas fuertes, *mezzoforte* o piano, cómo deben cantarse y qué clase de orquestación me correspondería. Y debo decir que mi primera impresión resultó correcta. El único problema que podía prever era la escena con el Baptista. Pero pensé que si el director lo hacía como fue compuesto, no tendría inconveniente. En este caso era Solti, que la había dirigido muchas veces con distintas cantantes; por lo tanto tenía conciencia del problema y me ayudaría, y fue lo que hizo. Siempre es un placer tener un buen director, pero en una ópera como *Salomé* es absolutamente *vital*. No se puede confiar sólo en la propia inteligencia y musicalidad. Y ahora, que la he cantado en casi todas partes, recuerdo sólo cuatro ocasiones en que los directores me entendieron, me apoyaron y estaban todo el tiempo junto a mí."

Vocalmente Salomé es alta pero no tanto como Tosca, el otro famoso papel de soprano hecho por Bumbry, que cantó por primera vez en 1972 en el Metropolitan, después en el Covent Garden, Río de Janeiro, Berlín, Munich, Viena, Chicago y en La Scala, con puesta en escena de Piero Faggioni. "Es muy alto y muy difícil, aunque lo es menos en el tercer acto, esencialmente un diálogo, un dúo amoroso interrumpido por una riña de enamorados. Pero después de la entrada de Scarpia en la iglesia, la modalidad cambia y todo se hace un poco más alto y más punzante. El Acto II es muy alto, lleno de Si bemoles, Si naturales y Do agudo, y no es una cuestión de que las notas sean altas, sino que toda la tessitura se mantiene así. Y más importante aun, también hay que tener en cuenta el tema del texto. Por ejemplo, *Medea* de Cherubini (que Bumbry cantó en 1981 en la Opera de la Ciudad de Nueva York, y en el Barbican de Londres en 1983, en homenaje a María Callas), no es tan alta como Tosca, sino más o menos como Salomé. Pero se siente alta, más que ninguna otra, y tal vez sea por el texto, por la clase de mujer que es. Los personajes negativos siempre necesitan un tono diferente y uno se siente más presionado.

"En este sentido, Salomé y Medea pueden compararse, mientras Tosca, con una línea más lírica, recuerda a Leonora en *Il Trovatore*. Las dos tienen mucho que ver con la belleza del canto, de modo que hay que concentrarse en un hermoso sonido, sin exagerar la dimensión dramática. He puesto en mi Tosca más dramatismo que la mayoría, pero siempre dentro de ciertos límites emocionales. De modo que la calidad del sonido y la forma en que accedo a él, especialmente en las notas altas, depende sobre todo de la naturaleza del personaje, de que sea negativo o positivo. Las notas altas de Abigail en *Nabucco*, por ejemplo, deben sonar mucho más estridentes que las de Leonora, que debe cantarse de manera límpida."

Volviendo a Abigail, Bumbry la cantó por primera vez en la Opera de París, en una ruidosa recepción organizada por claques, y más tarde en San Francisco, en 1981.

Al finalizar el día, yo estaba convencido de que Bumbry ganaría su lugar en la historia de la ópera como una gran mezzosoprano. No importa que cuando cantó en el Covent Garden, en 1983, junto a Shirley Verrett, según algún sector de la prensa, su más destacada rival, los papeles que le valieron ovaciones fueron de soprano: Norma y Adriana Lecouvreur. Ella insiste en que se siente igualmente cómoda en ambos registros. "Todo es cuestión de técnica", dice. Y realmente, su transición a soprano fue mucho mejor lograda que la de la mayoría de las colegas que también cambiaron. Después de su éxito en el Covent Garden, en 1970, interpretando a Salomé fue cuando tomó la decisión de dedicarse especialmente al repertorio de soprano. Pero estando contratada para papeles de mezzosoprano durante los tres años siguientes, hasta 1974 no empezó a trabajar la voz para el nuevo registro con una maestra. En lo que a ella respecta, preferiría ser recordada como una cantante que desafía cualquier clasificación.

Bumbry, con más de medio siglo, está muy satisfecha con su vida y su carrera, según declaró hace un par de años en una entrevista. "No hay nada en la vida que no haya tenido." Excepto hijos. Casada durante nueve años –"siete de los cuales fueron muy felices, hasta que llegaron toda clase de celos"– con un alemán que tuvo mucho que ver en los comienzos de su ascenso espectacular a la fama, nunca pensó en tener hijos. "Ahora me arrepiento. Curiosamente, anoche estaba planteándome eso y alguien preguntó: '¿Pero cómo hubieran ido a la escuela? Tendrían que haber sido pupilos todo el tiempo.' Y eso también es cierto", dice con mucha filosofía.

Agrega que no era cuestión de sacrificar su carrera, ni siquiera temporalmente. "Absolutamente no. Cualquiera puede tener hijos, pero no todo el mundo ha recibido este don maravilloso, y creo que esa clase de dones entraña cierta responsabilidad." Y muchos sacrificios, grandes y pequeños. "Ser cantante es como caminar en la cuerda floja. Tenemos que cuidar la salud, vigilar la dieta, descansar lo suficiente, evitar la conversación antes de las representaciones –yo no hablo desde treinta y seis horas antes– porque la voz es un instrumento supersensible y la cosa más simple puede afectarla: el polen, el humo, la sequedad excesiva. Nadie entiende qué clase de problemas enfrentamos. Esperan que seamos perfectas en cada función, y es imposible. No somos máquinas, no somos robots, somos seres humanos. Y no importa la grandeza de nuestro instrumento, no importa lo bien preparados que estemos, nunca *sabemos* con seguridad qué va a pasar cada vez que abrimos la boca. Y una vez que salió la nota, salió, bien o mal. No se puede volver atrás. Por eso digo que todo el tiempo caminamos en la cuerda floja."

¿Por qué, entonces, ama tanto a su profesión, o qué es lo que la hace amarla? "No lo sé. Hay una increíble sensación de elevación cuando uno canta. Es la experiencia más excitante, bueno, la segunda, algo incomparable. Creo que ni nosotros mismos valoramos lo afortunados que somos por haber recibido este regalo, y quizá sea mejor así. Pero de vez en cuando me siento tan sobrecogida por la belleza de un sonido que me pongo a pensar, oh, Dios, ¿cómo es posible que *eso* salga de *esta* garganta? Se me pone la piel de gallina y no puedo imaginarme un sonido comparable a la voz humana. Entiendo por qué las iglesias ortodoxas orientales la consideren el único instrumento digno de alabar a Dios. Amo el violonchelo, amo el piano, pero no creo que exista un instrumento tan emocionante y vivo como la voz humana."

Brigitte Fassbaender

"En mi vida me había sentido tan disciplinada y estable desde el punto de vista vocal, tan equilibrada física y mentalmente como ahora", dice la mezzosoprano alemana Brigitte Fassbaender, explicando que al sentirse bien como artista y como persona ha alcanzado una etapa más serena. "Mis nervios están más controlados y, en general, mi salud es mejor. Solía resfriarme con frecuencia, pero desde que soy vegetariana, hace alrededor de ocho años, estoy más sana y fuerte."

Claro que, además, tiene muy buena razón para estar satisfecha, si se piensa en su larga y brillante carrera, empezada en Munich treinta años atrás. Su aterciopelado y sensual sonido de mezzosoprano, casi de contralto, ha adquirido un color más profundo, y ahora dedica el setenta por ciento del tiempo a conciertos y recitales, y el otro treinta por ciento a la ópera. Ha abandonado algunos de los papeles que hacía, como Octaviano, quizás el más íntimamente referido a ella, para añadir otros nuevos como Clitemnestra, la nodriza en *Die Frau ohne Schatten* y Clairon en *Capriccio*. Se ha vuelto "muy cuidadosa al cantar ópera porque no quiero perder la flexibilidad, que es fundamental para los *lieder*. Si abandono por completo papeles de Clitemnestra, nodrizas y Azucena (ha cantado este papel en grabación dirigida por Giulini y con Plácido Domingo en el papel de Enrico, pero nunca en escena) no podría cantar *lieder* tanto como lo hago. Para colmo, soy lenta, cada vez más. Me lleva mucho tiempo preparar un nuevo papel." Aprender y reunir un grupo de sonidos le parece un trabajo introspectivo, "filosófico", y significa para ella una profunda satisfacción. Calcula un promedio de noventa minutos de nuevas canciones al año, buscando un amplio repertorio de lieder. Muchas cantantes hacen su carrera con un programa y medio. Yo he cantado en muchos lugares, Londres, Viena, Hohenems, hasta doce veces por año, y me enorgullezco de haber hecho cada vez un programa distinto, tratando de no repetir ni siquiera una canción. Es muchísimo trabajo."

Como su compatriota Christa Ludwig, lleva el teatro y la música en los genes. La hija del barítono Willi Domgraf-Fassbaender y la actriz Sabine Peters, nació en Berlín el 3 de julio de 1939, y aprendió con su padre, cuyas grabaciones de *Così fan tutte* y *Las Bodas de Fígaro*, dirigidas por Fritz Busch, ya se consideran clásicas. De pequeña se interesaba más en el teatro que en la música y la ópera. "Tenía obsesión con el teatro y quería ser actriz como mi madre. La cosa empezó cuando encontré la vieja caja de maquillajes de mi padre. Me dedicaba a cambiar mi identidad. Me pasaba horas disfrazándome con barbas y narices postizas, inventando vestidos con ropas viejas y fundas de sillones. Escribía piezas para mis amigas, pero como eran demasiado tímidas para hablar, yo representaba todas las partes y por supuesto dirigía. En esa época no tenía interés en la música y me rebelaba contra las maestras que esperaban grandes cosas de mí porque era la hija de un cantante de cámara, pero disfrutaba sentándome bajo el piano mientras mi padre preparaba sus programas de lieder, aunque no soñaba convertirme en cantante." Tenía una vaga idea acerca de las grandes personalidades musicales como Erna Berger, María Cebotari y Hans Hotter, que solían visitar a sus padres. Dedicaba mucho más tiempo a recorrer todo Berlín en el U-Bahn, observando los increíbles personajes que se ven por ahí, reteniendo inconscientemente imágenes para futuros papeles. "Todavía creo que observar a la gente es la mejor escuela de actuación."

Fassbaender no vio a su padre en escena ni adquirió gusto por la ópera hasta que la familia se trasladó a Hannover en 1958. Era también relativamente mayor cuando descubrió su voz. Todavía iba a la escuela en Berlín, donde vivía con su abuela. Una de sus compañeras, Isolde Schock, era hija del tenor Rudolf Schock, y *ella sí* estudiaba canto. De modo que pensó: "Su padre es cantante, el mío también, ella recibe clases de canto ¿por qué no yo?" Y empezó poco a poco, por ella misma, queriendo averiguar si conseguía algo. Descubrió sorprendida que no lo hacía tan mal, en realidad se creía bastante madura. Así que aprendió algunas canciones y el aria de Agata de *Der Freischütz* le pidió a una amiga que la acompañara al piano e hizo una grabación que envió a su padre para que le diera su opinión. En esa época, él era director de la Escuela de Opera del Conservatorio de Nuremberg y director de producción en la sala de ópera local. Se sintió tan asombrado como contento al ver que su hija se interesaba por el canto, y pensó que valía la pena cultivar su voz. Le pidió que fuera a Nuremberg a estudiar con él, y desde 1958 a 1959 trabajaron juntos, creándose entre ambos una profunda relación artística y afectiva. Fue su único maestro y su consejero hasta que murió en 1978.

A fines de 1960 estuvo en condiciones de cantar unas pocas líneas en una producción de la Escuela de Opera. Se trataba de *Dido y Eneas* de Purcell, y su nombre en el programa atrajo la atención del director de la Opera de Baviera en Munich, Rudolf Hartmann. Preguntó al padre si por casualidad tenía una hija mezzosoprano, y ante la respuesta afirmativa le sugirió que la enviara a Munich para una audición, ya que había una vacante para ese registro en su estudio de "Opera Joven". Willi Domgraf-Fassbaender no quería que se pusiera nerviosa o se creara grandes expectativas, de modo que minimizó la cosa por su cuenta. Ella opinaba que, habiendo estudiado nada más que técnica y lieder, no tenía repertorio para una audición, pero el padre contestó que no se trataba exactamente de eso, sino de algo que se hacía con "propósitos informativos". Prepararon tres arias, incluyendo "Mon coeur s'ouvre à ta voix" de *Sansón y Dalila* y el aria de Olga de *Eugene Onegin*.

Hartmann y Joseph Keilberth, director musical de la BSO, la contrataron inmediatamente, animándola a perder su redondez infantil. Debutó haciendo de varón en *Lohengrin*, con el papel del Paje. Ya formaba parte de un grupo, pero a instancias de su padre, al principio aceptó sólo pequeños papeles. Su verdadero debut lo hizo cantando Nicklaus en *Los Cuentos de Hoffmann*, aunque siguió representando una cantidad de muchachas y pajes, por ejemplo en *Salomé*, dirigida por Karl Böhm, con Lisa della Casa y Dietrich Fischer-Dieskau. Una noche que no cantaba vio a colegas famosos como Astrid Varnay, Martha Mödl, Birgit Nilsson y Hans Hotter, todos interesados en ella, según suponía, por ser hija de un cantante a quien admiraban.

Dar los primeros pasos integrada en un grupo es una excelente manera de perfeccionarse gradualmente, aprendiendo de la observación y, a pesar de algunas frustraciones, sin arriesgar la voz haciendo partes grandes antes de tiempo. "Es fundamental adquirir lentamente el poder vocal, con papeles pequeños y preferentemente líricos, y dejar los dramáticos para más tarde, ya que entrañan peligro en cuanto a la flexibilidad de la voz. De otra manera uno no podría cantar Mozart." Empezó pronto con Mozart, con la Tercera Dama en *Die Zauberflöte*, siguiendo con el Cherubino y Dorabella. Los cantaba notablemente, pero no les encontraba demasiada afinidad. Disfrutaba haciendo Dorabella, sus bufonadas, sus variados colores, pero el personaje le parecía chato. "Lo mismo, en alguna medida, pasaba con el Cherubino. El papel de Mozart que prefiero es Sextus en *La Clemenza di Tito*, que tiene muchas facetas, se revuelve entre distintas lealtades, se desarrolla durante el transcurso de la obra, me es cómodo desde el punto de vista vocal y cantarlo es maravilloso."

Fassbaender confirma lo que la mayoría de las cantantes declaran en este libro con respecto a Mozart: "Es el mejor maestro para la voz. Su música requiere pureza cristalina y precisión, nada de amaneramientos. Este modo casi instrumental de cantarlo es un vehículo emocional para los sentimientos más profundos, que fluyen a través y fuera del sonido. En esto radica el genio de Mozart."

Durante los años sesenta, estando en Munich, Fassbaender amplió su repertorio de Mozart. Hizo Clarisa en *La Piedra del Paragone* de Rossini, que significó su verdadera irrupción en la ópera, Olga, Hänsel, Narciso en *Agrippina* de Handel, Fátima en *Oberon* de Weber, Zaidé en *Il Turco in Italia*, y en 1967 su primer Octaviano. Junto con Sextus y Charlotte en *Werther* es su preferido, y no sólo se destaca entre los de su temprana época sino también en la ya legendaria producción de Otto Schenk dirigida por Carlos Kleiber. Se vio por primera vez en 1973 para darse luego anualmente hasta hoy, la mayoría de las veces con un reparto que no sólo incluye a Fassbaender como Octaviano, sino a Gwyneth Jones como la Mariscala, Lucia Popp como Sophie y Kurt Moll como el Barón Ochs.

"Amo a Octaviano. Tuve la oportunidad de desarrollar mi interpretación a lo largo de veinte años, hasta en el menor detalle, al punto de sentirme en su piel. El mismo Octaviano está en un proceso constante de desarrollo y transformación, de exuberancia juvenil que descubre la vida, y aunque lo he hecho durante veinte años, no sólo en Munich, sino en casi todas partes, nunca me pareció aburrido. Su mayor inconveniente está en su excesiva extensión. Como dijo una colega famosa, cuando no está en escena, está cambiándose rápidamente de ropa. Pero es un papel entretenido, y uno se divierte tanto vocal como dramáticamente, con el agregado irónico del elemento 'travesti': una mujer haciendo de hombre que en un momento dado tiene que personificar a otra mujer, la doncella Mariandel. Y todo pasa de un modo muy interesante: su arrebato con la Mariscala da paso al dolor por el rechazo de sus promesas de amor eterno y al 'amor a primera vista' por Sofía, y la ironía de que sea su primer amor quien le presente al segundo, que se supone será más duradero. ¿Lo es? Lo dudo... Tengo que reconocer que nunca me canso de cantarlo. Y por cierto que para el público es fascinante. ¡Los 'Octavianos' tenemos una correspondencia muy especial de nuestros admiradores!" No obstante, en 1988 decidió despedirse de él mientras su voz estaba todavía en forma, en lugar de correr el riesgo de empañar el recuerdo de sus primeras interpretaciones.

Fassbaender considera que la producción de Schenk es un modelo imposible de ser cambiado o mejorado, porque "no se puede poner lo de arriba para abajo o hacer con *El Caballero de la Rosa* algo que no es. Muchos directores querrán que uno entre desde la izquierda y no desde la derecha, pero en esencia la ópera es la misma." (Seguramente que esto hizo muy dura la tarea de Fassbaender cuando en 1989 tuvo que revivir la producción con un nuevo reparto, y en ese caso como director de la BSO.) Carlos Kleiber le enseñó todo lo que sabe sobre Octaviano, ya que la hicieron juntos muchas veces, presentándola cada año como una pieza nueva. Desde el principio lo que más la impactó fue la presencia de Kleiber desde el primer ensayo, ya que la mayoría de los directores aparecen para los últimos ensayos de la orquesta con los cantantes.

"Estaba ahí, y tenía mucho que decir. A veces nos hacía parar a la tercera palabra o nota, y nos hacía repetir, repetir y repetir las mismas frases hasta durante una hora, y siempre con alguna idea nueva sobre cada palabra. Conocía de memoria no sólo la música de Strauss y el texto de Hoffmannsthal, sino también su mentalidad. Y como es un maravilloso actor, cantaba nuestras partes y nos mostraba exactamente cómo hacer cada cosa. En este sentido, era casi un director de escena, excepto que *sus* ideas y percepciones siempre provenían de la partitura." (En realidad, Otto Schenk me dijo que quería ser como un "traductor de la música en términos de puesta en escena y actuación".) "Como es sabido, Kleiber es un fanático. Pero no busca sólo la perfección estética del sonido sino que permite que las obras respiren y desarrollen toda su esencia dramática."

En la época de esta histórica producción de *El Caballero de la Rosa*, y a principios de los setenta, Fassbaender empezó con una serie de grandes debuts internacionales empezando en San Francisco con *Carmen*. La había hecho un año antes, en 1969, en la Opera de Baviera, y el crítico de *Opera* en Munich dijo: "Ella es natural, espontánea, una gitana de diecisiete años llena de magnetismo animal... el mejor exponente del papel que se oyó aquí en la pasada década. Por su técnica, que no necesita esfuerzos, y la gloriosa calidad de su voz, ha sido una de las veces en que, para mi alegría, la he oído más bellamente cantada. También como actriz, consigue su logro máximo en Munich." (Sin embargo, Fassbaender opina que sólo cuando la cantó en Frankfurt, en la producción de Ponnelle de 1979, encontró una puesta en escena que coincidió con su propia concepción.)

En 1971 debutó en el Covent Garden con el papel de Octaviano, y en 1973 lo hizo en Salzburgo con Dorabella, que volvió a cantar en la Opera de Viena en 1975, unos pocos meses antes del debut en el Metropolitan interpretando a Octaviano. Hacia fines de los años setenta, se sintió lista para ampliar el repertorio que hasta ahora fue en su mayor parte alemán, incluyendo papeles italianos: Eboli en *Don Carlos*, y Amneris en *Aída*, esta en 1979, en una nueva producción de Franco Enríquez, dirigida por Riccardo Muti. "No se me ofrece con frecuencia cantar Verdi, pero gozo haciendo Amneris, que es, psicológicamente, un papel muy interesante; en definitiva es la heroína mezzosoprano de Verdi con más facetas." Muti le enseñó muchas cosas sobre el personaje y sobre el canto italiano: "él me explicaba el significado de cada palabra, estaba al tanto de los problemas técnicos de una manera inusual, y me ayudó mucho con las largas frases arqueadas de Verdi, dándome siempre tiempo para respirar. Yo empecé por decirle que sabía que no era una típica Amneris ni en la voz ni en el estilo, pero él fue muy simpático y me dijo que no me preocupara, que había trabajado con cantantes durante años en el Conservatorio de Milán, que estaba casado con una y comprendía nuestros problemas. De modo que terminé por disfrutar inmensamente con la experiencia de cantar Amneris.

"Ya he dicho que, desde el punto de vista dramático, es un papel maravilloso, y vocalmente, por lo menos para mí, no es tan difícil como Eboli. Para empezar, no es tan alto. Amneris tiene sólo un Si bemol agudo, además de un Do bemol en conjunto, pero en realidad no cuenta porque, en los conjuntos, uno no queda expuesto. En cambio, en Eboli, el Si bemol y el Si natural se presentan al menos cinco veces. Es más corto que Amneris, pero para mí es mucho más difícil, no sólo vocal sino también dramáticamente. El hecho de que sólo haya dos arias y un trío significa que tiene poca envergadura para hacer un personaje, y, para colmo, la primera aria, la Canción del Velo, tiene poco que ver con ella como persona. Es simplemente para entretener a la corte. Amneris tiene más tiempo y espacio para desenvolverse; tiene arias, recitativos, dúos y escenas completas en los que revela y vuelca su psicología: amante engañosa, vengativa, arrepentida, imperiosa y humilde. De hecho, la vemos a través de toda la gama de emociones de una mujer enamorada. El desarrollo de Eboli, en cambio, es espasmódico. Hay una gran pausa entre las dos arias, la Canción del Velo y 'O don fatale' en el cuarto acto, pausa que se interrumpe sólo por el Trío del Jardín. Este largo espacio me parece incómodo y mientras dura me siento muy nerviosa. Amneris tiene que estar casi siempre en escena, y es mucho más fácil porque una está todo el tiempo involucrada en la acción."

Durante su carrera cantó también, no regularmente, Mistress Quickly en *Falstaff*. "La ópera es como un sueño, de modo que es divertido intervenir. Ahora es cuando, de verdad, estoy preparada para el papel, tanto por mi edad como por mi voz (las notas bajas), aunque ella, en realidad, no es una vieja llena de arrugas, sino más bien una mujer sensual."

El repertorio de Fassbaender incluye varios papeles wagnerianos. Aunque no debutó en el Bayreuth hasta 1983, como Waltraute, ya había enfrentado con solvencia algunas partes de Wagner. La primera fue Fricka en *El Oro del Rhin*, que le pareció "aburrida" porque ella pasa dos horas y media cantando muy poco y la mayoría de *eso* es diálogo. Siguió Fricka en *La Walkiria*, que por el contrario es "un papel muy bello, muy dramático e interesante". Hay que evitar interpretarla como la usual ama de casa gruñona, y proyectar su tragedia humano-divina de mujer traicionada. Es fantástico cantar sus estallidos llenos de ansias y frustraciones, por la constante necesidad de cambio y variedad que siente Wotan. ¿Es vocalmente agotador? Depende de la voz de cada uno. Se puede cantar a Wagner de una manera especialmente culta (Karajan y Kleiber siempre han luchado por esta manera *transparente* de dirigir y cantar Wagner) sin gritar en el tope de la voz. En América es duro; en sus enormes salas admiran las grandes voces. En Europa somos afortunados, se puede ser un poco más sutil."

Brangaene, de *Tristán e Isolda*, es el papel wagneriano más famoso hecho por Fassbaender. Lo hizo en la Opera de Viena en 1989, y lo grabó para Deutsche Grammophon, dirigida por Carlos Kleiber. Desde el punto de vista dramático es muy absorbente, y en lo vocal es exigente, "una pieza de música celestial, pero endemoniada para cantar; llena de líneas largas, arcos amplios, que hay que hacer de forma suave y sin costuras, casi como las líneas italianas. La tessitura, especialmente en el primer acto, es muy alta, tanto como Isolda. Pero indudablemente, los momentos más difíciles son las famosas 'llamadas' de Brangaene, sus advertencias, en el segundo acto. Aunque el papel no es tan largo como el de Isolda, está compuesto de manera similar, y requiere para ser cantado un buen agudo y una gran solidez en las notas altas."

Fassbaender cree que, psicológicamente, es un papel muy rico, y le fascina la relación, la profunda amistad, entre Isolda y Brangaene, "cuyos destinos están concebidos y planteados tan maravillosamente por Wagner. El acto primero está lleno de oportunidades para mostrar la relación entre las dos. Brangaene es la intermediaria, la madre sustituta que por amor a Isolda remplaza la muerte por una poción de amor. Haciéndolo asume una parte fundamental en el desenvolvimiento de los hechos; su cariño maternal y su ansiedad por Isolda encuentran completa expresión en el final." Lamentablemente no he visto a Fassbaender representando a Brangaene en escena, pero sin duda en disco es una interpretación ejemplar.

Grabar es un placer para esta cantante, con todo lo que significa de trabajo minucioso en el perfeccionamiento de cada detalle. La posibilidad de que todo salga bien compensa la ausencia del calor que emana del contacto con el público. Existe una gran discografía de ópera y lieder, pero es una lástima que no incluya sus dos papeles favoritos: Octaviano y Sextus. En cambio, del tercero, según sus preferencias, Charlotte de *Werther*, hay un disco con el tenor Peter Dvorsky. Fue realizado por Supraphon como banda sonora de la película dirigida por el checo Petr Weigl. En 1978 lo había cantado en Munich con Plácido Domingo. Fassbaender habla de su amor por la música francesa en general, y de Massenet en particular, a quien cree que se subestima. "Su música es muy expresiva y un buen director puede transmitir un sentimiento y una pasión tremendos. Charlotte es un papel compuesto de una manera muy bella, con arias maravillosas y mucho interés dramático. En seguida me sentí atraída por ella como personaje, y como mujer me solidaricé con su situación: el dolor causado por sus lealtades conflictivas, el choque entre la pasión y el deber. Como ya se habrán dado cuenta, los personajes que más me interesan son los que se van desarrollando en el transcurso de una ópera. Y no sé si hay muchos que lo hacen tan dramáticamente como Charlotte. (Pienso en Tatiana, de *Eugene Onegin*, pero no es un papel de mezzosoprano.) Charlotte es en el primer acto una chica inocente, comprometida con un hombre que es un amigo más que otra cosa, y de pronto, al llegar Werther, por primera vez sabe lo que es la pasión. Esto la sumerge en un conflicto entre su conciencia y su corazón. Por último, desemboca en tragedia, y, al final, Charlotte ha cambiado hasta ser casi irreconocible. La producción de Munich fue un éxito, y Kurt Horres, su responsable, significó mucho para mí y fue estimulante trabajar con él." (El crítico alemán K. H. Ruppel dijo de Fassbaender que había sido "una Charlotte extraordinariamente inteligente".)

El papel es una verdadera prueba para la voz, sobre todo al final, muy alto, "pero musicalmente es muy bello cantarlo". Una de las cosas que más afligen a Fassbaender es que Puccini no haya compuesto ningún gran papel para mezzosoprano, porque admira sus óperas, y para ella "en Charlotte hay algo que me recuerda a Puccini. Pero como no es de él, debo cantarlo en el estilo francés. El idioma es un entretejido inextricable, suena muy refinado y es cerrado, no como el italiano, que es el idioma ideal para la ópera, con sus vocales abiertas. La calidad del sonido está directamente ligada a las emociones que expresa, más reprimidas, y requiere una cierta frivolidad. Es difícil aprender la música francesa, pero la admiro."

Más recientes son las intervenciones de Fassbaender en *Electra*, que cantó en Munich y posteriormente en el Festival de Viena de 1989, en una nueva producción a cargo de Harry Kupfer, dirigida por Claudio Abbado. A Christa Ludwig, que cantó el papel en la misma producción, le disgusta su concepción visual, que considera horrible y exagerada (yo me inclino a pensar lo mismo), pero a Fassbaender le pareció estimulante trabajar con Kupfer. Además, opina que el papel tiene gran interés desde el punto de vista psicoanalítico. "Es un personaje muy emocional, torturado, muy complejo psicológicamente, que sufre insomnio durante noches enteras, y que merece ser compadecida más que condenada. Es cierto que es una mujer terrible, pero son las circunstancias las que la han hecho así: su casamiento con un hombre al que obviamente no ama y que estaba dispuesto a sacrificar a su hija Ifigenia. Ahí es donde comienza la descomposición.

"Hablando técnicamente, no es un 'papel para cantar'. Es un papel para actuar, lleno de sonidos emocionales: chillidos, exclamaciones, aullidos y cosas por el estilo. Es más bien bajo, compuesto con fuerza y muy duro para cantar, especialmente al final de la escena donde, en esta producción, Abbado emplea todos los cortes. Se vuelve prácticamente incantable y uno no hace otra cosa que dar vueltas. Cuando termina soy feliz pero me siento físicamente exhausta. Es una idiotez, porque uno canta sólo veinticinco minutos. Pero resultan tan comprimidos a causa de la tensión, que cansan más que una función completa haciendo Amneris u Octaviano. Por lo menos es lo que pasa con la producción de Kupfer. No recuerdo haberme sentido así en Munich, donde todo se reducía a ir 'adelante y a cantar'. Y sé bien qué es lo que prefiero." (Christa Ludwig también opina que Clitemnestra produce ese efecto agotador en quien la interpreta.) "Pero estoy contenta porque ahora estoy viendo otro aspecto de Strauss. Grabé Herodías, cosa que nunca había hecho antes de representarlo en escena. Lo hice recientemente para Sony con Eva Marton y la Filarmónica de Berlín, dirigida por Zubin Mehta. Así que mi primera experiencia de las 'Strauss-Weiber' fue la nodriza en *Die Frau ohne Schatten* (ya la había hecho en 1986 en producción de Ponnelle para La Scala) y me pareció relativamente fácil para cantar. Representarla fue un placer, porque se presta a una caracterización vívida. Mi voz es más baja y significó un verdadero riesgo hacer el papel. Pero *alguna* vez hay que experimentar."

Fassbaender ha probado también un mundo musical diferente –con distintos grados de satisfacción– al interpretar a Berg: Marie en *Wozzeck* y la Condesa Geschwitz en *Lulú*. Marie le parece "un personaje maravilloso" y sin muchas dificultades vocales, mientras la Condesa Geschwitz no le gusta demasiado, porque "simplemente no es agradable cantarlo. Sólo un par de frases significan realmente canto. Hay un poco más en la versión de tres actos, pero no estoy segura de que valga la pena atravesar la escena de 'París' para llegar a la de 'Londres'. Toda esa gente hablando sin parar sobre compañías y acciones, y, curiosamente, en la pieza original de Wedeking, también es la única escena aburrida. Estoy segura de que Berg la podría haber cortado drásticamente. Se cansa la voz sin haber contribuido a nada. No como en los recitales de lieder, que son profundamente satisfactorios y gratificantes. Todo proviene del texto y de la propia comprensión, de modo que uno puede dirigirse a sí mismo. Me parece que las funciones de lieder son mucho más interesantes que andar repitiendo siempre los mismos papeles."

Fassbaender ha dedicado algún tiempo a la dirección de escena, actividad que piensa intensificar. En 1989 dirigió en Munich la reposición de *El Caballero de la Rosa*, en producción de Schenk, ópera en la que tantas veces había interpretado a Octaviano. Siguió, en 1990, *La Cenerentola* en Coburg, y sus proyectos futuros incluían para 1992 *Der ferne Klang* de Franz Schreker en Opera North y *Lulú* en Innsbruck. También existían ofertas para 1993 y 1994. Aprendió mucho de ese oficio que le fascina gracias a la intensa relación con algunos directores de escena: Günther Rennert, ya muerto, "en cuyos ensayos uno traspiraba por dentro y por fuera, y cuando terminaban, los días parecían vacíos; Otto Schenk, a cuyo lado uno trabaja como con un compañero; el llorado Jean-Pierre Ponnelle, que convertía cada ensayo en una representación. Y Kurt Horres, cuyas largas conferencias, al principio, resultaban poco claras, pero después daban indicios brillantes para penetrar en el personaje." Admira también a Harry Kupfer, Ruth Berghaus y Herbert Wenicke. Necesitó, y necesita, trabajar larga y profundamente con el director de escena, y cuando ve que él ha llegado a conocer su fuerza y su debilidad, entonces "confío, me pongo en sus manos y me dejo guiar." Su credo artístico en la actividad más reciente, lo mismo que en el canto, puede resumirse en las palabras que dijo al *Sunday Times*: "Ser honesta y no traicionar la obra. No traicionar ni al compositor ni al poeta."

Es el credo que trata de inculcar a sus alumnos en la Munich Hochschule de Música, donde enseñó entre 1982 y 1990. Se ha tomado un respiro, pero regularmente da clases magistrales en todo el mundo. Insiste en que enseñando aprende, porque al hacerlo "tengo que pensar en el papel para cantarlo de una manera diferente cada vez. La gente habla de la crisis del canto; deberían decir también que hay crisis de directores de escena, de directores de compañías de grabación. Porque todo se origina en la falta de tiempo para trabajar correctamente. El gran enemigo de nuestro arte, el verdugo de los cantantes jóvenes, es el comercio. Para resistirlo hay que ser muy fuerte y estar bien aconsejado. Si se tiene la fortaleza necesaria, se puede decir 'no, gracias'."

Es esencial disponer del descanso imprescindible y saber espaciar las representaciones. Fassbaender trata de hacer pausas entre las semanas más pesadas, para "dormir y vivir. Porque la vida de una cantante no es fácil. Si uno se mete con cuerpo y alma, es una existencia difícil." De vez en cuando hace escapadas para ir al teatro, al cine y, especialmente, a exposiciones, para dar rienda suelta a su gran pasión: la pintura. Es una "autodidacta y enormemente entusiasta. Es un arte creativo que puedo disfrutar sin las implicaciones del deber concernientes a mi canto." Cuando viaja lleva su cuaderno de dibujo y muchas veces quisiera sentarse solamente a pintar durante seis meses. "Pero, en ese caso, probablemente extrañaría el escenario ¡y creo que canto mejor de lo que pinto!"

Christa Ludwig

Entre las cantantes contemporáneas, Christa Ludwig es, con más de sesenta años, una leyenda viviente y dice John Steane que es el "faro de nuestro tiempo, un centro de resplandor... una llama perdurable". Sus cuarenta y cinco años de carrera se han desarrollado de manera activa y destacada en conciertos y en el escenario operístico, su hogar espiritual, como corresponde al vástago de dos artistas de la escena. Eugenie Besalla, su madre, era mezzosoprano y antes de la guerra cantó Electra en Aachen, dirigida por Karajan; su padre, Anton Ludwig, había comenzado siendo barítono. Convertido en importante tenor de la Vienna Volksoper, cantó durante veintiún años en el Metropolitan de Nueva York, y, finalmente, fue director en Aachen. También él trabajó a menudo con Karajan, a quien Christa Ludwig conoció a los siete años. Siendo "segunda generación de cantantes", según sus palabras, tuvo gran ayuda al recibir entrenamiento constante y conociendo "los errores de la primera generación". La madre había arruinado su voz prematuramente, al mezclar partes de mezzosoprano baja con soprano alta, sin vigilar la agenda o espaciarla de manera adecuada. Fue una lección que la hija nunca olvidaría.

"Siempre fui muy cuidadosa con la voz. Mi madre fue mi única maestra, y no sólo me enseñó los rudimentos del canto, sino que se aseguró de que aprendiera a tocar el piano, la flauta y el violonchelo y de que adquiriera conocimientos de teoría musical. Tuvo especial cuidado de que evitara caer en algunas de las trampas que jalonan el camino de los cantantes jóvenes: aceptar papeles importantes y cantar en grandes teatros demasiado pronto. En mi caso no se dio la fama de un momento para otro sino que fue un ascenso lento. Me perfeccionaba poco a poco, permitiendo que la voz madurara naturalmente, observando los avances de los demás en la escuela de canto, pero con mis padres manteniéndome en mi lugar. Y el dinero también llegaba lentamente. Hoy llega tan rápido y en tal cantidad, que muchas cantantes piensan '¿qué importa que la voz se arruine en sólo diez años, si para entonces he ganado como para mantenerme el resto de mi vida?' Pero mi madre siempre esperó que, al contrario de lo que le había pasado a ella, mi voz estuviera todavía intacta cuando fuera bastante madura como para *saber* de qué se trata, qué hay dentro de la música. Esto llega sólo con la edad y no le pasa a la gente que hace una carrera rápida, arruinando su voz antes de alcanzar esa etapa de *entendimiento*. Estoy muy contenta con mi carrera lenta, porque creo que ahora sé un poco más de lo que sabía de pequeña."

Christa Ludwig nació en Berlín, el 16 de marzo de 1928, y pasó gran parte de su niñez en Aachen. Gracias a la escuela de canto y a la vida teatral de sus padres, sabía de memoria casi todas las óperas, de modo que esta parte le resultó "fácil, fácil, fácil". La vida de todos los días, en cambio, fue muy difícil. La guerra los había arruinado económicamente, como a la mayoría de las familias alemanas. Pasaron esos años en Giessen, cerca de Frankfurt, donde Christa hizo su primera aparición en público a los diecisiete años, en 1945, cantando arias de óperas en una sala de conciertos y en un teatro semidestruido. Durante una entrevista que Mel Cooper le hizo para *Opera Now*, confesó que el motivo para convertirse en cantante profesional "fue también la intención de tener una cama, un departamento, ropas, vajilla y por fin una casa, porque no le había quedado nada como herencia."

Al siguiente año, teniendo dieciocho, fue contratada por la Opera del Estado de Frankfurt, en la que debutó como Príncipe Orloffsky en *Die Fledermaus*. Ganaba cuatrocientos marcos, en momentos en que un medio kilo de café costaba ochocientos. Pero se quedó seis años allí y cantó todos los papeles pequeños, incluyendo los de ángel de Navidad y algunos de los "más fáciles" entre los importantes, como Octaviano. Mientras tanto, sus padres se divorciaron y la madre se fue a vivir con ella, lo que le significó una ventaja: "pude estudiar con ella todos los días sin pagar. Nunca hubiera podido afrontar lecciones pagadas."

Hacia 1952, su madre pensó que ya era hora de que estudiara arte escénico y actuación, de modo que se trasladó a Darmstadt donde estuvo dos años, con un buen director de escena, Gustav Rudolf Sellner, quien "me enseñó a concentrarme y entrar en la piel de varios personajes. En esa época todo era muy estilizado. El escenario estaba prácticamente desnudo, de modo que toda la responsabilidad recaía sobre nosotros. Aprendimos a vigilar y controlar uno a uno nuestros movimientos, hasta los del dedo pequeño, porque aun eso podía verse muy grande en un escenario vacío. Hoy todo es mucho más desordenado, así que podemos perder de vista a los personajes y preguntarnos dónde están. En aquella época, la concentración era tan intensa que los personajes realmente *vivían*. Había muy poco dinero en la Alemania de posguerra. En cambio, las ideas eran grandes, mientras que ahora hay mucha plata y pocas ideas. Los directores de escena son felices impactando y escandalizando. Pero armar un escándalo es mucho más fácil que revelar la verdad interior de las obras que interpretamos. Sin embargo, es importante que la ópera se desenvuelva y se desarrolle con el tiempo, de modo que se hable de ella y esté presente en el público. Así que tal vez esos locos directores de escena estén contribuyendo a mantenerla viva."

Después de afirmar los rudimentos de arte escénico en Darmstadt, Ludwig y su madre creyeron que ya debería trabajar con un buen director de orquesta y ampliar la voz cantando en un teatro más grande. Fueron a Hannover, donde encontraron un buen director, Johannes Schüler de la Opera del Estado de Berlín, con quien empezó a cantar los papeles importantes de la época: Eboli, Carmen, Ortrud, Kundry, su primera Marie en *Wozzeck*, también su primer *Das Lied von der Erde* en una sala de conciertos, y Amneris, preferida de sus épocas juveniles.

"Pero nunca fui conocida como una 'cantante italiana', porque en los países extranjeros prefieren cantantes italianas o negras para las óperas de ese origen. Pero yo admiraba a Amneris, cantarla era el cielo para mí. Está compuesto de una manera maravillosa, básicamente en un registro medio con algunas notas altas, de modo que tenemos una gran voz media sólida, y largas frases de *bel canto* realmente bellas. La Escena I del cuarto acto es un verdadero desafío, con tal carga emocional y dramática que la actuación debe ser muy buena también. Es esta escena tan agotadora la que piden a las cantantes que se presenten para este papel.

"Pero Strauss es relativamente fácil para las mezzosopranos, porque esos papeles, como Octaviano y Clitemnestra, contienen muchos recitativos. También algunas notas muy altas, que algunas veces me aconsejaron acortar. Para las sopranos es mucho más difícil, porque los papeles son muy altos, mientras que a nosotras las mezzosopranos Strauss nos deja el lado fácil. Créase o no, pasa lo mismo con Wagner, porque la mayor parte consiste en expresar el texto. Y como los de Strauss, son muy buenos y hay que hacerlos de la manera más expresiva que uno pueda. Se trata de una obra de arte total, de modo que sólo cantar no es lo más importante. En lo que hace a las mezzosopranos, y lo mismo sucede con Strauss."

En 1955 Ludwig fue invitada por Karl Böhm a incorporarse a la Opera del Estado de Viena, de la que era director musical. Tenía sólo veintiséis años, y estaba nerviosa con la posibilidad de ir a Viena. Pero la mujer de Böhm era cantante, por lo tanto él conocía los problemas y se preocupaba por proteger las voces jóvenes. De modo que le aseguró "no, no va a cantar Marie, Brangaene o Amneris, cantará el Cherubino, Dorabella y el Compositor en *Ariadna en Naxos*." De modo que otra vez, y por varios años, su voz fue restringida hasta que empezó a cantar papeles grandes y altos con Karajan.

Ludwig hizo su debut en Viena con el papel de Cherubino y siguió con Dorabella y el Compositor. Odiaba los papeles de varón "porque tenía que matarme de hambre por ellos", pero disfrutó con Dorabella, haciendo Irmgard Seefried el papel de Fiordiligi, aunque esta cantante pretendía monopolizar la atención. Relativamente pronto dejó de cantar a Mozart, "el más difícil de todos los compositores a causa de la pureza de línea y entonación que requiere". No creía que la suya fuera una "voz Mozart" y por otra parte "la emoción en su música es diferente, demasiado contenida, más semejante al barroco, y en este sentido recuerda a Bach y Handel. No es lo que siento. Estoy más a tono con la música romántica."

Viena significó la consagración de Ludwig como cantante de primera clase. A fines de los años cincuenta, y durante los sesenta, se la invitaba con gran frecuencia a cantar "cualquier cosa, desde Octaviano hasta la Mariscala, desde la nodriza a la mujer del Tintorero, y si quería Brunilda e Isolda, también." Firmó un importante contrato con EMI, gracias a lo cual podemos oír a una figura legendaria en una grabación clásica: Walter Legge, el marido de Elisabeth Schwarzkopf. Esta cantante había hecho la Condesa en 1957, cuando Ludwig interpretó el Cherubino en Salzburgo, y le gustó su nueva colega; pidió a Legge que la escuchara. El cantante estuvo de acuerdo con el juicio de su mujer, convirtiéndose pronto en uno de los más importantes mentores en la carrera de Ludwig.

"El me enseñó a expresar el sentido de las palabras que estaba cantando, a concentrarme tanto, que cuando grabé mis primeros lieder con él, si decía 'sol' la palabra brillaba y si decía 'flor' brotaba. Me dijo que 'alargara las orejas' para escuchar dónde estaba la verdadera belleza de mi voz, y no desperdiciar una sola oportunidad de expresarla. En algunas cantantes los sonidos más hermosos surgen de un *fortissimo*, mientras en otros brillan los *pianissimi*. Pero siempre debemos estar atentos al mejor y aprovecharlo al máximo." El resultado fue una serie de grabaciones, algunas de las cuales se convirtieron en clásicos. Tal el caso del histórico *Caballero de la Rosa*, dirigido por Karajan, interpretando Elisabeth Schwarzkopf a la Mariscala.

Con respecto a las grabaciones técnicamente "avanzadas", por ejemplo, aquellas en que un cantante puede grabar en una ciudad, combinándose luego su voz con la de otro que está en distinto lugar, Ludwig dijo a un periódico español que consideraba ese sistema falto de grandeza, y de alguna manera deshonesto.

Hay cuatro óperas interpretadas por Ludwig que significaron importantes jalones en su carrera: *Ariadana en Naxos, Die Frau ohne Schatten, Electra* y *El Caballero de la Rosa*. La primera vez que intervino en esta última hizo Octaviano, en Frankfurt, y lo repitió con gran éxito en Viena. Pero nunca le gustó el personaje porque "es insulso y expresa las estupideces propias de los diecisiete años, mientras la Mariscala es quien dice todas las cosas interesantes. Por otra parte carece de línea, la mayor parte del tiempo consiste en *Sprechgesang* y *ella* es quien canta."

Sin embargo, nunca hubiera pensado hacer la Mariscala, porque es un verdadero papel para soprano, por eso quedó muy sorprendida cuando, en 1968, Leonard Bernstein le pidió que lo cantara en su primer *Caballero de la Rosa*, en la Opera de Viena. Pero Ludwig recordaba que cuando su madre le compró la partitura de dicha ópera, antes de hacer Octaviano en Frankfurt, escribió en ella: "Ahora para Octaviano, más tarde para la Mariscala." "Es decir, que mi madre siempre supo que era posible. Y tengo que reconocer que es uno de los papeles más importantes, no sólo en mi carrera (la cantó con Böhm y con Bernstein), sino también en mi vida, porque son cosas que me ayudaron como persona: hay un tiempo para todo (*'jedes Ding hat seine Zeit'*) y no hay que apegarse a las cosas sino dejarlas pasar con un ligero toque. Cuando me siento tentada de obrar de otro modo, me digo: 'piensa en la Mariscala'. Supongo que de todos los personajes de ópera, es el único del que se puede aprender algo útil para la propia vida. También Kundry, de *Parsifal*, uno de mis papeles favoritos, me parece muy interesante. Ella busca la salvación, que es lo que creo que de alguna manera hacemos todos. La encuentra en una especie de religiosidad que, como pasa frecuentemente, está mezclada con lo erótico. Un caso no demasiado diferente del de María Magdalena, realmente maravilloso para ser representado. Siempre me emocionó profundamente cantar esas palabras con esa música. Pero no puedo decir que haya aprendido de ella algo aplicable a mi existencia."

Hay un papel de Strauss con importante resonancia, según Ludwig, en la vida actual. Se trata de la mujer del Tintorero en *Die Frau ohne Schatten*, que cantó por primera vez en Viena, en 1964, dirigida por Karajan (de la cual existe una grabación en vivo realizada por Nuova Era.) Posteriormente lo representó en París y Nueva York con Böhm. Son generalmente sopranos dramáticas, como Nilsson y Jones, las que lo cantan, y es uno de los más difíciles en el repertorio de Ludwig. Recuerda que en esa época Böhm quería que hiciera la nodriza, que a ella le parece muy bajo, mientras Karajan prefería la mujer de Barak, demasiado alto. Pero Ludwig se decidió por la última, "y debo decir que siempre tuve gran éxito. Creo que la mujer del Tintorero es un personaje muy interesante, porque como tantas mujeres de hoy, está dispuesta a sacrificar la maternidad en aras de cosas materiales. Era algo raro hasta ahora, cuando la gente quiere tener una familia pequeña, porque marido y mujer prefieren trabajar para un auto nuevo, pasar las vacaciones esquiando y cosas por el estilo, eligiendo no tener hijos... Por lo menos la mujer del Tintorero se da cuenta de que no está bien y vuelve a su marido. Es maravilloso seguir el desarrollo del personaje hasta el final, aunque vocalmente es muy arduo, uno de los papeles más difíciles con que me he enfrentado. Pero lo hice olvidándome de mi voz en Amneris, la voz de registro medio, e imitando el sonido de una soprano aguda."

Hizo lo mismo, menos intensamente, con otro, tal vez el más famoso de sus papeles de soprano: Leonora en *Fidelio*, que cantó en Viena, dirigida por Karajan, en 1962. Luego lo hizo recorrer el mundo, incluyendo Munich, Berlín, Tokio y Nueva York. En esta ciudad había debutado en 1959, en el Metropolitan.

A pesar de ser uno de los mayores éxitos en la carrera de Ludwig, y de ser ella una de las más grandes intérpretes del papel, no es el ideal para su voz. Un laringólogo examinó una vez sus cuerdas vocales, después de una función de *Fidelio*, y las encontró rojas e inflamadas, signo evidente de que el papel no era adecuado, y le aconsejó no cantarlo más. Pero siguió haciéndolo durante unos cuantos años. Admiraba el lado humanitario del personaje que "tiene tanto que decir sobre la humanidad encadenada. Pero siempre me pongo nerviosa antes de cantarlo, más que con cualquier otro papel, porque estoy haciendo algo no natural. Tengo que *construir* la clase de voz que hace falta y que no es mi voz natural. Lo consigo espaciando las representaciones, por lo menos tres días entre una y otra, tratando de no hablar, porque me cansa casi tanto como cantar, y anotándolo en mi agenda con muchísimo cuidado. Nunca lo mezclo con mis papeles de mezzosoprano, porque, como dijo Callas, la voz no es un ascensor. Además, tengo el ejemplo de mi madre, que estropeó su voz por mezclar sus Leonoras y Sentas con Ulricas y Azucenas."

El éxito alcanzado con este papel es una de las mayores satisfacciones de su vida, y está muy contenta de no haber tomado demasiadas precauciones en el caso de Leonora, la Mariscala y la mujer del Tintorero. "Es evidente que no soy una cantante frustrada. Hice casi todo lo que quise hacer. Pero cuando llegué al límite, me di cuenta y me retraje a mi repertorio de mezzosoprano." Por ejemplo, en 1968 se anunció que haría Brunilda e Isolda, dirigidas por Karajan. Sus admiradores lo esperaban con una mezcla de interés y temor. Pero al año ella declaró que había cambiado de opinión. "Cuando una cantante alcanza la cima, todo se le da de pronto en bandeja de plata: dinero, fama, y por supuesto una querría tomarlo todo. Pero por suerte, al mismo tiempo llega también el miedo: 'Dios, si ahora hago esto, ¿qué vendrá después?' y a veces es muy sano."

A mediados de la década del setenta, Ludwig entró en lo que llama "crisis de la mediana edad", tanto en su vida privada como profesional. Se había divorciado de su primer marido, el bajo Walter Berry, y empezaba a tener problemas vocales serios. "En otras palabras, aunque tenía cuarenta y tantos años, entraba en la menopausia, que puede hacer estragos en la voz. En esa época era tema tabú, nadie quería hablar de menopausia. Las píldoras de hormonas no estaban desarrolladas como ahora, de modo que muchas cantantes simplemente dejaban de cantar. Yo no sabía que podía afectar a la voz, porque mi madre se había retirado antes de llegar a esa etapa. Pero las mujeres estamos muy atadas y dependemos mucho de las hormonas, y como el tejido de las cuerdas vocales es muy similar al del pecho, en la menopausia se vuelve inestable, como el pecho de las mujeres durante el período menstrual. Al principio uno no se da cuenta de lo que está pasando, y piensa ¿qué *es* esto? Tengo cuarenta y cinco años y ya no puedo can-

tar, no alcanzo las notas altas, ¿qué pasa? Uno está ahí, en pleno floreci-
miento, y de repente algo le golpea y ya no entiende nada. En la actualidad
el Tratamiento por Remplazo de Hormonas es una gran ayuda. Pero lo más
importante es *saber* sobre el tema, saber que, aunque las mujeres sientan la
menopausia de maneras diferentes, siempre produce algún efecto sobre la
voz. Las maestras de canto deberían alertar a las cantantes jóvenes sobre este fenómeno."

Aparte del tratamiento médico, la manera de enfrentar el problema
fue cambiar el repertorio. "Volví al repertorio de mezzosoprano, pero sin
cantar los grandes como Ortrud y Kundry, que exigen mucho de las cuerdas
vocales –y por supuesto que a los cuarenta y cinco años, no podía cantar Octaviano– así que empecé con las señoras ancianas, como Clitemnestra en
Electra, la Condesa en *La Reina de Espadas*, la monja vieja en *Diálogos de
las Carmelitas*, y me quedé con mis papeles de Wagner, como Fricka y Waltraute, que no tienen tantas exigencias."

Empezó, además, a ampliar sus actividades como cantante de lieder
y conciertos, reduciendo el número de sus intervenciones en óperas. Le gustaría advertir a las cantantes que aprendan tempranamente el repertorio de
lieder, porque "a los cuarenta y cinco años no se puede decidir de repente
convertirse en cantante de lieder, no se puede adquirir el estilo de la noche
a la mañana. Debe trabajarse a través de los años. Una vez más repito palabras de mi madre, y ella no pensaba en la menopausia en aquella época, pero decía que el lied es un elixir de juventud para la voz, y que si yo quería
conservarla pura, bien enfocada y flexible, debería cantar Mozart y lieder.
Pero para estos hace falta otra clase de voz. No es necesario insistir en que
una cosa es la 'voz de ópera' y otra la 'voz del lied'. Este consejo sabio resultó mi salvación. El lied ha sido una fuente de intensas satisfacciones y gratificaciones, tanto como las que me dieron mis más grandes papeles en la
ópera."

La interpretación de lieder que nos brinda Christa Ludwig es una
mezcla única de madurez, variedad de colores vocales y profundidad psicológica y espiritual. Sus interpretaciones de Schubert, incluyendo *Die Win-
terreise*, generalmente cantado por voces masculinas, aunque recientemente
Brigitte Fassbaender lo hizo en forma destacada, y los grandes ciclos de canciones de Mahler, son inolvidables. Empezó por aprender a "sentir a Mahler y entender el alma de su música" con Bernstein. Ya había cantado mucho
a ese compositor con Klemperer, pero "no tenía demasiada idea de lo que
estaba cantando. Cantaba la música pero no lo sentía", le dijo a Mel Cooper
en *Opera Now*. "Pero Klemperer, en lo que se refiere al canto, era maravilloso, porque no hacía nada en contra del compositor: todo era lógico, y
nunca demasiado lento. La gente de su generación sabía mucho sobre ópera y voz, y realmente podía ayudar a las cantantes. Hoy, con excepción de
Solti y Levine, que realmente saben mucho y nos apoyan, los directores provienen generalmente de la orquesta y tienen conocimientos superficiales en
cuanto a ópera y canto. Aparte de esto, ¿los directores han cambiado mu-

cho a través de los años? '¡No!' Siempre son gente divertida. *Tienen* que tener un gran ego, de otra manera no podrían hacer su trabajo. Son los únicos autócratas del mundo, pueden hacer lo que quieran, los cantantes estamos completamente en sus manos. Sin contar a los dictadores del Tercer Mundo, no hay semejante grado de poder en ninguna otra profesión. Pensándolo bien, aun los dictadores dependen del ejército, de los guardaespaldas, de *algo*. Pero los directores pueden tener todo y a su manera. Deciden el tempo, la dinámica, eligen el reparto, ¡son emperadores!"

Han sido tres los directores más íntimamente relacionados con Ludwig, y ella los llama "mis tres gurúes": Karl Böhm, Herber von Karajan y Leonard Bernstein. "De ellos es de quienes he aprendido más. Böhm me enseñó a estar musicalmente segura, el hecho de que una semicorchea es una semicorchea, y que las claves del personaje que hay que interpretar se encuentran en esos pequeños detalles." Cuando se le pregunta por sus más grandes *Sternstunden* (horas estelares), los momentos inolvidables de su carrera, menciona las representaciones en Salzburgo de *Così fan tutte*, y las de *Die Frau ohne Schatten* en Nueva York, ambas dirigidas por Böhm. "En ciertas ocasiones lo que hacíamos era realmente Arte. No todo, porque no se puede pretender que todos los cantantes estén en sus mejores condiciones al mismo tiempo, de modo que la totalidad encaje a la perfección. Pero a veces pasa, la representación se convierte en un momento estelar, y entonces, uno se siente en el cielo. Es muy raro. Igual de raras, y casi maravillosas, son las producciones en las cuales la atmósfera del ensayo es muy buena, con toda la gente disfrutando de lo que hace y cada uno de acuerdo con el otro." Me gustaría saber si hay alguna razón para que esos acontecimientos tan especiales de su vida operística se hayan dado mientras Böhm era el director."

"Böhm estaba al servicio de la música. No poseía un gran ego. Servía a la música y le gustaban los cantantes y los ayudaba, lo mismo que Karajan los apoyaba si le gustaban. Por ejemplo, cuando hicimos *Fidelio*, en algunas partes se apuraba porque sabía que yo no podía hacerlo más lento. Los críticos destacaron que era demasiado rápido, pero él lo había hecho por mí. Trabajaba muy duro con los cantantes, y la mayoría de los artistas prefería actuar con él. Me enseñó la belleza del fraseo, la belleza del tono, cómo escuchar la orquesta y emitir mi voz de una manera homogénea, hasta que sonara como otro instrumento. En *Das Lied von der Erde* (que Karajan y Ludwig grabaron para Deutsche Grammophon, pudiéndose hacer interesantes comparaciones con una anterior que ella hizo con Klemperer para EMI), hay un pasaje en el que la cantante sigue la línea del violonchelo y me enseñó a dar el color correspondiente a mi voz. Y siempre recuerdo su consejo cuando hacía la versión de París de *Tannhäuser*, en Viena. Me dijo que debía cantar Venus como un lied de Hugo Wolf. (Existe una grabación pirata fascinante de la representación de esta ópera hecha en Viena por Nuova Era en 1963. Karajan dirigía un reparto que incluía también a Gre Brouwestijn como Elisabeth, Hans Beirer en el papel principal y Eberhard Wächter como Wolfram.) Böhm y Karajan comprendían todo lo relacionado con la voz, porque habían empezado sus carreras como maestros en salas de ópera, donde las cantantes no siempre eran de primera calidad. Conocían las obras desde el principio hasta el fin y en qué momento los cantantes necesitaban ayuda, cosa sumamente importante porque, por lo general, las dificultades son siempre las mismas.

"Bernstein, en cambio, no sabía dónde había que economizar la voz. Veía la ópera como una sinfonía con cantantes. Pero era un maestro maravilloso; como un rabino, le gustaba compartir sus conocimientos y de él aprendí a meterme *dentro* de la música. Nunca estaba satisfecho con lo que hacía y buscaba nuevas percepciones, nuevos detalles, nuevos colores, estudiaba la partitura hasta el último momento. Yo tenía treinta y ocho años cuando lo conocí, hice mi primera Mariscala con él y una gran cantidad de conciertos a través del tiempo." En diciembre de 1989, Ludwig entusiasmó al público de Londres interpretando a la vieja dama, en una inolvidable versión de concierto de *Cándida*, dirigida por el compositor, el mismo Bernstein, y grabada en vivo por Deutsche Grammophon. Su brío, su efervescencia, su toque de frivolidad "gala" y su habilidad para regular el efecto cómico se corroboraron en el espectáculo, y a pesar de un ligero resfriado, ella parecía saborear cada minuto. En los últimos años ha disfrutado con otras "viejas damas": la monja anciana en *Diálogos de las Carmelitas*, y Clitemnestra, que había cantado en París en 1973, y que luego representó por todo el mundo.

"Cuando la canté por primera vez, en 1973, me sentía muy joven para hacerlo, porque es un personaje que crece progresivamente dentro de uno, muy lentamente. No se puede apresurar el proceso. No es bueno 'meterse de un salto' en el personaje. Hay dos maneras básicas de hacer Clitemnestra: la manera extravertida de Astrid Varnay y la de Regina Resnik, más introspectiva. Pero *nunca* debe hacerse como una caricatura, como en la producción de Harry Kupfer de 1990 para Salzburgo y Viena (una de las puestas en escena visualmente más repulsivas y confusas dentro de lo imaginable, en la que Ludwig odiaba cantar) porque se pierde de vista la fascinante complejidad de la relación madre-hija. Ni debe representarse como *demasiado* vieja ni decrépita. Después de todo, tiene un amante con el que conspira para matar al marido. Kupfer le quita importancia diciendo que 'no hay nada físico entre ellos', pero no veo cómo puede ser así. La desgracia de Electra no debería permitir que uno se olvide de que Clitemnestra también es una mujer desdichada. Es *ella* la que tiene noches de insomnio. Configura un personaje muy freudiano, y es lamentable que a veces se le represente en forma de caricatura. Vocalmente es fácil, hay mucho *sprechgesang* con unas pocas frases maravillosas, y se apoya en la caracterización vocal. Pero es un papel emocionalmente agotador. Aunque suma nada más que media hora de canto, cuando termina, *yo* también estoy terminada."

Ludwig es consciente de que los años venideros, unos pocos, serán los últimos de su carrera. Volvió al Metropolitan, donde cantó Fricka y Waltraute, en la producción de Otto Schenk de *La Tetralogía*, también filmada para televisión, y partió pronto a Japón. Confiesa estar cansada "de todos esos viajes, que no son divertidos. Pienso seguir así unos dos o tres años más y después retirarme. Mi hijo (Marc Berry, compositor de pop y de jazz, cuyas canciones significaron la participación de Austria en el Eurovision Song Contest) me recordó que anuncio que voy a retirarme cada diez años. Pero mientras exista el timbre y el color de la voz, probablemente continúe. Tengo un buen consejero en mi segundo marido, Paul Emile Deiber, un actor y director de la Comedia Francesa, y espero que, cuando sea tiempo de detenerme, me lo advierta."

Ludwig no sabe aún si enseñará o dará clases magistrales. Lo ha hecho en París, pero le resultan muy cansadoras, porque en la actualidad no es bueno para ella hablar demasiado. "Cuando los jóvenes que asisten tienen talento es maravilloso, pero cuando no lo son, es horrible y temo no tener escrúpulos y decirles que no se embarquen en la carrera de cantantes... Pero creo que deberíamos trasmitir lo que sabemos, como Callas que aprendió sobre *bel canto* con Ponnelle e Hidalgo, y ahora, de repente, la tradición desapareció."

Su hijo casi resultó ser la tercera generación de cantantes en la familia. Posee una buena voz de barítono, y una vez que le preguntó a la madre si estaba *segura* de que haría carrera, ella contestó que por supuesto no lo estaba. Nadie puede garantizárselo a nadie, "de modo que en lugar de correr el riesgo de ser un Papageno en teatros de segunda, eligió convertirse en compositor pop, que al fin y al cabo es una cosa creativa. Los cantantes somos sólo intérpretes. Por cierto que ponemos algo de nosotros en cada representación, pero no somos creativos." ¿Se reprocha eso?

"No. Soy bastante estúpida como para estar satisfecha con lo que soy. Aun la Biblia dice que debemos amarnos a nosotros mismos. Es decir, que debemos aceptarnos como somos, y soy tan tonta que estoy contenta. Tengo un talento limitado, y dentro de esas limitaciones, creo que he hecho lo mejor. Yo tiendo a ser perezosa. La profesión absorbe mucha de la energía, así que no me queda después para dietas, ejercicios y cosas parecidas. Sólo necesito reposo y paz para *pensar* y reponer lo perdido. Soy, como dicen los orientales, una persona 'centrada', moderada, no excesiva, y en un plano vocal eso es lo que ocurre con las mezzosopranos. Estamos en el medio. Así que soy una mujer del medio, no de los extremos, ni en mi voz ni en mis aspiraciones, feliz con lo que tengo. Amo los conciertos y la escena, en la que me siento como en casa. Por supuesto que a veces me resulta doloroso no cantar más los grandes papeles. Porque dejar que brote toda la voz y desatar ese torrente sobre una orquesta completa es una hermosa sensación, casi orgiástica, como hacer el amor. Y si, además, el papel que uno hace está lleno de emoción, es maravilloso, más aun, es el cielo."

Tatiana Troyanos

Poco antes de nuestro primer encuentro, la mezzosoprano norte-americana Tatiana Troyanos había estado viendo *Fama*, la serie sobre la vida en una academia dramática de Nueva York. Lo que más le impactó y le hizo gracia fue el intento de cada profesor, el de música, el de actuación o danza, de convencer a los estudiantes de que *su* arte en particular era el más grande, lo único a lo que debían dedicarse en cuerpo y alma. "Nadie *me* dijo nada parecido cuando era estudiante. Pero yo *sabía* que era así, que todo lo que tengo lo pondría en mi arte y que llevaría mucho tiempo hacerlo correctamente y alcanzar lo que quería."

La intensidad casi obsesiva con que emprende lo que se propone es la clave de Tatiana Troyanos como artista. Vive la vida de sus personajes y su dedicación fanática por encontrar la verdad en el arte, unida a su oscura y expresiva voz de mezzosoprano, ligeramente áspera, la hacen una intérprete llena de fuerza y emoción. Ha actuado en los más importantes teatros y festivales del mundo y con los directores más grandes: Karajan, Kubelik, Bernstein, Boulez, Solti, y también con los de su generación. Ha tenido una influencia decisiva en su carrera James Levine, director musical del Metropolitan Opera, donde Troyanos ha hecho sus mejores trabajos en los últimos cinco años. En cada temporada ha añadido nuevos papeles a su repertorio, siendo admirada por millones de personas en el Servicio Público de Radiodifusión *Live From the Met telecasts*.

Sus apariciones regulares en el Metropolitan, después de diez años pasados en Alemania, significaron un retorno a las raíces para esta cantante nacida en la parte oeste de la ciudad de Nueva York en 1938, hija de un tenor greco-americano y una soprano coloratura alemana, a cuyos genes atribuye la habilidad para ese registro, brillantemente demostrado en sus papeles clásicos y barrocos, como Popea de Monteverdi, Ariodante y Julio César de Handel, y Sextus de Mozart. Pero, paradójicamente, no se sintió atraída por Rossini, aunque quien pasara por su casa en la Avenida Columbus la oiría, durante años, practicando, como ejercicio, el aria "Non piú mesta" de *La Cenerentola*. Lo hacía siguiendo la grabación de Teresa Berganza, considerada un modelo del estilo de Rossini. Pero siempre pensó que las mujeres de ese compositor no eran apropiadas para ella, y que su carrera hubiera sido distinta, en caso de haberse inclinado a hacer esos papeles, "a los cuales, entre otras cosas, no les tenía confianza. Ahora sé, pero entonces no sabía, que era por mi modo de ser físico y emocional, por mi personalidad. Era demasiado alta, demasiado dramática y tempestuosa, y no creía que me convinieran en absoluto." El resultado fue que nunca se convirtió en una "cantante especializada", y su capacidad para alternar estilos, desde barroco y clásico hasta Wagner y ópera contemporánea, es uno de sus méritos artísticos más notables.

La formación musical de Troyanos empezó muy pronto. A los once años un italiano, que tocaba el fagot en la orquesta del Metropolitan, le enseñaba solfeo, "la base de mi formación musical y sumamente útil más tarde". Un día el profesor le preguntó qué instrumento le gustaría aprender, sugiriéndole el piano o el violín. Se decidió por el piano, que estudió varios años con él. Al mismo tiempo cantaba en el coro de la escuela, y se acuerda de que se reían de su voz, que ya era muy oscura "y eso me hizo pensar que era horrible". Sin embargo, a pesar de ser una adolescente muy reservada, sentía "una tremenda *necesidad* de cantar". No hablaba del tema, pero ya estaba decidida interiormente: quería hacer una carrera musical como sus padres, fuera de pianista o cantante. La profesora de música de la escuela estaba impresionada por su intervención en el coro, hasta el punto de querer darle clases en su casa. "Me hizo adquirir confianza en un momento en que no tenía ninguna", y hasta se ocupó personalmente de que fuera admitida en la Academia Juilliard de Música.

Después de un dramático período con una maestra inadecuada, que aunque "era una persona encantadora y totalmente leal a mí", la clasificó erróneamente como contralto. El resultado fue que le dolía mucho la garganta al terminar cada clase, señal evidente de que algo no funcionaba. "Yo *daba* las notas altas pero no podía usarlas. Una compañera imitó la forma en que emitía la voz y no sonaba natural, de modo que con los demás estudiantes llegamos a la conclusión de que la maestra debía estar equivocada. Fue una experiencia terrible, porque cambiar de maestro en una escuela como la Juilliard era muy grave. Pero hay que estar atento a lo que dice el instinto." Por fin empezó con otro maestro, Hans Heinz, que resultó perfecto y con quien siguió trabajando aun después de tener un lugar destacado en el mundo musical.

"Entendió mis problemas vocales y me enseñó a abrirla al máximo. Empezó por hacerme *sentir* lo que es tener una voz de registro alto y gradualmente fui descubriendo mis notas agudas." Además, le dijo que en lugar de preocuparse por las notas, debía concentrarse en las palabras, en lo *que* estaba cantando. El resto aparecería solo. "Vaya a casa y lea el texto para sí misma, y *piense* en lo que tiene que transmitir en cada escena. *Entonces* decida sobre el color vocal correspondiente." Hasta el día de hoy, la importancia de las palabras es la clave de Troyanos para llegar a la interpretación. "Por supuesto que también le doy gran importancia a la técnica; no puedo evitarlo, es mi segunda naturaleza. Pero si se sabe lo que uno realmente quiere hacer, se encontrará la manera de hacerlo, siempre, claro, que el papel se adecue a su voz. Si uno practica las palabras en su casa, las piensa y después mira la música para saber cómo el *compositor* responde a ellas, entonces todo lo que se necesita es decidir qué es lo que uno puede hacer con la propia voz para conseguir todos esos colores. Ese proceso infinito con posibilidades infinitas de descubrimiento y enriquecimiento es una de las cosas que más me gustan en mi profesión. Las palabras son importantes también desde el punto de vista estilístico. La forma en que están dichas y cantadas dan, en parte, las diferencias estilísticas entre la ópera italiana, francesa y alemana."

Por esa razón cree que, si empezara de nuevo, pasaría por lo menos dos años en Italia y Francia, en lugar de una década en Alemania, para "tener esos idiomas en mi oído. Me gustaría haber dedicado más tiempo al italiano y al canto en italiano, que es para mí el estilo más difícil: el legato, la línea del *bel canto*, el deslizamiento del sonido desde las notas bajas a las altas, buscar las vocales, en suma, hacer que la voz haga siempre lo que debe." Sin embargo, Troyanos ha logrado éxitos importantes con dos dificilísimos papeles de *bel canto* para mezzosoprano. Uno es Adalgisa, con Monserrat Caballé en el papel de Norma, en su debut en La Scala en 1970, que repitió en Houston y más tarde en el Metropolitan. El otro es Romeo de *Los Capuletos y los Montescos*, que cantó en el Covent Garden, el Metropolitan, la Opera de Chicago y la de San Francisco. "Si no hubiera sido por la naturaleza apasionada de la voz y la interpretación de Tatiana Troyanos en su debut en La Scala como Adalgisa, yo hubiera pensado, como lo pensé muchas veces, que *Norma* debería hacerse como un oratorio", opinó en Milán el crítico de *Opera*, mientras se entusiasmaba en Texas, después del estreno en Houston: "Tatiana Troyanos fue la Adalgisa más encantadora, con una voz perfectamente comparable con la de Scotto, sus brillantes Do agudos, sus recitativos profundamente sentidos." En suma, el sello de una buena intérprete de *bel canto*. No dejó de comentarse el toque byroniano de su Romeo: "Mostró completo dominio de su composición apasionada y lírica" y "cantó ese papel agotador con comodidad y de una manera grandiosa."

Troyanos nunca se consideró una mezzosoprano verdiana. Cree que el único papel de Verdi que se adecua a ella es Eboli en *Don Carlos*, que cantó por primera vez a fines de los años sesenta en Hamburgo. "Siempre lo hice con gran alegría, porque lo hago bien. Encaja conmigo y estoy orgullosa de haberlo logrado, porque es una prueba decisiva para una mezzosoprano dramática. Recuerdo que después los críticos me bautizaron como 'mezzosoprano spinta'. Pero pronto me di cuenta de que yo no era la mujer adecuada para papeles como Amneris, que canté un par de veces, en el Metropolitan, con James Levine. No me resulta natural hacerlo, no se ajusta a mi voz, y mi sonido no es el correcto para el papel, su trama es demasiado suave. No es el medio de comunicación para mí."

Después de graduarse en la Juilliard, Troyanos fue contratada por la Opera de la Ciudad de Nueva York, debutando en 1963 como Hipólita en *Sueño de una Noche de Verano* de Britten. Permaneció allí dos años.

Rolf Liebermann, quien la vio en esa obra, la invitó a la Opera del Estado de Hamburgo. "Quiero que llegue con todas sus cosas y ya está. Hamburgo, y ningún otro lugar, será su casa." Y lo fue entre 1965 y 1971, seis productivos años durante los cuales consolidó su técnica y cantó algunos de los grandes papeles para mezzosoprano: Popea, Dorabella, Eboli, Carmen, Santuzza, Jeanne, en el estreno mundial de *Los Demonios de Loudun* de Penderecki, en 1969, y el Compositor, en *Ariadna en Naxos*, con el que debutó en 1965.

Este último se convirtió pronto en uno de sus papeles favoritos y desde entonces lo cantó con gran éxito en el Festival de Aix-en-Provence, siendo considerada como un gran descubrimiento, en 1966. Lo hizo también en el Metropolitan, el Chicago Lyric y la Opera de San Francisco. "En una interpretación del Compositor del máximo nivel, miss Troyanos brinda un tono blanco y un fraseo limpio y expresivo," sostuvo *Opera* después de las representaciones en San Francisco. Ella explica que este personaje, que toca una cuerda muy especial de su personalidad, puede hacerle caer en una trampa precisamente por eso. "Es un peligro trasladar una excesiva emoción a algo que ya es muy emocionante para uno; la Música y el Arte y el Teatro. Cuando en escena uno es el Compositor, se siente tentado a hacerlo un poco histérico, un poco arrebatado, lo que se supone que *él* es. Pero *uno*, el intérprete, debe recordar que tiene que seguir cantando y por lo tanto avanzar cuidadosamente para conservar energías. Es tramposo, porque por un lado uno siente el rapto de la belleza de la música y por otro hay que controlar y economizar voz para el final, sin que suene cansada o ronca. Debe ser lírica, debe ser bella, y las notas altas deben *tintinear*. No se puede chillar, y, caramba, en este punto sería fácil hacerlo. Pero uno tiene que encontrar el equilibrio justo. El temperamento debe ser el correcto, y en mi caso sucede naturalmente, porque nuestros temperamentos son iguales, hay que cuidarse constantemente de *cantar* las palabras, no gritarlas, y cantarlas bien, que puedan entenderse. Cantar, al revés que gritar, es fácil si se trata de una magnífica melodía de Handel, donde la voz se desliza. Pero una partitura de Strauss, con millones de notas y su manera de utilizar la orquesta para penetrar en el personaje, produce pánico (Kiri Te Kanawa destaca el mismo punto). Se siente la tentación de modular directamente los pasajes parlando, sin emitir el sonido correcto, sin dar las notas o la comprensión de las palabras."

La marcha debe ser pausada, y lleva mucho tiempo aprender a regularla. "Al principio yo era muy impetuosa, no podía esperar, simplemente *avanzaba*. Estaba tan involucrada que cuando veo mis viejos retratos haciendo el Compositor, me asombra la intensidad que se trasluce. Soy yo, golpeando la puerta de la primadonna mientras por encima de mi hombro *penetro* con la mirada al lacayo, *experimentando* realmente la furia del Compositor. En esa época, el más insignificante sentimiento tenía importancia. Necesitaba desesperadamente el vehículo correcto con el cual expresarme, un papel que tuviera que ver con mi personalidad. Y el Compositor lo era. Yo *sabía* en qué trampa se puede caer cuando uno está demasiado imbuido por el papel. Pero todavía se me hace difícil encontrar el equilibrio entre el compromiso con el personaje y el autocontrol. Por supuesto que a los veintisiete o veintiocho años todo el aparato vocal funciona de manera diferente. No me acuerdo de ningún momento en el que la voz no estuviera en forma, no sonara fresca. Se podía confiar en ella. Después el cuerpo cambia, *uno* cambia, y hay que amoldarse a ello. La experiencia y el profesionalismo remplazan a la juventud y la frescura. No podría asegurar que hagan fácil el trabajo, pero *son* una ventaja. Uno sabe que antes ha hecho esas cosas, y que puede recurrir a ciertos trucos si no salen como esperaba."

A finales de los años sesenta, Troyanos era miembro de la Orquesta del Estado de Hamburgo, con bastante libertad para aparecer como artista invitada en distintos lugares. Debutó en la Opera de París en 1966 y en el Metropolitan, interpretando a Baba el Turco, en *The Rake's Progress* de Stravinsky. Al año siguiente, después de firmar un contrato como invitada por la Opera del Estado de Baviera, debutó como Carmen en una producción del que fuera director del BSO, Günther Rennert. El papel se adecuaba a ella desde el punto de vista vocal y ya lo había hecho en 1961, en Lousville, Kentucky, donde lo cantó en inglés. Como la mayoría de las cantantes que representaron el papel, reconoce que cambió su vida "en el sentido de que hizo que me diera cuenta de que en mí había algo muy personal y que debía transmitirlo a mis papeles. Hans Heinz, mi maestro, me dijo: 'Tatiana, tienes algo dentro y si trabajas duro, lo harás bien.' Es todo lo que un buen maestro *puede* decir, no pueden *garantizar* a nadie que hará una gran carrera."

La *Carmen* de Günther Rennert le enseñó todo lo que sabe sobre el personaje. "El me demostró que todo tiene que venir desde dentro. Nunca hacer las cosas con rudeza, nunca recurrir a exageraciones externas que degraden al personaje. Una de sus primeras advertencias fue: 'No poner las manos en las caderas, *jamás*. Ya verá qué seductora puede ser sin poner las manos en las caderas.' Y me hizo emplear la cara, los ojos, todo lo que en mí significara vida, todos los matices que encontrara en el idioma alemán." Troyanos no hizo Carmen en francés, el idioma original, hasta 1970, cuando lo cantó en el Covent Garden. En lo referente al canto, "siguió la partitura y confió en Bizet. Lo más difícil es el segundo acto, cuando Carmen también tiene que bailar, tocar las castañuelas, y estar continuamente en escena, dominando la acción, pero sin que ni siquiera parezca demasiado duro."

En la década del setenta y principios de los años ochenta, Troyanos alcanzó su madurez artística. Amplió su repertorio para hacer por un lado más música barroca y por otro más Wagner. El primer papel que incorporó fue Ariodante en la ópera de Handel del mismo nombre, al inaugurarse en 1971, en Washington, el Kennedy Center. Hizo solamente otro papel barroco, Popea, pero cuando se lanzó a su primer papel de *bel canto*, Romeo, en la Opera de la Ciudad de Nueva York, Beverly Sills, que interpretaba a Julieta, quedó tan impresionada por su coloratura que sugirió la ópera barroca como el mejor vehículo para ella. "Tienes la habilidad de cantar con precisión, con ritmo, con agilidad y equilibrio, y quizá más importante, con espontaneidad", le dijo.

La espontaneidad es esencial en un papel como Ariodante, que es "joven, noble, poético, soñador y loco. Se le ve al principio en un bello jardín, perdido en sus pensamientos. La tessitura es cómoda, y parece que lo único que hay que hacer es estar ahí y cantar una de las cosas más difíciles compuestas para mezzosoprano, con un poco de elaborada coloratura, tan simple como sea posible. Debe estar lleno de entusiasmo y espontaneidad, pero sin convertirlo en una demostración emotiva. Tiene que ser *jubiloso*, porque todo termina felizmente, con Ariodante uniéndose a la chica que ama. Ese júbilo se apodera de uno, y con suerte, también del público." Troyanos volvió a cantar Ariodante en un concierto en Carnegie Hall, que le deparó un gran éxito, y en escena en la Opera de Ginebra, en 1984 y 1985.

La repercusión de su primer Ariodante la animó a aceptar la invitación de la Opera de Ginebra para cantar el papel titular en *Julio César*, en la temporada 1982-1983, con uno de los más grandes directores handelianos, sir Charles Mackerras. Al darse cuenta de que era más difícil que Ariodante, tanto desde el punto de vista vocal como dramático, se sentía indecisa. "Es un gobernante imperioso, triunfante y al mismo tiempo tierno, de modo que hay que transmitir los dos extremos." Una vez más, avanzar pausadamente es fundamental. Hay que estar muy atento a la intención de la música y del personaje a cada paso, aprender a ser paciente y *esperar* los momentos realmente triunfales que se dan casi en su mayoría hacia el final." Sir Charles compuso algunos adornos especiales para ella, y cuando los vio por primera vez pensó que no podía dominarlos. "Pero cuanto más lo hacía, más se volvían parte de mí. Tengo que aclarar que no me había dado cuenta del tiempo que lleva hacer que este estilo de música se haga parte de uno, o cuántas *toneladas* de trabajo supone. Hay que practicar horas, haciendo escalas, arpegios, trinos, hay que trabajar extraordinariamente en la entonación para acertar no desde lo más alto sino desde lo más bajo. Y la repetición constante, que es parte de este estilo, requiere un enorme, largo aliento, pero uno sólo debe sostenerse y estar todo el tiempo ahí. Claro que esto se da en todo lo que uno canta, pero la música barroca es tan expuesta que es fácil advertir de golpe que el aliento desapareció. Hay que tener en cuenta que estas óperas se compusieron para muy buenos cantantes, con una técnica aparentemente fenomenal. Pero si se trabaja con un músico, como sir Charles, que conoce el estilo desde todos los ángulos, se aprende una enormidad a medida que se avanza, y cantar barroco se vuelve un placer del más alto grado."

Sir Charles Mackerras asegura que se pueden adquirir las cualidades vocales requeridas por la música barroca. Lo mismo que para las partes clásicas, para cantar barroco es esencial "una voz pareja, habilidad para cantar notas y notas con absoluta claridad y entonación, y la capacidad de trinar limpiamente. Este era uno de los grandes requisitos de los cantantes del siglo XVIII, y a ellos se referían constantemente los críticos de la época, hablando de 'un temblor'. La agilidad es igualmente importante, como el ardor y el sentimiento, pero sin demasiado vibrato. Este, en realidad, no se usó para nada en el siglo XVIII y principios del XIX. Es relativamente reciente y aparece en los primeros cantantes wagnerianos. Repito que en el canto barroco y clásico hay que cantar con calidez y expresión, pero sin vibrato o por lo menos casi sin él."

Cinco años después de su primer Ariodante, Troyanos estuvo en condiciones de demostrar que era una cantante de primer nivel al debutar en el Festival de Salzburgo de 1976. Interpretó a Sextus en *La Clemencia de Tito*, con la nueva producción de Jean-Pierre Ponnelle, dirigida por James Levine. Estaba muy consciente de lo importante que era cantar Mozart en Salzburgo y encontrar el justo equilibrio de la interpretación. "Cantarlo bien, cantarlo con sentido y ser el personaje. Era capaz de identificarme con Sextus y transmitir el canto, la actuación, las emociones y movimientos como totalidad. *Tenía* que venir de adentro, y eso no se puede simular. Como siempre, yo me inclinaba a ser muy intensa, pero Jean-Pierre me dijo que lo tomara con calma. Las escenas de *La Clemenza* están armadas de un modo tan bello, que si yo me limitara a seguir la música de Mozart, sólo tendría que dejarme llevar.

El personaje no presenta problemas de orden dramático. Hay que comprometerse con Sextus, de manera que el público simpatice con su situación. Después de todo, él es, aparte de Vitellia, el único que sabe la verdad, y se debate entre su pasión por ella y su lealtad a Titus. El amor por *este* debería verse claramente así, como la cálida amistad entre él y Annio. Es un papel muy estilizado, de modo que no hay mucho que hacer, especialmente en el primer acto. Pero hay que mostrar un ser humano muy cálido y muy joven que está esclavizado por Vitellia. No sé por qué. Probablemente porque, no obstante, haber crecido con Titus, descubre la pasión física con ella. Es su primer entusiasmo juvenil y Vitellia utiliza el poder que tiene sobre él para destrozar el amor por Titus. Pero la pasión y sinceridad de Sextus lo convierten en un personaje muy simpático, lo que contribuye a hacerlo vocalmente gratificante, aunque exigente. La *coloratura* en 'Parto, parto', creo que es la más difícil que me ha tocado, porque sube, baja, sube de nue-

287

vo y con cierta velocidad. No se queda quieta nunca, hay que recorrerla tres veces y eso realmente significa una dificultad técnica, una de las pocas en este papel. Por eso escribí en mi partitura: 'Calma, y tomar un profundo aliento.' Pero si uno lo hace con demasiada calma y precaución, no tendrá el impulso necesario. Los tempi son terriblemente importantes y hay que trabajar mucho con el director; por suerte tenía a Jimmy."

Troyanos atribuye gran parte de su éxito, en el papel, a Ponnelle y a Levine, que la apoyaron todo el tiempo. En 1975 Ponnelle había visto su Popea en San Francisco, le telefoneó y almorzaron en casa de ella. Allí le propuso hacer Sextus en Salzburgo. El "¡Fantástico!" con que Troyanos respondió, fue el comienzo de una larga colaboración. "Ponnelle era un genio, una personalidad muy fuerte. Trabajando con él, no debía preocuparme por *nada*. Todo lo que tenía que hacer era representar. Siempre procuré hacer lo que él quería, porque sabía que me dejaría hacerlo a *mi* manera. (Baltsa menciona esto como la mayor cualidad de Ponnelle. Era único el modo de dirigirse a cada artista, haciendo resaltar lo mejor de cada uno y armando su trabajo alrededor de ello.) Me entendía bien, la química funcionaba, y siempre lograba que las cosas me llegaran vívidamente. Adoraba la música y su voz era bastante respetable, lo cual, lamentablemente, no es común en los directores de escena." (Ponnelle era capaz de leer hasta las partituras más complicadas.) Su colaboración fue tan importante para ella como la relación musical con Levine, con el que tenía "una increíble relación".

Se conocían casi desde los últimos años de adolescencia y se volvieron a encontrar en marzo de 1976, cuando Troyanos debutó en el Metropolitan con un gran papel: Octaviano en *El Caballero de la Rosa*. Siguieron el Compositor y Carmen, y en temporadas posteriores, Eboli, Amneris, Yocasta, Julieta, Adalgisa, Venus, Kundry, Brangaene, la Condesa Geschwitz, Santuzza, Charlotte, Dido en *Las Troyanas* y el Príncipe Orloffsky, muchos de los cuales cantó en inauguración de temporadas, siendo televisados en vivo por PBS. *Tannhäuser*, dirigido por Levine en 1981-1982, en la que Troyanos encarnaba a Venus, fue una de las más importantes producciones televisivas de ese ciclo. "Como siempre, era fundamental sentirse involucrada y al mismo tiempo mantenerse apartada para saber qué es lo que estaba haciendo, y familiarizarse con la orquesta, como en todas las óperas de Wagner, y reconocer el instrumento que está tocando en un momento dado, y cuándo su sonido será abrumador. Por supuesto que el director debe vigilar todo esto, y, en mi caso, Jimmy lo hacía. Me sugirió a qué puntos del escenario debía dirigirme para que me oyeran mejor. Y si uno confía en que el director se asegurará de que no sea cubierta por la orquesta, la voz dará una variedad de colores mucho mayor. Venus se podrá cantar como un bello *lied*, pero de una manera grandiosa, cosa que no ocurre con Kundry, que tiene algunos pasajes que son una tentación para gritar. Venus es un papel que realmente se canta con placer. Hay que hacerlo de la manera más sensual, más íntima que se pueda. Cómo se le ve a uno, especialmente cómo se mueve, cómo lo encara uno en el primer momento y cómo lo ve el público, es fundamental. Porque Venus está en la cima de Venusberg durante unos largos veinte minutos, antes de empezar a cantar, de modo que la voz debe estar tibia, hay que sentirse relajada desde el punto de vista físico y apta para moverse lánguidamente. En el Metropolitan trabajé mucho con el coreógrafo y me enseñó a sentarme con gracia y a levantarme. Hay que practicar con seriedad y aprender a utilizar el cuerpo de un modo muy sensual en este papel. Por otra parte, es un personaje muy directo, no complejo como Kundry en *Parsifal*, uno de mis preferidos."

Pese a encontrarlo atractivo, la primera vez que lo hizo, en el Metropolitan, se sentía poco segura. Lo consideraba un "papel límite". Pero le hubiera gustado cantarlo nuevamente, por la riqueza espiritual que extrae de él. "Es una experiencia gigantesca y me fascina formar parte de semejante obra maestra. Uno se identifica o no, y si no ocurre, no veo por qué preocuparse en hacer el papel. Pero a mí, Kundry me lleva a una situación límite, cada vez me siento mejor en él. He trabajado duramente en hacer más líricas las partes líricas y en enfocarlo mejor. La tessitura es la misma de Eboli y las diez últimas páginas del segundo acto son, sin duda, las más difíciles. Régine Crespin, a quien admiro enormemente, solía decir que esas páginas son *crueles*, y en realidad lo son. Pero es *maravilloso*, profundamente gratificante.

"En el primer acto Kundry tiene una manera de ser histérica, de judío errante. Presenta el bálsamo a Gurnemanz y cae en un sueño profundo. Pero *una* no puede, quizás hubiera podido diez años atrás, pero ahora definitivamente no. En este punto es importante pensar que se es actriz y mantener la concentración. De otra manera, la voz podría enfriarse en ese largo silencio. Cuando ella despierta y empieza a cantar de nuevo, diciendo que sabe algo sobre Parsifal y otras cosas por el estilo, la tessitura es tramposa. Es de medio a baja y lo que pasa en la orquesta dificulta la comprensión de las palabras. Pero tampoco se puede presionar. Christa (Ludwig), una magnífica Kundry, no parece tener problema en esta parte. Pero su voz es distinta, un poco más baja que la mía.

"La mayor parte del segundo acto prácticamente se canta solo, aparte de la conversación con Klingsor al principio. El modo de cantar tiene que ser tan bello como para seducir a Parsifal, pero hay mucho tiempo para calentar el sonido. Creo que la escena de la seducción es una de las más hermosas en toda la ópera y compuesta de una manera perfecta. Cuando Kundry se da cuenta de que no alcanzará lo que quiere y canta 'Grausamer', se llega a un punto que divide el acto en dos, esas famosas diez páginas en las que, aunque se esté exhausta, todavía hay que dar mucho más y demasiado rápido. Uno está con problemas y corre el riesgo de empezar a gritar, especialmente si se es mezzosoprano y no soprano dramática. (Las sopranos dramáticas no tienen esa clase de problemas porque sus voces se apoyan naturalmente en los La, La sostenidos y Si naturales.) Pero si se puede hacer el segundo acto *sin* separar demasiado las dos secciones, de modo de que no haya que empezar por reservarse –porque a veces, al tratar de hacerlo uno se pierde, pierde el personaje–, es mucho mejor. Es muy difícil explicar lo que quiero decir. Hay que tener la sensación física, emotiva y vocal de la forma en que se recibe todo ello, y seguir adelante. Creo que, en este caso, no importa mucho si uno grita un poco, dada la situación dramática; la misma Kundry se está poniendo algo chillona a esta altura. Pero nadie tiene ganas de sentirse presionado, al borde de las mayores dificultades, y si *realmente* lo está, es la peor sensación. Pero le pasa a cualquiera, no importa lo bien dotado que esté.

"Sería feliz volviendo a cantar Kundry porque una crece con el papel, y cuanto más madura el papel, más se enriquece una. Es también la manera de lograr un punto de vista más objetivo de los personajes. Por supuesto que nunca se puede ser *absolutamente* objetivo y saber exactamente cómo está sonando, qué es lo que está saliendo mal y qué no. A veces una tiene el instinto para eso, y por lo general el instinto funciona. Pero, en ocasiones, una piensa que algo está tan mal que se pierde la objetividad. En realidad, es frecuente que las cosas no vayan tan mal como una cree. Pero si ocurre y se es lo bastante perspicaz como para darse cuenta, hay maneras de compensarlo: usar la actuación, las palabras o un gesto diferente, algo que asegure la vitalidad del papel, aunque sienta que la voz la abandona. A veces, al no estar mi voz en forma, lo he hecho. Ya sabemos que la nuestra no es una ciencia exacta. Cada representación es única, irrepetible y llena de flujos y reflujos."

En casos como el que describe Troyanos, la presencia de un buen director, de escena y de orquesta, es invalorable. La cantante dice que los *necesita*, de otra manera "hago las cosas sin un enfoque exacto, muy en general." Aunque se trate de la reposición de una obra que ya ha hecho, necesita tener ahí al director, volviéndola a dirigir cada vez. Aparte de Ponnelle, hay otro director de escena con el qué disfruta trabajando: Lofti Mansouri, en la actualidad gerente general de la Opera de San Francisco. Con él intervino en su primer *Werther*, en el Metropolitan, y dice que "hizo todo el trabajo por mí. Se instaló solo en el escenario, *siendo* Charlotte, lo que fue muy importante. Esa interpretación quedó en mi interior, y la llevé conmigo cada vez que la representé. Uno nunca olvida el primer contacto con un papel, la primera vez que se convierte en algo de uno. Es un proceso revolucionario."

De todas maneras, no le resulta fácil hacer ese papel –que grabó para EMI con Alfredo Kraus, en el papel de Werther– porque nunca se sintió próxima a ella, quizá por no haber crecido tan protegida como Charlotte. "Aunque es un papel maravilloso, me resulta muy duro meterme *dentro* de él, a pesar de mi simpatía por el personaje. Al principio, ella es una joven dulce, adorable, inocente y sin experiencia, ansiando abandonarse a la pasión por Werther, pero sin atreverse. Son emociones maravillosas, descritas con tanta belleza en la música de Massenet. ¿Pero cómo, en cuanto actriz, transmitir esto, y además los poéticos sentimientos idílicos del primer acto? Los actos segundo y tercero se desarrollan por sí mismos, tienen sus propios momentos dramáticos. Pero el cuarto, especialmente la escena de la carta, es muy difícil, por las mismas razones. Charlotte está sola, la primera vez que la vemos así, y es Navidad. ¿Y cómo debería reaccionar esta mujer, exactamente? Es evidente que no es demostrativa. Es reservada, cosa que yo no soy. De modo que tengo que trabajar arduamente para dar esta clase de... compostura francesa, que no está en mi naturaleza. Cuando vi a Janine Reiss (la famosa maestra francesa mencionada con frecuencia en este libro), entendí exactamente cómo debía ser representada Charlotte. Janine personifica esta mezcla muy francesa de encanto, compostura, sentido de la discreción y cierta serenidad, mientras que yo tengo que *pensarlo*, porque soy por naturaleza más ruidosa y excesiva."

Troyanos explica que, aunque Massenet sabía componer música para ser cantada y sabía expresar la poesía de la situación, sin embargo no "transporta" a la cantante. Hay mucha conversación, no una bella melodía deslizándose permanentemente, de modo que la cantante, en gran medida, debe "transportarse" ella misma. "La tessitura me corresponde, pero tengo que ser cuidadosa en la parte media, de modo que el sonido no se haga demasiado espeso, porque de lo contrario no se entenderían las palabras. Debo tratar de aligerarlo para que esté de acuerdo con lo que digo. Fue una gran ayuda trabajar con Janine, me hizo entender lo que estaba diciendo y a dar color a lo que cantaba. Pero el primer acto me resultó difícil en el aspecto vocal y en el dramático, tener que darle tanta dulzura e inocencia. Mi voz es demasiado oscura, nunca consigo el color que quiero y no llego a estar completamente conforme con el acto primero y el segundo; emito un sonido demasiado maduro y me gustaría que fuera más ligero. Después de cantar nuevamente Charlotte en París, decidí que no lo volvería a hacer; hay mucha gente capaz de hacerlo mejor."

Pero lo que no hay es mucha gente con tanta objetividad y autocrítica como Tatiana Troyanos, o tan dispuesta a manifestar su admiración por las colegas. Su constante búsqueda de superación no acarrea el propósito de glorificarse o promocionarse, sino simplemente de utilizar el trabajo en el que está inmersa para transmitir la inspiración del compositor. Hay un episodio que ilustra la sinceridad e intensidad del compromiso que la mueve: ensayaban *Ariodante* en Nueva York con el St. Luke's Ensemble, a cuyos miembros Troyanos considera los mejores especialistas de barroco en el mundo. De pronto se interrumpió para manifestar: "*Tengo* que decirles algo sobre esta aria porque ustedes tocan una cosa y yo canto otra. Tienen que saber de qué se trata." La tradujo para ellos, y aunque no es usual que un cantante, de alguna manera, dirija la orquesta, se dieron cuenta de que se *preocupaba*, no sólo por su propio sonido, sino por lo que *ellos* hacían. Durante los ensayos de *Werther*, pidió a Janine Reiss tomar notas para conservarlas con las de todos sus directores. "Siempre trato de hacer lo que quieren. Trabajo duro en los ensayos, me observo y me pregunto: ¿qué pensará el público de este gesto? Si tuve un buen día, me voy a casa y duermo. Si me siento frustrada, también voy a casa pero no puedo dejar de darle vueltas al tema y me paso la noche sin dormir. En general, mi sueño depende de cómo ha sido el ensayo."

Los días en que hay representación suele dormir una breve siesta después de comer algo liviano, porque de esa manera su voz y sus nervios descansan. Estar relajada cuando llega el momento de actuar "es lo más grandioso. Una se siente fresca, sabe que está por encima de todo y que los nervios también lo están. Pero no siempre ocurre. A veces *la cosa* está por encima de una. Repito que, generalmente, depende de la forma en que una lo toma... Nuestra profesión nos cuesta muy cara, aunque el público no lo sabe, y quizá sea mejor así. Van al teatro por unas horas, para enriquecerse y entretenerse y no sospechan la realidad que hay detrás..."

En la época de nuestro encuentro, Troyanos no tenía idea sobre lo que haría después de retirarse. La longevidad de la voz depende del tipo de cada una, y la suya está en la categoría de "voz casi naturalmente hablada". De modo que reconoce que, si es hábil, podrá cantar unos diez años más, "por la forma en que se apoya mi voz. Los tenores y las sopranos corren más riesgos, y pagan por ello, mientras las mezzosopranos no están expuestas a tal tentación. La única que tenemos, y muy peligrosa, es hacer partes de soprano. *Yo* estuve tentada con Leonora de *Fidelio*, me entusiasmaba la idea de cantarla. Puse en la balanza los pro y los contra y pensé: ¿por qué hacerlo, habiendo tantas buenas Leonoras? Quizás algún día pruebe a cantarla en concierto. De todas maneras, nunca me convertiré en soprano. Mi timbre, incuestionablemente, es de mezzosoprano y no he sentido la urgencia de ser otra cosa. Sería un error terrible, tanto vocal como dramáticamente. Por lo tanto, esa tentación es inexistente. Existe, sí, el deseo de ser la mejor en lo que hago, y si no ocurre, seguir adelante con la esperanza de que mañana seré mejor."

Lucia Valentini Terrani

"**N**o soy una fanática de la voz, no estoy enamorada de ella o del virtuosismo técnico. Lo que *amo* es la música, la ópera y lo que tenga que ver con el teatro", declara la mezzosoprano lírica italiana Lucia Valentini Terrani, una de las cantantes más originales y atractivas. "Como muchas personas tímidas, me siento liberada gracias a la música y saboreo cada minuto de mi vida en escena. El teatro me da la oportunidad de hacer lo que nunca tendría el coraje de hacer en la vida real, y el hecho de ser tantos individuos distintos me da la oportunidad de expresar aspectos de mi personalidad que de otro modo no hubieran salido a la luz."

Valentini Terrani se considera "una solista dentro de un conjunto, un equipo de gente tratando de estar al servicio del compositor. Amo al compositor por encima de todo, a todos los compositores cuya música canto, y quiero que los integrantes del equipo hagamos lo mejor por *él*. Si no hubiera nacido dotada de una voz, habría sido feliz tocando el violín o el violonchelo en una orquesta, especialmente el violonchelo, tan bello para oír y tan bello para tocar. Admiro su sonido y su color, y debe ser una magnífica experiencia sostener y sentir este instrumento grande y fuerte formando parte del propio cuerpo." (No es la única mezzosoprano que manifiesta algo así hablando del violonchelo; lo hacen la mayoría, incluyendo a Berganza y Troyanos, que comparan su sonido con la voz de mezzosoprano y subrayan el aspecto erótico de la evocación.)

Aunque recientemente Valentini Terrani ha alcanzado gran éxito con papeles franceses, se hizo un nombre como mezzosoprano rossiniana y obtuvo un lugar destacado en los anales de la ópera. Ganó el Concurso Internacional para Nuevas Voces de Rossini, organizado por la televisión italiana en 1977, tres años después de hacer su debut profesional en Brescia, con el papel protagonista de *La Cenerentola*, al que se siente ligada por el destino. La lanzó a una carrera internacional cuando lo cantó en La Scala, en 1973, en la famosa producción de Jean-Pierre Ponnelle, dirigida por Claudio Abbado.

Como exponente destacada de Rossini y la única mezzosoprano *italiana* contemporánea que se destaca en su música, Valentini Terrani, obviamente, tiene ideas muy precisas sobre qué es lo que hace especial a Rossini, sobre su estilo de composición y las distintas maneras de interpretarlo en la actualidad. "Tiene una identidad que se reconoce en el acto. No se puede confundir ni una línea de su música con la de algún otro." Pese a estar comprimido entre Mozart y Verdi, su estilo de composición y escritura vocal se remontan sobre su época. Algunas de las últimas obras, como *Tancredi* y *Guillermo Tell*, parecen anunciar al Verdi de los primeros tiempos. Pero en su momento, los cantantes todavía eran reyes y reinas de la ópera, no como ahora, cuando el rey, sin duda, es el director orquestal. *Su* importancia crece en la ópera de Verdi, la orquesta se convierte en un factor vital en la concepción y construcción de las nuevas óperas. Pero con Rossini, los cantantes eran quienes ejercían el supremo reinado, y eso se refleja en sus composiciones.

Para cantar Rossini, afirma, los cantantes deben tener ciertas cualidades, siendo la principal la agilidad. "El que no puede cantar coloratura, no puede cantar a Rossini. Pero aparte de eso, creo que el calibre de los cantantes en tiempos de Rossini era distinto que el de hoy, no únicamente en el aspecto técnico sino también en cuanto a la creatividad. No sólo se le permitía, sino que se esperaba de ellos, que adornaran sus arias, las cuales no eran productos exactamente terminados. Estaban concebidas de manera tal que dejaban lugar a los cantantes para expresar su creatividad y capacidad de decorar con gusto. (Entonces y ahora, el buen gusto es la clave cuando se trata de adornar las arias del *bel canto*.) María Malibrán, por ejemplo, escribía sus propias cadenzas. Una de las características de Rossini que más atraen a la cantante es su inclinación al riesgo. Y así deben ser sus intérpretes, afirma. Siempre es preferible hacer algo no tan perfecto antes que algo aburrido. El genio de Rossini es muy moderno, aunque cuesta penetrar en él por su dualidad y sus contradicciones. Es fácil y difícil, introvertido y cerebral en algún sentido, pero extravertido, maniático, loco en otro. Realmente lo es todo casi al mismo tiempo. Si uno ve en la partitura un aria o una frase, puede parecer muy simple. Es cualquier cosa menos eso. El mejor ejemplo es el aria de Isabella 'Cruda sorte' en *La Italiana en Argel*. Primero hay un compás seguido por otros dos o tres simples. Entonces parece tener miedo de resultar aburrido, de modo que desarrolla la línea en esa típica forma arrojada, vertiginosa. Tal vez allí se asuste de ir demasiado rápido y vuelve a la sencillez. El intérprete debe captar su espíritu único y penetrar en su mundo. Como un payaso, es un cómico lleno de profunda melancolía y arranques irónicos. Yo misma soy un poco como él, y por eso siento una honda afinidad. Para colmo es italiano, el epítome de Italia, *mi* Italia, todo lo que concibo como más íntima y exclusivamente italiano."

El repertorio rossiniano de Valentini Terrani incluye Angelina en *La Cenerentola*, Isabella en *La Italiana en Argel*, Rosina en *El Barbero de Sevilla*, Malcolm en *La Donna del lago*, Arsace en *Semíramis*, el papel titular en *Tancredi*, Calbo en *Maometto II*, y la Condesa polaca en *Un Viaje a Rheims*, que tiene que volver a cantar en Berlín y París. El punto de partida fue Angelina, con el que congenió inmediatamente en el aspecto vocal y dramático, y le pareció más fácil que los otros. "Esto no quiere decir que sea fácil, porque, créanme, nada que tenga que ver con cantar ópera lo es. Pero algunas músicas son más compatibles con la propia voz, y más cómodas. En mi caso, Angelina me llega más naturalmente, mientras que a Isabella la tengo que conquistar. Parece que el destino puso su mano para unirme con ella. No fui yo quien eligió a Angelina, el papel *me* eligió a mí. Empezó mi profesor en el Conservatorio de Padua, que descubrió mi predisposición y olfato para la coloratura y me hizo estudiar el aria de Angelina 'Nacqui all'affanno'. Es la clase de aria que inmediatamente revela qué es lo que puede hacer la voz: su amplitud, agilidad, velocidad y coloración, así como la musicalidad. Vocalmente encaja con mi timbre: puedo apelar a los colores patéticos con armónicos nebulosos. Pronto se convirtió en mi tarjeta de visita, mi manera de presentarme en varias audiciones importantes." Las coloraturas no la intimidan sino que por el contrario se entusiasma con ellas. "Aunque creo en la importancia vital de la técnica, de la que ya hablé, no pienso que el virtuosismo y la pirotecnia sean un fin en sí mismos. La coloratura, ante todo, debe ser expresiva y para mí las coloraturas de Rossini en *La Cenerentola* y en sus otras obras, son algo así como la expresión del cuerpo, me da la sensación de que *todo* tiene Ritmo con R mayúscula. Cantar una *cadenza* de Rossini produce alegría física."

Su afinidad con Angelina es además de orden dramático. "Siento que también yo puedo vivir este cuento de hadas, que de alguna manera armoniza con mis antecedentes, mi modo de cantar, hasta mis complejos, si se quiere." La había cantado en Brescia en 1969 y la volvió a cantar en 1973 en La Scala, remplazando a Teresa Berganza, que estaba enferma. En ese momento Abbado se encontraba en Pekín pero debía volver para el ensayo general. Lucia Valentini (todavía no se había casado con el actor Alberto Terrani, cuyo apellido añadiría al propio) fue invitada a cantar en el ensayo, y cantaría en el estreno si Abbado quedaba conforme. "Yo sabía que, si lo impresionaba bien, tendría la oportunidad de debutar en La Scala en una gran producción, a la edad de veinticinco años. Me acuerdo que Claudio llegó alrededor de las cuatro de la tarde, todavía pesado por su largo vuelo desde China. En pocos minutos me di cuenta de que estaba satisfecho con lo que veía y oía, porque empezó a sonreír en su peculiar manera. Allí y en ese momento, decidió confiar en mí y darme la oportunidad. También el público estuvo conmigo aquella noche, y ese debut fue el comienzo de todo."

Desde entonces, Valentini Terrani ha cantado Angelina en todo el mundo, profundizando su interpretación a través de su carrera. Lejos de aburrirse al repetirlo, lo encuentra tan lleno de encanto como siempre. Pero a medida que pasan los años tiene que ejercer más control técnico, especialmente en su dramática presentación, para dar convicción al aspecto juvenil del personaje. "En lo que hace a la actuación, lo que hay que recordar ante todo es que el subtítulo de la obra es *La Bontà in Trionfo*, 'El triunfo de la bondad'. Si como intérprete uno no puede transmitir este concepto, mejor no hacer el papel. Por otra parte, es fundamental no caer en la trampa de pintar a Angelina como una bonachona estúpida, cosa que no es. Es una ganadora, porque la justicia dispondrá que esa bondad triunfe al final. Esto debe quedar bien claro sin caer en sentimentalismos almibarados."

La actuación de Valentini Terrani en este papel justifica su seguridad de que está especialmente identificada con él y le ha procurado aclamaciones del público y la crítica internacionales. "Lucia Valentini Terrani demuestra ser la Cenerentola ideal e interpreta el personaje tan juvenilmente como es posible pedir. En este papel da lo mejor de sí y canta el rondó final con una perfección técnica pocas veces igualada hoy", afirmó un crítico de Nápoles después de la representación en el Teatro San Carlo.

Cantar su segundo papel de Rossini, Isabella en *La Italiana en Argel*, no fue tan simple como hacer Angelina. Significó todo un desafío, aunque se hizo igualmente famosa al interpretarlo. Ahora que pasó con éxito el momento de riesgo, dice que lo disfruta más que Angelina, precisamente por haber logrado vencer el reto. Nunca aconsejaría a una cantante aceptar el papel antes de haber estado por lo menos diez años en la profesión, porque el papel no admite inmadurez vocal ni dramática. "Exige de la artista un modo de cantar seguro y una considerable presencia escénica. Como personaje Isabella es realmente una primadonna que domina completamente la escena sin esfuerzo ninguno. Toda la ópera depende de ella. Mientras en *La Cenerentola* hay otros personajes pulsando las cuerdas al mismo tiempo que la heroína, Isabella debe hacerlo sola. Es muy brillante, llena de recursos y astucia, y manipula a todos como títeres, incluyendo al público. No hay nadie que no esté a su disposición o deje de hacer lo que quiere. En comparación los personajes masculinos parecen más débiles, y supongo que, en realidad, es así, porque las mujeres son siempre más resistentes que los hombres."

En 1974 Valentini Terrani cantó su primera Isabella en el Metropolitan y unos pocos meses más tarde en La Scala, donde lo repitió en 1979. En los años que mediaron aprendió a dominar las serias dificultades técnicas. "La tessitura es de media a baja, con algunos pasajes de coloratura muy bajos. 'Cruda sorte' es pura coloratura de contralto y, como la mayor parte de Semíramis, llena de fuegos artificiales. Uno siempre está revoloteando el pasaje más bajo y si no se ha trabajado y perfeccionado la técnica de coloratura, no se puede afrontar el papel. Reflexionando sobre este punto, se llega a la conclusión de que una interpretación brillante es el producto de la madurez, como artista y como mujer. Mis actuaciones de 1979, en La Scala, coinciden con un período en el cual me sentía en la cúspide de mi vitalidad. Siempre pienso que es una lástima que las cantantes no podamos cantar lo que queremos en el momento indicado, el momento de oro que generalmente está entre los treinta y cinco y los cuarenta y cinco años. La gente de teatro, en lugar de pensar 'Tenemos a tal y cual cantante en su mejor época, ¿qué podemos proyectar para ellas?', piensa: 'Queremos poner esto o aquello', y se dedican a la pesca de alguien capaz de cantarlo, aunque sea de manera rudimentaria. Una parece haber nacido para ciertos papeles" afirma Valentini Terrani, y es lo que pasa con su Rosina en *El Barbero de Sevilla*, que cantó en 1975 en Génova, y más tarde en una gira por Japón, el Covent Garden, Aix-en-Provence y Hamburgo. Según su opinión, el papel es un problema para las verdaderas mezzosopranos porque son por naturaleza voces oscuras, sensuales y ardorosas. "Pero aunque Rosina debe ser interpretada con alguna sensualidad, se corre el riesgo de que las verdaderas mezzosopranos se sobrepasen y le den al papel colores más adecuados que a Azucena. Pero tampoco creo que deba ser cantado por sopranos coloratura, porque su limitada gama de colores las hace más aptas para papeles superficiales. Rosina, por supuesto, no es un papel protagonista, no depende de ella todo lo que ocurre en la ópera. En realidad, se enfrenta con sus colegas masculinos, Fígaro y el Conde Almaviva, los cuales tienen importantes comienzos con arias como 'Largo al factotum' y 'Ecco ridente', antes de darle a ella, con 'Una voce poco fa', la oportunidad de mostrar qué puede hacer."

En los últimos años se ha producido un movimiento de revaloración de Rossini, y Valentini Terrani confió a *Musica* que eso ha significado una de las grandes alegrías en su vida musical. Se refiere especialmente a las obras menos conocidas, las "opere serie" como *Tancredi, Semíramis, La Donna del lago*, que "realmente corresponden a la revolución de Rossini. No hace tanto tiempo, durante mis años en el Conservatorio de Padua, el Rossini serio era prácticamente desconocido y el cómico se representaba por lo general en versiones gravemente truncadas. Por ejemplo, en la famosa grabación de Vittorio Gui de *La Cenerentola* falta la mitad de la partitura. Teniendo en cuenta que había buenas cantantes, como Giuletta Simionato o la joven Teresa Berganza, hay que deducir que la medida responde al gusto del público. Todavía no está listo para aceptar ediciones sin cortes o recibir las óperas serias, menos conocidas, de Rossini."

La situación cambió con "el ciclón de Marilyn Horne", que barrió con las concepciones previas sobre Rossini. Ya nada volvería a ser lo mismo. La respuesta arrebatada de su público allanó el camino hacia el interés por la investigación musicológica del Centro de Estudios sobre Rossini, fundado en 1940 en Pesaro, junto al Adriático, que no sólo es la cuna del compositor sino la sede del famoso Festival Rossini, que se realiza anualmente.

Estudiosos como Alberto Zedda, Philip Gosset y Bruno Cagli han sacado a la luz y editado varias óperas hasta ahora desconocidas. El primer ejemplo es *El Viaje a Rheims*, más tarde representado con éxito en La Scala y la Opera de Viena, y grabada con Deutsche Grammophon. "Esto hubiera sido inconcebible veinte años atrás, cuando una producción como la *Semíramis* de Pier Luigi Pizzi (en la que Valentini Terrani cantó Arsace en Torino, en la temporada 1983-1984) habría quedado confinada a festivales para pequeñas elites. Las cosas cambiaron mucho desde que esta producción se puso en una cantidad de importantes salas de ópera."

Para Valentini Terrani era un placer cantar las óperas serias de Rossini, especialmente papeles de varón como Malcolm, Arsace y Tancredi, porque le significaba la oportunidad de penetrar en la psicología masculina. En especial Tancredi le parece, según dijo a *Musica*, "indescriptiblemente poético, pero viril en un estilo caballeroso, casi 'estilizado'. Al mismo tiempo su dúo con Amenaide lo muestra tan suave, dulce y vulnerable que llega a ser casi perturbador. Cantarlo fue un júbilo puro, espiritual y físico al mismo tiempo, porque la ópera contiene, densamente sintetizado, todo el mundo musical del pasado: Gluck y Handel están ahí condensados, con una frescura y proximidad que emocionan hasta parecer un milagro."

En estas obras hay fragmentos que la emocionan: los largos, arduos recitativos, muy dramáticos, como el de Arsace "Eccomi alfin in Babilonia", o el primero de Tancredi, en el cual "Rossini parece haber volcado su corazón. Es asombrosa la cantidad de emotividad que puede poner en unos pocos compases. La belleza, la ternura, esa especie de modesta castidad que hacen que la música resulte desgarradora. Habiendo cantado estos papeles después de representar *La Cenerentola*, *La Italiana* y *Barbero*, me convencí de que las óperas cómicas eran una mera fachada. El verdadero Rossini está en sus 'opere serie' y especialmente en los recitativos."

La tremenda revitalización del interés por Rossini produjo dos estilos distintos de interpretación: por un lado, el estilo más libre de Marilyn Horne, y por otro la escuela que respeta fielmente el texto, representada por Abbado en su grabación del *Barbero* con Berganza. El gusto del director y su personalidad es factor importante, así como el gusto del público. Adornar, y especialmente *cómo* se adorna el *bel canto* en general y Rossini en particular, depende de ellos. Abbado y Muti se inclinan por un estilo muy purista de interpretación, mientras cantantes como Horne, Sutherland y Beverly Sills sostienen un punto de vista menos riguroso. Valentini Terrani cree en un justo medio: evitar representaciones que signifiquen algo más que conferencias sobre musicología o mostrar excesos de mal gusto que la hacen exclamar: "Mi Dios, ¿qué tiene que ver esto con Rossini? Es nada más que una cantante exhibicionista haciendo su número." Sin embargo, algunas tradiciones son aceptables. "La nota alta al final del Rondó de *La Cenerentola* no está marcada, pero es un momento maravillosamente expresivo de una manera musical, de modo que si la cantante da la nota, sería estúpido rechazar, por motivos puristas, una tradición universalmente aceptada. Hasta Claudio me autorizó a hacerlo."

Valentini Terrani afirma que debe *todo*, su carrera completa, a Claudio Abbado, quien confió en ella con aquella *Cenerentola* de La Scala en 1973, la comprometió inmediatamente para el *Stabat Mater* de Pergolesi, y la invitó a trabajar con él en gran cantidad de óperas y conciertos. "Siempre que pudo me propuso para papeles convenientes en distintos teatros, lo que fue invalorable. Porque las cantantes de ópera hacemos una carrera no sólo gracias al aprecio del público sino también, y en gran medida, con el apoyo de determinados directores importantes. (Las carreras de Mirella Freni, Agnes Baltsa y Anna Tomowa Sintow, quienes se hicieron de un nombre internacional con la ayuda constante de Herbert von Karajan, prueban que la afirmación de Valentini Terrani se ajusta a la verdad.) Si a una le gusta realmente a un director, él se asegurará de que haga una buena carrera, tanto en escena como en grabaciones."

Aparte de las consideraciones comerciales y profesionales, manifiesta que su proximidad a Abbado le ha brindado la máxima satisfacción, y ha sido "el punto más alto en mi vida de cantante, casi un romance musical. Es tal la relación con las cantantes que valora, que se da una especie de unión, una misteriosa fusión a través de la música, como si las dos almas se hubieran conocido desde siempre. Una se siente acunada y llevada por la música a distintas dimensiones de la existencia."

Hay otra influencia importante en su carrera, la de Georges Prêtre, que la inició en la ópera francesa cuando hicieron *Werther* en Florencia, con Alfredo Kraus en el papel protagonista, del cual es uno de los intérpretes más notables. Con él, Terrani aprendió a gustar la ópera francesa y comenzó a explorar el repertorio. "Admiro la manera realmente sutil, aunque sensual, en que hay que darle color a la voz. En la ópera, mejor dicho, en la música francesa, nada es 'blanco o negro'. El sonido me hace imaginar un gris rosado, como el cielo con las primeras luces, antes del atardecer o en el ocaso. Los definidos tintes que corresponden a los colores vocales de la ópera italiana no aparecen aquí."

Volvió a cantar Charlotte en 1982, otra vez en Florencia, y para su debut en la Opera de París, en la temporada 1983-1984. Su punto de vista con relación al personaje está muy influido por la interpretación de Kraus, cuyo Werther es endémicamente melancólico y casi masoquista. Esto hace a su Charlotte "muy tierna, casi maternal. Mucha gente preguntaba cómo yo, una mujer llena de vida, podía identificarme con Charlotte, que es esencialmente insatisfecha. Pero para mí ella representa a la mujer de ayer, de hoy y de mañana, cuyo amor, por deber o por conflictos de lealtad, no puede ser consumado." Después del reestreno en Florencia, *Opera Internacional* dijo: "Lucia Valentini Terrani da a su interpretación de Charlotte más madurez e intensidad que anteriormente. Su modo de cantar es apasionado, aunque lleno de sutileza, e impresiona en la Escena de la Carta y en los grandes dúos amorosos."

El éxito de Charlotte despertó su deseo de hacer más ópera francesa (actualmente clama por Julieta, Dalila y Didon), y aceptó rápidamente la invitación de Prêtre para hacer en Florencia *Mignon* de Ambroise Thomas, en la temporada 1983-1984. "*Mignon*, que no se había representado en veinte años, es muy gratificante para las mezzosopranos. Para empezar, es un papel protagonista, lo que significa que toda la responsabilidad cae sobre sus hombros. Vocalmente es ideal para una mezzosoprano, porque su tessitura revolotea la mayor parte del tiempo en la parte media, y eso siempre es cómodo. Como en muchas óperas francesas, los dos primeros actos son más altos, con la tessitura tendiendo a la zona de las sopranos, y baja en el tercer acto, cuando la acción se desdobla. La composición es muy matizada; en algunos pasajes maravillosos, Prêtre extrae de la orquesta colores sublimes. Hay un aria, 'Connais tu le pays', que solía ser una importante demostración de lo que puede hacer una mezzosoprano, pero en la actualidad está de moda despreciar a Thomas, cosa que me parece de una arrogancia absurda. No intentaré defenderlo, porque los compositores se defienden por sí mismos, y no necesitan que alguien lo haga en su lugar."

Valentini goza haciendo Mignon, que le ofrece la oportunidad de dar vida a un personaje poco representado, pero muy interesante. "Mignon es una chica de la calle, secuestrada por los gitanos, y que crece entre ellos. Desde el punto de vista de la actuación, el papel tiene un gran potencial porque hay que mostrarla como una adolescente que se enamora sin darse cuenta de lo que le ocurre. No tiene conciencia de lo que siente ni de estar celosa. Al final, cuando Wilhelm le declara su amor, descubre que la emoción que experimentaba hacía tanto tiempo también era amor."

El nuevo papel elegido por esta notable cantante habla de su versatilidad y su interés por entrar en territorios poco explorados, como es la ópera rusa. Para la inauguración de la temporada 1979-1980 de La Scala, hizo el papel de Marina en *Boris Godunov* de Mussorgsky. La puso Yuri Lliubimov y fue dirigida por Claudio Abbado. En su vida había cantado nada ruso, ni el más ligero sonido, y se preguntaba si estaría en condiciones de cumplir con el papel. Decidió confiar en la intuición de Abbado, y con el cálido apoyo de su marido fue a pasar un mes en París, estudiando su parte con una profesora rusa, la primera mujer de Nicolai Gedda. A los quince días, telefoneó a Alberto Terrani para decirle: "No tiene sentido que se quede y gaste tanto dinero. Tu mujer está lista para cantar en La Scala *ahora*."

Se sentía muy sorprendida porque, siendo la música rusa "tan lejana culturalmente", sin embargo estableció una afinidad inmediata con ella y con Mussorgsky. "Aunque parezca extraño, hay algo en los colores, en la melancolía, en el abandono emocional, que golpea una profunda cuerda dentro de mí. Desde el punto de vista dramático, Lliubimov quería que hiciera de Marina algo así como una Lady Macbeth polaca. En el aspecto vocal, las frases largas y amplias de Mussorgsky concordaban con mi voz. Es algo 'grande' cantarlo, produce verdadero placer. Créase o no, me da menos miedo hacer algo tan ajeno a mí como Mussorgsky que nuestro Verdi, que me aterroriza como un ogro." En 1982 interpretó a Mistress Quickly en *Falstaff*, en el Maggio Musicale Fiorentino y más tarde en Los Ángeles y el Covent Garden con Giulini, papel que le parece inapropiado porque es para contralto baja, y grabó Eboli en la versión francesa de *Don Carlos*, dirigida por Abbado. Aparte de esos dos, el único papel de Verdi que tuvo en cuenta fue Azucena. Sin embargo, cuando debía cantarlo en la producción de Piero Faggioni de *Il Trovatore*, programada para 1989 en el Covent Garden, lo canceló. Reconoce que el temor a Verdi tiene mucho que ver con las cosas que ha oído, por ejemplo, "si cantaba Verdi, perdería mi agilidad para Rossini y Haydn."

Tiene grabadas dos óperas de Haydn: *La Fedeltà premiata* y *Il Mondo della Luna*, y cree que es el compositor más difícil que ha cantado. "Es muy alemán, musical y emocionalmente. Los compositores alemanes llevan su fuerte identidad estampada en la música. No se puede cambiar o agregar nada a lo que han escrito, o tratar de convertirlo en lo que no es. Su música es muy definida, más inflexible que la de Rossini. Con este último se siente libre, puede agregar algo por su cuenta. Haydn tiene una estructura más exacta y económica. Cuando se lo canta, hay que estar seguro de que es lo que él quería que cantaran y nada más. Cada compositor, sea Bach, Haydn, Handel, Mozart o Rossini, ha escrito una coloratura totalmente distinta. La de Rossini es saltarina y requiere una técnica muy particular: la voz debe estar perfectamente ubicada en la respiración, que a su vez debe ser controlada y dosificada con total precisión, y las cavidades resonantes serán empleadas de modo que permitan la impecable emisión del sonido. En cambio, la coloratura de Haydn no salta desde la línea pero crece y permanece dentro del arco de las frases musicales. Es más lineal y requiere una gran concentración física. Hay que hacer lo que está marcado y nada más. Tiene una pureza absoluta, presente sólo en la música alemana; yo la comparo con un pájaro joven, pero fuerte y saludable. Otra vez surge el adjetivo 'sólido': no hay nada liviano o aéreo allí."

A Valentini Terrani le llevó mucho tiempo compenetrarse con este estilo y aprender los papeles de Haydn, especialmente Celia en *La Fedeltà premiata*, que tiene cuatro arias muy difíciles y una amplia tessitura. "Lo que define una voz, por supuesto, no es su amplitud sino su color, por eso en los conservatorios las sopranos son calificadas, con frecuencia, como mezzosopranos o viceversa. Es conveniente tener una buena amplitud que vaya del registro alto al bajo, pero yo no creo en eso de pasar de los papeles de mezzosoprano a los de soprano. (Las voces negras son una excepción, porque su color es completamente distinto.) Cuando el color de la voz es ámbar, aunque llegue a las notas altas o no dé algunas bajas, es una voz de mezzosoprano.

"Celia es definitivamente un papel de mezzosoprano, pero me resulta difícil. Mi voz es muy oscura y aterciopelada, y debo buscar el timbre metálico. De haber nacido en Alemania, es probable que hubiera sido cantante de lieder especializada en Schubert, Schumann, Brahms, Wolf y Mahler. Pero siendo italiana, desarrollé la coloratura de mi voz. Tuve un buen maestro en el Conservatorio de Padua (ciudad donde vive con su marido) y me impidió cometer errores. Con mi fuerte tendencia al drama, podría haberme lanzado a Verdi, lo que hubiera significado mi ruina. Tal como se dieron las cosas, pensé que es mejor ser una buena cantante de Rossini que una mediocre de Verdi."

Frederica von Stade

"**N**o tendría sentido tratar de analizar o describir el encanto... pero uno lo reconoce cuando lo ve. Y uno lo ve en el misterioso magnetismo de Frederica von Stade cuando aparece en un escenario." Las palabras del *New York Times* después de la representación en Santa Fe de *Chérubin* de Massenet, dan en la clave al referirse a la cualidad prominente de esta mezzosoprano lírica americana. Puede ser en papeles masculinos como el Cherubino de Mozart u Octaviano de Strauss, al que le otorga el necesario toque aristocrático, puede ser su mágica Melisande o el papel de Cenicienta, en *La Cenerentola* de Rossini y *Cendrillon* de Massenet, personaje que interpreta con una sinceridad transparente que aumenta su atractivo de cuento de hadas.

New Yorker dice de su voz que "es una verdadera voz, un instrumento preciso, liviano, obediente", aunque ella la subestima y la llama "mi voz insignificante". Es ideal para papeles clásicos y para la ópera francesa: ardiente, agradable de oír y cuidadosamente manejada. Excepto algún error ocasional, como cantar Adalgisa en su primera época en el Metropolitan, la elección de su repertorio siempre fue impecable. Sabiendo que los papeles de mezzosoprano dramática como Amneris, Eboli o Carmen estaban fuera de sus posibilidades, von Stade se dedicó a Mozart, haciendo el Cherubino, Dorabella, Sextus, Idamante. Dentro de los franceses, además de los nombrados, se cuentan Charlotte en *Werther*, Iphise en *Dardanus* de Rameau, y Mignon en la ópera del mismo nombre. Los papeles italianos no han sido muchos: Penélope en *El Retorno de Ulises a la Patria* de Monteverdi, Elena en *La Donna del lago* de Rossini y un par de heroínas contemporáneas: Nina en *The Seagull* de Pasatieri, que cantó en el estreno internacional en Houston, y Tina en *The Aspern Papers*, escrito por Dominick Argento especialmente para ella.

La carrera internacional de von Stade comenzó en 1973, al inaugurar la era Liebermann en la Opera de París, con el Cherubino, en producción de Giorgio Strehler de *Las Bodas de Fígaro*, dirigida por Solti. La cantó también en Glyndebourne, puesta en escena por Peter Hall. El impacto de su juguetón y verosímilmente andrógino personaje fue tal que llovieron las invitaciones desde los lugares más importantes. Y Karajan le ofreció cantarlo en 1974, dirigida por él en Salzburgo, con puesta en escena de Ponnelle.

Afortunadamente, von Stade estaba preparada para la repentina fama. Nacida en Nueva Jersey, el primero de junio de 1945, a los pocos días de morir su padre en la guerra, "Flicka", su sobrenombre hasta hoy, creció en Grecia, en Washington y en Connecticut, entre sus familiares. Su ascendencia paterna incluye un alcalde de Stade, pequeña ciudad próxima a Hannover. Aunque una de sus tías abuelas era cantante y había representado en la Opéra Comique, ella no pensó en ser cantante, ni siquiera en estudiar música, hasta que fue bastante mayor.

Durante algunos años se dedicó a hacer variados trabajos: *au pair* en París, vendedora en Tiffany, secretaria en el Festival Shakespeare de Stratford, en Connecticut. Apareció por primera vez en escena como la Bestia, en una producción para chicos de *La Bella y la Bestia*, con la Compañía Teatral de Long Wharf, New Haven. En 1966 volvió a Nueva York donde asistió a la Escuela de Música Mannes, para aprender a leer música. No proyectaba hacer carrera en la ópera, pero de pronto se entusiasmó e ingresó en el taller de ópera de la Escuela.

Le resultaba extraño verse, "una ignorante como yo", rodeada de compañeros que tocaban un instrumento desde muy pequeños, y no creía que pudiera aprobar los exámenes del primer curso. Pero lo hizo, y en segundo año empezó a recibir lecciones de canto con el hombre que cambiaría su vida, convirtiéndose en su consejero hasta que murió, trece años después. Se llamaba Sebastian Engelberg. Hasta entonces, según confió a Janet Tassel en *Opera News*, siempre había cantado "muy bajo, como una contralto. En las dos primeras clases no canté una nota. El se limitó a describir cómo debía ser la voz, y hablamos. Yo me moría por ponerme a cantar. En la tercera lección canté un Do agudo y eso fue casi todo. Todavía siento las vibraciones en mi cabeza. Al final, Engelberg me hizo vocalizar el Do agudo mientras trabajaba la vibración de mi registro bajo."

Después de cuatro años de estudio, Engelberg la animó a presentarse a las Audiciones del Metropolitan de 1969. No muy convencida de estar capacitada para ser cantante de ópera, se prestó a hacer la prueba un poco en broma. Pero Rudolf Bing la contrató inmediatamente por tres años, y debutó en el Metropolitan en 1970. Interpretó a uno de los Tres Chicos en *Die Zauberflöte*. Bing quedó muy contento y se lo demostró dándole en cada temporada un buen papel como Hansel, Rosina o el Cherubino, alternado con otros más pequeños: Flora, Suzuki, Wowkle en *La Fanciulla del West*, Stephano en *Romeo y Julieta*, Siebel, Nicklausse y Adalgisa. De modo que en tres años pudo perfeccionar su técnica y aprender el oficio. Lieberman, que planificaba una reorganización en París, la vio en el Cherubino y la invitó a hacerlo allí. Desde entonces pasaría la mayor parte del tiempo en Europa, apareciendo regularmente en el Metropolitan hasta 1976.

El Cherubino sigue siendo su papel preferido, y lo considera su mascota. "Me doy cuenta de que hacerlo a mi edad es casi obsceno, pero lo admiro, como a todos los personajes de esa ópera: Susana, la Condesa, hasta la estupidez del Conde. Todos son importantes, y en ellos hay humor, pasión, *pathos*, y fragilidad humana. *Las Bodas de Fígaro* es una ópera *de verdad*, más que cualquier otra de Mozart." En París, Strehler la instó a ser "tan bella como cualquier mujer bella y a moverse como una bailarina, no como un soldado. Debe estar llena de fuego, como la obertura, que se refiere a usted, el Cherubino." Aunque este personaje actúa parte del tiempo como un paje de la corte, y parte como un chico del campo, sigue siendo un aristócrata, explica la cantante a *Opera News*. "No tan refinado como Octaviano, un poco histérico, mucho más joven, por supuesto. Me gusta hacerlo, pero es difícil, tan puro y expuesto. Uno pensaría que puedo despacharme con 'Voi che sapete' como en los viejos tiempos, pero ahora tengo que trabajarlo mucho."

En 1983 von Stade cantó el Chérubin de Massenet en el Carnegie Hall. ¿Cuáles son las diferencias vocales y dramáticas con el Cherubino de Mozart? "No solo son estilísticas sino que tienen que ver con la trama. En Mozart no es el introducido del grupo, sino parte de una *familia* cuyos miembros están íntimamente relacionados: la Condesa, Susana, Fígaro y el Conde. La verdadera importancia de esta pieza sublime, que tiene un punto de vista bien definido, radica en la naturaleza del amor, la naturaleza humana y las relaciones entre los hombres. En cambio, *Chérubin* de Massenet no tiene un punto de vista, no tiene nada para enseñar. Chérubin, mayor, más desenvuelto y aun así un reconocible Cherubino, es la figura central, pero la ópera es una distracción, una pieza hueca. Massenet era muy consciente del favor del público y sabía cómo emplear su talento para retener la atención y entretenerlos, desarrollando sus óperas convenientemente. Como muchas obras francesas, el tema de *Chérubin* es el encanto, la elegancia y la *apariencia* de las cosas. No hay profundidad en el aspecto vocal ni en el estudio de los personajes."

Es mucho más fácil de cantar que el Cherubino, afirma von Stade, es "tan claro, limpio y preciso. Exige un sonido alto, más bien brillante, porque el personaje en sí lo es, usa palabras agradables, es liviano y frívolo. Como siempre, Massenet es muy detallista en sus instrucciones. Dice exactamente qué es lo que quiere. En este sentido, es uno de los compositores más *cuida-*

dosos, desesperadamente obsesivo con la velocidad y el tempo. Hay un gran sentido de la medida, de la regulación de los diferentes pasos. Las obras tienen más éxito cuando el director y los cantantes observan esas instrucciones que permiten seguir el propio impulso. Nunca debe hacerse como para que suene 'pucciniano'."

Las veces en que más ha disfrutado cantando Massenet ha sido con directores muy estrictos, que no se permitían el lujo de hacer un "viaje" personal, algo que los músicos *pueden* concederse. Pero entonces pierde su encanto, y sus colores deliberadamente buscados, definitivamente *no* son puccinianos. En la ópera francesa todo pasa dentro de un contexto de restricción, de cierta reserva. La música nunca es *extravagante*, siempre es controlada. Hasta cierto punto, esto se aplica a toda la música. Cada estilo, incluyendo el verismo, tiene limitaciones y no se puede ir más allá de ellas. Esto no significa un total abandono al cantar, eso no existe. Callas se aproximaba a algo que *parecía* abandono, pero en realidad era el resultado del control más riguroso tanto emocional como dramático y vocal."

Von Stade vivió en París un largo tiempo. Además de haber trabajado como *au pair*, ella y su primer marido, el maestro de canto Peter Elkus, tuvieron allí su hogar más o menos durante siete años. Se quedaron desde 1976 hasta su regreso al Metropolitan entre 1982 y 1983, instalándose entonces en las afueras de Nueva York. Ella reconoce su "enorme respeto y admiración por los valores franceses, las cualidades y forma de vida, y por la gente, que una vez conocida, se convierten en amigos leales. Y todas esas cualidades están expresadas elocuentemente en la música francesa."

El mismo año que von Stade se fue a Europa, apareció en el American Bicentennial Tour de 1976 de la Opera de París. Hizo Cherubino y debutó en La Scala como Margarita en *La damnation de Faust*, y a continuación en *La Cenerentola*, con puesta en escena de Ponnelle, dirigida por Abbado. Se filmó para televisión y la *Bicentennial Tour* la llevó a Estados Unidos. Cantó Cenicienta en la ópera de Rossini y en *Le Cendrillon* de Massenet, que hizo en 1979 en Washington y en Ottawa. Se había tomado un descanso entre 1977 y 1978, esperando el nacimiento de su primogénita, Jenny Rebecca. Actuar en ambas Cenicientas la ayudó a introducirse hondamente en el personaje y en las características de cuento de hadas de la obra. Considera *La Cenerentola* un clásico italiano y "una pieza profundamente espiritual. Su tema es la naturaleza de la bondad y está llena de símbolos y verdades universales, expresadas de manera tradicional. Como siempre, es cómodo cantar la música de Rossini, resultando un masaje para la voz porque no se puede presionar en las coloraturas. Está tan bien compuesta y todo está tan especificado, que cantarla es como seguir estudiando toda la vida. Cuando se hace con precisión y tan perfectamente como debe hacerse, pierde su encanto. Pero bien hecha electrifica, es la experiencia más excitante, son fuegos artificiales. Me considero afortunada por haberla preparado con el mejor maestro italiano, Ubaldo Gardini. Siento por él un hondo e imperecedero afecto. Estudiar a Rossini con él fue abrir los ojos a muchas cosas. Durante horas y días trabajamos en el ritmo, la acentuación, la importancia de las palabras y en encontrar la manera de cumplir con el propósito musical del compositor."

Le Cendrillon es muy distinta: simplemente un cuento de hadas, una fiesta para los ojos. Pasa de un aria a un conjunto y luego a un ballet de un modo encantador, y no es muy profunda. El Massenet de Chérubin y Cendrillon (que grabó CBS) fue el Andrew Lloyd Webber de su época. Su fórmula musical, muy probada, generalmente tuvo éxito.

Pero von Stade descubrió un aspecto más profundo en Massenet un año después de cantar Cendrillon en Washington y Ottawa, al hacer su primera Charlotte en el Werther, representado en el Covent Garden en 1980, con José Carreras en el papel protagonista. La dirigió Colin Davis, para quien la obra era nueva y en algunos momentos la hacía sonar ligeramente pucciniana, poniendo a veces tensos a los cantantes. De todas maneras, von Stade goza cantándola y, por extraño que parezca, le parece "divertida". Es claro que habiendo interpretado tantos papeles masculinos, e inocentes Cenicientas, "fue maravilloso hacer, al fin, una heroína que en el tercer acto deja su 'mundo de niña' para entregarse a una gran pasión. Después de todo, la ópera es eso. En ese sentido, fue el punto de arranque para mis otros papeles, y así llegué a Tosca, al verismo. Fue difícil vocalmente porque empieza muy bajo para ir subiendo y hacerse muy dramático. La actuación del director es vital en este punto porque, si no controla la orquesta, realmente puede arruinar la garganta del cantante."

Al comienzo de la obra, Charlotte no le resulta demasiado simpática, pero sí después, y también musicalmente a medida que avanza la obra y ella empieza a compartir algunas manifestaciones poéticas de Werther y sus románticas líneas. En Goethe es mucho más fría que en Massenet, que ha puesto mucha sinceridad y calor en su música. Hacia el final, esta muestra claramente que la vida terminó para ella al morir Werther... "Es desagradable pensar que pasará el resto de sus días en el paisaje desértico de sus emociones. Por supuesto, que todo está en el contexto de la época en que viven. Actualmente Charlotte hubiera podido elegir."

El personaje que presenta von Stade es emocionante y fue muy encomiado por Harold Rosenthal, en vida editor y fundador de Opera. "Aunque el nombre de la ópera sea Werther, la representación más memorable es la de Charlotte, la deliciosa Frederica von Stade. Quizás en teoría se podría preferir una voz un poco más voluminosa para hacer el papel en una sala del tamaño del Covent Garden, o una más colorida; pero Miss von Stade hizo más que una interpretación emocionante, porque fue tan natural y la conversación tan realista, que uno queda atrapado en los problemas de Charlotte y puede compartir sus sentimientos."

"La Mélisande soñada", "la sensación de la temporada", dijo Le Monde cuando von Stade intervino en Pelléas et Mélisande de Debussy en 1977. Otra vez era un papel francés el que le procuraba los más grandes elogios, aunque la puesta en escena de Jorge Lavelli en la Opera de París fue muy controvertida. *Le Figaro* le dedicó la primera plana, causando un alboroto. Von Stade recuerda una sola cosa que se le criticó: su francés. Sin embargo cree que Mélisande *debía* ser extranjera, *debía* tener un ligero dejo, como la primera intérprete del papel, Mary Garden.

"Es uno de los personajes más enigmáticos del repertorio. Su ambigüedad realmente se trasluce en la música, que describe la naturaleza de Mélisande mejor que las palabras, que parecen provenir de otro mundo. Toda la obra está llena de simbolismos. Se los encuentra donde quiera que se los busque. Por ejemplo, ¿qué significa el anillo? En realidad no se sabe. Pero uno sigue la música, que por sí sola parece explicar los sentimientos que rondan alrededor. Y a pesar de su ambigüedad, *Pelléas et Mélisande* es una ópera muy apasionada." (Y nunca tanto como en la grabación de EMI, dirigida por Herbert von Karajan, que convierte a la obra en algo más apasionado y romántico de lo que se podría pensar.)

Las escenas preferidas de von Stade son aquellas con Pelléas, donde Mélisande es casi "tangible". "Por un momento hay algo feliz en su entorno, un relámpago de confianza, una joven juguetona, casi una Zerlina. Y después de la escena con Golaud, uno *necesita* algo así. ¿En qué consiste su terror? Otra vez lo ignoramos. Sin duda ella es narcisista y disfruta siendo el juguete de Golaud. ¿Conozco a Mélisande? Realmente, no. A veces me *gusta* enormemente, a veces no estoy tan segura. Sus reacciones ante la vida y ante su hijo son muy ambiguas. En ese sentido, es la encarnación de la eterna psiquis femenina que conlleva tantas cosas dentro. No pasa eso con los jóvenes ni con los hombres, no hay rincones ocultos en sus almas. Además, está la fantasía, esa parte del alma de la mujer que puede edificar todo un mundo interior. Quizá ella sea esa clase de personas. Por eso Golaud se distrae. Quiero decir que uno la sacudiría. Por eso, tal vez, nadie se preocupa mucho por lo que le pasa a Mélisande. Preocupa mucho más lo que le ocurre a Pelléas.

"Alguien dijo una vez que ella es calculadora y ácida, pero no lo creo. Fundamentalmente, creo que el papel de Mélisande es según lo hace la cantante, y a raíz de esto es mucho más elusiva y cambiante. Es fácil hablar del tema, pero ¿cómo se hace? ¿Cómo se lo desarrolla? Por supuesto que el director es decisivo. Sea cual fuere la forma en que se lo interpreta dramáticamente, es vital que la artista esté terriblemente concentrada y sea muy específica. De otra manera el público se sentirá perdido. Y en tanto envejezco, es muy importante que conserve la claridad de la voz. Porque aunque la línea de Mélisande tiende a ser baja, nunca debe sonar grave, siempre debe haber liviandad en ella, porque está en la *música*, que es una fiesta de colores." (Precisamente por eso se elogió tanto en *Gramophone* la grabación de von Stade: "Una Mélisande de grandes ojos que transmite inocencia y sencillez a través de la pureza de su voz y la claridad del tono, y hace creíble la transición de la gacela del comienzo a la mujer que despierta en el cuarto acto.")

La poesía y las canciones ocupan un lugar importante en el repertorio de von Stade. Ha dado muchos recitales de lieder y le produce un gran

308

placer montar programas entretenidos y originales. En mayo de 1990, durante la conferencia cumbre, el presidente Bush la invitó a la comida de gala en la Casa Blanca, en honor de Gorbachov, y en 1991 a un acontecimiento similar en honor de la reina de Dinamarca. Una de sus combinaciones preferidas es *Cabaret Songs* de Schoenberg, "que es un grito", con algunas atractivas canciones de Strauss descubiertas a fines de los años cincuenta por Elisabeth Schwarzkopf, "que suenan a Schumann", un grupo de canciones americanas, la famosa aria de *Otelo* de Rossini, y "montones y montones" de canciones francesas. "Hay tantas cosas que se pueden decir en francés y no en inglés, y además me siento más cómoda que con el alemán", y esto último lo afirma a pesar de su ascendencia.

Sus principales papeles alemanes son el Compositor en *Ariadna en Naxos* y Octaviano en *El Caballero de la Rosa*, que cantó por primera vez en 1976, en el Festival de Holanda, y luego en el ciclo de primavera de 1983, en el Metropolitan. Es un papel con el que siempre ha logrado buenas críticas. "Miss von Stade, cantando magníficamente, pone tanta convicción en el adolescente como en Mariandel. Su trabajo, su postura, todos sus gestos se integran para dar una representación fuera de serie", dijo *Opera* después del estreno, en el Festival de Holanda. Y ella explica a *Opera News* durante las funciones en el Metropolitan: "Además de que hay que mantener una cierta postura a causa del traje de etiqueta y la espada, Octaviano es ante todo un aristócrata: sostiene la cabeza en alto, su porte es impecable. Mantenerme así determina mi aproximación física a Octaviano. Su postura parece decir 'mírenme, soy un conde'. Es el producto absoluto de un estilo de vida. Admiro a los chicos de esa edad. Si se sienten satisfechos con ellos mismos, no son falsamente modestos. Octaviano puede alardear, pero nunca es ofensivo. ¿Por qué no iba a alardear? Va de palacio en palacio, uno más bello que otro. Revestido en plata de pies a cabeza, con la música rompiendo a su llegada, ¡es demasiado grandioso para ser cierto! Al mismo tiempo orgulloso sexualmente con sus descubrimientos, lo mismo que le pasaba al 'graduado' con mister Robinson. Iniciarse con una mujer soberbia como la Mariscala, en lugar de rondar a alguna chica de su edad. Tenía que ser el *mejor*, y eso se ve en el gusto, la fineza y lo divertido de la situación."

Durante mucho tiempo, la vida de von Stade estuvo llena de júbilo: su carrera crecía, era aparentemente feliz en el matrimonio con Peter Elkus, y madre de dos niñas, a quienes trataba de dedicarse lo más posible, a pesar de su profesión. Católica devota, en 1983 confesó que podría "llorar por tantas alegrías: mi familia, mi trabajo, mi carrera". Pero su matrimonio se destruyó repentinamente, a fines de los años ochenta. Sintiéndose destrozada, parecía no tener fuerzas ni ganas de preocuparse por su profesión. Sin embargo, gradualmente comenzó a hacerlo. Otra vez su carrera avanza y hace poco se casó con el californiano Michael Gorman, que "no tiene nada que ver con la música". Se preparaba a mudarse a las afueras de San Francisco y a buscar escuelas para las hijas. En realidad, cuidarlas es un factor decisivo en elegir qué y dónde va a cantar. "Tener hijos significa cambiar el tipo de esfuerzos que uno hace", dijo después de que nacieran sus hijas en 1980. "Quisiera jugar con mis chicas y verlas desarrollarse, darles todo lo que pueda. Los hijos *nos dan tanto*, especialmente mientras son pequeños, que todavía parece fluir la sangre entre ellos y nosotros." Confiesa que siempre las necesita más que ellas a su madre.

En este momento proyecta hacer Penélope y el Cherubino en San Francisco, y Mélisande en Los Angeles. Se siente feliz de volver a los "viejos papeles, viejos amigos como Cherubino, que cantó, por última vez, en la temporada 1991-1992 del Metropolitan. Es bueno, ahora que las chicas están creciendo y tengo que dedicarles tanto tiempo, hacer papeles que me resultan familiares y cómodos." Siempre ha pensado que una artista debe aprender y enriquecerse toda la vida. Con la madurez, algunas cosas resultan más fáciles mientras que con otras pasa lo contrario, porque ya no se cuenta con la intuición certera de la juventud. Y de pronto, no es tan importante hacer mucho como hacerlo *mejor*. Según declaró en una entrevista, la música no se relaciona sólo con la perfección. Los compositores sabían que los intérpretes tienen debilidades humanas. "Por eso se relaciona con la humildad, y más que eso, con la humanidad."

INDEX

312

318